Special Purpose Company

第8版

SPC& 匿名組合

の法律・会計税務と評価

監修　弁護士 永沢 徹

編著　さくら綜合事務所グループ

投資スキームの
実際例と
実務上の問題点

清文社

第8版にあたって

　本書の初版では、長く「匿名組合」という法形式が活発には利用されてこなかった状況と、このような法形式による共同事業は、活用の仕方によっては出資者たる匿名組合員にとっても、また営業者にとっても、リスクとリターンが合理的に配分されることになる理想的な事業形態であり、欧米におけるリミテッド・パートナーシップのように、もう一つの直接金融手法として利用・発展する可能性があることを指摘しましたが、その後、匿名組合をめぐる状況は大きく様変わりしています。

　一時期、資産の流動化・証券化は隆盛を極め、専門家の間だけではなく、新聞紙上など一般にも「流動化・証券化」という言葉が広く知られるようになりました。また、流動化・証券化のヴィークル（器）にはさまざまな種類のものがありますが、その中でも、匿名組合を用いたスキームは、その設計の柔軟性から、多くの案件において利用されるようになりました。

　流動化・証券化は、わが国においては不良債権の処理等において多大な貢献があったと考えており、今後も自然災害対策としての老朽化不動産の耐震化・リノベーション、環境に配慮した建築や高齢化社会を前提とした都市再整備等、不動産に関する今後の課題に関しても、有効な手段の一つとなり得るものです。

　また、平成23年には、SPC法についてその利便性を高める大きな改正がなされたほか、平成25年には、投資信託及び投資法人に関する法律（投信法）や不動産特定共同事業法（不特法）に関しても、その活用を促進させる改正がなされました。

　不特法では、平成29年改正において更に倒産隔離型スキームの導入や小規模事業者の参入障壁の緩和がなされたほか、クラウドファンディングでの取引を可能とする制度も整い、小口で分散投資できる条件が整いました。更に、近年では証券のデジタル化技術の進展とこれにともなう法整備、資金決済法の改正により、今後、一層の進展が期待されている分野です。

そこで本書では、SPC 及び匿名組合の法的性格や会計・税務処理、並びに投資ストラクチャーについて造詣の深い杉本茂先生をはじめとするさくら綜合事務所のスタッフだけでなく、匿名組合を実際に使って不動産を管理運営している企業の方々、これからの成長が期待される新しい法律分野である資金決済法や、暗号資産、仮想通貨、ブロックチェーン技術等に非常に精通されている方等々、各分野の第一線でご活躍されている方々にも、顕名、非顕名で、多数、寄稿いただきました。今後の改訂においても、各分野の第一線でご活躍されている方々の寄稿をお受けさせていただく予定でおります。

　本書については会計や税務を中心としてはおりますが、実務を執る上で日常必要となる法務や、実務上の論点も盛り込んで構成させていただいております。匿名組合による資産の証券化を組成してから、運営、そして終了までの全てを可能な限り盛り込んでおりますので、本書が安定した匿名組合の運営に、ひいては不動産証券化の発展に寄与できれば幸いです。

　最後に、企画段階から献身的に本書の改訂に携わり、繁忙期の執筆作業において、ともすれば筆の鈍りがちな我々を支え、有用で適時な助言により出版まで導いてくださった清文社の方々に心より感謝申し上げます。

2023年12月

弁護士　永 沢　徹

CONTENTS

第8版にあたって
令和6年度税制改正大綱について

第1章 SPCの法律・会計税務

第1節 SPCのメリットと流動化スキームのチェックリスト —— 3

1 わが国における資産の流動化 —— 3
  1. なぜオフショア SPC が必要だったのか —— 10
  2. 資産流動化スキームの器 —— 27
2 流動化スキームの組成チェックリスト —— 29
3 ヴィークルの選択と導管性要件 —— 29
  1. わが国税制の導管性 —— 34
  2. ヴィークルごとの導管性要件 —— 36
  3. ヴィークルの選択 —— 37

第2節 SPCの組成時の実務 —— 43

1 SPC 一般に関する法律問題 —— 43
  1. 真正譲渡 —— 43
  2. 倒産隔離 —— 44
  3. サブリース契約の賃料条件変更 —— 47
  4. インデムニティレター —— 47
  5. SPC の取締役の善管注意義務 —— 49
2 一般社団法人の利用 —— 51
  1. 一般社団法人の意義 —— 51
  2. 資産流動化における一般社団法人の利用 —— 52
  3. 今後の動向 —— 54

第2章 匿名組合の法務

第1節 匿名組合とは —— 59

1 匿名組合の起源と沿革 ——— 60

　1. コンメンダ契約——匿名組合は地中海生まれ ——— 60

　2. 海外貿易の発展はコンメンダの変化 ——— 61

　3. 匿名組合への発展 ——— 62

2 各国の匿名組合制度および類似の制度 ——— 63

　1. 概略 ——— 63

　2. フランスの匿名組合制度 ——— 64

　3. ドイツの匿名組合制度 ——— 64

　4. アメリカ・イギリスの匿名組合制度 ——— 66

　5. その他の国の匿名組合制度等 ——— 68

　6. わが国における匿名組合の歴史 ——— 69

第2節 匿名組合の法的性格 ——— 96

1 商法における匿名組合の規定 ——— 96

　1. 匿名組合財産の営業者からの独立性 ——— 96

　2. 匿名組合における貸借対照表の作成の必要性と性格 ——— 97

　3. 匿名組合の利益配当請求の際の損失の負担 ——— 98

2 出資法と匿名組合 ——— 98

　1. 匿名組合契約と金銭消費貸借契約の異同 ——— 98

　2. 出資法と匿名組合 ——— 100

3 匿名組合と内的組合 ——— 103

4 匿名組合に対する出資の性格 ——— 105

　1. 資産所有権の完全な移転と考える立場 ——— 105

　2. 出資の移転を信託とする立場 ——— 106

　3. 信託的譲渡とする立場 ——— 106

　4. 一種独特な契約とする立場 ——— 107

5 匿名組合と倒産 ——— 107

　1. 匿名組合契約の終了原因 ——— 107

　2. 営業者の破産と匿名組合 ——— 109

　3. 匿名組合員の破産と匿名組合契約 ——— 110

　4. 営業者の「事実上の倒産」と匿名組合契約 ——— 110

　5. 匿名組合員の「事実上の倒産」と匿名組合契約 ——— 111

6 匿名組合契約書の作成 ——— 112

7 匿名組合の会員規約の例 ——— 120

第3節 匿名組合組成・運用に関する諸規制 ——— 124

1 金融商品取引法とは ——— 124

2 匿名組合出資の位置付け ——— 125

　1. みなし有価証券 ——— 125

2．集団投資スキーム持分とは —— 125

3．信託受益権 —— 129

4．外国法に基づく権利等 —— 130

3 開示規制 —— 132

1．一項有価証券 —— 132

2．二項有価証券 —— 134

4 業規制 —— 134

1．業の概念 —— 134

2．金融商品取引業 —— 135

3．金融商品取引業の区分 —— 140

4．不動産関連特定投資運用業 —— 142

5．金融商品取引業登録の例外 —— 144

6．適格機関投資家等特例業務の実務 —— 148

5 具体的スキームでの確認 —— 150

1．GK-TK スキーム —— 150

2．二重構造の GK-TK スキーム —— 157

3．一般社団法人への出資 —— 160

4．投資事業有限責任組合 —— 161

5．銀行法規制 —— 164

第4節 不動産特定共同事業法における匿名組合 —— 168

1 法の概要 —— 168

1．立法の背景 —— 168

2．不動産特定共同事業法の改正 —— 169

3．規制対象 —— 178

4．許認可および届出 —— 178

5．不動産流通税に関する特例措置 —— 187

6．情報開示 —— 190

2 匿名組合を利用した投資ストラクチャー —— 195

3 不動産特定共同事業法の会計開示に関する規定 —— 197

1．不特法27条——財産の分別管理 —— 197

2．不特法28条——財産管理報告書の事業参加者への交付 —— 198

3．不特法29条——業務および財産の状況を記載した書類の備置・閲覧 —— 199

4．不特法32条——業務に関する帳簿書類の作成・保存 —— 200

5．不特法33条——事業報告書 —— 200

4 不動産特定共同事業の会計・税務 —— 201

1．匿名組合方式の場合 —— 201

2．任意組合方式の場合 —— 201

第5節 商品ファンド法における匿名組合 —— 203

| 1 法の目的 —— 204
| 2 規制の内容 —— 205
　　1. 規制の対象 —— 205
　　2. 販売規則 —— 206
　　3. 運用規則 —— 206

第3章 匿名組合の会計処理と会計監査

第1節 匿名組合の会計の意義 —— 211

第2節 不動産ファンド等にみる匿名組合の会計報告 —— 212

| 1 不動産ファンド等にみる匿名組合の会計報告 —— 212
| 2 営業者と匿名組合の貸借対照表 —— 212
| 3 営業者の損益計算書および利益（損失）分配計算書 —— 213
| 4 出資者の会計処理 —— 213
| 5 現金分配報告書の作成例 —— 220

第3節 典型的ケースでの会計処理例 —— 228

| 1 契約条件別の会計処理例 —— 228
| 2 金融商品会計基準に基づく会計処理 —— 229
| 3 期中に出資金勘定を増減した場合の会計処理 —— 231

第4節 商法19条と企業会計原則との関係 —— 244

第5節 匿名組合会計をめぐるその他の問題点 —— 247

| 1 脱退・解散・清算の処理 —— 247
　　1. 清算分配の方法 —— 247
　　2. プロジェクト途中の一部組合員の脱退の処理 —— 248
| 2 匿名組合の営業者に対する報酬の処理 —— 251
| 3 SPC方式と本体方式 —— 252

4 匿名組合の会計監査 —— 254

1. 匿名組合の会計監査の意義 —— 254

2. 匿名組合の監査の準拠規範 —— 255

3. 不動産共同事業への拠出を偽装した資金還流の事例 —— 260

第4章 匿名組合の税務

第1節 匿名組合の基本構造 —— 265

1 匿名組合の課税構造 —— 265

2 匿名組合の主要な税務規定 —— 266

3 匿名組合出資持分の譲渡 —— 273

4 金融商品取引法および信託法および法人税法・所得税法の「有価証券」の定義 —— 274

第2節 損益分配と現金分配 —— 278

1 損益分配の配当たる性格 —— 278

2 分配金の課税時期 —— 279

3 金銭分配に係る源泉税の取扱い —— 281

1. 居住者または内国法人に対する源泉徴収 —— 281

2. 非居住者または外国法人に対する源泉徴収 —— 283

3. 匿名組合契約等の利益の分配の支払調書 —— 284

第3節 匿名組合と他の団体との区分等 —— 286

1 匿名組合と他の団体 —— 286

1. 匿名組合と他の団体との区分 —— 286

2. 匿名組合と他の団体との区分に関する判例 —— 286

2 個人の所得区分・出資の減少の補塡 —— 289

1. 組合分配損益の所得区分 —— 289

2. 出資の減少の補塡 —— 291

第4節 組合事業等による損失がある場合の取扱い —— 292

第5節 実務上の留意点 —— 294

1 匿名組合において税務調整項目がある場合の取扱い ―――― 294

2 匿名組合契約終了時の処理 ―――― 297

3 流通税 ―――― 297

  1. 基本的な課税関係 ―――― 297

  2. 信託受益権化された不動産を取得した場合 ―――― 298

4 消費税 ―――― 300

5 土地重課 ―――― 301

  1. 土地重課制度 ―――― 301

  2. 匿名組合と土地重課 ―――― 301

6 租税条約により課税されないケース ―――― 303

第6節 契約書等のチェック項目 ―――― 313

1 匿名組合契約のチェック項目 ―――― 313

  1. 一般的なチェック項目 ―――― 313

  2. 金銭分配先行したまま契約終了した場合 ―――― 322

  3. TK出資金が返還等によりなくなった場合の効果 ―――― 323

2 出資持分譲渡契約や増資減資手続 ―――― 323

3 証券化費用負担 ―――― 324

4 宅地開発負担金の取扱いについて（法基通7-3-11の2）―――― 325

5 道路用地の提供・寄附 ―――― 325

6 公共施設等の寄附金や負担の取扱い ―――― 326

第5章 その他のヴィークルと信託

第1節 組合 ―――― 331

1 任意組合 ―――― 331

  1. 概要 ―――― 331

  2. 投資家の会計税務 ―――― 332

2 有限責任事業組合 ―――― 338

  有限責任事業組合に係る課税関係 ―――― 338

3 投資事業有限責任組合 ―――― 340

  1.「中小企業等投資事業有限責任組合契約に関する法律」の成立 ―――― 340

  2.「投資事業有限責任組合法」の成立 ―――― 341

  3. 金融商品取引法施行（平成19年9月30日）―――― 346

  4. 税務上の取扱い ―――― 353

4 LPSを利用した不動産市場安定化ファンド ―――― 357

第2節 法定4ヴィークル —— 359

1 概要 —— 359
2 特定目的会社 —— 359
3 投資法人 —— 361
  1. 制度 —— 361
  2. 投資法人の税務 —— 362
4 特定投資信託 —— 365
  1. 特定投資信託とは —— 365
  2. 配当損金算入要件 —— 366

第3節 海外SPC —— 368

1 タックス・ヘイブンの利用 —— 368
  1. タックス・ヘイブン税制の概要 —— 368
  2. タックス・ヘイブン税制の要件 —— 369
2 海外SPCが受け取る貸付金利子に係る源泉所得税についての税務 —— 371
3 海外SPCが支払う社債利子についての税務 —— 373
4 海外SPCと過少資本税制 —— 374
5 海外SPCと過大支払利子税制 —— 375
  1. 制度の概要 —— 375
  2. 他制度との適用調整等 —— 376

第4節 信託 —— 378

1 信託の仕組み —— 379
2 投資家の二重性 —— 381
3 執行事業者の倒産 —— 381
4 信託財産の分別管理 —— 382
5 信託の会計 —— 384
  1. 受託者との計算の分離 (off balance) —— 384
  2. 受益者 (委託者) 会計 —— 385
  3. 受託者会計 —— 388
6 信託の税務 —— 391
  1. 信託に関する税務の原則 —— 391
  2. 税法における信託の分類 —— 393
  3. 信託税制各論 (法人税法関係) —— 397
  4. 集団投資信託と法人課税信託の課税 (まとめ) —— 408
  5. その他税制各論 (法人税法関係以外) —— 408
  6. 不動産の信託受益権を優先劣後に分けた場合 —— 413
  7. 法定調書 —— 414

第6章	SPCの資産評価

第1節 SPCの資産評価 ——— 429

1 一般の SPC の資産評価 ——— 429

2 SPC 法に基づく特定目的会社の資産評価 ——— 430

3 会計上の資産評価と不動産鑑定評価の関係 ——— 431

- 1. 証券化対象不動産の継続評価の実施に関する留意点 ——— 433
- 2. 不動産鑑定評価基準に則らない価格調査を行える場合 ——— 434
- 3. 財務諸表のための価格調査 ——— 435
- 4. 財務諸表のための価格調査で、不動産鑑定評価書でなくても
  原則的時価算定とみなされる場合 ——— 437

第2節 移転資産のデュー・ディリジェンス ——— 440

1 デュー・ディリジェンスについて ——— 440

2 デュー・ディリジェンス業務における各専門家の役割 ——— 441

3 デュー・ディリジェンスに係る報告事項 ——— 442

- 1.「流動化目的」の債権の適正評価について——日本公認会計士協会 ——— 442
- 2. 証券化対象不動産に関する鑑定評価 ——— 444

4 債権および不動産の証券化における評価 ——— 453

5 財務諸表のための価格調査に関する実務指針 ——— 454

6 「鑑定評価等概要」の記載事項等についての通達 ——— 459

7 ESG と SDGs ——— 459

- 1. その1——ESG 投資が本格始動 ——— 459
- 2. その2——TCFD の提言 ——— 463
- 3. その3——SDGs 達成への取組み支援 ——— 464

8 ESG 不動産の評価 ——— 464

- 1. 国土交通省のアンケート調査結果
  （環境性、快適性、健康性に優れたオフィスビルに関する国内アンケート調査結果の概要） ——— 464
- 2. ESG 不動産の鑑定評価 ——— 465

第3節 その他匿名組合出資・投資信託等の評価 ——— 469

1 信託・会社型投信の評価 ——— 469

2 匿名組合員の出資金評価 ——— 470

3 匿名組合の出資金の相続税評価額 ——— 471

4 相続税の小規模宅地等の評価減等の土地税制の適用 ——— 475

5 個人投資家の出国時課税における評価———— 477

第7章 SPCと会計基準

第1節 金融資産の認識の中止要件———— 481

1 国際会計基準／国際財務報告基準———— 481
1. 金融資産の認識の中止 (IFRS9号) のアプローチ———— 481
2. 金融資産の認識の中止———— 483

2 米国会計基準———— 484
1. 概要———— 484
2. 金融資産の譲渡に関する会計処理——ASC860———— 485

3 日本の会計基準———— 486

第2節 不動産の認識の中止要件———— 488

1 国際会計基準／国際財務報告基準———— 488
不動産譲渡の会計基準 (IFRS15)———— 488

2 米国会計基準———— 489
1. 不動産を含む非金融資産譲渡 (認識中止) に関する包括的会計基準の公表
(ASU-SubTopic610-20)———— 490
2. 不動産のリースバック会計基準 (ASU-Topic842-40)———— 491

3 リース会計基準———— 495

4 日本の会計基準———— 499
1. 「関係会社間の取引に係る土地・設備等の売却益の計上についての監査上の取扱い」
(監査委員会報告第27号)———— 500
2. 土地信託受益権売買についての「土地の信託に係る監査上の留意点について」
(審理室情報No.6)———— 501
3. 「不動産流動化実務指針」(会計制度委員会報告第15号)———— 501
4. 「不動産流動化実務指針 Q&A」———— 507
5. 「不動産の流動化の監査上の留意点」———— 509
6. 収益認識基準の公表———— 512
7. リース公開草案———— 512

第3節 連結会計———— 523

1 国際会計基準／国際財務報告基準———— 523
連結財務諸表基準 (IFRS10、11、12号、IAS27、28号)———— 523

| 2 | 米国会計基準 —————— 526
   1. 一般的な連結基準 —————— 526
   2. VIE の連結基準 —————— 526
| 3 | 日本の会計基準 —————— 529
   1. 連結子会社の範囲と SPC —————— 529
   2. ヴィークルの連結基準 —————— 531
   3. 信託の取扱い —————— 538
   4. 不動産の流動化の監査上の留意点 —————— 540
   5. 開示対象特別目的会社 —————— 544

第8章 匿名組合スキームを めぐる諸論点

第1節 日本型レバレッジド・リースにおける匿名組合 —————— 551

| 1 | レバレッジ・リースの基本的な考え方 —————— 551
| 2 | 投資形態 —————— 551
| 3 | 仕組みとその特徴 —————— 552
| 4 | リース取引に係る税務上の取扱い —————— 554
   1. リース取引に関する規定 —————— 554
   2. リース会計基準の改正および平成19年度税制改正 —————— 560
   3. 新リース会計基準の導入 —————— 562
   4. 組合損失に関する規制強化 —————— 562

第2節 日本型オペレーティング・リースにおける 匿名組合 —————— 565

| 1 | 二つのリースの違い —————— 565
| 2 | 資産税対策への適用 —————— 566

第3節 匿名組合型不動産事業その他のスキーム —————— 570

| 1 | 匿名組合型不動産事業 —————— 570
   1. 匿名組合型不動産事業がかつて採用されなかった理由 —————— 570
   2. 非課税団体を営業者とする匿名組合 —————— 571
   3. 競売物件個人ファンド —————— 572
| 2 | 特殊な資産への投資スキーム —————— 573
   1. 太陽光ファンド —————— 573
   2. 知的財産ファンド —————— 575
   3. スタートアップ投資への匿名組合出資の利用 —————— 577

3 不動産または不動産担保ローン投資の実行事例———579
  1. 担保不動産証券化パッケージ———581
  2. 不動産会社の子会社が営業者となりオフショア SPC が債券を発行した事例
     （不動産特定共同事業法）———582
  3. 国内 SPC とオフショア SPC が Participation Notes を発行した事例———582
  4. 地方証券化における市場活性化事例———583

第4節 その他の実務上の問題点———584

1 営業者が従来保有している不動産を組合財産とした場合の損益分配———584
2 ノンリコース・ローン———587
3 匿名組合契約における諸規定———588
  1. 匿名組合事業の定義に関する規定———589
  2. 出資募集目標額未達の場合に関する規定———589
  3. 分配損益・分配金銭に関する規定———590
  4. 契約終了時の資産評価および期中の減損処理を含む時価評価に関する規定———591
  5. 営業者報酬に関する規定———592
  6. 営業者のコヴェナンツ———593
  7. 重要事項説明に関する規定———596
  8. 匿名組合契約書の例———596
4 内部統制上の諸問題———597
  1. 親会社の連結対応———597
  2. 事務管理会社における内部統制———602

第9章 クラウドファンディングの発展とブロックチェーン技術の可能性

第1節 多様化する資金調達手法———607

1 資金調達手法の変化と多様化———607
2 為替取引と資金決済法・銀行法の規制の違い———610

第2節 クラウドファンディングの概要———615

1 クラウドファンディングの類型———615
2 不動産クラウドファンディング———618
3 匿名組合型ソーシャルレンディング———621

第3節 ブロックチェーン技術による クラウドファンディング手法の拡大 ―― 625

1 仮想通貨による資金調達8兆円の衝撃 ―― 625

2 ブロックチェーンとは ―― 627

3 ブロックチェーン技術とクラウドファンディング ―― 628

4 匿名組合契約のスマートコントラクトの可能性 ―― 630

 1．ブロックチェーン技術と匿名組合契約 ―― 630

 2．スマートコントラクトを活かすメリット ―― 631

 3．匿名組合契約における注意点 ―― 633

5 ブロックチェーン（暗号資産）に関する改正金融商品取引法および
改正資金決済法の規制 ―― 633

 1．改正法がICOにもたらす影響 ―― 634

 2．匿名組合契約における実体法上の課題 ―― 637

第4節 不動産セキュリティ・トークン ―― 640

1 不動産裏付金融商品のトークン化の潮流 ―― 640

2 不動産セキュリティ・トークンのスキーム ―― 642

 1．受益証券発行信託セキュリティ・トークン ―― 642

 2．不特法セキュリティ・トークン・匿名組合出資持分セキュリティ・トークン
  （GK-TKスキーム）―― 643

3 注目の特定受益証券発行信託セキュリティ・トークンとは ―― 644

 1．ヴィークルの性質 ―― 644

 2．特定受益証券発行信託の税務上の要件および許認可 ―― 646

4 特定受益証券発行信託受託者の税務上の留意点 ―― 647

 1．承認受託者の要件 ―― 647

 2．承認等の手続き ―― 649

 3．計算書類の提出 ―― 649

 4．収益の分配額の通知義務 ―― 650

5 トークン化と業規制 ―― 650

6 信託受託者の会計と開示 ―― 651

7 セキュリティ・トークン化された信託受益権を保有する投資家の
会計税務上の留意点 ―― 653

 1．法人投資家の会計に関する事項 ―― 653

 2．法人投資家の税務上の取扱い ―― 653

 3．個人投資家の税務上の取扱い ―― 654

資料1　判例一覧 ———— 659
資料2　匿名組合契約書 ———— 703

参考文献 ———— 725
索引 ———— 727

CoffeeBreak ☕

ケイマン諸島とは? ———— 26
Singapore の圧倒 ———— 56
SPAC (特別買収目的会社) 経由での上場 ———— 122
事業体選択と租税回避行為の否認 ———— 166
航空機の引取り ———— 202
インフラファイナンス、PPP、PFI、IR ———— 207
別記事業 ———— 246
営業者の利益分配による損失はすべてのケースで認められるか ———— 311
外国法人・非居住者と含み益のある不動産 SPC (TMK は譲渡してから分配金をもらい、TK は譲渡する前に TK 出資を譲渡する) ———— 327
空中権を利用した証券化 ———— 377
匿名組合契約と信託との類似性に関する一つの議論 ———— 425
ESG 投資と不動産評価 (担い手としての、J-REIT への期待) ———— 466
優先買取交渉権に関する考察 ———— 497
Web3.0にともなう資産のデジタル化と SPC ———— 612
FTX 破綻の明暗 ———— 638

※ 本書の内容は、令和5 (2023) 年12月31日時点の法令等によっている。

本書の修正事項、フォローアップ、資料「第159回通常国会会議録（抄）」「社史の匿名組合関連事項」につきましては、さくら綜合事務所のホームページをご確認ください。

　下記 URL から必要事項をご入力の上、メールを送信いただければ、アクセス用のパスワードをお送りいたします。

https://horwathsakura.com/shiryo-seikyu01/

〈さくら綜合事務所〉https://horwathsakura.com/

───── 凡　例 ─────

SPC法……資産の流動化に関する法律
不特法……不動産特定共同事業法
投信法……投資信託及び投資法人に関する法律
法　法……法人税法
法　令……法人税法施行令
法　規……法人税法施行規則
法基通……法人税基本通達
所　法……所得税法
所　令……所得税法施行令
所　規……所得税法施行規則
所基通……所得税基本通達
措　法……租税特別措置法
措　令……租税特別措置法施行令
措　規……租税特別措置法施行規則
措　通……租税特別措置法関係通達
消　法……消費税法
消基通……消費税法基本通達
地　法……地方税法
金商法……金融商品取引法
金商令……金融商品取引法施行令

[法令等の表示例]
法法24①二……法人税法第24条第1項第2号

■令和 6 年度税制改正大綱について

　令和 6 年度税制改正大綱が令和 5 年12月14日に公表された。なお不動産証券化に関する主な項目は以下のとおりである。

1．法人税・住民税・事業税

(1)　外形標準課税

①　減資への対応

> イ　外形標準課税の対象法人について、現行基準（資本金または出資金（以下単に「資本金」という）1 億円超）を維持する。ただし、当分の間、当該事業年度の前事業年度に外形標準課税の対象であった法人であって、当該事業年度に資本金 1 億円以下で、資本金と資本剰余金（これに類するものを含む。以下単に「資本剰余金」という）の合計額（以下「資本金と資本剰余金の合計額」という）が10億円を超えるものは、外形標準課税の対象とする。
>
> ロ　施行日以後最初に開始する事業年度については、上記イにかかわらず、公布日を含む事業年度の前事業年度（公布日の前日に資本金が 1 億円以下となっていた場合には、公布日以後最初に終了する事業年度）に外形標準課税の対象であった法人であって、当該施行日以後最初に開始する事業年度に資本金 1 億円以下で、資本金と資本剰余金の合計額が10億円を超えるものは、外形標準課税の対象とする。
>
> ハ　その他所要の措置を講ずる。

※　令和 7 年 4 月 1 日に施行し、同日以後に開始する事業年度から適用

②　100％子法人等への対応

> イ　資本金と資本剰余金の合計額が50億円を超える法人（当該法人が非課税または所得割のみで課税される法人等である場合を除く）または相互会社・外国相互会社（以下「特定法人」という）の100％子法人等のうち、当該事業年度末日の資本金が 1 億円以下で、資本金と資本剰余金の合計額（公布日以後に、当該100％子法人等がその100％親法人等に対して資本剰余金から配当を行った場合においては、当該配当に相当する額を加算した金額）が 2 億円を超えるもの

は、外形標準課税の対象とする。

ロ　上記イにより、新たに外形標準課税の対象となる法人について、外形標準課税の対象となったことにより、従来の課税方式で計算した税額を超えることとなる額のうち、次に定める額を、当該事業年度に係る法人事業税額から控除する措置を講ずる。

　（イ）　令和8年4月1日から令和9年3月31日までの間に開始する事業年度

　　　当該超える額に3分の2の割合を乗じた額

　（ロ）　令和9年4月1日から令和10年3月31日までの間に開始する事業年度

　　　当該超える額に3分の1の割合を乗じた額

ハ　その他所要の措置を講ずる。

※　上記の「100%子法人等」とは、特定法人との間に当該特定法人による法人税法に規定する完全支配関係がある法人および100%グループ内の複数の特定法人に発行済株式等の全部を保有されている法人をいう。

※　令和8年4月1日に施行し、同日以後に開始する事業年度から適用

(2)　欠損金の繰戻しによる還付制度

> 中小企業者の欠損金等以外の欠損金の繰戻しによる還付制度の不適用措置について、その適用期限を2年延長するとともに、対象から銀行等保有株式取得機構の欠損金を除外する措置の適用期限を2年延長する。

(3)　暗号資産関係

①　報告枠組み

> 分散型台帳技術を使用する暗号資産等を利用した国際的な脱税および租税回避を防止する観点から、令和4年、OECDにおいて策定された暗号資産等の取引や移転に関する自動的情報交換の報告枠組み（CARF：crypto-Asset Reporting Framework）に基づき、非居住者の暗号資産に係る取引情報等を租税条約等に基づき各国税務当局と自動的に交換するため、国内の暗号資産取引業者等に対し非居住者の暗号資産に係る取引情報等を税務当局に報告することを義務付ける制度を整備する。

② 期末評価

　法人が有する市場暗号資産に該当する暗号資産で譲渡についての制限その他の条件が付されている暗号資産の期末における評価額は、次のいずれかの評価方法のうちその法人が選定した評価方法（自己の発行する暗号資産でその発行の時から継続して保有するものにあっては、次のイの評価方法）により計算した金額とするほか、所要の措置を講ずる。
　　イ　原価法
　　ロ　時価法

(4)　中小企業事業再編投資損失準備金

　　中小企業事業再編投資損失準備金制度について、次の措置を講じた上、その適用期限を3年延長する。
①　産業競争力強化法の改正を前提に、青色申告書を提出する法人で同法の改正法の施行の日から令和9年3月31日までの間に産業競争力強化法の特別事業再編計画（仮称）の認定を受けた認定特別事業再編事業者（仮称）であるものが、その認定に係る特別事業再編計画に従って他の法人の株式等の取得（購入による取得に限る）をし、かつ、これをその取得の日を含む事業年度終了の日まで引き続き有している場合（その株式等の取得価額が100億円を超える金額または1億円に満たない金額である場合および一定の表明保証保険契約を締結している場合を除く）において、その株式等の価格の低落による損失に備えるため、その株式等の取得価額に次の株式等の区分に応じそれぞれ次の割合を乗じた金額以下の金額を中小企業事業再編投資損失準備金として積み立てたときは、その積み立てた金額は、その事業年度において損金算入できる措置を加える。
　　イ　その認定に係る特別事業再編計画に従って最初に取得をした株式等　90％
　　ロ　上記イに掲げるもの以外の株式等　100％
　　　この準備金は、その株式等の全部または一部を有しなくなった場合、その株式等の帳簿価額を減額した場合等において取り崩すほか、その積み立てた事業年度終了の日の翌日から10年を経過した日を含む事業年度から5年間でその経過した準備金残高の均等額を取り崩して、益金算入する。
②　その事業承継等を対象とする一定の表明保証保険契約を締結している場合に

は、本制度を適用しないこととする。

③　準備金の取崩し事由に株式等の取得をした事業年度後にその事業承継等を対象とする一定の表明保証保険契約を締結した場合を加え、その事由に該当する場合には、その全額を取り崩して、益金算入することとする。

④　中小企業等経営強化法の経営力向上計画（事業承継等事前調査に関する事項の記載があるものに限る）の認定手続について、その事業承継等に係る事業承継等事前調査が終了した後（最終合意前に限る）においてもその経営力向上計画の認定ができることとする運用の改善を行う。

(5)　認定株式分配に係る課税の特例

認定株式分配に係る課税の特例について、次の見直しを行った上、その適用期限を4年延長する。

①　主務大臣による認定事業再編計画の内容の公表時期について、その認定の日からその認定事業再編計画に記載された事業再編の実施時期の開始の日まで（現行：認定の日）とする。

②　認定株式分配が適格株式分配に該当するための要件に、その認定株式分配に係る完全子法人が主要な事業として新たな事業活動を行っていることとの要件を加える。

(6)　過大支払利子税制

対象純支払利子等に係る課税の特例（いわゆる「過大支払利子税制」）の適用により損金不算入とされた金額（以下「超過利子額」という）の損金算入制度について、令和4年4月1日から令和7年3月31日までの間に開始した事業年度に係る超過利子額の繰越期間を10年（原則：7年）に延長する。

(7)　利子の課税の特例

外国金融機関等の店頭デリバティブ取引の証拠金に係る利子の課税の特例の適用期限を3年延長する。

２．消費税

(1) 国外事業者に係る消費税の課税の適正化

① 事業者免税点制度の見直し

> イ　特定期間における課税売上高による納税義務の免除の特例について、課税売上高に代わり適用可能とされている給与支給額による判定の対象から国外事業者を除外する。
> ロ　資本金1,000万円以上の新設法人に対する納税義務の免除の特例について、外国法人は基準期間を有する場合であっても、国内における事業の開始時に本特例の適用の判定を行う。
> ハ　資本金1,000万円未満の特定新規設立法人に対する納税義務の免除の特例について、本特例の対象となる特定新規設立法人の範囲に、その事業者の国外分を含む収入金額が50億円超である者が直接または間接に支配する法人を設立した場合のその法人を加えるほか、上記ロと同様の措置を講ずる。

※　令和６年10月１日以後に開始する課税期間から適用

② 簡易課税制度の見直し

> その課税期間の初日において所得税法または法人税法上の恒久的施設を有しない国外事業者については、簡易課税制度の適用を認めないこととする。また、適格請求書発行事業者となる小規模事業者に係る税額控除に関する経過措置の適用についても同様とする。

※　令和６年10月１日以後に開始する課税期間から適用

(2) 金または白金の地金の取引

> 高額特定資産を取得した場合の事業者免税点制度および簡易課税制度の適用を制限する措置の対象に、その課税期間において取得した金または白金の地金等の額の合計額が200万円以上である場合を加える。

※　令和６年４月１日以後に国内において事業者が行う金または白金の地金等の課税仕入れおよび保税地域から引き取られる金または白金の地金等について適用

⑶　適格請求書発行事業者以外の者からの課税仕入れ

適格請求書発行事業者以外の者から行った課税仕入れに係る税額控除に関する
経過措置について、一の適格請求書発行事業者以外の者からの課税仕入れの額の
合計額がその年またはその事業年度で10億円を超える場合には、その超えた部分
の課税仕入れについて、本経過措置の適用を認めない。

※　令和6年10月1日以後に開始する課税期間から適用

3．流通税

⑴　住宅用家屋の所有権の保存登記若しくは移転登記または住宅取得資金の貸付
け等に係る抵当権の設定登記に対する登録免許税の税率の軽減措置の適用期限
を3年延長する。

⑵　特定認定長期優良住宅の所有権の保存登記等に対する登録免許税の税率の軽
減措置の適用期限を3年延長する。

⑶　認定低炭素住宅の所有権の保存登記等に対する登録免許税の税率の軽減措置
の適用期限を3年延長する。

⑷　不動産の譲渡に関する契約書等に係る印紙税の税率の特例措置の適用期限を
3年延長する。

⑸　宅地評価土地の取得に係る不動産取得税の課税標準を価格の2分の1とする
特例措置の適用期限を3年延長する。

⑹　住宅および土地の取得に係る不動産取得税の標準税率（本則4％）を3％と
する特例措置の適用期限を3年延長する。

⑺　不動産取得税について、新築住宅を宅地建物取引業者等が取得したものとみ
なす日を住宅新築の日から1年（本則6月）を経過した日に緩和する特例措置
の適用期限を2年延長する。

第1章

SPC の
法律・会計税務

第 1 節

SPCのメリットと流動化スキームのチェックリスト

1 わが国における資産の流動化

　わが国における資産流動化[1]の系譜は、古くは昭和金融恐慌時の抵当証券法（昭和6（1931）年施行）制定による抵当権付き債権の流動化まで遡る。その後、1970年代には住宅ローン債権信託や住宅抵当証書スキームなども出現したが、こうした証券はオリジネータの信用リスクから切り離されておらず、流通のためのインフラが整備されていなかったこともあり、隆盛には至らなかった。

　しかし、1980年代以降、米国での証券化の進展状況が広く知られるようになったことから、わが国でも資産流動化に対する関心が高まり、オフショアSPCを利用した特定債券法等の証券化スキームが試みられるようになった。1990年代には、バブル崩壊後の不良債権や、担保不動産の整理の手段として資産流動化の手法に注目が集まり、平成10年に施行された「特定目的会社による特定資産の流動化に関する法律」が平成12年に全面的な見直しを経て「資産の流動化

1　「資産の流動化」とはSPC法によれば特定目的会社による証券発行による資産の取得、運用と分配等の一連の行為と定義されるが、これに限らず資産から生じるキャッシュ・フローを各種ヴィークルを用いて切り離し、これを裏付けとして資金調達を行う行為全般を指すことが多く、本書においてもそのように定義することとする。

　類似の用語である「証券化（securitization）」はLewis Ranieri（元ソロモンブラザーズの役員でMBS普及の功労者として知られる）の造語とされており、厳密な定義はなされていないが、証券の発行有無により流動化・証券化の用語を区分するとの見解もある。

に関する法律」（以下「SPC法」という）に改組され、これを契機として国内SPCの設立への機運が一気に高まったのである。

　その後、信託法の改正とこれにともなう税制の整備、会社法・金融商品取引法等の大規模な法整備やLPS法の制定等を経て、資産の流動化手法は様々に発達し、新たなファイナンス手法として広く定着するに至った。またJ-REITの登場や、クラウドファンディングによる不動産小口化商品の出現により、証券化不動産は一般的な投資対象としても確立されたのである。また、近年ではこうした証券についてブロックチェーンを利用したデジタル化も模索されており、実用段階に入っている（第9章を参照のこと）。

　ところで、わが国の資産の流動化は主に不動産の流動化スキームを通じて拡大し、確立された経緯があることから、資産の流動化と不動産の流動化は混同されることもあるが、これらはイコールではなく、流動化の対象となる資産には不動産のみならず債券、事業（株式や出資）、著作権、知的財産などの資産を幅広く含む。

　また、通常、資産の流動化には、資産から生じる一定のキャッシュ・フローをオリジネータから切り離す等の目的により、資産の器として用いるヴィークルが必要となる。この資産の保有を目的として設立される法主体を一般的に「特別目的会社（Special Purpose Company）＝SPC」と呼ぶため、本書においてもそのように定義する。なお、法人形式以外のヴィークルとして、匿名組合をはじめとする組合や、信託等も、単体、あるいはSPCと組み合わせて利用される。法人以外のこれらの器も広く含めて指す場合には「SPV（Special Purpose Vehicle）」と呼ぶこととする。

　なお、SPC法による「特定目的会社」はここにいうSPCよりも狭義のものとなるため、区別してTMKと称する。すなわち、**図表1・1・2**にあるように、TMKはSPCの一部であり、SPCはSPVの一部である。

4　第1章　SPCの法律・会計税務

図表1・1・1 不動産証券化に関する会計税務できごと

年	日本の会計基準等・税務の動向	米国その他海外の動向
1986年		改正税法により US-REIT に所有と運営の統合が認められる
1988年	建設省「不動産証券化研究会」	
1989年4月	消費税法施行3％	
1990年	CRES 設立 国鉄清算事業団が不動産変換ローン新宿南を募集	
1992年		UPREIT-IPO の開発により US-REIT の市場急拡大
1993年	共同債権買取機構設立	情報スーパーハイウェイにより米国関連情報が拡散
1995年	阪神淡路大震災 リースクレジット債権に関する特定債券法施行 不動産特定共同事業法施行	
1996年	住専特別措置法施行・住宅金融債権管理機構設立	US-REIT 簡素化法により、不動産管理の不随サービス等が解禁される FASB EITF96-20で金融資産に関する適格 SPE に財務構成要素アプローチ適用
1997年	消費税引き上げ3％→5％ **東京市場株価暴落 山一三洋証券破綻** 担保不動産等流動化総合対策・金融制度調査会報告書・証券化取引審議会報告書	アジア通貨危機 US-REIT 外国投資家減税により外国からの投資急拡大
1998年	旧 SPC 法施行 財務諸表規則8条7項改正（SPC連結規定） 新しい金融の流れに関する懇談会	IASB SIC12号 SPE の連結に支配力基準導入

第1節 SPC のメリットと流動化スキームのチェックリスト　5

	「論点整理」集団投資スキームを推奨 長銀・日債銀破綻 JICPA　流動化目的の債権の適正評価について	
1999年1月	金融商品会計基準（金融資産に財務構成要素アプローチ・その他の資産にリスク・経済価値アプローチ）	US-REIT 現代化法で95％配当要件が90％になり、完全子会社の所有が認められ、一方1984年以降新設できなかった Paired-Share REIT を明文で禁止
1999年4月	整理回収機構 RCC 発足 「債権管理回収業に関する特別措置法」（サービサー法）施行	
1999年11月	JICPA「飛ばし類似金融商品等の取引の取扱い」	
1999年12月	民事再生法施行	
2000年1月	JICPA「連結子会社の範囲に関する監査上の留意点」	
2000年7月	JICPA　流動化実務指針公表（10%→5％）	AICPA　統合資格 congnitor 提唱
2000年11月	改正 SPC 法（TMK 簡素化）・改正投信法施行（J-REIT 解禁）	
2001年5月	JICPA　流動化実務指針 Q&A 公表	
2001年9月	J-REIT 初めて上場 マイカルの民事再生申し立て（その後会社更生に移行）倒産隔離が現実の事件化	**エンロン事件** **同時多発テロ**
2001年11月	国税庁文書回答事例「市街地再開発事業による施設建築物及びその敷地を民事信託により信託した場合の税務上の取扱い」	
2002年	非居住者・外国法人の10人以下の	FASB　SPE の連結に関する解釈

6　第 1 章　SPC の法律・会計税務

	匿名組合にも源泉義務発生 CRES から ARES へ移行 **マイカル事件で真正売買性を認める和解成立**	草案公表 Sarbanes-Oxley Act（SOX 法）可決 PCAOB 設置 アーサーアンダーセン解散　Big 4 体制に
2003年	会社更生法全面改正 産業再生機構設立 JICPA「特定目的会社計算書類等の文例」公表	US-UK 租税条約で海外年金源泉原則ゼロに French-REIT 誕生
2003年12月		FASB　FIN46（R）公表　VIE は主たる受益者に連結
2004年12月	匿名組合出資等がみなし有価証券となる（証取法改正）	
2005年	固定資産減損会計適用 匿名組合法人出資者の損失取り組み制限（措法41の4の2） 個人は原則雑所得に	
2005年 9 月	JICPA「SPC 監査上の留意点 QA」	
2006年 5 月	会社法改正により合同会社制度 LLC 開始	
2006年 6 月	ASBJ「LLP　LLC 会計処理」実務対応報告21号	
2006年 9 月	ASBJ「投資事業有限責任組合支配力基準」実務対応報告20号	
2007年 2 月		サブプライムローン問題顕在化
2007年 3 月	ASBJ「SPC 開示適用指針」公表 産業再生機構解散	UK-REIT、German-REIT 誕生
	独立行政法人住宅金融支援機構設立	
2007年 8 月	ASBJ「信託の会計処理」実務対応報告23号	
2007年 9 月	証券取引法が金融商品取引法に改	

	称施行	
2007年12月		FASB IASB との共同プロジェクトとして第141号「企業結合」(2007年改訂版)および第160号「連結財務諸表における非支配持分」を公表
2008年1月	居住者・内国法人の10人以下の匿名組合にも源泉義務発生	OECD「REIT をめぐる租税条約上の問題」発表
2008年4月	棚卸資産低価法強制	
2008年5月	ASBJ「連結子会社の範囲に関する適用指針」(22号)	
2008年9月 10月	ニューシティレジデンス投資法人破綻(民事再生10月)	リーマンブラザーズ破綻9月 SEC IFRS とのコンバージェンス「ロードマップ」公表
2008年12月	企業会計基準22号連結会計基準公表(出資者・譲渡人は例外)	IASB IFRS10「連結財務諸表」草案公表
2009年	投資法人等の90%ルール「配当可能所得」から「配当可能利益」へ 負ののれんの措置 IFRS とのコンバージェンス検討開始 企業再生支援機構発足	FASB166号により適格 SPE 条項を削除 FASB 会計基準 No 制を codification への移行を定めた168を最後に廃止 codification へ移行(詳細版は有料に年940ドル) 金融資産の finantial components approach は bankruptcy remote entity とともに ASC860に残留
2010年7月		米国の金融規制改革法(ドッド・フランク法)施行 中核となる「銀行の市場取引規制ルール」(ボルカールール)を含む PCAOB 改革 抵当に関する鑑定機関の内部統制等
2011年3月	東日本大震災	

	企業会計基準22号「連結財務諸表に関する会計基準」改正公表（出資者に支配力基準・譲渡人は例外）	
2011年5月		IASB IFRS10「連結財務諸表」支配力基準導入 IFRS13「公正価値測定」公表
2012年12月	アベノミクス スタート	
2013年	企業再生支援機構が地域経済活性化支援機構に改組 環境不動産普及促進機構（Re-Seed機構）設立 消費税法改正施行（免税要件が厳格化） 日銀質的量的緩和 金融商品取引法・投信法改正	国際統合報告フレームワーク案公表
2014年4月	消費税引き上げ5％→8％	
2015年4月	一時差異等調整引当額増加相当額が配当に（投資法人の税会不一致問題の緩和）投資法人計算規則2条30号	
2016年	適格機関投資家等特例業務の厳格化 熊本地震	
2017年1月		減税法によりUS-REITの低所得層を中心とした投資家及び外国投資家に減税措置
2017年12月	改正不動産共同投資法 小規模導入クラウドファンディングに対応	
2019年4月	国交省 不特法不動産クラウドファンディングガイドライン策定	IFRS16、ASC842（新リース基準）上場社適用開始
2019年10月	消費税引き上げ8％→10％	
2019年末	コロナ禍発生	

第1節　SPCのメリットと流動化スキームのチェックリスト　　9

2019年8月		Business Roundtable「会社の目的に関する宣言」
2020年10月	居住用賃貸建物の取得に係る消費税調整開始	

（出所）さくら綜合事務所

図表 1・1・2

1 なぜオフショア SPC が必要だったのか

すでに述べたように、わが国黎明期における資産流動化スキーム組成では、オフショア SPC が用いられてきた。現在でこそ、資産流動化に関する国内法の整備が進み、ほとんどの流動化案件において国内組成が可能となっているが、オフショア SPC 利用の背景には資産流動化に関する次のような根源的な論点が含まれている。

- SPC の必要性
- なぜオフショアなのか（だったのか）
- チャリタブル・トラストの必要性

以下、各論点についてアウトラインをみていくこととする（本章第2節3参照）。

[1] なぜ SPC が必要なのか

そもそも資産流動化の局面において、なぜ SPC が必要とされたのか。SPC 一般のメリットは、次のように考えられる。

①　関係者のコーポレート・リスクから分離された債権への転換や証券の発行（ノンリコース・ローン・プロジェクトファイナンス組成）

②　オリジネータ等関係者の固有の財産と計算等の混同（commingling）の防止

10　第 1 章　SPC の法律・会計税務

③　SPC を利用して証券の種類を変えること（リパッケージ）

④　設立国の法制度の利用

　資産証券化は、次の**2**で検討するように、「SPC を使いたい」から行うわけではなく、ある資産についてオリジネータ側ではそれを手放してもよく、投資家側では資産価値を背景にした、いつでも譲渡可能な「証券」が欲しいという状態がまずあり、それを実現するために行われる。そこから、「金融仲介機能」とも呼ばれる資産価値の構成要素を証券として分離して保有するという効果が生じる。特に米国等の資産証券化の先進国では、まず年金等の長期投資を行う投資家の、経営者の交代等マネジメントや他の事業上のリスクを含めたコーポレート・リスクから切り離され、単に（その生み出すキャッシュ・フローを含めた）資産価値の変動のみを引き当てる証券に対するニーズがあったために発展したといわれている。つまり、コーポレート・リスクを投資家側で管理するためには、不断の企業行動に対するモニタリングを要するが、一般にそれには限界があり、またモニタリング費用を要する。逆にいうと、モニタリング費用がSPC の組成費用を上回る場合に投資家側のメリットがあることになる。

　ここで証券化された資産は、通常、短期間で売却することが困難な貸付債権や不動産であったことにも留意する必要がある。

　このことは、次の三者の比較をするとよくわかる。

①　オリジネータが自らある資産を担保とする担保付社債を発行する場合

②　投資家が単にその資産を購入・保有する場合

③　関係者の倒産から影響を受けない SPC により資産価値を証券化した場合

　①ではオリジネータのコーポレート・リスクから切り離されず、②では投資家は自らその資産全体を管理・処分する必要性が生ずる。投資家が資産全体を管理・処分しないでよくなることは証券化一般の効果だが、コーポレート・リスクからの分離は SPC を用いることによる効果である。また、そのオリジネータ側での反射的効果として、一般に会計上のオフバランスや SPC を連結対象にしないでよくなるという効果が期待できる。もっとも、関係者のコーポレート・リスクから SPC を完全に隔離することは一般的には不可能であり、相対

第 1 節　SPC のメリットと流動化スキームのチェックリスト　　11

的に影響を小さくするに止まる。一般にSPCに関連するリスクを図示したのが**図表1・1・3**である。

以上より、SPCを用いた証券化プログラムの設計にあたっては、関係者、特にオリジネータの倒産時にSPCまたはその発行証券保有者がどのような影響を受けるのかということが検討の中心課題となることが多い。これら関係者の倒産にSPCまたは発行証券が影響を受けないことを倒産隔離（bankruptcy remoteness）と呼んでいる。SPCを用いても必ずしも倒産隔離されない場合があるが、倒産隔離されないSPCを用いても前述の①の効果が期待できず、その関係者の信用力を上回る証券は組成できない。なお、一般的な証券化プログラムで登場する関係者は**図表1・1・4**を参照されたい。

SPCの取得資産がオリジネータ側でオフバランスになり、かつ連結対象からはずれることにより、たとえば金融機関が金銭債権を譲渡すればBIS基準の自己資本比率は改善される。ただし、その金銭債権が譲渡されたときに売却損が多くないことが条件となることはいうまでもない（**図表1・1・5**参照）。いずれにせよ、金融機関がオリジネータあるいは信用補完者として登場するプログラムではBIS基準に関する配慮が要求される。金融機関以外の事業会社でも自己資本比率は一般的には改善されるが、ROE（自己資本に対する利回り）は逆に低下することが多い。つまり、事業リスクは低くなり安全性が増すが、株主利回りは低くなることが多い。

なお、上記のとおり、自己資本の改善という点は、証券化の導入期において一つの目的ではあったが、証券化取引にともなう証券化エクスポージャーはTier1から控除されるほか、証券化資産を保有する場合には、格付けの状況と自己資本告示に定められたリスクウェイト対応表を用いるなど、一定の方法で自己資本規制上のリスクアセットを算定することとなる。

また、バーゼルⅢの段階的実施にともない、早期是正措置の区分について**図1・1・6**のとおり見直しが行われた。なお2024年3月31日以降、国際統一基準行と内部モデルを用いる国内基準行に対しバーゼルⅢの最終化が適用される予定となっており、リスク計測手法等が大きく変更されることとなる。

図表1・1・3　典型的流動化スキームとリスク

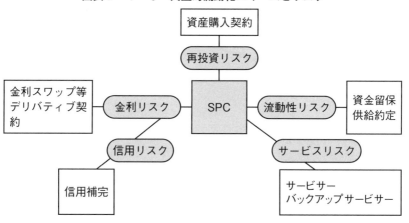

図表1・1・4　資産の証券化（プレイヤー）

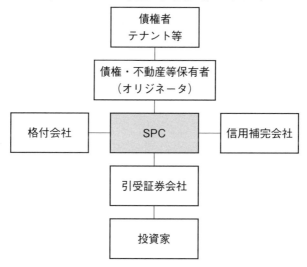

[2] なぜ日本ではなくオフショアなのか

一般にSPCを設計する際には、次の点が主要な考慮点になる。

① 設立運営の容易さとコスト・ベネフィット
② 目的とする社債等の証券発行が可能

図表1・1・5

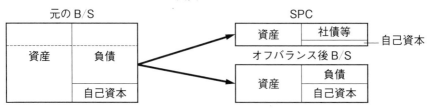

〈平成12年総理府・大蔵省令第39号「銀行法第26条第2項に規定する区分等を定める命令」〉

(自己資本の充実の状況に係る区分及びこれに応じた命令)
第1条 銀行法(以下「法」という。)第26条第2項の内閣府令・財務省令で定める銀行の自己資本の充実の状況に係る区分及び当該区分に応じ内閣府令・財務省令で定める命令は、次条及び第2条の2に定める場合を除き、次の各号に掲げる区分に応じ、当該各号に掲げる表のとおりとする。
一 単体自己資本比率(第7項に規定する単体自己資本比率をいう。次条第1項において同じ。)を指標とする区分

	自己資本の充実の状況に係る区分		命　令
	海外営業拠点を有する銀行	海外営業拠点を有しない銀行	
非対象区分	国際統一基準に係る単体自己資本比率のうち次のイからハまでに掲げる比率の区分に応じ、当該イからハまでに定める範囲 イ　単体普通株式等Tier1比率：4.5％以上 ロ　単体Tier1比率：6％以上 ハ　単体総自己資本比率：8％以上	国内基準に係る単体自己資本比率：4％以上	
第一区分	国際統一基準に係る単体自己資本比率のうち次のイからハまでに掲げる比率の区分に応じ、当該イからハまでに定める範囲 イ　単体普通株式等Tier1比率：2.25％以上4.5％未満 ロ　単体Tier1比率：3％以上6％未満 ハ　単体総自己資本比率：4％以上8％未満	国内基準に係る単体自己資本比率：2％以上4％未満	経営の健全性を確保するための合理的と認められる改善計画(原則として資本の増強に係る措置を含むものとする)の提出の求め及びその実行の命令

14　第1章　SPCの法律・会計税務

	国際統一基準に係る単体自己資本比率	国内基準に係る単体自己資本比率	措置
第二区分	国際統一基準に係る単体自己資本比率のうち次のイからハまでに掲げる比率の区分に応じ、当該イからハまでに定める範囲 イ　単体普通株式等 Tier 1 比率：1.13%以上2.25%未満 ロ　単体 Tier 1 比率：1.5%以上3％未満 ハ　単体総自己資本比率：2％以上4％未満	国内基準に係る単体自己資本比率：1％以上2％未満	次に掲げる自己資本の充実に資する措置に係る命令（海外営業拠点を有する銀行にあってはロに掲げる命令を除く） イ　資本の増強に係る合理的と認められる計画の提出及びその実行 ロ　配当又は役員賞与の禁止又はその額の抑制 ハ　総資産の圧縮又は増加の抑制 ニ　取引の通常の条件に照らして不利益を被るものと認められる条件による預金又は定期積金等の受入れの禁止又は抑制 ホ　一部の営業所における業務の縮小 ヘ　本店を除く一部の営業所の廃止 ト　法第10条第2項各号に掲げる業務その他の銀行業に付随する業務、法第11条の規定により営む業務又は担保付社債信託法（明治38年法律第52号）その他の法律により営む業務の縮小又は新規の取扱いの禁止 チ　その他金融庁長官が必要と認める措置
第二区分の二	国際統一基準に係る単体自己資本比率のうち次のイからハまでに掲げる比率の区分に応じ、当該イからハまでに定める範囲 イ　単体普通株式等 Tier 1 比率：0％以上1.13%未満 ロ　単体 Tier 1 比率：0％以上1.5%未満 ハ　単体総自己資本比率：0％以上2％未満	国内基準に係る単体自己資本比率：0％以上1％未満	自己資本の充実、大幅な業務の縮小、合併又は銀行業の廃止等の措置のいずれかを選択した当該選択に係る措置を実施することの命令
第三区分	国際統一基準に係る単体自己資本比率のうち次のイからハまでに掲げる比率の区分に応じ、当該イからハまでに定める範囲 イ　単体普通株式等 Tier 1 比率：0％未満 ロ　単体 Tier 1 比率：0％未満 ハ　単体総自己資本比率：0％未満	国内基準に係る単体自己資本比率：0％未満	業務の全部又は一部の停止の命令

図表 1・1・6　早期是正措置、単体・連結共通

区分	国際統一基準行	国内基準行
非対象区分	① 8 ％以上 ② 6 ％以上 ③4.5％以上	① 4 ％以上
第 1 区分	① 4 ％以上 8 ％未満 ② 3 ％以上 6 ％未満 ③2.25％以上4.5％未満	① 2 ％以上 4 ％未満
第 2 区分	① 2 ％以上 4 ％未満 ②1.5％以上 3 ％未満 ③1.13％以上2.25％未満	① 1 ％以上 2 ％未満
第 2 区分の 2	① 0 ％以上 2 ％未満 ② 0 ％以上1.5％未満 ③ 0 ％以上1.13％未満	① 0 ％以上 1 ％未満
第 3 区分	① 0 ％未満 ②同上 ③同上	① 0 ％未満

① 自己資本比率
② Tier 1 比率
③ 普通株式等 Tier 1 比率

③　SPC 段階での課税が少ない

④　倒産隔離の確保

日本ではなくオフショアの SPC が使われてきた理由には、次のものがある。

⑤　資本金や事後設立等の規制等が緩く、設立コストが安い

⑥　定款による法人の行為範囲の制限が可能

⑦　法人税課税、源泉税課税がない

⑧　証券発行規制が緩く、利益連動型利付債（パーティシペーション・ノート：participation note）の発行も可能

⑨　責任財産特約の存在（マルチセラー・プログラムが可能）

⑩　海外発行証券の利子・配当は国外所得になり、投資家の外国税額控除枠

を広げる

　いずれの理由も総じて日本の法規制を免れるためのものであり、そこから日本に本店を設け、または日本において営業することを主たる目的とする外国会社は日本の会社と同一の規定に従うことを要するという旧商法482条の規定と真っ向から抵触することが指摘されており、この点は会社法821条の擬似外国会社に関する条文に引き継がれている。つまり、オフショアSPCは日本の規制の脱法行為ではないかという指摘である（ただし、一般的にはオフショアSPCの場合には、この条文の適用は受けないのではないかと解釈されている）。

　特にオフショアではエクイティ（出資持分）とデット（債権）の区分があいまいであり、パーティシペーション・ノートやパフォーマンス・ノート（performance note）と呼ばれる利息が発行体等の利益に連動する「社債」が発行できる（ローン・パーティシペーションではない）。これは、日本では株式等の区別がつかないので、一般的には「社債」（corporation bond）としての発行が難しいと考えられているものであり（ただし近時、「社債」としてではなく、借入金であるパーティシペーション・ローンを用いた仕組みが過去あり、絶対だめではないのかもしれない）、その意味では、このnoteを「社債」と訳して呼称することが躊躇される。しかし、従来、金融商品取引法上も企業会計・税務上も一般にこのnoteを「社債」として取り扱ってきた。よく考えれば、その本質は「社債」というより匿名組合の出資金に近く、税務上は匿名組合等に含まれる可能性が十分ある。一方、「外国法人がわが国において行う投資活動から生じた収益に対する適正課税（源泉所得税を含む）のあり方について」（平成16年6月30日税務大学校論叢）では、パーティシペーション・ノートは法律改正によらなければ社債でないものとして取り扱うことは困難としている。

　いずれにせよ、この「社債」の発行により、ケイマンSPCにはSPC段階で利益が生じない構成が可能であり、その点からも課税される確率は少ないのである。特に後述のチャリタブル・トラストとこのパーティシペーション・ノートを組み合わせると、常にわが国での課税が回避できる構成が可能であることは注目に値する。

第1節　SPCのメリットと流動化スキームのチェックリスト　17

図表1・1・7　典型的 SPC の B/S

資産	負債
流動化する資産 と信用補完	社債等
	最小限の資本金

　ただし、証券は通常、発行地の規制に従うため、⑨の点ではわが国以外で発行した分については責任財産特約が否定される可能性がある。

　なお、設立時の資金コストを最小にするため SPC の資本金は極めて小さくするのが普通であり、そのため過少資本による法人格否認や税務上の問題が生じやすいことに留意が必要である（図表1・1・7参照）。

　この資本金を含めた一般的にはオリジネータが負担する超過担保（SPV が負担する証券の支払いに必要な額を超す余剰資産）の金額は、SPC の組成上、オリジネータと投資（投資会社）および信用補完者との重要な争点の一つとなる。

[3] なぜチャリタブル・トラスト(慈善信託)が必要だったのか

　多くの証券プログラムでオフショア SPC とセットになっていたもので、日本にない信託宣言によるチャリタブル・トラストを SPC の実質株主にすることにより、上記 [1] の要請を満たす一つの要件を充足させようとしてきた。チャリタブル・トラストを SPC の実質的株主にしないと格付機関による格付が取れない期間があった。

　たとえば、SPC をオリジネータの子会社として組成した場合、オリジネータが倒産したときに管財人が SPC を解散・清算して財産を取り戻そうとするかもしれないし、法人格否認の法理により SPC の財産をオリジネータの弁済原資として認定しようとするかもしれない。そのようなリスクの発生を防止でき、また、一般的には連結対象会社となることもなくなる要件を充足しようという効果を目指したものである。しかし、[1] で述べたように、過去においてオリジネータ等関係者との資本関係や、従業員を SPC に派遣する等により関係者に事実上支配されている SPC が用いられることもあった。この場合の倒産隔離の効果は一般的には希薄になる。実際の組成実務上は、発行証券に格

18　　第1章　SPC の法律・会計税務

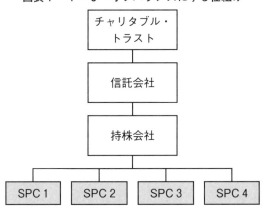

図表1・1・8　オフバランスにする仕組み

付をとろうとする場合に格付会社より資本関係および役職員の兼任または派遣による支配関係（TMKではSPC法上オリジネータの役員はTMK役員の欠格事由となるが、ここではオリジネータの従業員等を通じた支配も含む）がある場合には、格付がとりにくくなるようである。

　一般的にはチャリタブル・トラストの下に持株会社的なSPCを用意し、そこが各SPCの株主となるスタイルが用いられる（図表1・1・8参照）。不動産の証券化の場合は、この持株会社であるSPCを「オフショアSPC」と呼ぶことが多い。ひと口に「オフショアSPC」といっても、資産保有ヴィークルとして使う場合もあれば、このように倒産隔離のための持株会社として使う場合もあるため、注意が必要である。なお、議決権なき配当優先株をオリジネータが出資し、SPC清算時に取り戻すことで組成コストを下げようとする場合もある。

　なお、現行のSPC法では特定持分信託の制度が導入されたこと（SPC法33）や、公益法人法の改正により、国内だけでチャリタブル・トラストを用いたのと同様の効果を得られるようになった。特に、チャリタブル・トラストに代えて、一般社団法人（元中間法人）を用いて倒産隔離を図る手法が、コストや使い勝手の面から、昨今は広く使われるようになっている。

［4］ チャリタブル・トラスト（慈善信託）の実例

　弁護士などが発起人になって SPC を設立し、その株式を全額取得し、次にこの株式を信託会社が全額譲り受け、同時に信託宣言という英米法特有の制度を利用して、譲り受けた株式を信託保有することを宣言する。

　この際、委託者であり受託者でもある信託会社は、たとえば10年間、証券化の目的に従い、株主権を行使する（端的にいえば、何もしない）義務を負い、信託契約満了時には会社の残余財産をすべて慈善団体に寄付することを約する。ただしこの時点で案件は終了しており、残余財産はほとんど残っていないというような仕組みである。

　売り主（オリジネーター）、スポンサーと資本関係が存在しないように SPC を独立させ、スポンサー等の倒産リスクから SPC を隔離し、投資家保護を図る仕組みである。

　以下にその文例を掲げる。

図表1・1・9　チャリタブル・トラストの契約例

THIS DECLARATION OF TRUST is made the xxth day of July, 20xx

BY: xxx(Cayman)Limited, a Company incorporated in the Cayman Islands, whose registered office is at xxx House, P.O.Box xxx, George Town, Grand Cayman Islands, B.W.I. (the"Original Trustee")

WHEREAS:(A) Certain property has been transferred or issued to the Original Trustee to be held upon the trusts and in the member hereinafter declared.

　　　　　(B) Further assets may hereinafter be paid or transferred to the Trustees.

　　　　　(C) For the Purpose of identification this trust shall be known as The [xxx SPV] Charitable Trust.

NOW THIS DEED WITNESSETH as follows:

1. (a) In this deed the following expressions shall have the following meanings unless the context otherwise requires ;

"Charity" means any trust foundation corpotation at other body (whether corporate or unincorporated) established exclusively for purposes recognized as charitable by the laws of the Cayman Islands, and "charitable" should be construed accordingly ;

"Residuary Beneficiaries" means the charitable institution named in the First Schedule hereto together with such institutions or organizations as may be added thereto pursuant to Clause 9 of this Deed ;

"the Specified Company" means the company specified in the Third Schedule hereto ;

"Trust" means the trust hereby established ;

"Trustees" means the Original Trustee and any other person the trustees for the time being and from time to time herecof ;

"Trust Fund" means :

(i) the shares in the capital of the Specified Company set forth in the Third Schedule hereto and declared by the Original Trustee to be subject to the Trust ;

(ii) all other property investments and moneys which may hereafter be transferred or paid to or into the control of or otherwise vested in and accepted by the Trustees as additions to the Trust Fund ;

(iii) any accumulations made in pursuance of the power hereinafter contained ; and

(iv) the investments and property from time to time representing the said investments additions and accumulations.

"Trust Period" means the peroid from the date of these presents until such date as the Trustees may by deed appoint being a date not earlier than the date of such deed, and being a dete upon which the Specified Company is no longer the holder of any of the securities specified in the Third Schedule.

(b) Words importing the singular shall include the prural and the masculine gender shall include the feminine and vice versa in each case and words importing persons shall include firms corporation and vice versa.

(c) The headings and sub-headings to the Second Schedule of this Deed are inserted only for reference to the provisions hereof and shall not affect the construction of such provisions.

(d) The meaning of "Charity" and "charitable" set forth in Sub-clause (a)

第 1 節　SPC のメリットと流動化スキームのチェックリスト　21

of this Clause 1 shall continue to apply notwithstanding any exercise of the powers contained in Clause 14 of the Second Schedule.

2. This Trust is established under the laws of the Cayman Islands and subject to the power conferred on the Trustees by Clause 14. of the Second Schedule hereof and to each and every exercise there of the rights of all parties and the construction and effect of the provisions hereof shall be subject to the extensive jurisdiction of and construed and regulated only according to the laws of the Cayman Islands which subject as hereinafter provided shall be the forum for administration thereof not-withstanding that one or more of the Trustees may from time to time be resident or domiciled elsewhere than in the Cayman Islands.

3. The Trustees shall hold the Trust Fund upon the trusts and with and subject to the powers and provisions hereinafter continued.

4. During the Trust Period the Trustees shall have the following powers exercisable from time to time.
(a) power as to property other than money in their discretion either to permit the same to remain as invested or to realize all or any such property;
(b) power as to money in their discretion to invest the same in their name and under their control in any of the investments authorized hereunder with like discretion to transpose or vary such investments for others of a nature authorized hereunder;
(c) power to appoint by deed or deeds revocable or irrevocable that the whole or any part or parts of the Trust Fund and the income thereof shall thenceforth be held upon such trusts for the benefit of such one or more exclusively charitable objects or Charities as the Trustees shall in their absolute discretion select and containing the restriction set out in the proviso to this Clause 4 at such times and in such shares as the Trustees shall think fit;
(d) power to pay, transfer or apply the whole or any part or parts of the capital of the Trust Fund to or for the benefit in any manner of such one or more exclusively charitable objects or Charities as the Trustees shall in their absolute discretion select;
(e) power by deed or deeds to extinguish (or restrict the future exercise

22 第1章 SPCの法律・会計税務

of) all or any of the powers conferred on the Trustees by this Deed ;

(f) power to enter into any binding agreements to restrict the transfer of the Trust Fund or any part thereof ; and

(g) power to accept such additional money, investments or other property as may be paid transferred to or otherwise placed under the control of the Trustees to held upon the trusts hereof ;

PROVIDED THAT notwithstanding : anything contained in this Deed the Trustees shall have no power :

(i) to sell dispose of convert vary transpose assign pledge charge mortgage hypothecate encumber or otherwise deal in any manner with all or any of the shares of the Specified Company ; or

(ii) to exercise the rights attaching to the shares of the Specfied Company in such a way as to result in the nature or status of the whole or any part of the shares of the Specified Company being changed in any way or the merger, winding up or dissolution of the Specified Company ;

at any time whist the Specified Company is the holder of all or any of the securities specified in the Fourth Schedule. The restriction contained in this proviso to Clause 4 shall not interfere with any change in the identity or composition of the Trustees as provided for in this Declaration of Trust or by law or with the vesting and divesting of the Trust Fund in or from the Trustees associated therewith.

5 . (a) The Trustees shall only dispose of the Trust Fund in exercise of the powers conferred by Clause 4 above provided always that the Trustees may consent to and participate in any structural change of any kind proposed in relation to the Specified Company.

(b) The Trustees shall not be bound to exercise any control they may have over or to become involved in the conduct of the business of the Specified Company or its wholly owned subsidiary AAA Limited"AAA" and the BBB Company Limited"BBB". The Trustees may leave the conduct of such business to the persons authorized to take part in the conduct thereof and shall not be bound to supervise them as long as the Trustees have no actual knowledge of any dishonesty relating to such business. In particular but without prejudice in the generality of the foregoing the Trustees shall be permitted to allow the Directors of AAA and BBB to remain as directors of such companies for the duration of the Trust Period.

(c) The Trustees are under no duty to enquire into the conduct of, or obtain any information regarding, the Company or AAA or BBB and, unless they have knowledge of circumstances which call for enquiry, they may assume at all times that the business of the Company or AAA or BBB as being conducted diligently in their best interests and that all information received is accurate and truthful.

(d) The Trustees are under no duty to procure distributions from the Company.

6. Subject to any and every exercise of the powers contained in Clause 4 hereof the Trustees during the Trust Period;

(a) may pay or apply the whole or such part or parts of the income of the Trust Fund as the Trustees shall from time to time think fit to or for the benefit of all or such one or more of the exclusively charitable objects or Charities as the Trustees shall in their absolute discretion select in such proportions or manner as the Trustees shall from time to time think fit; and

(b) shall for such period as the governing law of the Trust shall permit deal with the income of the Trust Fund (or so much thereof as shall not be paid or applied as aforesaid) by accumulating the same as an accretion to the capital of the Trust Fund.

7. The Trustees shall at the expiration of the Trust Period stand possessed of the Trust Fund upon trust as to both capital and income for such one or more exclusively charitable objects or Charities in such shares or proportions if more than one and generally in such manner as the Trustees shall prior to or on the date of such expiration their absolute discretion determine and in default of and subject to such determination upon trust for the Residuary Beneficiaries (or if there are no longer in existence at the time any Residuary Beneficiaries such exclusively charitable purpose as the Trustees may in their absolute discretion determine) absolutely.

8. The Trustees shall be discharged from any further liability in respect of any part of the Trust Fund which is paid or transferred to or applied for the benefit of any Charity or charitable purpose.

9 . The Trustees shall have the power exercisable by deed from time to time during the Trust Period to appoint additional Charities to be added to that listed in the First Schedule hereto as Residuary Beneficiaries fo this Trust such appointment to take effect from the date specified in such deed, or if no date is so specified from the date of such deed PROVIDED THAT no such addition shall affect any act of the Trustees undertaken prior thereto.

10. The powers and provisions set out in the Second Schedule hereto shall be construed and have effect as if contained in this Deed and expressly made subject to the proviso to Clause 4 hereof PROVIDED THAT no powers or provision as aforesaid shall be capable of being exercised so as to cause or permit any part of the Trust Fund or income thereon being paid or applied for purposes which are not exclusively charitable.

11. (a) No Trustee hereof shall be liable for any loss or damage which may happen to the Trust Fund or any part thereof (including without limitation any company or other entity whose shares or ownership interests are comprised in the Trust Fund) or the income thereof at any time from any cause whatsoever ; unless such loss or damage shall be caused by his own actual fraud and every Trustee shall be entitled in the purported exercise of his duties and discretions hereunder (including without limitation the management or administration of any company or other entity whose shares or ownership interests are comprised in the Trust Fund whether by acting as or providing directors or officers of such company or entity or otherwise) to be indemnified out of the Trust Fund and the income thereof against all expenses and liabilities notwithstanding that such exercise constituted a breach of such Trustee's duties unless brought about by his own actual fraud negligence or wilful default ;

(b) The indemnity by this Deed granted to each Trustee shall extend to the expenses and liabilities incurred by a Trustee in any legal proceedings brought by the beneficiaries or any one or more of them not withstanding that such proceedings shall be brought in respect of an alleged breach of duty by such Trustee unless it shall be established that such breach of duty was brought about by such Trustee's own actual fraud ;

(c) The indemnity by this Deed granted shall be in addition to any and all rights to indemnity by law implied ;

(d) For the avoidance of doubt the term "Trustee" in this Clause shall include in the case of a corporate trustee each director, officer and employee of such Trustee.

12. This Trust hereby created shall be irrevocable and take effect from the date hereof.

IN WITNESS WHEREOF this Settlement has been duty executed by the Original Trustee the day and year first above written.

CoffeeBreak **ケイマン諸島とは？**

　国際金融の世界で、「ケイマン諸島」は非常に有名である。しかし、世界地図上でケイマン諸島がどこにあるかを正確に指し示すことができる人は少ない。

　ケイマン諸島が有名なのは、言うまでもなく「タックス・ヘイブン（租税回避地）」としての長年の実績である。同諸島はまた、スクーバ・ダイビングのメッカでもあり、世界中からダイバーがやってくる。最大の島、グランド・ケイマンには、スティングレイ・シティという数百匹のエイが生息する海域がある。体長2m程度のエイが次々にやって来て、ダイバーが手にしたイカを奪っていく姿は、壮観である。ちなみにエイはマンタと異なり、肉食で、人を恐れず、遠慮なく近づいてくる（マンタも大型になるとタタミ2畳分くらいの大きさに成長するが、こちらはプランクトンを捕食するおとなしい生き物である）。

　ケイマン諸島には、所得税・法人税・消費税・相続税・贈与税・源泉税・酒税・事業税・その他の税は存在しない（関税はある）。税理士もいない。その代わり、国によるサービスもほとんど何もない。国民健康保険や厚生年金、失業手当などはない。そのためか、老人や子供は少ないようだ。日本にもタックス・ヘイブンを設けるアイデアがあった。沖縄の最南端の与那国島あたりはどうだろうか？　エイはいないが、ハンマーヘッド・シャークが群れている。

② 資産流動化スキームの器

　資産流動化スキームの構成にあたっては、当初決まっている事項はオリジネータと流動化・証券化の対象資産だけである。その後で、発行証券とターゲットとする投資家を企画し、関係者の要望に合うように法的構成を詰めていくことになる。たとえば、匿名組合型の不動産証券化スキームのうち、オフショアSPC を用いて社債にリパッケージしているケースがあるが、匿名組合の出資金より社債のほうが関係投資家が投資しやすいからである。この場合には不動産と社債を結びつける仕組みが求められることになる。

　したがって、はじめから器（SPV）として特定のヴィークルがふさわしいかどうかが決まっているわけではなく、関係者の得失を比較しながら最も最適な構成を選択しながら設計することになる。この作業を「ストラクチャリング」（構成の設計）と呼んでいる。証券化の関係者は前述のとおりだが、組成作業の中で発言力が大きいのはオリジネータ、引受証券会社、格付会社、投資家である。

　なお、近年ではオフショアSPC ではなく、日本の合同会社を用いたスキームがほとんどであるが、国外投資家の参加するスキームなど一定の流動化においてはオフショアSPC が選択される場合もある。

［1］設立手続（定款等）

　オフショアSPC 等、オフショアを利用する場合には、組成を担当する弁護士が現地のオフショア事務所と契約内容の作成および調整をすることとなるが、オフショアでは定款による行為能力が制限されるため、注意が必要である。

　匿名組合は営業者として合同会社等を用いることはあるが、匿名組合自体は契約のみで成立する。ただし、契約により損益や金銭の分配についても決定してしまうため、法律事務所等が草案を作成すると思われるが、会計および税務上のポイントとなるべき点も多いため、会計事務所の確認も同時に行うべきである。

　TMK については、資産流動化法上の届出、流動化計画作成等、法律による十分な注意が必要であることは変わらない。ちなみに、TMK 自体は海外での

第 1 節　SPC のメリットと流動化スキームのチェックリスト　27

設立は法律上不可能である。

　不動産特定共同事業法においては、法人としての定款以外に、約款も作成することとなるが、法2条3項各号に掲げる契約の種別ごとの約款の記載内容については、一般財団法人土地総合研究所による「不動産特定共同事業の約款等に係る研究会報告書」（平成7年3月）および「不動産特定共同事業の制度変更に伴う標準約款の見直し検討委員会報告書」（平成12年3月）を参考とし、約款の審査を行うものとする。また、国土交通省のホームページにおいて、「不動産特定共同事業契約のモデル約款」が公表されており、対象不動産特定型については、一般社団法人不動産証券化協会が作成したモデル約款が公表されている。不動産特定共同事業法の詳細は第2章を参照されたい。

［2］構成資産

　TMKの場合、旧SPC法においては流動化対象資産は限定的であったが、現行のSPC法においては、一定の例外を除き、ほとんどの資産・財産権が対象となっている。

　なお、匿名組合を用いたスキームにおいて、現物の不動産を保有すると不動産特定共同事業法の対象となることから、不動産を不動産信託受益権として持つ場合が多いが、信託銀行側での受託が困難な資産もあるので注意が必要である。

［3］SPVに対する課税

　一定の流通税や法人税等の課税は避けられないところであるが、そのコストが大きい場合にはSPC等を利用するメリットがなくなってしまうことから、各種の軽減する仕組みが用いられている。詳細については、各章で後述する。

［4］会計監査

　オフショアSPCにおいては会計監査を強制する規定はないが、最終的に日本で公募証券を発行する場合には金商法により会計監査が強制されることになる。TMKは、資産対応証券として特定社債のみを発行する特定目的会社であって、かつ資産流動化計画に定められた特定社債と特定借入の合計額が200億円に満たない場合を除き、会計監査人（公認会計士または監査法人）による監査を

28　第1章　SPCの法律・会計税務

受けなければならない（SPC法102⑤、同法施行令24）。匿名組合には会計監査を強制する規定はないが、出資者から営業者に対する何らかの業務監視権を行使する手段が求められることが多く、監査もその一手法である。

［5］役員および事務代行（管理）会社

　SPCは資産流動化の器にすぎないため、事務を受託する事務代行会社が必要となるが、SPCの管理業務の中でも会計・税務業務は欠くことができないので、会計事務所が受託することが多い。また、SPCの役員は利益相反防止等の目的のため、SPCの関係当事者が役員になることができず、独立の第三者（弁護士や公認会計士等）が就任することが多いが、事務代行会社たる会計事務所が役員派遣することも多い。

　なお、事務代行会社の指針となり得るものとして、日本公認会計士協会東京会業務委員会・平成12年6月23日答申「特別目的会社の運営管理実務と活用法について検討されたい」がある。

2 流動化スキームの組成チェックリスト

　図表1・1・10のチェックリストは、おおむね実際に検討作業が進められる時系列になっているが、ケースによっては順序を逆にしたほうがよい場合などもあるため、臨機応変に対応する必要がある。ある項目の変更が、他の項目へも影響を及ぼしうるため、何度も見直して全体を確定していく作業が求められる。

3 ヴィークルの選択と導管性要件

　本項では、資産の証券化において税務上最も大きな影響を及ぼすと思われる、ヴィークル段階での法人税課税の回避について、ヴィークルの形式別にその導管性要件を説明する。

図表1・1・10　流動化スキームの組成チェックリスト

① 流動化対象資産（権利）・オリジネータまたは現所有者の特定

② 発行証券販売先（投資家）の想定
- □ 機関投資家・一般投資家（国内、国外）
- □ 特定マーケット（個人、法人、ヘッジファンド等）

③ 各プレイヤーの想定と要求・優先順位
- □ オリジネータ
- □ 証券化対象資産
- □ Underwriter
- □ Investors
- □ 社債権者・貸付人

④ 最終発行証券（持分）の種類
- □ Equity：株式、匿名組合出資、任意組合の持分、TMK 優先出資等
- □ Debt：社債、tranche、CP
- □ Hybrid CB、WB、Participation note、Performance note
- □ （ノンバンク社債法）
- □ Rating の要否
- □ 公募・私募と金商法届出書
- □ 外為法届出
- □ 投資家の税効果の概略検討

⑤ SPV（特別目的事業体）の選択と組合せ
- □ 任意組合、匿名組合、信託（管理、処分）、LPS
- □ 私募投信、会社型投信
- □ 会社（株式、合名、合資、合同）、特定目的会社、特定目的信託
- □ 海外の仕組み
    - ケイマン
    - BVI
    - オランダ
    - スイス
    - シンガポール、香港
    - US　Delaware Corp. Partnership、LLC、REMIC、REIT、FASIT
    - etc.

30　第 1 章　SPC の法律・会計税務

⑥　SPVと業法規制
　　□　信託業法、不動産特定共同事業法、投資顧問業法、宅建業法、貸金業法、
　　　　割賦販売法、商品ファンド法、出資法、投資事業有限責任組合契約に関す
　　　　る法律、資産の流動化に関する法律、金融商品取引法、金融サービスの提
　　　　供に関する法律

⑦　譲渡価額
　　□　（不動産鑑定評価書、債権評価書）
　　□　不動産鑑定評価基準　（留意事項）
　　□　譲渡価額の修正条項　（留保条件付債権譲渡「繰延対価の支払い」）
　　□　譲渡金額の停止条件付値引条項

⑧　譲渡資産の Due diligence　（Due diligence report）
　　□　Due diligence の受託者
　　□　譲渡契約との関係　（Representation & Warranty）
　　□　譲渡費用（不動産取得税、登録免許税、印紙税等含む）と負担者
　　□　TMK の優先出資および公募特定社債申込書（SPC 法38条、110条）
　　□　SPC の資産売却・清算分配時の Due diligence の要否

⑨　真正譲渡（True sale ： Outright sale ： Absolute sale）
　　□　譲渡対抗要件
　　□　（債権譲渡特例法）
　　□　（弁護士意見書）
　　□　（会計意見書）

⑩　SPV の持分構成
　　□　ケイマンのチャリタブル・トラストとトラストへの支払方法
　　□　ケイマン優先株・無議決権普通株の利用
　　□　タックスヘイブン税制・移転価格税制・過少資本税制・過大支払利子税制
　　□　SPV の清算時の取戻し方法
　　□　一般社団法人の利用

⑪　SPV の役員、受託者の構成
　　□　連結範囲にも関係
　　□　監査法人代表社員が SPV 役員に就任している場合には、その監査法人は
　　　　監査は不可

⑫　AM・PM・サービサー・投資顧問の構成
　　□ サービサー法
　　□ 受託契約の範囲と PE 認定
　　□ 金商法・不特法・商品ファンド法等規則

⑬　倒産隔離
　　□ 弁護士意見書

⑭　信託補完
　　□ 現金留保、保証、Senior－sub、Option、Forward、Spread、Reserve
　　□ BIS カウントチェック（金融機関のみ）
　　□ オリジネータまたは第三者の Put
　　□ オリジネータの Swap

⑮　オフバランス要件
　　（会計意見書）
　　□ 1.「関係会社間の取引に係る土地・設備等の売却益の計上についての監査
　　　　上の取扱い」（昭和52年 8 月 8 日　日本公認会計士協会　監査委員会報告
　　　　第27号）
　　□ 2.「土地の信託に係る監査上の留意点について」（昭和60年 3 月 5 日　日
　　　　本公認会計士協会　審理室情報 № 6 ）
　　□ 3.「特別目的会社を活用した不動産の流動化に係る譲渡人の会計処理に関
　　　　する実務指針」（平成12年 7 月31日　日本公認会計士協会　会計制度委員
　　　　会報告第15号）
　　□ 4.「同 Q&A」（平成13年 5 月25日　日本公認会計士協会　会計制度委員会）
　　□ 5.「民都へ売却した土地に係る留意事項」（平成14年 3 月25日　日本公認
　　　　会計士協会）
　　□ 6.「不動産の売却に係る会計処理に関する論点整理」（平成16年 2 月13日
　　　　企業会計基準委員会）
　　□ 7.「不動産の売却に係る会計処理に関する論点整理に対する意見」（平成
　　　　16年 5 月13日　日本公認会計士協会）
　　□ 8.「特別目的会社を利用した取引に関する監査上の留意点についての Q&
　　　　A」（平成17年 9 月30日　日本公認会計士協会　監査・保証実務委員会）
　　□ 9.「リース取引に関する会計基準」及び「リース取引に関する会計基準の
　　　　適用指針」（平成19年 3 月27日　企業会計基準委員会）
　　□ 10. 企業会計基準第29号「収益認識に関する会計基準」（平成30年 3 月30日
　　　　企業会計基準委員会）

☐ 11. 米国会計基準 ASC360、840（2015，FASB）
☐ 12. IFRS15号、16号、40号（2015，ASB）
☐ 13.「リースに関する会計基準（案）」の公表（令和5年5月2日　企業会計基準委員会）

⑯　連結対象吟味
　　（会計意見書）
☐「連結財務諸表における子会社及び関連会社の範囲の決定に関する監査上の取扱い」（平成10年12月8日　公認会計士協会）
☐「連結財務諸表における子会社及び関連会社の範囲の決定に関する監査上の取扱い」に関するQ&A（平成12年1月19日　日本公認会計士協会）
☐ 実務対応報告第20号「投資事業組合に対する支配力基準及び影響力基準の適用に関する実務上の取扱い」（平成18年9月8日　企業会計基準委員会）
☐ 企業会計基準22号「連結財務諸表に関する会計基準」（平成20年12月26日　企業会計基準委員会）
☐ 米国会計基準 ASC810（2015，FASB）
☐ IFRS10号、12号（2015，IASB）

⑰　源泉税（予想される全キャッシュ・フローを具体的にチェック）
　　（税務意見書）
☐ 社債利子・配当・匿名組合の分配金源泉税（納期特例チェック）
☐ 特に海外 SPV 関連取引
　　　東京支店の有無（一部源泉税免除手続き）
　　　非居住者の不動産譲渡税
　　　租税条約の適用と1号所得
☐ 還付手続き
☐ 特に Double－SPC スキームの源泉税、復興特別所得税

⑱　SPV の支払経費の損金算入
☐ SPV の繰越欠損金相殺要件（青色申告要件）
☐ SPV の経費損金算入と PE 認定との関係
☐ SPV（東京支店、子会社等含む）の過少資本、過大支払利子
☐ TMK の配当の損金算入要件
☐ SPV 損益の税務否認の影響、リスクの程度
☐ Tax redemption

第1節　SPC のメリットと流動化スキームのチェックリスト　　33

⑲　SPV 内の留保利益の環流
　　□　余剰利益の課税されない範囲、余剰利益の常に発生しない構成（匿名組合、TMK）
　　□　投資家、各 SPV、オリジネータの決算期のズレによる課税所得発生に注意
　　□　超過サービサーフィー・成功報酬または買取金額の事後調整（値引き）

⑳　オリジネータ、投資家の申告所得への影響
　　□　匿名組合／任意組合の損失パススルー
　　□　匿名組合の個人所得区分
　　□　海外発行社債・CP 源泉税と租税条約
　　□　FTC への影響に注意

㉑　資産移転・各トリガー・譲渡・清算・手続レビュー
　　□　（必要取引経費積算）

㉒　キャッシュ・フローのシミュレーション
　　□　損益のシミュレーション、解散・清算費用の見積り
　　　　（具体的に繰り返し行う）

㉓　消費税のシミュレーション
　　□　課税期間・届出のタイミング
　　□　現物資産の消費税のキャッシュ・フロー

1　わが国税制の導管性

　ヴィークルを利用方法によって分類すると**図表 1・1・11**のようになる。ヴィークルを活動基準で捉える米国のような考え方では、図表の下段にあるような課税が考えられてしかるべきかもしれない。ただし、わが国の現在の税法実務からは原則として法形式主義で課税関係が決定されると考えてよいだろう。

　一般にヴィークルとして使われる各器について、表中に列挙した A、A'、B、C、C' を下のように分類した。

　(A)　ヴィークル自体が原則として法人税課税なし、かつただちに組合員課税

34　第 1 章　SPC の法律・会計税務

図表1・1・11　ヴィークルの利用方法による分類

器の性格	通常の会社 corporation	資産運用型 fund	資産流動化型 Special Purpose Vehicle
活動の範囲	制約なし（買収合併等による大変化も可）	資産運用に限定（資産追加・入替え可）	資産保有に限定（資産入替え不可）
発行証券	株式や債券等	主として持分証券	資産担保証券（ABS）
信託型	一般の事業信託（A）・目的信託（A&C）特定受益証券発行信託（A'）その他受益証券発行信託（C）	合同運用信託（A'）証券投資信託（A'）国内公募型投資信託（A'）外国投資信託（A'）特定投資信託（B）	特定目的信託（B）本文信託（A）
法人型	事業法人（C）（注）	投資法人（B）	特定目的会社（B）受動的SPC（国内C／外国C'）人格なき社団（C'）（収益事業のみ）
組合型	任意組合（A）・匿名組合（A）・partnership（A）有限責任事業組合（A）・投資事業有限責任組合（A）		
US活動基準の考え方	通常どおり課税	条件により課税	資産保有するだけならば非課税

（注）　この中には合同会社も含まれる。

　　　されるもの（パス・スルーヴィークル）。受益者等課税信託、任意組合、匿名組合、投資事業有限責任組合等がこれに該当する。

(A)　ヴィークル自体が原則として法人税課税なし、かつただちに組合員課税されず、分配時に初めて課税されるもの。合同運用信託、証券投資信託、国内公募型投資信託、外国投資信託等がこれに該当する。

(B)　法定4ヴィークルを中心として90％配当要件等条件によっては配当を損金算入することにより法人税の課税所得を減らすことができ、結果として法人税課税を減少できるもの（ペイ・スルーヴィークル）。

特定目的会社、特定目的信託、投資法人、プロ私募（特定）投資信託等がこれに該当する。

(C) ヴィークルそのものに法人税が課せられるもの。SPC等として用いる場合には、何らかの工夫が必要となる。株式会社、合同会社、一般社団法人等がこれに該当する。

(C') 一定の所得について器そのものに法人税が課せられるもの。人格なき社団、外国法人など。人格なき社団は原則として法人税課税があるが、収益事業より生ずる所得に限られる。外国法人も法人税課税があるが、PE（恒久的施設：Permanent Estsblishment）の有無により一部の国内源泉所得に限られる。

2 ヴィークルごとの導管性要件

［1］信託

実務上、第1の器として用いられることも多い信託については、法人税法12条等において、五つの類型（受益者等課税信託、集団投資信託、退職年金等信託、特定公益信託および法人課税信託）に分類されている。受益者等課税信託では、信託の受益者が当該信託の信託財産に属する資産および負債を有するものとみなし、かつ当該信託財産に帰せられる収益および費用を当該信託受益者の収益および費用とし、法人税等を適用する（法法12）。

［2］任意組合および匿名組合

わが国の税制上、法人税法3条、所得税法4条および消費税法3条の規定により、法人格を有していなくても実質的に法人に近い団体である「人格のない社団等」については法人とみなされ、法人税、所得税および消費税が課税されることとされている。

ここで問題となるのが「人格のない社団等」の範囲であるが、法人税法2条8号においては「法人ではない社団又は財団で代表者又は管理人の定めがあるものをいう」と定義されており、その範囲は非常に広いものとなっている。そこで法人税基本通達1-1-1および所得税基本通達2-5においてその範囲

をしぼっており、「法人格を有しない社団」とは、「多数の者が一定の目的を達成するために結合した団体のうち法人格を有しないもので、単なる個人の集合体ではなく、団体としての組織を有して統一された意思の下にその構成員の個性を超越して活動を行うもの」とされており、「次に掲げるようなものは、これに含まれない」として、「民法第667条『組合契約』の規定による任意組合」および「商法第535条『匿名組合契約』の規定による匿名組合」は除かれることが明記されている。

したがって、任意組合および匿名組合は法人税、所得税の納税義務者とはならず、導管性が確保されている（匿名組合と任意組合、人格なき社団との関係については第4章参照）。

［3］法定4ヴィークル

法定4ヴィークル（特定目的会社、特定目的信託、投資法人および投資信託）が支払う利益の配当等の額については、租税特別措置法67条の14、67条の15、68条の3の2および68条の3の3により一定の要件を満たす場合には、課税所得の計算上、損金の額に算入されることとなるため、高い導管性を確保することが可能である。

3 ヴィークルの選択

［1］ヴィークル選択の現状

現状としては、上場ファンドの場合には投資法人、私募投資法人および非上場ファンドの場合には合同会社と匿名組合の組合せが主として用いられている。また、流動化型の場合には合同会社と匿名組合の組合せ、特定目的会社が用いられることが多く、特定目的信託はほとんど用いられていない。

［2］合同会社と匿名組合および信託

合同会社と匿名組合および信託（**図表1・1・12**参照）が多く用いられる理由としては、以下のような点が挙げられる。

① 信託の利用によって不動産特定共同事業法の制約を受けないため自由度が高いこと

第1節　SPCのメリットと流動化スキームのチェックリスト　37

図表1・1・12　合同会社と匿名組合および信託

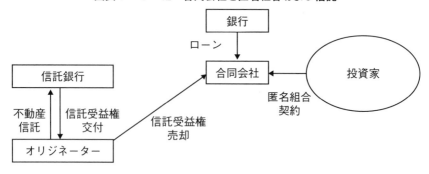

② 信託の利用による、流通税の軽減
③ 信託による資産の委託者からの分離や、資産の管理機能等、信託のさまざまな機能を生かせること
④ 匿名組合については法律等の規制が少ないため、特定目的会社のような書類作成が必要ではなく、事務処理等の負担が軽いこと（ただし、金商法の改正により、平成16年12月1日以降においてはみなし有価証券として証券取引法関連の規定が適用されるため、一定の情報開示が必要となった）
⑤ 合同会社を利用することによって少額の出資金で設立が可能であることや業務執行社員の任期なし、会計監査不要なこと、公告が不要なこと等、株式会社に比べ運営コストが安いというメリットを得られること。また、合同会社の場合は、会社の設立の手順が簡略化されており、登記申請までの期間が短いこと

[3] **特定目的会社のメリット**

上記のように匿名組合スキームにより資金を調達し、信託受益権として不動産を保有する合同会社のスキームはメリットの大きいところであるが、特定目的会社を使う理由としては次のようなメリットが考えられる。

① SPC法に基づくため、不動産特定共同事業法の制約を受けずに現物不動産を流動化できること
② 特定目的会社の流通税の軽減があること

③　SPC法の下で運営されるため、匿名組合に比べ高いガバナンス効果が
ある（投資家が安心できる形態）こと

④　合同会社の場合と同様、設立は少額で可能であり、役員の任期もない（た
だし、通常は会計監査人を登記することとなり、毎年、会計監査人を重任・登
記することとなる）こと

⑤　投資家が海外投資家等、一定の場合には租税条約により源泉税が軽減さ
れる場合があること

［4］匿名組合（合同会社）と特定目的会社

　平成24年11月に施行されたSPC法の改正により、従来は原則的に禁止され
ていた（認められるものが限定的であった）組合契約および匿名組合契約の出資
の保有について、一定の緩和がなされ、次の要件を満たす契約にかかる組合契
約および匿名組合契約にかかる出資持分の取得が可能となった（SPC法施行規
則95①、②）。

①　対象資産が、不動産、不動産に関する所有権以外の権利またはこれらを
信託する信託の受益権（以下「対象資産」という）であること

②　対象資産の取得ならびに管理および処分に係る業務（以下「対象資産業
務」という）を行い、その収益等の分配を行う組合または組合契約に係る
組合契約（以下「対象組合契約」という）または匿名組合契約（以下「対象
匿名組合契約」という）であること

③　対象資産を追加して取得し、または自己の財産もしくは他の対象組合契
約・対象匿名組合契約に係る財産を対象資産に追加することにより対象資
産の変更を行うことを予定する契約（対象資産変更型契約）でないこと

④　対象資産が信託の受益権である場合には、（③に加えて）信託行為におい
て信託財産に属すべきものと定められた財産以外の財産を追加して取得す
ることにより信託財産の変更を行うことが予定されているものでないこと

⑤　当該対象組合契約に係る業務の執行を行う特定目的会社以外の者に委任
する契約、または特定目的会社が当該対象匿名組合契約に係る営業者では
ない契約であること

図表1・1・13

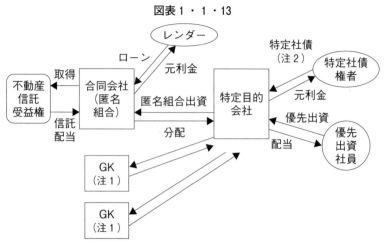

（注1） 上記の「合同会社（匿名組合）」のヴィークルと同様、匿名組合出資とローンで資金調達し、不動産信託受益権に投資するヴィークル（図表の簡略化のため、それらの記載を省略した）。
（注2） TMKの導管制要件を考慮して特定社債を記載しているが、優先出資が公募の場合等一定の場合には、特定社債を発行しないスキームも考えられる。

　なお、①の対象資産のうちの信託受益権について、当該信託の受益権の信託財産に金銭等が含まれている場合も考えられるが、信託の管理・処分等にあたり合理的に必要と認められるものであれば、各種規制の趣旨に反しない限りにおいて、金銭等の保有も認められる（「金融商品取引法制に関する政令案・内閣府令案等」に対するパブリックコメントの結果等（以下「パブコメ」という）より）。
　また、③および④についての対象資産の変更禁止についてであるが、SPC法における趣旨を担保するため、匿名組合契約上や信託行為においても何かしらの資産の変更保有制限が必要となる（パブコメより）。
　上記の改正により、資産流動化計画に記載する特定資産の内容について、組合持分または匿名組合持分を取得する場合の記載内容が明確になった（SPC法施行規則9）。
　この結果、次のようなTMKが複数の匿名組合（合同会社）に投資するダブ

ル SPC スキームの組成が可能となり、上記［**3**］の⑤で挙げたように、源泉税に関する租税条約の減免の関係で、海外投資家がいる場合にはこのようなスキームを利用することも考えられる。

ただし、匿名組合の利益分配の段階で20％（現在20.42％）の源泉税が徴収されるため、組合員である特定目的会社の利益計上額（源泉徴収前の総額）と現金受領額（源泉徴収後の純額。源泉徴収額は確定申告により精算）は一時的に乖離する。導管性の維持を図るために90％超配当を行わなくてはならない特定目的会社においては、キャッシュ・フローの管理と配当原資の確保を行う必要がある。

また、匿名組合事業により投資する不動産等が変更されないのであれば、匿名組合契約に基づく追加匿名組合出資は、基本的には匿名組合出資持分の追加取得には該当しないと考えられるものの、個別事例の実態に即して判断されるべきとパブコメにおいてコメントがなされている。

［**5**］**投資家の立場によるヴィークル選択**

不動産証券化の投資家の税務上の影響は、ヴィークルへの法人税課税方式の選択と並んで証券化ヴィークルの選択にあたって考慮すべき重要な税務上のポイントとなる。

特に主たる資金提供者として想定される投資家が、公共法人（地方自治体等）、公益法人等（年金基金、財団法人や学校法人等）（注）や外国法人に該当する場合には課税される所得の範囲が大きく異なる。ターゲットとなる投資家の属性がこれらに該当する場合には、投資家の課税上のポジションを十分考慮してヴィークルを選択することが必要となる。

（注）　投資家が年金基金等である場合には、原則として源泉税は非課税である。

図表1・1・14　ヴィークルの選択（単数の場合）…網かけは実行例があるもの

投資対象／ヴィークル	不動産 特定	不動産 不特定	不動産の信託に係る受益権	金銭債権	金銭債権の信託	航空機、CashBox、特許権等	株式	株主持ち分判定
金商法有価証券	×	×	みなし　1項	×	みなし	×	1項	
法人税法有価証券	×	×	× 　◎	×	×	◎	◎	
特定目的会社		×					50%未満 導管性	法人単位
合同会社＋匿名組合	特定共同事業	特定共同事業						法人単位
株式会社＋匿名組合	特定共同事業	特定共同事業						
株式会社（匿名組合なし）								組合員単位
投資事業有限責任組合	×	×						組合員単位
その他の任意組合	特定共同事業	特定共同事業						組合員単位
								組合員単位
投資法人							50%未満 投信法	法人単位
ケイマンLLP								50%が50投資家が持った場合の持ち分判定はどうなる？
ケイマン国際投資会社東京支店								
ケンマンユニットトラスト								
デラウェアLLC								
一般社団法人だけ								
単なる信託、信託内借入								
外国投資家（租税条約、確認）								
従業員持ち株会								

（出所）さくら綜合事務所

第2節

SPC の組成時の実務

　SPC に関する法律上の問題は、先に検討したような真正譲渡や倒産隔離に関する論点のほか幅広い。ここでは、まず SPC 一般に関する法律上の問題を先に検討し、次に特定目的会社（TMK）についての法律を概観していきたい。

1 SPC 一般に関する法律問題

1 真正譲渡

　オリジネータから SPC への資産の譲渡が法律上の譲渡の要件を備えているかどうかの議論である。真正譲渡が否定された場合には通常は担保取引となり、SPC はオリジネータの倒産時に担保権を有する債権者の立場に立つため、倒産隔離は一般に達成されない。つまり、真正譲渡はオリジネータからの倒産隔離の必要条件となる。

　金融資産について真正譲渡となるかどうかは実務上、次の諸点を検討しており(注)、米国では法律上の真正譲渡の要件と会計上のオフバランス処理（ASC 810等）の要件が一致する方向で収束する傾向にある。ところが、会計上のオフバランス要件には SPV のオリジネータからの倒産隔離が含まれている。しかし、真正譲渡はオリジネータの倒産から SPV が隔離されていることの要件の一つと解すべきだろう。

　（注）　大沢和人「金融資産証券化にかかる債券売却の認定基準」『NBL』No. 588

　わが国の金銭債権等の譲渡に関する企業会計も、米国基準に近い基準を採用

している（財務構成要素アプローチ）。

　なお、不動産等の現物資産について真正譲渡となるかどうかについては、リース取引との関連でも考えられる。リースバックやファイナンスリースでない限り、国際会計基準では原則として対抗要件を備えた譲渡は法律上も譲渡と考えられている。オリジネータ倒産時の管財人の否認権については次項で考える。

2　倒産隔離

　倒産隔離とは、①SPC自身の破産を回避すること、②オリジネータの倒産時に譲受人であるSPCが影響されないこと、をいうこともあるが、②は(1)でみたように金銭債権について会計上オフバランス処理が認められる一つの必要条件となっており、一般的には②を指して「倒産隔離」(bankruptcy remoteness) と呼んでいる。

　なお、SPC法では、特定社債について一般担保社債として優先弁済権を認めたため、SPCの他の債権者との法律上の問題は少なくなった。

　倒産隔離の要件は、(イ)一般に資産の譲渡が法律上の要件を充たしていること (真正譲渡性)、および、(ロ)オリジネータの倒産時に管財人や債権者の詐害行為等による取消しや否認権により譲渡の効力を失うおそれがないこと、を内容とする。

[1] オリジネータ倒産時の破産管財人等の否認権

　資産証券化においてオリジネータが法的な倒産状態（破産、民事再生または会社更生など）に至った場合、破産管財人や更生管財人等は否認権を行使することができるが（破産法160条以下、会社更生法86条以下、民事再生法127条以下）、その代表例である破産法上の否認権（破産法160〜176）の概要を示せば、次のとおりである。

　①　破産者を害する行為の否認（破産法160）

　　イ．財産減少行為（同条①）：否認に関する一般的要件

　　　破産者が債権者を害することを知ってした行為（同項一。いわゆる従来の故意否認とされる類型）や破産者が支払の停止または破産手続開始の

44　　第1章　SPCの法律・会計税務

申立て（以下「支払停止等」という）があった後にした破産債権者を害する行為（同項二）について否認することができる。

ロ．対価的均衡を欠く代物弁済等（同条②）

　　破産者がした債務の消滅に関する行為で、債権者の受けた財産的給付の価額が当該行為によって消滅した債務の額より過大であるときは、消滅した債務の額に相当する部分以外の部分に限り（つまり、債務よりも過大な部分だけ）否認することができる。

ハ．無償行為（同条③）

　　破産者が支払停止等後、またはその前6か月以内に行った無償行為（これと同視できる有償行為）は、破産者の意思や債権者の主観にかかわらず、否認の対象となる。

② 相当の対価を得てした財産の処分行為の否認（破産法161）

　　従来否認の対象とすることができるかについて問題となることが多かった適正価格での売買については、否認の規定を明確にする一方、否認できる場合を限定（破産法161条1項1～3号の要件をすべて満たさなくては否認できない）する規定が設けられたことにより、買主が当該取引について萎縮することがないように配慮されている。

③ 特定の債権者に対する担保の供与等の否認（破産法162。偏頗行為等の否認）

　　上記①の一般的要件の特則として、破産者による特定の債権者に対する担保の供与等の行為（偏頗行為）に関する否認の規定が設けられ、破産者が「支払不能」になった後、または破産手続開始の申立てがあった後にした行為が否認の対象となることが明確にされた。これは、従来の故意否認と危機否認の境界があいまいであり、偏頗行為否認が認められる場合について論議があったものを明確化したものである。これによって、破産者の主観的意思にかかわらず、支払不能（これは支払停止の事実によって推定される。破産法162③）等の後にされた行為が否認の対象となることが明確になった。

第2節　SPCの組成時の実務　　45

以上の否認権のうち、従来問題とされることが多かったのは、①(イ)や③であるが、破産法166条によって、否認の対象は、事実上破産手続開始申立の日から１年以内の行為に限定されることになる。そこで、社債の約款に償還後１年と１日を経過するまでは破産手続開始申立ができない旨の条項（non-petition clause）を入れることがあり、格付会社からもこれを規定するように指導されることもある。

　なお、信託法において、否認の要件についての特則が定められていることから（信託法12条）、オリジネータが資産を信託譲渡した後に倒産手続開始となった場合には留意が必要である。

[2] オリジネータとSPCの関係

　資本関係のみでなく、倒産法上は取引関係も重視される。具体的には、結合企業をめぐる倒産手続上、財産の取戻しが認められるかどうかという局面で問題が顕在化する。取戻しが認められる要件は、子会社が親会社の単なる道具であり、取り戻される財産が子会社に帰属していると信じて子会社と取引をした債権者が存在しないことである。つまり、いわゆる法人格の濫用の事案等に限られることになる。TMKに限らず、SPCはすべてがペーパーカンパニーであり、法人格は証券発行のために便宜的に用いられるにすぎない。この議論は、最終的にはSPCという器による証券発行に社会的な意義を認めるかどうかという点に行き着くものと思われる。

　倒産手続上、関係会社等を実質的に親会社の一部として取り扱う「実体的併合」については、以下のことが要件とされている。ただし、最後の要件に関する限り、破産の場合は現実には難しいのではないかと考えられる。

① 併合によって債権者をはじめとする利害関係人間の公平が達成されること

② それぞれの企業の法人格の独立性に対する債権者等の信頼が認められないこと

③ 資産および負債の正確な分離が困難なこと

④ 結合企業相互間の債権債務処理が容易になること

⑤　更生手続において更生の見込みが増大すること

3　サブリース契約の賃料条件変更

　不動産の証券化に関して、賃料の継続性がしばしば問題となる。その実務的な解決策として、サービサーがサブリース会社となり賃料保証を行うということが考えられる。しかし、このサブリースによる賃料保証方式について、不動産市況の悪化による事情変更によって賃料減額請求をサブリース会社から求められる事例が多く発生し、訴訟となっている。

　判例は、賃料減額請求を認めるものと認めないものとの件数が拮抗しているが、最高裁第三小法廷平成15年10月21日判決は、サブリース契約についても特段の事情がないかぎり借地借家法32条1項の適用があり、賃料減額請求が可能であることを認めた上で、サブリースであるというだけで上記借地借家法の適用がないということはできないと判示する。サブリースであるという事情は、賃料減額請求の当否や相当賃料を判断する中で考慮されるべき事情ということとなり（上記最高裁判決も「賃貸借契約の当事者が賃料額決定の要素とした事情を総合考慮すべきであり、(中略)賃料保証特約の存在や保証賃料額が決定された事情をも考慮すべき」だとする）、サブリース会社に有利な判断ということができよう。

4　インデムニティレター

　特定目的会社と取締役との関係は、委任に関する規定に従うとされていることから（SPC法69）、取締役はその業務執行につき特定目的会社に対して善管注意義務を負うとともに（民法644）、忠実義務を負う（SPC法85、会社法355）。

　また、SPC法は、取締役の責任に関連して、競業および利益相反取引の制限（SPC法80）、業務の執行に関する検査役の選任（SPC法81）、社員等による取締役の行為の差止め（SPC法82）、特定目的会社に対する損害賠償責任（SPC法94）、第三者に対する損害賠償責任（SPC法95）、利益の配当等に関する責任（SPC法117）、欠損が生じた場合の責任（SPC法118）、総会屋への利益供与の禁止にかかる責任（SPC法120④）等、会社法上の取締役とほぼ同じ内容の規定

第2節　SPCの組成時の実務　　47

を置いている。そして、取締役の特定目的会社に対する損害賠償責任は、総社員の同意がなければ免除することができないとされており（SPC法94④）、会社法上の取締役の責任の一部免除（会社法425、426）や責任限定（会社法427）の規定は置かれていない。

SPCの取締役の義務・責任については、SPC法改正時、集団投資スキームに関するワーキンググループにより、組織の簡素化の一環としてこれを緩和すべきかどうか検討された。しかし、取締役の義務・責任は、簡素な仕組みのSPCにおける投資者保護の仕組みであるため法的に緩和すべきでないとして（平成11年11月30日集団投資スキームに関するワーキンググループ報告）その緩和が見送られた。

一方、SPCは、資産流動化のための器として設立されるペーパーカンパニーであり、SPCの取締役は実質的な業務執行を期待されているわけではない。

したがって、SPCの取締役の負担する損害賠償義務を含む金銭支払義務については、スポンサー・アレンジャー等の実質的判断者から、インデムニティレター（免責補償書）を取得して、取締役の責任の実質的免除を図っておくべきである。

インデムニティレターの内容として、①スポンサー・アレンジャー等は、取締役がSPCに関する業務を遂行する上で、民事責任、刑事責任が問われるような可能性を排除する手当を施すこと。取締役は、故意または重過失がある場合を除き、業務執行者として民事および刑事責任にかかる一切のリスクを負わないこと、②取締役は、SPCに関する業務を遂行する上で、第三者から損害賠償その他の金銭的請求を受けた場合には、取締役がスポンサー・アレンジャー等の指図・指示に従って業務を遂行した場合（ただし、取締役に故意または重大な過失がある場合を除く）、取締役が法的に支払うものとされた金額の一切および弁護士費用を含む訴訟費用は、スポンサー・アレンジャー等の負担とすること、等を記載することが多い。

5 SPCの取締役の善管注意義務

SPCの債務不履行について、SPCおよびその取締役に対して、第三者責任を追及する訴訟が提起された案件で、裁判所は、「資産流動化計画の作成の主要部分はアレンジャー等の専門家に委ねることを前提としつつ、取締役が実際にどの程度それに関与すべきであるかは個々の特定目的会社の設立経緯や取締役の選任状況等によって異なるというべきであり、資産流動化計画の内容に関し、取締役に任務懈怠があるか否かの判断も、これらの点を考慮して事案ごとに判断するほかない」としつつも、本件の取締役が、問題となった資産流動化計画の策定に実質的にどの程度関与していたかを詳しく検討した上で、本件では、実質的な関与は期待されていなかったと述べて、取締役の第三者に対する責任を否定した（大阪地判平成18年5月30日判例タイムズ1250号325頁）。この裁判例は次のとおり判示している。

「特定目的会社は資産流動化の対象となる資産をその保有者から譲り受け、当該資産をオリジネーターから切り離すためだけに存在する資産流動化のための器として設立されるペーパーカンパニーであり、資産流動化業務及びその付帯業務以外の業務を行うことを禁止されている（SPC法142。筆者注：現SPC法195）。そのため、特定目的会社の取締役に期待される中心的な職務は、決定された資産流動化計画を機械的に実施することにある。また、資産流動化計画は、投資者の投資判断の拠り所であって、特定目的会社の基礎をなすものであるから、その変更や確定手続を定める場合にあっても、当該手続に係る取締役の裁量は、極めて限定されている（同法118の2から7まで、同法施行規則35②二参照。筆者注：現同法151〜157）。

そもそも、集団投資スキームとは、多様なリスクやリターンを組み合わせた金融商品を組成する仕組みとして、仕組み行為、資産運用、資産管理といった金融サービスの機能に応じて、多数の金融サービス業者が専門家として関与するものであり、それによって、投資家にとってもより魅力的な金融商品が提供されることが期待されている。資産流動化計画の記載内容に照らしても、原資産保有者、特定資産の管理・処分の委託先、優先証券発行会社等の関係者の契

約・交渉によるところが大きいことが明らかであり、そのような専門家らが、流動化の対象となる特定資産の種類や、投資家のニーズ等を考慮・分析し、流動化商品を組成して複雑なスキーム全体を構築することが求められる。そのため、アレンジャー等の専門家でなければ資産流動化計画の作成は困難であって、その作成をこれら専門家に委ねることが予定されている。さらに、特定目的会社設立以前の段階で資産流動化計画の基本事項の作成・交渉等の資産流動化計画作成の前提行為を行うことも可能である。

したがって、取締役が、最終的に作成された資産流動化計画について特定社員の承認を受け、特定目的会社を代表して資産流動化計画等を添付して業務開始の届出をすることになるとしても、取締役が資産流動化計画の作成に実質的に関与することが通常期待されているものとはいえない。

結局、資産流動化計画の作成の主要部分はアレンジャー等の専門家に委ねることを前提としつつ、取締役が実際にどの程度それに関与すべきであるかは個々の特定目的会社の設立経緯や取締役の選任状況等によって異なるというべきであり、資産流動化計画の内容に関し、取締役に任務懈怠があるか否かの判断も、これらの点を考慮して事案ごとに判断するほかない。」

SPCの唯一の取締役である「被告乙山は、従前の取締役であった春野がBの関係者であり、倒産隔離の点から適当でないことから、被告会社の取締役に就任したこと、就任時期は、特定社員から本件資産流動化計画の承認を受ける約10日前にすぎないこと、同計画作成の実質的な作業（特定資産の購入や証券化のアレンジメント）はアレンジャーであるBが行ったほか、優先出資証券を取り扱い、社債引受予定者である中央三井信託銀行も本件資産流動化計画の基本的構成の作成に関与していたこと、被告乙山の報酬は、年額75万円にすぎなかったことなどからすると、被告乙山は、資産流動化計画の策定に実質的に関与することは期待されておらず、本件資産流動化計画の実施を主たる任務として就任したものであることが推認できる。したがって、被告乙山が、資産流動化計画の作成に実質的に関与しなかったことが会社に対する任務懈怠になるとする原告らの主張は採用できない。」

2 一般社団法人の利用

1 一般社団法人の意義

　一般社団法人とは、「一般社団法人及び一般財団法人に関する法律」（平成18年6月2日法律第48号。以下「一般社団・財団法人法」という）に基づき設立される法人である。平成20年12月1日にこの法律が施行されたことにともない、中間法人法が廃止されたことから、この法律の施行時に存在する有限責任中間法人は、何らの手続きをとらずして一般社団法人に移行した（一般社団法人及び一般財団法人に関する法律及び公益社団法人及び公益財団法人の認定等に関する法律の整備等に関する法律（以下「整備法」という）2①）。移行に際して、有限責任中間法人の定款、理事、監事および社員は、一般社団・財団法人法施行日当日に、一般社団法人の定款、理事、監事および社員となった。

　一般社団法人は、営利を目的としないことから、社員に剰余金を分配しないこととされている（一般社団・財団法人法11②、35③）。一方、一般社団法人が行いうる事業についてみると、一般社団・財団法人法にこれを制限する規定は存在しないことから、収益事業を行うこともできる。

　一般社団法人と有限責任中間法人の異同についてみると、一般社団法人は、有限責任中間法人と、設立、社員、計算、公告方法等につきおおむね同じような取扱いである。一方、機関については、一般社団法人は監事を置くかどうか原則として任意である等（一般社団・財団法人法60②）、有限責任中間法人と比べてさらに簡易になっている（負債総額が200億円以上である大規模一般社団法人は、会計監査人および監事の設置、内部統制システムの整備が義務付けられるものの、一般社団法人を資産保有SPVの議決権を保有する者として利用する場合は、負債の総額が200億円以上となることはないと思われる）。また、基金についても、一般社団法人においては基金制度を採用するかどうか任意となっている点（一般社団・財団法人法131）、設立時の最低基金総額は300万円とされ基金制度が必須であった有限責任中間法人と異なっている。

第2節　SPCの組成時の実務　　51

以上のように、一般社団法人と有限責任中間法人は、若干の違いはあるものの、ほぼ同一の性格を有する法人類型であるといえる。

2 資産流動化における一般社団法人の利用

有限責任中間法人は、証券化における資産保有SPVまたはその議決権を保有する主体として利用されてきた。法務省の登記統計によれば、平成14年から19年にかけての有限責任中間法人の設立登記件数は、142件、437件、793件、976件、1,032件、907件と増加基調にあり、正確な数字はないものの、そのうちの相当数が証券化のために設立されたものと推測される（藤瀬裕司『証券化のための一般社団・財団法人法入門』78頁、商事法務、2008年10月）。

有限責任中間法人とほぼ同一の性格を有する法人類型たる一般社団法人を、有限責任中間法人と同様に、従来のケイマンSPCの代わりに活用し、①資産保有SPVの議決権保有主体として利用できるか、②一般社団法人それ自体を資産保有SPVとして利用できるか、証券発行体SPVとして利用できるか、が問題となる。なお、法務省の登記統計によれば、一般社団法人の平成20年の設立登記件数は243件となっており、正確な数字はないものの、この中には証券化のために設立されたものも存すると推測される。

［1］資産保有SPVの議決権保有主体としての利用

このうち、特に利用されることの多い①については、(イ)そもそも、一般社団法人をかかる目的で利用できるのかという問題のほかに、(ロ)倒産隔離の観点からの問題、(ハ)オフバランスの実現、(ニ)オリジネータとの非連結、といった問題点が挙げられる。

まず、(イ)については、一般社団法人の定款に記載すべき「目的」は、抽象的な目的だけではなく、これを達成するために行う事業の内容を具体的に記載すべきであるとされてはいるものの、行うことのできる事業に制限はなく、収益事業を行うことも可能である。なお、一般社団法人においては、社員に剰余金または残余財産の分配を受ける権利を与える旨の定めを定款に置いても効力を有しないとされていることから（一般社団・財団法人法11②）、営利を目的とし

52　第1章　SPCの法律・会計税務

ない社団とされているものの、このことから一般社団法人が収益事業を行えないという結論が導かれるわけではない。したがって、一般社団法人を①の目的で利用することも法的には妨げられないものと解される。

また、㈠および㈡については、一般社団法人を利用する場合とケイマンSPCを利用する場合とで別異に解すべき理由は認められないから、いずれも一般社団法人を利用することの妨げとはならない。

問題は、㈣の倒産隔離であるが、これにはオリジネータ倒産の場合のSPVの倒産隔離とSPV自体が株主、役員、債権者等からの申立てにより倒産する可能性からの隔離の2点の問題がある。

まず、前者のオリジネータ倒産の場合のSPVの倒産隔離の問題を検討する。証券化は、特定の資産から発生するキャッシュ・フローを引当てとするアセットファイナンスであり、投資家に対する元利金の返済ないし償還は特定の資産から発生するキャッシュ・フローから行うことから、オリジネータが倒産した場合でも資産保有SPVがその影響を受けない仕組みを確保するため、資産保有SPVがオリジネータ等から独立していることが必要である。この点、一般社団法人では、財産的基礎の維持を図るために基金を拠出した者がいる場合であっても、議決権を有するのは社員だけであり（一般社団・財団法人法48①）、基金拠出者の地位と社員の地位とは分離されている。したがって、オリジネータ等が、一般社団法人に対して基金を拠出した場合であっても、一般社団法人の社員がオリジネータ等の役職員で占められていない限り、オリジネータが資産保有SPVたる一般社団法人をコントロールすることはできないことから、オリジネータからの倒産隔離は達成されているものとみてよい。この点、有限責任中間法人と何ら変わりはないといえる。

また、後者の問題については、一般社団法人の定款に社員による倒産申立権不行使（不所持）条項を記載することが実務上多いものと考えられる。かかる規定の法的有効性いかんについて判断した裁判例はまだないものの、実務上は、当該規定が有効であることを前提に、上記破産申立権不行使（不所持）条項や社員たる地位の得喪に関する規定を定款に設けることで対応するほかないと思

第2節　SPCの組成時の実務　　53

われる。

[2] 一般社団法人それ自体の資産保有 SPV としての利用

次に、②一般社団法人それ自体を資産保有 SPV として利用できるか、についてみると、まず、一般社団法人は営利目的の法人ではないことにその特色がある一方、資産保有目的は通常は営利目的であると考えられるため、立法の趣旨に反するのではないかが問題となるものの、営利目的の法人ではないことを充足するためには社員に剰余金または残余財産の分配を受ける権利がないことで足りると考えられるため（一般社団・財団法人法11②）、社員が剰余金または残余財産の分配を受ける権利を保有していなければ、資産保有目的があっても特に問題はないものと考える。

ただし、特定の資産が不動産である場合には、一般社団法人を資産保有 SPV とし匿名組合契約に基づき投資家やオリジネータから匿名組合契約に基づき匿名組合出資を受ける方法は、不動産特定共同事業法上の問題が生じる。すなわち、当事者の一方が相手方の行う不動産取引のため出資を行い、相手方がその出資された財産により不動産取引を営み、当該不動産取引から生ずる利益の分配を行うことを約する契約は「不動産特定共同事業契約」に該当する（不動産特定共同事業法2③二）。また、不動産特定共同事業契約を締結して当該不動産特定共同事業契約に基づき営まれる不動産取引から生ずる収益または利益の分配を行う行為は、「不動産特定共同事業」に該当する（同法2④一）。この不動産特定共同事業を営もうとする者は、主務大臣または都道府県知事の許可を受けなければならず（同法3①）、しかも許可を受けるための資本金要件が1億円である等（同法7一、同法施行令5一）、許可基準が厳しいものとなっている。

このように、特定の資産が不動産である場合の証券化スキームにおいて一般社団法人を資産保有 SPV とするためには、相当厳格な要件をクリアして許可を得なければならず、ハードルが極めて高いといえる。

3 今後の動向

以上のとおり、オフショア SPC に代わり有限責任中間法人が資産保有 SPV

の議決権保有主体等として資産流動化に利用されていたのと同様に、一般社団法人も倒産隔離の実現が可能な資産流動化のヴィークルとして利用することが可能であり、一般社団法人は法人設立時に監督官庁の許認可等が不要であり定款作成と設立登記のみで設立できる上（準則主義）、設立費用や維持費用等が比較的安いといった特徴があることも考えれば、今後その利用が増えていくものと思われる。

CoffeeBreak ☕ **Singapore の圧倒**

　多くの SPC の管理をしていると、資金の流れを肌で感じる時がある。特に海外から日本の資産（大口の株式取得、金銭債権プールや不動産等）を取得する時には、直接投資をすることは稀で、何らかのヴィークルを設けて、そこに取得させることが多い。

　したがって、そのようなヴィークルを多く管理している事務所は海外からの投資資金が一旦通り過ぎる船着場のような側面もあるのだ。

　シンガポールは既にアジアで圧倒的な投資ハブの地位を確立した。

　その理由は、シンガポール政府をはじめとするシンガポールを拠点とする投資家（企業）の資金のみならず、他国からの投資資金が一旦シンガポールを通って、わが国に到達することが多くなっているからである。

　つまり、シンガポールを投資家コントロールするハブとしているのである。これは、最近発展が目覚しいアジア圏の国々のみならず、欧米諸国やヘッジファンド、PE（プライベートエクイティ）の投資資金もそうである。

　そこで、このような SPC の会計処理は大口投資家であるシンガポールのヴィークルの指示ないし、影響力を受けることになる。

　その理由には色々あるが、シンガポールが租税条約等の租税政策も含め、投資資金を扱うのに有利な制度を採用しているからであろう。そのことは、日本ではなくシンガポールを中心に租税条約を見ていくとよくわかる。現在のような傾向が続くと、シンガポールに設けられたヴィークルが日本国内の資産に直接投資するということも大いに考えられる。所得オフショアのヘッジファンドのうち、国内株式を選好するものの多くが、シンガポールに運用拠点とするのは、その一端であろう。

第2章

匿名組合の法務

第 1 節

匿名組合とは

　匿名組合とは、資本家と有能な経営者とを結びつける企業形態であり、その特徴は出資者が背後に隠れ、対外的には営業者の単独事業として現れるところにある。具体的には、たとえば不動産賃貸業の経営には明るいが、資金力の乏しい営業者が、余剰資金を持ちながら副業を禁止されている会社員複数から匿名で出資を募り、営業を行う場合に利用できる。この点だけをみると、所有と経営の分離した株式会社に対して株主として出資する場合と何ら変わらない。

　では、なぜ匿名組合が株式会社に代わる組織として注目されているのであろうか。匿名組合と株式会社は、どんな点が異なるのであろうか。

　まず、匿名組合は法律上は、上述の例でいうと、不動産賃貸業に出資された全財産は営業者（経営者）のものとされ、その経営は営業者の単独事業とされる。

　一方、株式会社では、出資された財産は会社の財産として認められ、株主にはその出資割合に応じた持分が認められる。また、会社の行う事業に対しては、株主総会を通じて株主の意思が反映される。

　次に、匿名組合においては、事業から生じた利益または損失はすべて組合員に分配される。税務上は、匿名組合事業について生じた利益は金銭の支払等として現実に分配されていない場合でも組合員の利益となる。なお、匿名組合事業に損失が生じている場合には、原則としてその損失は組合員に帰属するため、組合員に他の所得が生じている場合には節税効果が期待できる場合がある（ただし、過度な租税回避を防止するため、法人税法および所得税法いずれにおいても、組合員の損失の取り込みには一定の制限が置かれている）。

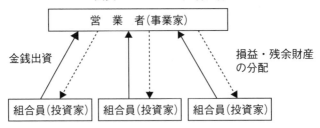

　一方、株式会社の場合、事業から生じた利益はすべてが分配されることは少なく、その一部が配当として株主に分配される。その他の利益および損失については、株式の売却益および売却損として顕在化する。これらの所得は株主の他の所得と合算することは認められておらず、株式会社に損失が生じた場合でも株主に直接的な節税効果はない。

1 匿名組合の起源と沿革

　私たちの普段の生活の中で匿名組合の名前は耳にしたこともなく、あっても実際の内容まではよくわからないという人が多いのではなかろうか。匿名組合は、今般、特に資産流動化スキームで用いられるようになり、注目されているが、それ以外の用途での事例は少ない。その本質を理解するためには、匿名組合の歴史と沿革を知る必要がある。そこで、まず匿名組合のユニークな歴史と沿革、および諸外国における匿名組合、そしてわが国にどのように取り入れられていったかを紹介する。

1 コンメンダ契約——匿名組合は地中海生まれ

　匿名組合は商法に、当事者の一方（匿名組合員）が、相手方（営業者）の営業のために出資をなし、その営業から生じる利益を分配すべきことを約する契約と定義される。

　この匿名組合の歴史的起源は、10世紀のイタリアの地中海沿岸都市の海上貿

図表2・1・2　コンメンダ契約

〈構成員〉

名　称	性　格	当時の具体例
コンメンダトール （commendator）	資本家	貴族
トラクタトール （tractator）	企業家	船長

〈スキーム〉

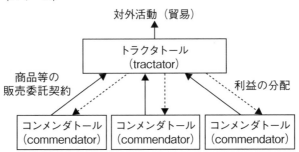

易におけるコンメンダ（commenda）契約に求められる。コンメンダ契約とは、コンメンダトール（commendator：委託者）がトラクタトール（tractator：運送者）に商品等を委託し、トラクタトールは海外に渡航して委託された商品等を販売し、帰国後に本国で利益を分配することを内容とするものであった。したがって、当時のコンメンダは現在の請負または委任に相当する契約形態であったといえる。

具体的には、本国にとどまる資本家である貴族（commendator）が企業家（tractator）である船長に金銭、商品、船舶等を委託し、その企業家が海外に渡航して貿易を行い、帰国後に本国で利益を分配することを内容とするものであった。

2　海外貿易の発展はコンメンダの変化

当初のコンメンダは継続的な事業に関わるものではなく一航海の小規模なものであったが、その後、次第に冒険的航海から組織的貿易へと発展するにつれ

てコンメンダも変化していった。すなわち、組織的かつ大規模な海外貿易を可能にする資本集結と危険分散のため、一航海に多数のコンメンダトールの出資が必要となり、それにともないコンメンダも当初の単純な委任類似の形態から多数のコンメンダトールが関わる複雑な形態に変化した。

　海外貿易の組織化・大規模化にともなうコンメンダトールの多人数化という新たな状況に対応するため、一つの発展形態としてコンメンダトール自身が単なる委任者、出資者の地位にとどまらず、事業に共同参加する方向が生じた。企業家も資本の一部を出すようになり、この場合の共同企業体はコレガンチア（collegantia）またはソキエタス（societas）と呼ばれ、資本家は無機能資本家としての性格を強くするとともに、企業集団は組合としての性格をもつようになった。

　さらに15世紀頃から、コレガンチアは、資本家と企業家の両者が共同事業者として対外的に現われる形態と、企業者のみが対外的に現われ資本家は従来どおり現われない形態の二つに分化していった。前者はアッコマンジータ（accommandita）と呼ばれ、後に合資会社へ、後者はパルティチパチオ（participatio）と呼ばれ、後に匿名組合へとそれぞれ発展していった。

3　匿名組合への発展

　多数化したコンメンダトールが単なる出資者、委託者の地位にとどまる場合には、コンメンダトール相互間の法律関係を律する必要はなく、当初のコンメンダと同様に対トラクタトール間の法律関係のみを律する契約形態が残った。ただし、当初のコンメンダ契約との相違として、コンメンダトールが多人数化し、相互の関係が希薄化したこと、それにともない次第にトラクタトールの地位の独立化が強まったことが挙げられる。この結果、トラクタトールは単なる請負人から利益の分配を受ける権利を有する事業主たる性質を強めていった。

　このように、多数化したコンメンダトールが単なる出資者、委託者の地位にとどまる一方、トラクタトールの地位が次第に強化された、いわば共算型コンメンダというべき契約形態が生まれた。その後こうした傾向がさらに強まり、

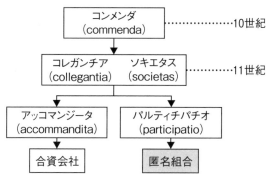

図表2・1・3　コンメンダの変遷（イタリア）

コンメンダトール相互間の法律関係は一切なくなり、トラクタトールは独立の事業主、すなわち現在の匿名組合における営業者の地位を確立していった。

2 各国の匿名組合制度および類似の制度

1 概略

　合資会社は主にフランスで普及したのに対し、匿名組合は特にドイツで支配的であった。そのため、1673年のフランス商事勅令には合資会社のみが規定されており、一方、1794年のドイツ・プルシャ州法には匿名組合のみが規定されていた。その後、両国においても両方の制度が取り入れられ、フランス商法典、ドイツ旧新商法典に合資会社および匿名組合を規定するとともに、両者の差異を明らかにしている。

　また、ドイツ、フランス等のいわゆる大陸法系の国々においては、その利用度はともかく、法律上の制度として匿名組合が認められているのに対し、イギリス、アメリカ等のいわゆる英米法系の国々においては、匿名組合と同様の経済的機能を果たすものとして、パートナーシップが制度として認められて利用されている。

図表2・1・4　三か国の匿名組合の比較

	フランス	ドイツ	日本
根　拠　法	民　法	商　法	商　法
法　人　格	な　し	な　し	な　し
営　業　主	規定なし	商　人	商　人
持　　　分	あ　り	な　し	な　し
出　　　資	労務も可	労務も可	財産のみ
債権者保護規定	な　し	あ　り	な　し

2　フランスの匿名組合制度

　フランスの匿名組合は、現行法制度上では商法ではなく民法に規定されている。そもそもフランス私法において複数人が共同で事業を営む団体の区別は、その団体の目的が営利的なものか、または非営利的なものかによって行う。この点、団体を法人格を認めるにふさわしい社団形の団体とそれにふさわしくない組合形の団体とに区別するドイツ法やわが国の商法とは異なる。

　そのため営業主の商人格は特に必要とされておらず、匿名組合員の出資財産が営業者ではなく組合に帰属し、各匿名組合員は自己の出資財産に対する持分を留保する点もわが国の制度と異なっている。

　なお、法改正にともない、匿名組合に関する規定は商事会社法第7章419条～422条に移行された後、フランス民法典1871条～1873条に移された。

3　ドイツの匿名組合制度

　ドイツの匿名組合制度はわが国が範としたものであるが、現行制度においてはわが国のものと次のような相違点がある。

　まず、ドイツ商法においては、匿名組合員の出資として金銭その他の財産的出資のみに限定しておらず（ドイツ商法335）、労務による出資も認める。この点においてドイツ商法は、財産的出資を基礎とする債権・債務関係という典型的匿名組合のほかに、いわば事業共同参加型ともいうべき匿名組合も想定して

64　第2章　匿名組合の法務

いると考えられる（わが国の制度上は、この種の匿名組合の中には民法上の組合の範疇に含まれるものもあると考えられる）。

また、ドイツ商法においては、匿名組合員および営業者の債権者を保護するための規定が設けられている。すなわち、匿名組合の財産に対する強制執行が奏功しない場合に匿名組合員の債権者に認められる匿名組合契約の解約告知権（ドイツ商法339）、および営業者の破産開始前1年内に匿名組合員に対し出資の返還または損失分担の免除がなされた場合に破産管財人に認められる返還または免除の否認権（ドイツ商法342①）がそれである。

【ドイツ商法】

第335条 匿名組合員として他人の商業に財産出資により参加した者は、その出資を履行する場合、これを営業者の財産に移転することを要す。営業者はその営業上為したる行為につき権利を有し、義務を負う。

第339条 組合員の一方又は匿名組合員の債権者の告知による組合の解散には第132条、第133条及び第134条の規定を準用する。重要な事由がある場合において告知期間を存せずして組合の解散の告知を為す権利に関する民法第723条の規定は、その適用を妨げられること無し。

　組合は匿名組合員の死亡によって解散せず。

第342条 匿名組合員が破産開始前1年内に営業者との間に成立したる合意に基づきその出資の全部又は一部の返還を受け又は一部に付き免除を受けたるときは、破産管財人は返還又は免除を否認することを得。その返還又は免除が組合の解散の場合に為されたと否とは之を問わず。

　前項の否認権は、破産が返還又は免除の合意ありたる後初めて生じたる事情に基づくときは、之を行うことを得ず。

　否認権の行使及びその効果に関する破産法の規定は本条の場合に之を準用す。

この点、わが国の匿名組合においては、匿名組合の当事者たる匿名組合員および営業者の債権者を保護するための特則は設けられていない。

なお、1985年の商法改正にともない、現在、匿名組合に関する規定は新商法典第2編230条〜237条におかれている（なお、237条はドイツ破産法へ移行）。

図表2・1・5

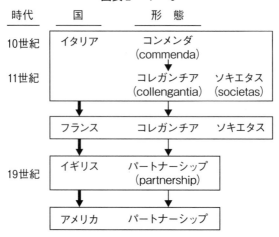

4 アメリカ・イギリスの匿名組合制度

[1] パートナーシップと匿名組合

　すでに述べたように、大陸から渡った匿名組合は、英米法系の国であるアメリカ、イギリスにおいては、類似の経済的機能を果たすものとしてパートナーシップとして法制化されている。

　パートナーシップ（partnership）とは、2人以上の者が営利事業を共同所有者として営むための団体である。その起源は匿名組合等と同じコンメンダ契約にある。コンメンダはやがてソキエタスと発展し、これがフランスなどを経由してイギリスに渡ったとされている。一方、ドイツにおいても経済的活動のためにパートナーシップ的な結合が存在していた。

　英国に渡った前記の商慣習法はコモン・ローの一部として取り入れられ、1890年にパートナーシップ法が制定され、さらに、1907年にリミテッド・パートナーシップ法が制定された。このパートナーシップに関するコモン・ローは米国のコモン・ローに採り入れられた。このアメリカのコモン・ローには、後述するリミテッド・パートナーシップは存在していない。リミテッド・パートナーシップ（limited partnership）はフランス法にならって1822年、ニューヨー

図表2・1・6

〈ジェネラル・パートナーシップ〉　〈リミテッド・パートナーシップ〉

○…ジェネラル・パートナー　　□…リミテッド・パートナー

ク州において初めて制定法として導入された。

[2] パートナーシップの種類

　このパートナーシップは、パートナーシップの債務について第三者に無限責任を負うジェネラル・パートナーのみで構成されるジェネラル・パートナーシップと、ジェネラル・パートナーと第三者に有限責任しか負わないリミテッド・パートナーから構成されるリミテッド・パートナーシップの2種類に分類される。

[3] 匿名組合との類似点

　いずれも、共同の事業を行うという当事者間の合意とそのための出資あるいは出資をするという合意を要件として成立する点、団体が法人格をもたない点で、匿名組合と類似する。

　ところが、ジェネラル・パートナーシップの場合、その構成員が第三者に対して無限責任を負うことから、むしろ任意組合に近い制度といえる。

　また、リミテッド・パートナーシップについては、その構成員が無限責任を負う者と有限責任のみを負う者とからなる点で合資会社に近いともいえるが、合資会社は法人格を有している点で、それを有しないリミテッド・パートナーシップとは団体としての性質を異にする。むしろ、リミテッド・パートナーシップの場合、ジェネラル・パートナーとリミテッド・パートナーとの関係は、匿名組合における営業者と匿名組合員の関係に類似している。ただし、匿名組合が営業者と匿名組合員による当事者間の個人契約であるのに対し、パートナーシップは2名以上の構成員による団体契約であり、その数は限定されていない。

図表2・1・7　匿名組合とパートナーシップの異同

〈団体の異同〉

	匿　名　組　合	パートナーシップ
構　　成　　員	営業者と組合員による当事者間の契約	2名以上の団体で構成員の数は限定しない
財　　　　産 （不動産の登記）	営業者に帰属 （営業者の名義）	構成員の共有

〈構成員の異同〉

	匿名組合員	パートナーシップ	
		リミテッド・ パートナー	ジェネラル・ パートナー
責　　　　任	有限	有限	無限
出　　　　資	金銭その他財産のみ	金銭その他財産のみ	労務、信用等も可能
業務執行権	なし	なし	あり

また、匿名組合においては組合財産は存在せず、すべて営業者に帰属するのに対し、パートナーシップではパートナーの共有とされる。

　また、リミテッド・パートナーシップにおいては、その損益が直接パートナーに帰属し、利益分配に際して二重課税が回避でき、またリミテッド・パートナーシップの減価償却相当額を原則として各パートナーの所得から控除できるという税制上のメリットが得られるので、それを規制する税制改正前のアメリカにおいては活発に利用されていた。

5　その他の国の匿名組合制度等

　いままで紹介したドイツ、フランス以外にもスペイン（Asociación anónima）、イタリア（associazione anonima）、スイス（stille Gesellschaft）、中国（隠名協会）、アルゼンチン（Associação anônima）、コロンビア（Sociedad de hecho）、台湾（隠名協会）、香港（Silent Partnership）等、世界の様々な地域で活用されているよ

68　第2章　匿名組合の法務

うである。今後弊社のメンバーファームに各国の匿名組合制度について問い合わせを行い、さらなる詳細を探求していきたい（**図表2・1・8参照**）。

6 わが国における匿名組合の歴史

[1] 現行商法における匿名組合

わが国においても匿名組合類似の形態は古くから存在していたものと思われるが、法律上の制度として匿名組合が明文化されたのは、明治23年公布のロエスレルによる商法草案が最初である。その後、明治32年に公布された旧商法典に規定された匿名事業組合制度は、若干の修正を経たものの、基本的にはほぼそのまま現行商法に受け継がれている。

わが国における匿名組合に関する規定は、出資者と営業者との共算関係を形成する特殊な商事契約として、商法第4章において「匿名組合」と題して535条以下8か条が規定されている。この規定は、旧商法「第1編　第6条　商事会社及び共算商業組合」の一部に該当し、ロエスレル商法草案の「第1編　第6巻　商社」中にも総則の一部として存在していたものである。しかし、法人である会社と契約関係である組合とを同一編の中に規定することは適当ではなく、また共算商業組合のうち当座組合に関する規定は民法上の組合に関する規定に譲るべき等の理由から、現行商法では、匿名組合に関する規定のみが商行為編中の交互計算に次ぐ契約類型として規定されたものである。

[2] ロエスレル商法草案における匿名組合

わが国の匿名組合を規定している匿名組合法は、ロエスレル商法草案にさかのぼると考えられる。ロエスレル商法草案「第1編　商ヒ一般ノ事」の「第6巻　商社・総則」74条では、匿名組合に関し、「甲が一定の出資金を差し入れて、乙又は乙屋号の営業に参加し、損益を共有するといっても、その出資金を全て乙者の専有にし、営業に参加したり商号に甲の名称を加えたりしない場合では、甲は出資金に限定された金額の範囲内で乙者または第三者に義務を生じるものとする」と定めていた。この草案では、匿名組合を匿名会社、匿名組合員を匿名社員、営業者を主業者としており、前述の74条の甲者は匿名社員、乙

第1節　匿名組合とは　69

図表２・１・８　各国の匿名組合制度

項目	日本	ドイツ*	フランス*	スペイン	イタリア
現地名	匿名組合	Stille Gesellschaft	société en participation	Asociación anónima	associazione anonima
根拠法	商法	ドイツ商法	フランス民法	スペイン商法	イタリア民法
法人格	なし	なし	なし	なし	なし
営業主の要件	営業者は株式会社・合同会社等	商人であること	営業主の法人格は特に不要	商人	商人（個人または法人）
持ち分	匿名組合出資（金銭債権）	匿名組合出資（債権的請求権のみ）	組合員に帰属	匿名組合出資（債権的請求権のみ）	匿名組合出資（債権的請求権のみ）
出資の方法	金銭	特になし 労務出資も可	特に規定なし	特になし 労務出資も可	特になし（個人の労務出資は不可）
残余財産の分配方法	金銭	制限なし	制限なし	制限なし	契約に基づく
対外的な責任	出資の範囲（有限責任）	出資の範囲（有限責任）	生じた債務について責任を負う	出資の範囲（有限責任）	出資の範囲（有限責任）
業務の執行	匿名組合員はなし	営業者	業務を執行する	営業者	営業者（個人から出資された資産を除く）
構成員の制限	常に１名	常に１名	Ｎ／Ａ	契約に基づく	契約に基づく
財産の所有	営業者が所有	営業者が所有	組合員に帰属	営業者が所有	営業者が所有
持分の譲渡の可否と性格	契約により譲渡可能。出資（金銭債権）の譲渡残余財産請求権の譲渡は可能	組合員の地位譲渡はできないが利益分配請求権	可能*	可能	契約に基づく
損益分配	出資比率等契約に基づき分配	原則として出資比率に基づき分配	出資比率等契約に基づき分配*	出資比率等契約に基づき分配	出資比率等契約に基づき分配
課税の取扱い	損金算入型	典型的組合は利息的なパススルー、非典型的組合は事業配当パススルー	原則課税	原則課税	パススルー課税
源泉税	あり	あり	あり*	あり	あり
申告義務	営業者・出資者	営業者・出資者	営業者・出資者*	営業者・出資者	営業者・出資者
赤字の配分の可否	可能	可能	可能*	可能	可能
課税対象	その他	典型的組合員は利子所得	法人所得*	法人所得	構成員課税
分配金は課税所得となるか	なる	なる	なる*	なる	なる
規制法律	金融商品取引法・金融サービス提供法	民法	民法典	民法	イタリア民法

*詳細は海外のメンバーファームに問い合わせ中です。

スイス*	中国*	韓国	アルゼンチン*	コロンビア*	台湾*	香港*
stille Gesellschaft	隠名出資隠性参股下位参与	익명 조합	Associação anônima	Sociedad de hecho	隠名協会	Silent Partnership
連邦債務法	最高人民法院関予適用〈中華人民共和国公司法〉若干門題的規定⑶	商法	会社法361条〜366条	商法	民法	なし
なし	なし	なし	なし	なし	なし*	なし
商人*	名義株主	営業者	営業者*	営業者*	営業者*	営業者*
匿名組合出資（債権的請求権のみ）*	実際出資者が名義株主に出資	特定組合出資（金銭債権）	組合員に帰属*	組合員に帰属*	組合員に帰属*	組合員に帰属*
特になし労務出資も可*	契約に基づく	特になし（労務出資不可）	金銭、労務も可*	金銭、労務も可*	金銭出資のみ*	金銭出資のみ*
制限なし*	契約に基づく	制限なし	契約に基づく*	契約に基づく*	金銭出資のみ*	金銭出資のみ*
出資の範囲（有限責任）*	契約に基づく	出資の範囲（有限責任）	契約に基づく*	無限責任	出資の範囲（有限責任）*	出資の範囲（有限責任）*
営業者*	名義株主	営業者	営業者*	営業者*	営業者*	営業者*
契約に基づく*	契約に基づく	なし	契約に基づく*	2人以上	契約に基づく*	契約に基づく*
営業者が所有*	名義株主	営業者	営業者*	営業者*	営業者*	営業者*
可能*	契約に基づく	組合員の地位譲渡はできないが利益分配請求権、残余財産請求権の譲渡は可能	契約に基づく*	契約に基づく*	契約に基づく*	契約に基づく*
出資比率等契約に基づき分配*	契約に基づく	出資比率等契約に基づき分配	出資比率等契約に基づき分配*	出資比率等契約に基づき分配*	出資比率等契約に基づき分配*	出資比率等契約に基づき分配*
パススルー課税*	原則課税	パススルー課税（組合員全員が個人の場合またはパートナーシップ企業特別税制が適用される場合のみ）	パススルー課税*	パススルー課税*	パススルー課税*	パススルー課税*
あり*	あり	あり	あり*	あり*	あり*	あり*
営業者・出資者*	名義株主・実投資家	営業者に申告義務あり	あり*	あり*	あり*	あり*
可能*	なし*	契約に基づく（契約に明記されている場合を除き、投資額を限度）	可能*	可能*	可能*	可能*
構成員課税*	法人所得等	受取利息（組合員全員が個人の場合またはパートナーシップ企業特別税制が適用される場合のみ）	構成員課税*	構成員課税*	構成員課税*	構成員課税*
なる*	なる*	なる	なる*	なる*	なる*	なる*
連邦債務法*	会社法*	商法等	会社法*	商法*	会社法*	会社法*

者は主業者にあたる。

　草案が規定する匿名組合の特徴は、以下のとおりである。

- 「商業ハ一時ノ取引又ハ起業ニ止ルアリ」とし、当座匿名組合を認めていた

- 「貸主如ク一定ノ利子ヲ受ルニアラスシテ損益共ニ配当セラルモノ」より、匿名組合員は利益配分を受けるが、損失分担もその要素としていたと解される

- 「主業者若シ差金者ニ対シテ定額ノ利潤仮令ハ一割ヲ請負フアリト雖モコノ約定ハ外方ニ對シテ効力ナキモノトス」。債権者保護のために利益の定額分配は許されない。ただし、このような匿名組合契約は対外的には無効であるが、対内的には有効であるとされた

- 「主業者ハ差入資本ノ所有者タルヲ以テ会社財産ナルモノ、成立タルニアラス」。この条文については現行文と同様であるが、匿名社員の氏名を商号中に使用する場合には、会社財産の共有者とみなすべきであるとし、その際の組合員の責任は有限ではないと規定している

【ロエスレル商法草案】

第74条　甲者定額ノ差金ヲ入レテ乙者ハ乙屋號ノ商業ニ加ハリ損益ヲ共分スト雖モ其差金ヲ以テ全ク乙者ノ専有ニ歸セシメ且ツ商務ニ參與セス又自己ノ本姓ヲ屋號中ニ加ヘシメサル場合ニ於テ甲者未タ其差金ヲ拂込サルトキ乙者又ハ乙屋號ノ所業ノ爲メニ他人ニ對シテ義務ヲ負擔スルハ其差入ルヘキ金高ニ限ルモノトス

　　第三ノ場合ハ所謂匿名會社即チ定額ノ資本ヲ出シ準社員トシテ幾許カ他人ノ商業ニ與ミスル場合ニ係レリ匿名社員ハ概シテ姓名ヲ隱匿シタル者又ハ姓名ノ知レサル者（英語ドルマン、パートネル）トスヘカラス唯外方ニ對シテ社員タル性質ヲ表セス却テ銀主タルヘキ地位ヲ占有スルニ止ルモノトス但シ其差金ハ各種會社ノ差金ニ於ケル如ク屋號ノ債主ニ對シテ責任ヲ帶フルモノニシテ若シ屋號ノ債主ニ對スルトキハ之レニ一歩ヲ讓ラサルヲ得ス本條ニ關スル要點ヲ揚レハ左ノ如シ

　　其商業ハ一時ノ取引又ハ起業ニ止ルアリ或ハ營業トシテ永ク之ヲ營ムアリ此營業ト爲シタル場合ニ於テハ社名ニ干與スル ┐ 或ハ之レアルナリ

　　財産差入ハ定額ナカルヘカラス但シ一定ノ金額ナルト特別ノ財産（家屋、地所等ノ如シ）ナルトヲ區別セス其金額差入ハ一時ニ拂込ムヲ得ヘク或ハ數度ニ

72　　第2章　匿名組合の法務

拂込ムヲ得ヘク又或ハ約定ニ依リ臨時増額スルヲ得ヘシ其増額ノ高モ亦必ス確定セサルヘカラス又責任ハ差金者ノ全財産ニ及フ┐ヲ得サルモノタリ

差金者ハ貸主ノ如ク一定ノ利子ヲ受ルニアラスシテ損益共ニ配當セラルモノトス又差金者ハ主業者ト同様ニ商業ノ安危ヲ擔保シ商務捌方ノ當否モ共ニ負任スヘキモノトス主業者若シ差金者ニ對シテ定額ノ利潤假令ハ一割ヲ請合フ┐アリト雖モ此約定ハ外方ニ對シテ効力ナキモノトス何トナレハ差金者ハ實益ノ配當ヲ受ルノミナルヲ以テ若シ實益ナキトキニ當リ益金ヲ配當セハ會社ノ債主（若ニ債主アルトキ）ニ損害ヲ蒙ラシムルノ道理ナルヲ以テ到底配當シ能ハサルモノナレハナリ資本金ノ欠損セサルヲ保證スル場合ニ於テモ亦之ト同一ニ判定セサルヘカラス又主業者ヨリ書入ヲ爲シ之カ爲メ他ノ債主ノ要償權利ヲ減縮セントスル場合ニ在テハ其書入ハ此債主ニ對シテ効力ヲ有セサルモノトス

主業者ハ差入資本ノ所有者タルヲ以テ會社財産ナルモノ、成立タルニアラス又匿名社員ハ此財産ヲ處分スルノ權力ナキモノタリ此二ノ故ニ因テ會社ノ成立タルモノニ非ラス主業者ノ營業モ亦差入ノ爲メニ變更セサルモノタリ若シ一箇任ノ屋號ナリシトキハ猶舊稱ヲ改メス會社社名ナリシトキハ差入資本ハ會社ノ財産トナルト雖モ匿名社員ニ共通シタル會社財産ニアラサルナリ故ニ匿名社員ノ本姓ヲ社名中ニ參用セサルヲ當然トス若シ之ヲ參用スルハ眞ノ社員及ヒ會社財産ノ共有者ト見做サ、ルヘカラス而シテ其責任ハ最早有限ニアラサルナリ匿名社員商務ニ參與シ隨テ役員トナル場合モ亦之レニ同シ

以上ノ要件ニ遵フタル上ハ匿名社員ノ責任ハ差入高ニ止マリ而シテ既ニ其全額ヲ拂込ミタル以上ハ社員ノ義務ハ其拂込ミタル金額ヲ以テ主業者營業資本ノ一部及ヒ其債主ニ辨償スヘキ金額ノ一部トシテ其金高ヲ社名中ニ差入レ置キ其減少セサル┐ヲ希フニ過キサルモノトス凡社員他人ニ對シテ互ニ委任セラレタルモノト爲スノ主義ニ從ヒ匿名社員未タ差入全額ヲ拂込サルトキハ他人直接ニ該社員ニ對シ其不足高迄ノ責任ヲ負ハシムルヲ得ヘシ之ニ反シ匿名社員ハ屋號ノ負債者ニ對シテ直接ニ要求權利ヲ有スル能ハス何トナレハ社員ト主業者トノ契約ハ主業者ノ營業ニ依テ收入スル所ノ利益ヲ分配セラル、ニ在レハナリ故ニ主業者ハ他人ニ對シ匿名社員ノ當然ナル代理者ト視做サ、ルヘカラス又匿名社員ノ責任ヲ差入高ヲ以テ限リトスルハ其取結ヒタル契約ノ顯然ナル目的ニシテ且ツ社名ニ對シ準社員タル地位ヲ有スルノミ是ヲ以テ他ノ責任アルヘキ道理ナケレハナリ

以上ハ主トシテ社員ノ社名ニ匿名シテ參與スルニ就テノミヲ簡易ニ論述セリ又匿名社員一箇人ノ一時ノ射利商業又ハ起業ニ參與スル時ニ於テモ亦其權利責任ハ全ク右ト同一ナリ

又數人ニシテ前顯ノ方法ニ依リ他人ノ營業又ハ一時ノ取引ニ參與シ而シテ互ニ直接ノ契約ヲ結ハサルノミナラス相識ラサル場合アルヘト雖モ之レカ爲メ此各人員ト營業主人又ハ社名トノ權利義務ノ關係ハ相變更スル┐ナシ然レモ數人

ノ間ニ於テハ債主タル權利アルトキハ債主トシテ互ニ認知セサルヘカラス殊ニ収入期限ノ來リタル利益配當高及ヒ解約ノ時ニ方テ還付セラルヘキ配當高ニ就テハ尤然リトス

[3] 明治23年法(旧商法)における匿名組合

ロエスレル草案はその一部のみが明治23年に施行され、明治32年公布の新商法の施行により、旧商法は「第3編　破産」を除くほかはすべて廃止された。

明治23年法、いわゆる旧商法はロエスレル草案とは若干異なり、また現行法と比べてもその内容には以下のような特徴がある。

- 「第1編　第6章　商事会社及ヒ共算商業組合」における共算商業組合として当座組合、共分組合、匿名組合の三種類に区分されていた
- 匿名組合員の第三者に対する義務につき唯一の例外を認め、出資未済の場合にはその出資額に満つるまでに限り義務を負う
- 匿名組合員が営業者の商号に自己を表示する名称を用いないことをもって匿名組合の性質としていた
- 当事者の終身間組合が存すべきことを定めたときの契約の解除について規定していない

[4] 戦前のスタートアップの典型的資金調達方法であった匿名組合

図表2・1・9「匿名組合というキーワードを含む主な判例および裁決事例の数」を見てわかるように、匿名組合に関する判例は、終戦後の一時期に集中しており、その後は平成に至って活用されているように見える。また、法律や会計・税務に関する文献も、公表されているこれらの資料に基づいて記載されているものが多い。それらは、なんらかの意味で出資者や課税当局等とトラブルになった事案であり、そのことから匿名組合は手に負えない厄介なものというイメージを抱く方もあるが、それは誤解である。匿名組合が成功裏に運営されている場合には、取引の匿名性から契約の存在自体が外部に公表されることが少なく、契約内容等も詳細を入手することは困難であるという事情がある。

匿名組合は商法が日本に導入され、明治・大正から戦前に至るまで、スタートアップの典型的な資金調達手段であった。そのことは、現在は巨大企業となっ

図表2・1・9　匿名組合というキーワードを含む主
な判例および裁決事例の数

年代	判例数
明治20年代	0
明治30年代	4
明治40年代	10
大正元年代	6
大正10年代	3
昭和元年代	7
昭和10年代	5
昭和20年代	11
昭和30年代	56
昭和40年代	28
昭和50年代	14
昭和60年代	11
平成元年代	18
平成10年代	42
平成20年代	346
平成30年～令和5年6月1日	142
合計	703

（注）　判例一覧は、巻末資料1参照。
　　　判例数は、筆者がTKC法律判例データベースLEX/
　　　DBインターネットで確認できた件数（裁判所の判例
　　　および国税不服審判所の裁決事例）。

ているメディア各社、商社、メーカー等の社史を見ていくとよくわかる（さく
ら綜合事務所HP「社史の匿名組合関連事項」参照）。現在の伝統的大企業といわ
れる企業グループも元々はスタートアップであった時期がある。そして、同種
の多数の匿名組合があったものと推察される中で、ほんの一握りの生き残った
企業が現在の大企業となっているのだ。それらの元匿名組合企業を社史から
拾って見て行きたいと思う。

　①　明治時代創業匿名組合

第1節　匿名組合とは　　75

『南日本新聞社115年の歩み』によると、「鹿児島新聞社」(1881 (明治14)年2月11日設立) と、南日本新聞社の前身である「鹿児島朝日新聞社」の両社は、県当局のとりなしで長い二大紙の対立時代後、1942年1月31日、匿名組織の「鹿児島新聞」から株式会社に改組したとある。鹿児島新聞社は60年にわたる多彩な歴史を閉じて発展的に解散し、一方、「鹿児島朝日新聞社」は、社名を「鹿児島日報社」に、さらに現在の「南日本新聞社」(1946年2月1日付) に社名変更している。

明治時代には、同社以外にも現在も残る多くの建設業、新聞社、セメント会社、商社、製薬電機メーカーその他が匿名組合を母体にして創業しており、匿名組合は明治時代のスタートアップの典型的資金調達手段であったことが伺える。

たとえば、現在の日本ガイシ㈱、日本特殊陶業㈱、㈱ノリタケカンパニーリミテド、TOTO㈱、森村商事㈱、三菱UFJ銀行㈱、王子製紙㈱は明治9年に、現在の㈱日本経済新聞社は、明治15年に匿名組合を設立し、その後の変遷を経て、現在に至っている。

明治17年から明治45年まで、様々な匿名組合が設立されたり、匿名組合から出資を受けたりして、現在の住友大阪セメント㈱、日本セメント㈱秩父セメント㈱、石川島重工業㈱、㈱東京石川島造船所、澁澤倉庫㈱、㈳日本倉庫協会、沖電気㈱、日本電気㈱、東陶機器㈱、日本瓦斯製造㈱、ライオン㈱、花王㈱、兼松㈱、日本水産㈱、旭硝子㈱といった日本を代表する企業の礎が、明治時代に作られた。

明治時代後期から、会社法(当時は商法の一部)の整備にともない、徐々に株式会社への改組も目立ってきた。

② 大正時代創業匿名組合

この動きは大正時代まで続き、日本の金融界に短資業の基礎を築いた「上田短資株式会社」を中核とする「上田グループ」の会社沿革を見ると、創業は1918 (大正7) 年6月の上田要氏が営業主となった匿名組合上田商店になっている。そのほか、大正時代には、現在の大正製薬㈱、旭硝子㈱、

鹿島建設㈱、㈱崎陽軒、第一製薬㈱、日本無線㈱、旭電化工業㈱、古河電気工業㈱、敷島紡績㈱、㈱松井証券、日本瓦斯製造㈱、㈱ダイヤモンド社、㈱LIXILグループ、㈱サカタのタネ、カモイ加工紙㈱、藤沢薬品工業㈱、東京コークス㈱（東京瓦斯）、東陶機器㈱、㈱報知新聞社、一般社団法人共同通信社、㈱時事通信社といった名だたる企業（合併企業も含む）が匿名組合によって創業または匿名組合に組織変更している。明治時代に引き続き、スタートアップ企業の典型的な資金調達として多数の事例があったことが伺える。

　大正時代にも、第一製薬㈱や日本水産㈱のように匿名組合から、合資等会社組織に転換する事案もあったが、注目すべきなのは、日本ガイシ㈱や東陶機器が海外プロジェクトを匿名組合出資によって組成していることだ。事業の創業だけでなく、特定プロジェクトに対する投資手段としても活用されていた。匿名組合による柔軟なプロジェクト設計が、この時代の先進的事業家やベンチャー的なプロジェクトを支え、富国強兵政策を背後から支えていたことがわかる。

③　大正時代後期、業界連衡のために匿名組合を使った事例

　探検コム「電通の誕生①」（https://tanken.com/dentsu.html）によると、1901（明治34）年7月1日、光永星郎が「電報通信社」を創業、同年7月10日に広告代理店「日本広告株式会社」開業と、1901年7月28日東京日日新聞に広告を掲載した。1906（明治39）年12月「株式会社日本電報通信社（電通）」を興し、「電報通信社」を買収した。1914（大正3）年2月「国際通信社」が設立、同年10月「東方通信社」が上海で設立され、1920（大正9）年8月、同社は「新東方通信社」に改称し、本社を上海から東京に移した。国際通信社の岩永裕吉は、新聞社の共同機関による通信社の設立を説いて、国際通信社と東方通信社の合併により、匿名組合「日本新聞聯合社」を1926（大正15）年5月に設立（翌年、匿名組合「新聞聯合社」に改称）した。同社は東京日日新聞社、大阪毎日新聞社、東京朝日新聞社、大阪朝日新聞社、国民新聞社、時事新報社、中外商業新報社、報知新聞社の8社

による匿名組合であった。1890年創業の帝国通信社は、関東大震災後、経営が悪化し、1929年に破産。以後、電通と新聞聯合社の2大勢力が激しく争う「電聯時代」が到来する。1931（昭和6）年9月18日に発生した満州事変の発生を伝えた電通の一報は、事変発生後わずか4時間で入電し、大スクープとなった。

　1931（昭和6）年の満州事変後、国内の情報通信機関を一元化するため、電通と競合していた新聞聯合社との合併を図る動きが浮上した。電通の光永星郎は強硬に反発したが、かなわなかった。1936（昭和11）年、新聞聯合社の後身として匿名組合「同盟通信社」が誕生すると、日本政府は電通の通信部門を同盟通信社に強制的に譲渡させた。電通の広告代理部門は、同盟通信社の広告部と統合させ、以後、電通は純粋な広告専門業者として再出発した。近代的通信社創設の立役者であり、日本新聞聯合社を設立した岩永裕吉は、1939（昭和14）年に57歳で他界。戦後、同盟通信社は1945（昭和20）年10月31日に正式に解体され、翌11月1日、社団法人共同通信社と株式会社時事通信社が発足した。社団法人共同通信社の子会社として、1972年に株式会社共同通信社が発足した。社団法人共同通信社は、公益法人制度改革に対応して2010（平成22）年に一般社団法人共同通信社に移行した。1955年、株式会社日本電報通信社は、社名を株式会社電通に変更した。

（出所）新聞通信調査会（https://www.chosakai.gr.jp/profile/history/）を参照
　　　　電通会社概要　（https://www.dentsu.co.jp/vision/summary/history.html）
　　　　を参照
　　　　日本新聞博物館ニュースパーク（https://newspark.jp/shinbunjin/no_04/）
　　　　を参照

④　昭和初期（戦前）創業匿名組合

　昭和に入ってからも現在の東宝映画㈱や現在の日魯漁業㈱が匿名組合として創業したり、中電配電サポート㈱、大和紡績㈱が匿名組合事業を買収して事業拡大するほか、日本セメントや小野田セメント等が満州や上海の中国事業を匿名組合事業として開始したりしている。

⑤　戦後の経済混乱とその後の匿名組合

その後戦後の混乱期に至って保全経済事件等（「[6] 匿名組合を世に知らしめる結果となった事件」参照）の経済事件に利用され、すっかりイメージが悪くなった時代を経て、平成に至って不良債権処理等資産の流動化、特に不動産の証券化のための器として、再び脚光をあびることになった。

令和になった今日においては、不動産等の流動化だけではなく、再びスタートアップや新たな事業手法についての資金調達手段として利用されつつある。中小企業支援機構では、従来より起業支援ファンド出資事業としてハンズオン支援等に匿名組合出資を利用するケースを支援しているほか、他の省庁等でもクラウドファンディング手法と併せて匿名組合型の出資事業を支援している。

ようやく、我々は明治時代の進取の精神を取り戻しつつあるのではないだろうか。さらに、現在では会社法の整備によって、スタートアップからより大衆からの資金参加を得やすい株式会社組織への移行も容易になっているのではないかと思われる。本書ではその一手法として「転換匿名組合（新株予約権付匿名組合）」を提言している（第8章第3節参照）。

[5]　一般社会における匿名組合

わが国における匿名組合は、戦前において盛んに利用されていたことがうかがえるが、その契約内容等開示された資料は少ない。**図表2・1・9**を見ても、戦後の混乱期に多くの裁判が発生したが、それ以前には匿名組合について争われた裁判の数は少ない。これは、司法制度による救済を求める例が少なかったのではないかと考えられる。ところが昭和30年代にその数は増え、匿名組合に対する社会の関心が高まったことがうかがえる。これは、昭和20年代に保全経済会、いわゆるヤミ金融の倒産が大きな社会問題となり、それらに関する刑事、民事、行政の裁判が昭和30年代に集中したことによるものと思われる。その後、昭和40年代以降逓減したが、近年再び注目を集めていることは先に述べたとおりであり、平成20年代には初めて3ケタの大台に乗っている。

第1節　匿名組合とは　　79

［6］ 匿名組合を世に知らしめる結果となった事件

① 保全経済会事件

匿名組合は、一般大衆にはなじみの薄い存在であったが、戦後の混乱期、ある事件をきっかけに広く社会に知られることとなった。いわゆる「保全経済会事件」である。

保全経済会事件は、匿名組合の規定をうまく活用して広く募った一般大衆投資家からの零細資本を元手に「保全経済会」という利殖金融組織を設立し、金融機関として正当化するため「投資信託組織」の確立を企て失敗した金融事件である。

事件当時、昭和25年に勃発した朝鮮戦争により特需ブームが起きた。しかし景気の回復にまではいたらず、ブームは短期間で終わり、やがて日本は恐慌へ突入していった。この事態に対して日本政府は、恐慌対策としてインフレ政策を行った。これにより、悪性のインフレのもとヤミ屋が横行し、一般民衆は生活の困窮にあえぐことになった。そのような社会情勢の中、金融機関は低廉な利息で預金を集め、大企業とその系列企業にのみ重点的に貸し出した。その結果、一般大衆はより高い金利を求めるとともに、大企業系列から閉め出された中小企業の資金需要が高まり、保全経済会のようなヤミ金融機関の発生をもたらすこととなった。

保全経済会は昭和23年春、伊藤斗福によって東京・小岩で発足した。最初の事務所は国電小岩駅北口の理髪店の2階を借りた小さなものであった。本店は翌昭和24年の春に上野黒門町の菓子屋の2階に、わずか6畳ながら設けられた。これらの事務所を拠点に、やがて日本中を揺り動かす大金融事件が始まっていくことになる。保全経済会は、「配当は月2分（当初は8分ではじめ次第に減配）、投資期間は3か月と6か月。6か月契約には宝くじ方式で1等100万円の特別配当」というキャッチコピーで投資を募集した。月2分の配当は年利にすると2割4分の高利回りであり、当時最高利の投資信託の1割2分5厘と比較しても、いかに高いかがわかる。銀行利子や債券、貸付信託等の利率は及びもつかない有利な条件であった。

保全経済会の出資者は東北地方を中心に爆発的に増え、やがて全国的に拡大していった。特に保全経済会が大谷昭乗らを顧問として東西両本願寺とともに仏教保全会を設立し、壇信徒らから保全経済会と同様に資金を集めたことが発展の基礎となった。

　昭和25年暮れまでには、上野から日本橋に本店を移転し、大阪にも進出、全国の店舗数は出張所も併せて200にも及んだ。こうして集められた出資者の数は約150万人、出資額の総額はピーク時には60億円にも達し、一説には500億円とも1,000億円とも伝えられている。当時、整髪料金が140円、映画入場料が100円だったことから考えても、その金額がいかに大きな経済価値を有していたかが想像できる。

　このように順調に拡大してきた保全経済会であるが、その経営内容は、当初は大学ノートに収支のメモをとる程度のズサンなものであり、事業計画自体の収益を上げる見通しもなく、その転落は急激であった。昭和28（1953）年、スターリンの死によって株価が大暴落し、その年に起きた風水害や冷害も重なり、出資者の中心であった東北の農民や中小企業経営者らが相次いで解約を申し入れるという事態が起きた。そして昭和28年10月、保全経済会は休業に追い込まれ、遂に翌年の7月に倒産となった。

　保全経済会の破綻が決定的になり、出資金の返還請求をめぐって、その法的性格が問題となった。銀行預金や借入金のような金銭の消費貸借もしくは消費寄託契約である場合は、一定期間後に一定の利息を付けて元本を貸主に返さなければならない。ところが、伊藤は、保全経済会の形を商法535条の匿名組合にとった。その場合、出資した財産は営業者に帰属し、営業者は事業に失敗した場合には残された財産のみ返還すれば足り、出資者は保護されないことになる。

　伊藤には詐欺罪が適用され、昭和41年、最高裁への上告を取り下げ、刑が確定した。

　当時の法政下においては、匿名組合による特殊金融業が銀行法や投資信託法に縛られることなく営業できることが、この保全経済会事件により露

第1節　匿名組合とは　　81

呈されることとなったのである。

② 宇部式匿名組合

　特に税法上問題となった匿名組合に関する事件として、いわゆる「宇部式匿名組合」がある。昭和32年の人格のない社団等についての税制改正当時、国税庁の関心を惹いていたものである。

　宇部式匿名組合は、山口県宇部市を中心に明治時代から石炭採掘業その他を営んできた法人格のない特異な組織である。宇部興産株式会社の主力炭鉱であった沖の山炭鉱も宇部式匿名組合としての長い前史をもっていた。この組織は、組合員が全幅の信頼を寄せる「頭取」を中心とし、組合員が応用の資金を拠出（株として表示）するとともに、労働者として参加する共同企業体がその原型であった。事業規模の拡大とともに資本と経営の分離傾向が生じ、後には単に組合に対して資金を提供する陰歩（かげぶ）と呼ばれる社債権者に近いものや、労働力を提供しないで株券と同一の組合券に出資するものが出現するようになった。組合は事業に関する計算を行い、株券・組合券を基準に利益を配当し、組合券は気配相場が立ち証券会社の店頭で取引された。対外的には組合の事業は頭取の個人事業とみなされ、一方、組合員にとって組合財産は共有とは考えられていなかった。このような宇部式匿名組合は民法の組合ともいえず、また頭取は人的無限の責任を負うことから、商法の匿名組合とみることもできない。

　この宇部式匿名組合の課税上の取扱いには変遷がある。当初は組合として所得を計算し、これを組合員にその出資割合に応じて分割課税する組合課税方式がとられていた。その後、短期間頭取の純然たる個人所得とする（組合の所得を頭取の個人所得に合算課税する）時期が続き、さらに昭和32年の立法当時までは組合の所得は頭取の所得とするが、頭取個人としての所得は区分し、頭取は組合の所得と個人としての所得の双方についてそれぞれ納税義務を負うとする取扱いであった。この昭和32年の立法は、宇部式匿名組合を人格のない社団として法人税の納税義務者とし、郷土色豊かな伝統組織を会社組織に転換させる一大契機となったようである。

③　株主相互金融方式

　　昭和24年頃より一般大衆から資金を集める方法として、保全経済会のように匿名組合方式によるものであると自称したものの他に、株主相互金融方式によるものであると自称したものがあった。

　　株主相互金融方式とは、金融業を営む株式会社が設立または増資の際に株式引受人から払い込まれた株金と、原始株主（会社設立に際して株式を引き受けた当初の株主）の持株の譲渡を斡旋し、その譲渡代金と会社が日掛けまたは月掛けで株式の譲渡人に代行して譲受人から取り立てた資金とをもって、株式の他の譲受人に対してその持株額の何倍かまでを貸し付け、日掛けまたは月掛けで回収して、その間に利潤をあげるという営業手法であった。

　　この方式による融資は一般の金融業者とあまり変わらないが、その資金の獲得方法に特徴があった。会社の設立または増資の際に原始株主から払い込まれた株式代金が現実の払込金であれば、これをそのまま金融資金として会社が保有するのであるが、会社は常に新株主募集の方法で不特定多数の者に原始株主の持株の譲渡を斡旋して、その譲渡代金の支払いは譲受人に引き受けさせた上、原始株主に代行して日掛けまたは月掛けで取り立て、その取り立てた代金は会社が株主との契約により貸付資金として自ら保有する。これらの一連の行為を繰り返すことによって、会社は逐次多数の株式を発行して巨額の資金を獲得することができた。

　　この株主相互金融方式による出資の払戻しについて争われた事件として「富士金融事件」がある。富士金融事件では千葉地方裁判所松戸支部は、出資は預金ではなく株金の払込であると判示した(昭和31年11月24日判決)。この判決により、匿名組合方式の場合と同様に、株主相互金融方式を自称するヤミ金融に対する出資者も法的に保護されないこととなった。

［7］保全経済会における匿名組合事業に対する政府の対応

　昭和28年以降、朝鮮事変の休戦を受けて金融引締政策が採られたことから、その年の10月にはヤミ金融機関の倒産が相次いだ。当時、保全経済会のような

ヤミ金融といわれる利殖会社の数は300を超え、加入者は約150万人、その集められた金銭は1,000億円にものぼった。これらの倒産が社会不安をかきたて、政府はその対応に迫られた。

　出資者らは、ヤミ金融機関が正規の金融機関以外に不特定多数の人から資金を受け入れることを禁止する銀行法や貸金業法などに違反していると主張したのに対し、ヤミ金融機関側は、出資の受入れは特定の当事者からなされたものであり、不特定多数からの預り金ではなく、銀行法や貸金業法などには違反しないと主張した。

　確かに、匿名組合方式による場合および株主相互金融方式による場合でも、匿名組合方式によって資金を吸収すれば、一般大衆から預り金を受け入れたことにはならないから、銀行法ないし貸金業法等の違反に問われるおそれはないとの考えの下に資金を吸収することができたのである。

　これらの金融組織に関して当時衆参両院の大蔵委員会で問題となった。大蔵省当局は、いわゆる株主相互金融または匿名組合方式の形態は千差万別であり、中には金融法規違反のものもないとはいえない。しかし、一般的にはこれらの方式によるものは一見預金に近いような感を与えているけれども、株式または投資に対する利益の配当を約しているものであり、株式会社に対する株式投資や事業への投資の場合とを区別する理由はないとして釈明した。そして、高率の利益配当を標榜しても、これを信ずるかどうかは、株主になろうとするものまたは事業に投資しようとする人の自由であるから、投資家の自警心に委すべきで、当為者が監督すべきではない旨を言明した。

　要するに、大蔵省は匿名組合の所轄官庁ではないことを明らかにしたのである。また、匿名組合方式による資金の吸収については、関係各省とも協議の結果、意見の一致を得た結論としては、商法に規定する匿名組合方式ではないとは断言できないこと、したがって、この方式で集めたものは預金または預金に準ずる資金の受入れではないことを明らかにしている。

　このように、いわゆる匿名組合方式によって一般大衆から資金を吸収する形態の法律的意義については、当時の衆参両院でも論議の中心となった。政府と

しては、預金または預金類似のものではなく、利益の分配を目的とする出資契約であって、匿名組合に当たらないとは断言できないとの結論に達している。これによって、匿名組合方式による資金の吸収方法が一般的には金融法規の禁止規定に触れることなく、法律上適法なものとして承認されることが明らかとなった。

　一方、税務上は匿名組合方式を標榜して大衆から資金を集めた街金融の倒産が大きな社会問題となった事態に対し、昭和28年、所得税法にその分配金を目標として匿名組合契約等の利益の分配に対する源泉徴収の規定（現所得税法210条）が設けられた。ところが、これらの組織が所得税法にいう「匿名組合契約等」にあたるかという争いに対しても、最高裁はこれを消極に解し、匿名組合型事業に対応したせっかくの所得税法改正を無意味にする結果となった。

　次に、昭和28年3月の衆議院大蔵委員会における大蔵省銀行局長の発言を紹介する（第15回国会衆議院「大蔵委員会議録」第38号より。昭和28年3月4日）。

○河野政府委員　議題となつております貸金業者等に対する政府の態度につきましては、かねがねこの委員会で説明を求められておつたところであります。かねがね関係当局の間で、この問題につきましていろいろ検討いたしました結果、一応政府としての考え方がまとまりましたので、まずその大要を御説明申し上げたいと思います。
　貸金を業といたしまする業態は、現在の社会的、経済的状況から見ますると、その存在の理由があると思います。貸金のみを業といたしまする者に対する指導または取締りの措置といたしましては、弱者、つまり金を借りる方の保護の見地から、高利の金利を抑制するということだけで足りると考えております。高利を抑制する以外のことにつきまして、何らの措置を必要としないという意味は、貸金を業とするものが、自己の資金または特定少数者よりの借入金のみによることを前提といたしておりまして、広く公衆から預金その他類似の方法により資金を受入れますことは、その方法または名義のいかんを問わず、一般に禁止されておるところであります。預金者の保護あるいは公共性の保持の要請から、公衆から資金を受入れることは、銀行その他の金融機関のみに許されておるところであり、これに違反する無免許営業者は処罰の対象とされております。従つて、貸金業者に対しても、高金利の抑制とともに、同一の観点から預金の受入れが特に取締りの対象とせられるわけであります。最近いわゆる株主相互金融の形態による貸金業者に、預金業務を新たに認めるとともに、金利についても一般の政府の金融機

関よりも高い金利を認めるような金融機関を制度として立法化するようにという要望が一部に強く行われております。これにつきましては、次のような観点から私どもといたしましては反対であります。

　第一に、高金利の金融機関を認めることによりまして、その種のものの資金の受入れが著しく高利であることは、他の金融機関との間に不健全な状況を惹起し、一般金利水準にも悪影響を及ぼします。従いまして、金融の秩序を乱すことになると考えます。

　第二に、正規の金融に乗り得る資金が、かかる高金利の金融機関に吸収され、高金利の貸付に向けられることによりまして、国民経済的要請から見れば、低利融資の資金量を減少せしめ、正常な資金運用のルートを圧迫することとなり、金融の正常化を阻害すると考えます。

　第三に、高金利の金融機関というもののほかに、原則として株主のみの融資機関たる新金融機関の立法化という点についてこれを見まするならば、株主のみの金融ということは、組織こそ異なりますが、信用金庫あるいは信用協同組合というような制度が現に存在し、社会の需要を満たしております。新たに重複して株主のみに対する株式会社制度の金融機関を設けることの金融制度としての実益がまつたくなく、むしろ金融制度を混乱に陥る弊害があると考えます。

　なお、いわゆる株主相互金融の形態等による方式そのものをそのまま立法化して制度化するようにという主張も起きて参りますが、その資金の吸収の方法が金融法規違反でない限り、一般の株式会社の増資と何ら異なるところがなく、貸金を営業するという違いがあるだけでありますから、特別の立法を必要とせず、現行の貸金業等の取締に関する法律により監督いたすことでもつて足りると考えております。

　次に、金融法規の関係でいろいろ問題のある業態といたしましては、先ほど申し上げました株主相互金融あるいは匿名組合の方式によるもの、物品割賦販売による金融方式、協同組合の出資の型式によるもの、いろいろありますが、特に現在最も問題となつておりますものは、次の二つであります。一つは株主相互金融であります。その業態は、御承知の通り株主相互金融というものは、貸金業等の取締に関する法律によりまして届け出た株式会社組織による貸金業者が、通常増資にあたり、自己の役員等に株式をまず引受けさせ、右株式を広く公衆に売却し、その代金を割賦にて受入れ、株式引受者に融資を行うか、または融資を受けないものについては株主優待金を支給する方式であります。

　以上の方式により、株式会社が株式の売却による代金を受入れることは、これを預かり金に準ずる不特定多数者よりの資金の受入れとして、銀行法等の金融法規違反とは断じがたいのであります。

　次に、匿名組合契約による資金の受入れ方式であります。この業態は、匿名組合契約による金融出資を広範囲に募つて金銭を受入れ、これに対しては確定利息

を付する形態であります。その出資された資金は通常株式、不動産投資を目的として運用されております。また貸金業を目的といたしておるものもあるようであります。この方式につきましては、商法の規定する匿名組合契約ではないと言い切るだけの根拠がありません。従いまして、この方式による出資は、預かり金に準ずる資金の受入れとは言いがたいと考えます。しからばこれらの問題に対する今後の私どもの考え方はどうかという点でありますが、この点について申し上げたいと思います。

　上記の方法による株主相互金融と匿名組合方式とについては、株主または出資者たる立場が、あたかもこれらのものが確定配当をいわゆる加入者に対し保証しているがごとき感を与えていることから、預金者に近い立場にあるという主張があります。従つて預金者に対する同様の保護を与える措置をとるべきであるということがいわれております。これにつきましては、いわゆる加入者が株主または出資者であつて、そこに一般の事業会社等への株式投資または事業への投資の場合と区別すべき何らの相違もなく、株主または出資者の保護については、一般のこれらの事業会社等に対する株主と相違する取扱いをなす必要は毛頭認められません。従つてこの投資または出資は、預金とはその性質が違うものであるから、これに対しては一般の金融機関における預金者保護の措置はとられないということが特に注意されなければならぬ点であると思います。

　以上の株主相互金融または匿名組合による出資の受入れという方式のいずれも、金融法規のみの関係においては、その違反とは言いがたいのであります。しかしながらこの方式の業態と称するものの実情は、千差万別でありまして、個々に判断をいたしますときは、株式引受予定者よりの仮受金等の受入れの例のように、なお金融法規違反と断ずべきものが少くない見込みであります。これに対しましては、貸金業法、銀行法その他の法規によつて厳重に取締りを行つて参りたいと考えております。なお貸金業の中には、大蔵省公認というような広告、または正規の金融機関である信用金庫とまぎらわしい金庫というような名称をもつて、大蔵省の免許または認可を受けた正規の金融機関のような印象を一般大衆に与えておるものがあるようであります。これらのものは正規の金融機関ではなく、単に届出制の貸金業者にすぎないということも、この際はつきりいたしておかなければならぬと考えます。

　以上が長い間研究いたしました政府部内としての一致した見解であります。

　その後、匿名組合契約にオランダの租税条約を組み合わせた事例等が問題となった他、旧日本長期信用銀行（現新生銀行）の株式譲渡者の問題が国会で取り上げられている（さくら綜合事務所HP「第159回通常国会会議録（抄）」参照）。

　匿名組合方式によるファンドの組成等が頻繁に行われるようになった近年、

第1節　匿名組合とは　　87

投資家保護のための規制制定についての要請が高まり、平成16年12月に施行された改正証券取引法において、一部の匿名組合出資持分は「みなし有価証券」として証券取引法の規制を受けることとなった。

その後、平成19年9月30日に施行された金融証券取引法により、匿名組合出資持分は「集団投資スキーム」の一部として新たに定義づけられ、「みなし有価証券」の一類型として、募集・運営等の様々な側面について、さらなる規制の対象となった。

さらに令和元年6月に公布された改正金融商品取引法では、電子記録移転権利に該当する組合型ファンド持分も集団投資スキーム持分として金融商品取引法上の一項有価証券に該当するとして整理された（金商法2③）。

一項有価証券に該当することはすなわち、発行時には有価証券届出書等の提出義務があり、様々な開示義務があるほか、仲介には第一種金融商品取引業が必要であり、暗号資産交換業者では取扱い不能ということを意味する。一項有価証券に該当することで、規制が強化されることになる（第4章図表4・1・4参照）。

図表2・1・10　民法上の組合、匿名組合、人格のない社団等、パートナーシップの対比

	民法上の組合	匿名組合	人格のない社団等	ジェネラル・パートナーシップ	リミテッド・パートナーシップ
成立	2名以上の当事者が出資をなして共同の事業を営むことを約する合意によって成立する。	匿名組合員が営業者の営業のために出資をなし、その営業により生ずる利益を分配すべきことを約する契約により成立する。	団体としての組織を備え、多数決の原則が行われ、構成員の変更にもかかわらず団体が存続し、規約において代表の方法、総会の運営、財産の管理等、団体としての主要な点が確定していなければならない。	2名以上のジェネラル・パートナーの合意により成立する。契約は文書でも口頭でも黙示でもよい。	業務を執行し、かつ、人的責任を負う1人以上のジェネラル・パートナーと、業務執行に関与しないリミテッド・パートナーとによって成立する。
登録の要否	不要	不要	不要	公告、登記、申告は不要	証明書（certificate）と称する文書を州の管轄事務所に提出することが必要。登録により成立。
構成員の制限	自然人の他、法人、人格のない社団、組合も認められる。	営業者は法人でも自然人でもよいが、商人でなければならない。匿名組合員は法人でも個人でも、民法上の組合でもよく、商人でも非商人でもよい。	規制はない。	個人の他、パートナーシップ、会社、その他の団体も認められる。	同左
	金銭その他の財産の他、労務も認められる。	金銭その他の財産出資（たとえば、物の所有権、	規制はない	金銭その他の財産の他、労務による出資も認め	リミテッド・パートナーは現金または現物で

第1節　匿名組合とは　　89

	民法上の組合	匿 名 組 合	人格のない 社 団 等	ジェネラル・ パートナーシップ	リミテッド・ パートナーシップ
出資の内容		利用権、債権、無体財産権）に限定。信用および労務による出資は認められない。出資は匿名組合のみが行う。		られる。	の出資はできるが、役務提供による出資は認められない。
構成員数	2名以上。	2名以上。	規制はないが、団体としての組織を備えていることが必要であり、2名以上。	2名以上。	2名以上。
事業目的	事業目的には制限がなく、非営利事業でも一時的事業でもよい。	営利性・継続性が必要である。	公益、営利、さらにそれ以外の中間的目的も認められる。	営利を目的とする。	営利を目的とする。
財産に対する権利	総組合員の共有に属する。持分処分の自由と分割請求の自由が否定されており、「合有」であるとするのが通説である。	匿名組合員の出資は営業者の財産に属し、営業者の単独所有となる。匿名組合員には所有権がない。	判例によれば構成員の「総有」であるが、学説には合有説、信託説等があり、財産に対する構成員の権利関係については「総社員の総有」とみるのが多数説である。	各パートナーが出資した財産はパートナーシップの財産となる。各パートナーは、パートナーシップの財産の共同所有者である。	同左
財産の所有	組合の名において不動産を取得することはできない。	営業者の単独所有となる。匿名組合員には所有権はない。	社団そのものが団体財産を所有することはできない。代表者の名義で登記する。	パートナーシップの名において取得または譲渡することができる。	同左

	民法上の組合	匿名組合	人格のない社団等	ジェネラル・パートナーシップ	リミテッド・パートナーシップ
業務執行	原則として組合員が各自組合運営に参加する権限を有し、通常は組合員の過半数により決定するが、組合契約により業務執行組合員を選任することができる。組合は法人格を有せず、また団体としての独立性も比較的弱いのでそれ自体権利義務の主体とならない。各組合員自身または全員から代理権を与えられた者により行為が行われ、その法律効果は各組合員に帰属する。	営業者は法律的には営業者の単独の事業であるから、営業者のみが営業の運営にあたる。匿名組合員は、自ら業務を執行したり営業者を代理する権限はないが、業務や財産の状況を検査する営業監視権が認められている。	定款が根本規則となる。定款は、社団の設立にあたる原始的構成員たる社員の全員の同意で作成されるが、変更の場合は総社員の4分の3の同意が必要。定款で理事等に委任した事項の他は、常に総会で決定される。総会は総社員の過半数の出席で成立し、多数決原理により議決される。すべて代表者を通して対外関係の処理がなされる。判例は法技術的処理の立場からこれを認めている。	各ジェネラル・パートナーは運営に参加する平等の権利を有しており、通常の事項に関してパートナー間の意見が相違する場合、パートナー間の多数決で決定される。基本的事項（たとえば新パートナーの加入の承認等）についてはパートナー全員の同意が必要である。	ジェネラル・パートナーに関しては同左。リミテッド・パートナーはパートナーシップの事業の運営に参加する権利を有しない。だだしリミテッド・パートナーは基本的事項について提案し投票することのできる権利等を有する。
持分の譲渡	特定財産上の持分を処分しても組合等に対抗できない。各組合員は組合財産に対して潜在的な持分を有するが、通常の共有とは異なり共有物の分割請求権を有しない。ま	匿名組合員の出資は営業者の財産に帰属し、民法上の組合のように共有の組合財産はなく、匿名組合員には共有者持分の概念はない。匿名組合員には利益配当請求権および	財産に対する構成員の権利関係については総社員の総有とみるのが多数説である。したがって、各構成員は持分や分割請求権を持たない。脱退構成員の持分払戻請求権も認め	パートナーの財産権は、①パートナーシップの個々の財産についての権利、②パートナーシップ持分、③パートナーシップの運営に参加する権利の三つに区分される。	同左

第1節　匿名組合とは　　91

	民法上の組合	匿 名 組 合	人格のない社団等	ジェネラル・パートナーシップ	リミテッド・パートナーシップ
	た組合員個人に対する債権者は、その債権で組合に対して負担している債務と相殺できない。	匿名組合契約終了時の出資金返還請求権がある。	られないとする判例がある。	①の権利は全パートナーの権利の譲渡の場合を除き譲渡不可。②のパートナーシップ持分は動産で解散時の拠出資本の返還およびパートナーシップの利益持分に対する権利からなり、株主の法人株式に類似し譲渡可能。	
地位の譲渡	組合契約または組合員全員の同意により組合員たる地位の譲渡は可能である。譲渡人は組合から脱退するとともに、譲受人がこれに代わって組合員となり、新たに契約を締結する必要はない。相続人は当然には組合員たる地位を承継しない。	営業者の地位および匿名組合員の地位は、それぞれの同意なしには譲渡することができない。	内部規制が当事者を特定しない一般的規定（定款）の形をとり、構成員の加入・脱退が比較的自由に認められる。	新パートナーの承認については全パートナーの同意が必要。ただし、利益持分の譲渡により自動的に運営管理に参加する権利も有することになるわけではない。	ジェネラル・パートナーに関しては同左。リミテッド・パートナーに関しては、証書に譲渡権限の付与についての記載がある場合、または他の構成員の同意がある場合、パートナーシップ持分の譲受人はリミテッド・パートナーとしてのすべての権利を取得できる。
	組合契約または特約により損益分配の割合を定	営業者が、営業から生じる利益を匿名組合員に	一般的規定（定款）の型式により定められる。	パートナーシップ契約により分配割合が決定さ	ジェネラル・パートナーに関しては同左。

	民法上の組合	匿 名 組 合	人格のない社団等	ジェネラル・パートナーシップ	リミテッド・パートナーシップ
損益配分	めることができるが、当事者が損益分配の割合を定めなかったときは、その割合は出資割合により定められる。	分配する。分配割合は契約の定めによるが、別段の定めのないときは民法上の組合に関する規定（民674①）が類推適用される。すなわち、各当事者の出資割合に応じて定められる。		れる。契約で定められていない場合、各パートナーは「均等」に分配される。	リミテッド・パートナーの収益分配請求権はジェネラル・パートナーよりも優先。利益分配割合についてはパートナーシップ契約で定め、証明書に別段の記載がない限り、出資割合が適用される。
対外責任	第三者と組合との法律関係は、一般には各組合員と第三者との法律関係として構成される。組合の責務は、組合員がその損失分担の割合に応じて、直接に債権者に対して責任を負う。各組合員は、分割であるが無限責任を負う。	営業者の単独の事業であり、第三者との間の権利義務はすべて営業者に帰属する。匿名組合員と第三者との間には何らの法律関係も生じない。匿名組合員は、特約がない限り、出資額を超えて損失の分担をすることはない。	人格のない社団等の債務は、構成員全員に一個の義務として総有的に帰属するとともに、社団の総有財産だけがその責任財産となり、構成員各自は、取引の相手方に対し直接には個人的債務ないし責任を負わないと解するのが通説である。	すべてのパートナーはパートナーシップの債務に対して共同責任を有する。信託義務違反や不法行為に対しても共同で責任を有する。すなわち、パートナーの責任はパートナーシップ持分の価値に限定されない無限責任である。	ジェネラル・パートナーに関しては同左。リミテッド・パートナーはリミテッド・パートナーシップの債務に対して個人的には責任がなく、自らの拠出額を超えて責任を負うことはない。
解散事由	・目的事業の成功または不成功 ・やむをえない事由があるときの各組合員の解散請求	・目的事業の成功または不成功 ・営業者の死亡または禁治産 ・営業者または匿名組合員の	・定款で定めた る解散事由の発生 ・目的事業の成功または不成功 ・総会における	・パートナーシップの脱退、死亡、破産 ・期限の到来または特定事業の終了	・証明書で明記されている解散事由 ・解散についての文書による合意 ・ジェネラル・

第 1 節　匿名組合とは　　93

	民法上の組合	匿 名 組 合	人 格 の な い 社 団 等	ジェネラル・パートナーシップ	リミテッド・パートナーシップ
	• 組合契約で定められた解散事由の発生、存続期間の満了 • 総組合員の合意	破産 • 組合契約で定められた解散事由の発生、存続期間の満了	解散の決議 • 社員の欠乏等		パートナーの脱退 • パートナーシップ契約上の事業の遂行が不可能という事実による法定解散の申立
清算残余財産	解散によって、組合という人的結合関係は解消し、合有的な財産関係は個人的な財産関係となる。 残余財産は各組合員の出資価額に応じて分配される。	匿名組合の終了は営業者の存否とは無関係であり、終了後も営業者は営業を継続することができる。営業者は匿名組合員に金銭で出資の払戻しをしなければならない。匿名組合員が損失の分担義務を負うときは、その分担した額だけ出資が減少しているから、その残額を返済すればよい。	別段の定めがない限り、社団の目的・性質に応じて、最もそれに近い性質の法人の規定が適用される。	財産は次の優先順位で債権者に弁済される。 ①外部の債権者 ②パートナーである債権者 ③資本に関するパートナーの債権 ④利益に関するパートナーの債権 パートナーシップの財産で①～③の債権全額が弁済できない場合、パートナーシップは損失を被り、すべてのパートナー（死亡パートナーの遺産財団を含む）は損失分担割合により追加拠出する。	同左
	民訴法29条の適用にあたり、組	第三者との間の権利義務はすべ	訴訟法上の能力が認められてい	コモン・ロー上はパートナー全	同左 法人株主と同様

94　第 2 章　匿名組合の法務

	民法上の組合	匿名組合	人格のない社団等	ジェネラル・パートナーシップ	リミテッド・パートナーシップ
訴訟当事者能力	合一般を対象に一律に論じえないのが実情であるが、訴訟法上の能力を認める判例もある。	て営業者に帰属し、営業者が通常訴訟当事者となる。	る。	員を訴訟当事者としなければならない。しかし、立法措置によりほとんどの州では、パートナーシップは訴訟の当事者能力を有する。	に、ジェネラル・パートナーが訴訟の提起を拒絶する場合、リミテッド・パートナーはパートナーシップのために派生的な訴訟を提起することができる。
納税主体性	組合自体は納税主体とならず、各組合員がそれぞれ組合事業に関しての納税主体となる。	組合自体は納税主体とならず、営業者、匿名組合員が納税主体となる。	法人とみなし、収益事業を営む場合にのみ納税債務を負う。	原則として、パートナーシップ自体は納税主体とならない。各パートナーが納税主体となる。	同左
申告義務	申告書の提出は不要。各組合員が個々に申告する。	申告書の提出は不要。営業者、組合員が個々に申告する。	収益事業から生じた所得について申告しなければならない。	情報申告の提出義務を有する。	同左

（出所）　平野嘉秋「パートナーシップ税制の法的構造に関する一考察」『税務大学校論叢』23号

第 2 節

匿名組合の法的性格

1 商法における匿名組合の規定

商法535条（匿名組合の意義）において、「匿名組合契約は、当事者の一方が相手方の営業のために出資をし、その営業から生ずる利益を分配することを約することによって、その効力を生ずる。」と規定されている。つまり、匿名組合の当事者は、出資をする者（匿名組合員）と営業をする相手方との当事者に限られ、民法上の組合のように3以上の当事者の存在は認められない。もっとも、営業者はその資本力を強化するため、多数の出資者を定形的に同一内容の匿名組合契約で結ぶことができるが、この場合には、営業者、各出資者との間に出資者の数だけの匿名組合契約が存在し、出資者相互間には何の法律関係も存在しないのが原則である。

このような匿名組合については、有償、双務の諾成契約であることは明らかであるが、いかなる種類の契約に属するかは定説がない。そこで、以下に挙げる諸問題について、判例等をもとに検討し、匿名組合の本質を明らかにしていきたい。

1 匿名組合財産の営業者からの独立性

匿名組合員は契約に定めた出資義務を負い、その出資財産はすべて営業者の財産に帰属する（商法536）。すなわち、匿名組合員はその組合財産上に何らの

96　第2章　匿名組合の法務

権利を持たず、組合財産は民法上の組合のように当事者の共有財産とはならない。したがって、匿名組合員には共有持分の観念はなく、営業者の財産のみがあることとなる。このような匿名組合財産は営業者固有の一般財産と混同しうる性質にあることから、その独立性が問題となる。

　財産が共有でなく、持分がない点からすると、財産の独立性はないものとも考えられるが、商法536条4項においては、匿名組合員は営業者の行為につき第三者に対して権利義務を負わないとされており、その意味では、財産の独立性が確保されているともいえる。

　この点についての過去の判例は見当らないものの、匿名組合の事業については、収支損益の区分ができる（独立性を持つ）限り、営業者の事業の全部または一部でもよいとされている（国税不服審判所・平成4年9月16日裁決）。これにより、事業の収支損益の区分の独立性の確保が匿名組合としての存立基盤を支えるものである以上、収支損益計算を行うためには財産の独立性は当然に確保されるべきものであると考える。

2 匿名組合における貸借対照表の作成の必要性と性格

　匿名組合における貸借対照表の作成の必要性について条文上は明確な規定はなく、また、この点に関する判例も見当たらない。しかし、商法539条1項において、匿名組合員が営業者に対して営業年度の終了時においてその貸借対照表を閲覧または謄写請求できることが定められており、また、営業者は商人であることから、当然に商業帳簿を備える必要があり、同時に匿名組合の決算についても適時に行われることになる（商法19②）。ただし、商法19条2項は営業者本人に関する規定であり、匿名組合に関する規定ではない。したがって、法律上は匿名組合に貸借対照表の作成義務はない。

　このように、営業者本人に匿名組合の貸借対照表の作成義務はないが、以下のような発生主義の計算技術上の理由がある場合には、作成の必要性が認められると考える。

　まず、利益の分配の際の計算上の根拠として必要となる。既述のように、利

第2節　匿名組合の法的性格　　97

益の分配を契約の要素とする匿名組合においては、収支損益を営業者固有のものと区分する必要がある。そこで、匿名組合の会計報告も営業者のそれとは別個に行うために、発生主義の適用により発生する未収または未払の損益について匿名組合の貸借対照表の作成が必要となる。

　ただし、匿名組合契約によっては、売上等損益の一部または代替する数量を基準にして分配額を定めている例があり、その場合には分配損益の計算書は、むしろ利息計算書に近くなる。

3　匿名組合の利益配当請求の際の損失の負担

　匿名組合員は、出資が損失によって減じたときは、その塡補の後でなければ利益の配当を請求することができない（商法538）。匿名組合は当事者間では共同事業であるから、匿名組合員が利益の分配を受けるとともに、損失の分担もするのが通常であることから、損失の分担は匿名組合の常素と呼ばれる。ただし、匿名組合員が損失を分担することは、匿名組合の法的要素ではなく、損失分担の有無、分担の割合は契約によって自由に定められるものである（蓮井・森編『商法総則・商行為法（新商法講義１）〔第４版〕』法律文化社、221頁）。

2　出資法と匿名組合

1　匿名組合契約と金銭消費貸借契約の異同

　匿名組合契約は、匿名組合員からすると、他人である営業者の営業のために出資し、その利用を許す契約であるという点で、他人のために金銭を貸し付ける金銭消費貸借契約と類似している。また、基本的には出資者と事業者との１対１の契約である点も同一である。

　たとえば、宅地開発の事業を想定する。宅地開発を行うための資金を募るのに他人の出資を得ようとする場合、匿名組合契約によって投資家から出資を募るのも、金銭消費貸借契約によって借入れを行うのも、経済的にみれば他人の資金で事業を行うことにおいては共通である。出資者としても自ら事業を営む

ことなく事業に参画することができる点、および出資者は自ら権利義務の主体
とならない点において同一であるといえる。この点、民法上の組合では、出資
は共同の事業のためになすものとされ、出資された財産は組合員の共有となり、
各組合員が各々権利義務の主体となること（民法667、668）と対照的である。

　しかし、匿名組合契約においては、宅地開発の事業によって利益を生じた場
合には匿名組合員にも利益が分配されるが、反対に営業によって損失が生じた
場合には、（その旨の特約がある限り）その損失は原則として匿名組合員にも負
担が及ぶことになる。一方、消費貸借契約においては、あくまでも契約上は宅
地開発事業の成功・不成功、利益の有無にかかわらず、当初に約定したとおり
の期限に利息と元本を受け取ることができるのである。前者は事業出資者であ
るのに対して、後者は債権者の地位にとどまっている出資者であるといえるの
である。

　したがって、消費貸借契約においては、約定どおりに返済を行いさえすれば、
事業が不成功に終わったとしても何ら問題はないのであるが、匿名組合契約に
おいては、出資された資金はあらかじめ契約で定めた営業者の営業以外に利用
することができず、出資者たる匿名組合員は営業者の業務および財産の状況を
検査することができることとされているのである（商法539）。

　このように、匿名組合契約か金銭消費貸借契約かを分別するのは、契約名で
はなくて実質である。判例においても、「匿名組合契約名義で日掛金を集め、
一定期間後に利息を加算した一定金額を給付することは無尽営業となる」とし
ている（名古屋地判・昭和27年5月17日、「経済法律時報」4号、34頁）。また、同
様に「匿名組合とは、当事者の一方が相手方の営業のために出資をなし、相手
方がその営業から生じる利益の分配を約することによって効力を生ずる契約で
あるから、営業者が利益の分配につき当該営業による損失を度外視して一定時
期に一定率の利益分配をすることを約するなどということは一般的にいって極
めて変則的な場合」であり、「匿名組合員としてはたとえば銀行預金者などと
異なり、営業者の営業自体にかなりの関心を有するのが通常であり、その結果
何らかの形において営業者の営業に対し、監視権その他の関与権を保有するこ

とがその一つの特徴である」とし、「不特定多数が営業者に一定の金員の運用を託してこれを交付し、営業者がその委託に応じて一定の時期に右金額の返還並びに一定利率の金員の支払いをすることを約して右金員を受け入れたことが認められる以上」匿名組合契約とみることは不可能であるとしている（東京地判・昭和32年7月26日、「金融法務事情」150号、13頁）。

このように、匿名組合契約における匿名組合員は、営業者の営業に深く関わりを持たざるを得ない点において、消費貸借契約と大きく異なるのである。

もちろん、消費貸借契約においても、当初に定められた目的以外の事業に資金を使うとすれば、返済期限の利益を失う問題が生じうるし（たとえば、宅地開発の目的で資金を貸与したにもかかわらず、まったく宅地開発を行わず、全額株式の仕手戦に投じてしまったとすれば、民法96条1項の詐欺等によって取り消し、貸金全額の返済を求めることもあり得る）、もし事業が不成功に終われば利息どころか約定通りの期日に元本の返済を受けることも事実上困難になることが多いのであるから、債権者にとっては事業の成功・不成功に関心を払わざるを得ないことも確かである。しかしながら、確実な担保や債務者の資力さえ確保できていれば、たとえ事業は不成功に終わったとしても確実な返済が見込めることになるのであり、事業内容に対して検査をしたりする必要はないのである。

2 出資法と匿名組合

「出資の受入れ、預り金及び金利等の取締りに関する法律」（出資法）1条によれば、「何人も、不特定且つ多数の者に対し、後日出資の払い戻しとして出資金の全額若しくはこれを超える金額に相当する金銭を支払うべき旨を明示し、又は暗黙のうちに示して、出資金の受入をしてはならない」と規定されている。また、2条1項には、「業として預り金をするにつき他の法律に特別の規定のある者を除く外、何人も業として預り金をしてはならない」と規定されている。

ここにいう「出資金」とは、共同の事業のために拠出される金銭をいい、その事業の成功を図るために用いられるものである。その目的たる事業が成功したときに出資金および利益の分配を受けるものであり、出資額全額以上の返還

を約束することが禁じられることになる。また、同条2項に、「預り金」とは、「不特定かつ多数の者からの金銭の受入れで、預金、貯金又は定期積金の受入れ、及び、社債、借入金その他いかなる名義をもってするかを問わず、これらと同様の経済的性質を有するものをいう」とされており、いずれも元本をそのまま返還することになっている金銭の受入れである点において共通である。

　これらの規定は、出資金や預り金の受入れを行うについて元本が返済されるような契約は形式のいかんを問わず許されないとしたもので、このような制限を設けて出資や預入れをする者の不測の損害の防止を目的とするものである。

　この規定は、前述のように戦後、保全経済会とか○○経済会と称して、匿名組合方式による金銭の受入れを標榜する機関が続出していたことに対応してつくられたものである。これらの機関の多くは表面的には受け入れた金銭により株式投資や金銭貸付その他の事業を行い、それによって利益を上げて出資者に分配する趣旨を表明し、かつたとえ利益が上がらなかったとしても一定の確定利息を支払う約束をしていたものであるが、多くの事業者は自転車操業に陥り、後に出資された金銭を前に出資された金銭の分配金に振り向けていたのが実態であった。

　当初より利息が払えないことがわかっていながら、確定利回りを保証して金銭の出資を受けるのであれば詐欺罪で処罰できるのであるが、当初は払うような意思を示しながら途中から自転車操業に陥る例も少なくなく、その意味で被害を未然に防ぐために出資法の規制ができたのである。

　すなわち、出資法においては、出資金の全額以上の返済を約束して出資の受入れをすることが禁じられているのであるが、上記のとおり、匿名組合契約は、あらかじめ約定した期日に約定した金利と元本を支払う金銭消費貸借契約と異なり、事業が成功すれば利益が分配されることになるものの、事業が不成功に終わった場合には、原則として損失を分担せざるをえなくなるので、結果として出資金の全額以上を返還することを約束していることにはならないのである。これに対して、匿名組合契約と称されていても、まったく営業者の営業内容が限定されず、確定利回りを約束するなどその実質において消費貸借契約で

あれば、不特定多数からの出資の受入れの事実によって当然出資法に違反することはいうまでもない。

　また、営業者の営業が特定されていても、その事業において事業利益が出ない場合でも匿名組合員に対して元本を保証する旨の特約を付加している場合には、出資法に触れるおそれがある。なお、事業損失が生じた場合でも、営業者がその損失を填補する旨の特約があるような場合は、匿名組合員には実質的に元本が確保されることになるので、出資法に違反することになる。

　そこで問題となるのが、直接元本を保証するとか損失を填補するという特約をせずに、損失が生じないようなスキームを組み立てた場合、出資法に違反するかということである。たとえば宅地開発の例では、造成した宅地が全部予定どおりの価格で完売されれば利益が出るとした場合、当初より売れ残った土地について販売先を見つけておき、売れ残りのリスクをなくしている場合に、かかる特約が出資法に違反するかである。

　営業で損失が出た場合において営業者自身が匿名組合員の損失負担リスクを被るというのであれば、実質的に元本を保証した場合と同様になり、出資法に反して許されないが、営業者自身も含めた営業のリスクを軽減させるのであれば、営業者が元本を保証しているものではなく、出資法に反することにはならないものと考える。

　宅地開発の例でいえば、開発した宅地が目論見どおりに販売できず売れ残ってしまったという場合に、営業者自身が売れ残り物件をすべて販売単価で引き取って損失が出ないようにするというのであれば、匿名組合員の損失負担リスクを営業者が引き取ることになるので、元本を保証した場合と同様になり出資法に反して許されないが、売れ残った物件をあらかじめ特定の業者に引き取らせる旨の契約をするのであれば、営業者が営業自体のリスクを軽減させるものとして出資法に反することにはならないものと考える。

　同様に、宅地開発された土地を一定の価格で引き取らせる権利（プット・オプション）を第三者との間で契約によって取得しておき、開発後の宅地が値上りした場合には、かかる権利を行使せずに一般顧客に販売して利益を上げ、開

発後の宅地が値下りした場合には、かかるプット・オプションを行使して損失を防ぐ工夫をすることも、出資法に違反する契約とはならないものである。

この場合、プット・オプションの対価は、営業者の営業経費として支出されることになるのであり、出資者たる組合員もかかる経費を分担していることの見合いとして値下りのリスクがヘッジされたことになるものであり、正当な経済行為として何ら問題になるものではないのである。

3　匿名組合と内的組合

民法上の組合（任意組合）には、外的組合と内的組合の2種類がある。外的組合とは民法上の典型的な組合であり、対外的な関係に組合が現われるものである。また、内的組合とは組合が対外的な関係に現われないもので、外的組合と匿名組合との中間に位置するものとして講学上認められるものであり、非典型的な共同企業組織の中で広くみられる形態といわれる。

内的組合においては、組合自体は対外的な法律関係に一切現われない。内的組合においては、その対外的取引は主社員が自己の名、組合の計算において行う。第三者に対しては主社員のみが責任を負い、組合自体や主社員以外の社員は一切責任を負わない。したがって、対外的業務執行権は主社員に帰属することとなるが、通常、内部的な業務執行権も主社員に帰属することが多い。他の社員は、業務・財産状況検査権、委任事務処理状況報告請求権、顛末報告請求権などの権限を有するにとどまる。さらに、内的組合では組合自体として財産を有しない。組合員の出資は物権的に主社員の財産に帰属し、主社員と他の社員との法律関係は債権法上の関係にとどまる。

内的組合の諸形態として、①下方利益参加、②特定の会社の証券発行を引き受けるため数社が引受シンジケートを形成し、シンジケート団のうちの1社がその名とシンジケートの計算において引き受ける場合、非商人の事業に対する利益参加、③いわゆるプール契約、④内的組合の構造と性質を有するカルテルや損益共通、⑤議決権拘束契約などがある。

第2節　匿名組合の法的性格　　103

これに対して、商法上の匿名組合では、匿名組合員は営業者に出資を行い、その営業上の取引には一切関知しないほか、経営内部にも関与しない。また組合財産はすべて営業者に帰属し、匿名組合員にその所有権はない。匿名組合員は、営業者の営業により生ずる利益または損失の分配を受ける権利のみを有するのである。

　ところで、内的組合と匿名組合の差、つまり、匿名組合にあって任意組合にない特性として、判例によれば次の3点が挙げられる（大判・大正6年5月23日、東京地判・昭和2年4月13日、東京高判・昭和2年12月26日）。

① 　組合員間の共同事業性がないこと
② 　財産が共有でなく営業者に帰属すること
③ 　商人である営業者の商法による特殊企業形態

　しかし、内的組合を任意組合の一つとして認めると、匿名組合において、営業者に対する匿名組合員の検査権を認めることは、①の特性を相対化するし、②も匿名組合のみに認められる要素ではなくなってしまうので、匿名組合と内的組合の差は「ほとんど用語の問題」（鈴木禄弥『新版 注釈民法』17巻、20頁）であり、実質的差異はなくなってしまう。

　判例上内的組合を認めるものとしては、共同事業で営まれる中華料理店について単独名義となっていても匿名組合ではなく一種の民法上の組合類似のものとして営業用不動産につき共同出資者の持分（残余財産の分配、民法668）を類推し、その移転登記を命じたもの等がある（中華公司事件・東京地判・昭和54年10月9日、K電力事件・東京高判・昭和60年2月28日）。

　対外的に法律行為の当事者が1人の組合員となるものを内的組合と称するならば、内部の財産の帰属関係は内的組合であるかどうかに関係がない。また、匿名組合の中にも内部的には財産の共有と同じ効果の特約を定めるものがあっても不思議でない。つまり、判例上、内的組合と匿名組合との根本的差異は財産の共有にあるとされているが、それは決定的な条件でなく、匿名組合と内的組合は実質的には同一のものと理解する説もある。

　以上のような説もあるため、任意組合において理事長（業務執行組合員）名

義で組合財産を登記する場合（現行の組合方式はほとんどそれである）は匿名組合と認定される可能性を常に考慮しなければならなくなる。

　以上のように、商法上の匿名組合は内的組合に類似している。したがって、匿名組合の法的性質としては、内的組合の特殊型、すなわち当事者・出資・利益および損失の分配を限定した類型であるといえる。

4　匿名組合に対する出資の性格

　前述したように、匿名組合では、匿名組合員は出資義務を負い、出資財産は営業者に帰属する（商法536①）。また、匿名組合員は営業行為につき第三者に対して権利義務を有せず（同条④）、営業者はその営業を自己の単独営業として行うことになるが、匿名組合員は営業者に対して契約の定めるところに従って営業を継続執行すべきことを請求する権利を有するとともに、営業者は匿名組合員に対してこの義務を負う（営業者の営業執行義務）。

　このような当事者間の関係についてどのように解するかは議論がある。

1　資産所有権の完全な移転と考える立場

　所有権の移転の要件は、あくまで当事者による意思表示のみである。したがって、匿名組合契約に基づく出資は資産所有権の完全な移転にあたるとする余地がある。この場合、利益の配分や組合契約の終了時における出資価額の返還は財産権の対価の支払いと理解せざるをえない。しかし判例は、利益の配分については一定率のものは認めておらず、あくまで利益の分配は不確定なものとしていることから、利益の分配の財産権に対する対価性は認め難いと考える。

　さらに、商法536条4項により匿名組合員は外部の第三者に対して権利義務を有しないことから、組合員の出資は営業財産としての独立性を認めることができ、営業者の債権者に対する責任財産を構成しない。このことから、出資は資産所有権の完全な移転でないと考えられる。

第2節　匿名組合の法的性格　　105

2 出資の移転を信託とする立場

　この立場は、匿名組合の出資は営業者に対する組合員の財産の信託法上の信託行為（信託法2）と解するものであり、営業者の営業執行義務は、営業者が受託者として負うべき善管注意義務（信託法29②）であるとする。

　ここで信託とは、「（信託法3条）各号に掲げる方法のいずれかにより、特定の者が一定の目的（専らその者の利益を図る目的を除く。）に従い財産の管理又は処分及びその他の当該目的の達成のために必要な行為をすべきものとすること」ことをいう（信託法2）。

　信託の要件は、信託目的の設定、および信託財産の名義移転および管理・処分権限の付与であることからすれば、匿名組合の出資も信託行為といえるのである。

　ところが、信託においては、事業主体はあくまで受託者であり、委託者は共同の事業者ではない。一方、匿名組合においては、判例では出資者が隠れた事業者として事業に参加しているものとしている（最判昭和36年10月27日民集15巻9号2357頁）。この点から、営業者と匿名組合員の共同事業性を認めるとすれば、出資は信託とは異なるものといえる。また信託では、受託者の得た財産は信託財産に属し（信託法16）、信託財産は受託者固有の財産とはならず、独立性は強い。この点からも、営業者に帰属する出資は信託とは異なる。

3 信託的譲渡とする立場

　信託的譲渡とは、譲渡担保のときにもそういわれるが、本来の信託行為ではなく、形式的に譲渡はするが、実質的には委託者（組合の場合は組合員、譲渡担保のときは担保設定者）のものであり、経済的目的を超えて法律上の形式的譲渡を行うことをいう。匿名組合の場合、営業者はその財産をどのように処分しようが、目的とする営業のために使用する義務を負うのみである。この営業者の営業執行義務と、匿名組合員が営業者に対して有する検査権をもって、匿名組合の出資は信託的譲渡と説明される。

　ところが、組合員の持分概念がない匿名組合の場合、匿名組合終了時には当

該出資財産そのものの返還は要求されておらず、損失が生じている場合には出資額から損失を控除して、残額があればその残額を返還すれば足りる（商法542）。このことから、匿名組合の出資が信託的譲渡とする考え方には疑念が残る。ただし、判例は、物の使用権のみの出資の場合、減少額を補填すべきとしており、この場合は信託的譲渡とする考え方にも妥当性はあると考える。

4 一種独特な契約とする立場

上記 **1**〜**3** でみたように、匿名組合の出資はいずれにもあてはまらない特殊な契約と考える。すなわち、出資財産は営業者に帰属し、組合員には持分はなく、組合員の匿名性を特徴とする契約である。匿名組合の立法趣旨から考えて、**1**〜**3** のいずれかにあたると解するのは妥当ではなく、終了時には物そのものではなく価額を返還すればよい点から、消費貸借にもあたらないと考える。

そこで、匿名組合の出資は財産権の制約を受けた特殊な譲渡と解し得る。この出資の特殊性から、商法540条においては、匿名組合の終了原因として当事者の一方の意思による解除についての特則を定めている。

5 匿名組合と倒産

1 匿名組合契約の終了原因

［1］契約・意思による終了

匿名組合契約は、組合契約に組合の存続期間を定めたときには、その存続期間の満了によって当然終了することになる。存続期間を定めない場合、および当事者の終身の間（当事者のいずれかが死亡するまで）組合を存続することを定めた場合であっても、各当事者（営業者と組合員）は6か月前に予告することによって営業年度の終わりにおいて契約を解除することができるとされている（商法540①）。

また、組合の存続期間を定めた場合であっても、やむを得ない事由があるときは、各当事者はいつでも契約の解除をすることができるとされている（同条②）。

第2節　匿名組合の法的性格　107

前者を「予告解除」といい、後者を「即時解除」というが、これらの規定は、組合に関する民法678条と同趣旨の規定であり、匿名組合契約の組合的性質、すなわち信頼関係が基礎にある人と人との結びつきであるという性格を反映しているものであるとされている。即時解除の要件とされている「やむを得ない事由」とは、組合員による出資の懈怠の場合、営業者による利益分配の懈怠の場合、出資金を契約に反して利用した場合等、著しく営業者としての任務に違反した場合をいうとされている。一般には相手方に故意や重過失が認められる場合が多いであろうが、必ずしもそれらが要件とされているわけではない。

[2] 当然終了

　当初の契約により終了する場合や、意思の告知によって終了する場合に加えて、商法上当然に終了するとされているのが、①目的たる事業の成功または成功の不能、②営業者の死亡または後見開始、③営業者または組合員の破産である（商法541）。

　このうち、①の目的たる事業の成功または成功の不能については、継続的事業においてかかる認定をすることは極めて困難であり、当事者間に争いを生じやすいため、立法論としては告知解約の事由とすべきであるとの説が有力である（田中誠二『新版 商行為法（再全訂版）』千倉書房、166頁）。

　営業者が自然人の場合、組合員はその営業者の個人的な経営能力や信用を重んじて出資していることが一般的であるから、かかる自然人が死亡や後見開始によって営業を継続することができなくなれば、当然匿名組合契約も終了すべきこととなる。もっとも、営業者の死亡の場合に相続人その他の承継者が営業を継続すべきことを特約により定めていれば、営業者の死亡は終了原因とならないことはいうまでもない。

　営業者が法人の場合、その解散をもって自然人の死亡と同視して組合契約の終了原因と考える説もあるが、解散した会社も清算の目的で存続し、その清算の過程で組合員に対する利益の分配をなすことになるのであって、ただちに組合契約自体を終了させるべきではない。もっとも、法人の解散によって営業が廃止されることになり、これが告知解除の要件である「やむを得ない事由」と

して認められる場合があることはこの限りではない。

2 営業者の破産と匿名組合

　前述のとおり、営業者の破産は匿名組合契約の終了事由とされている。これは、匿名組合員の出資が営業者の財産に帰すこととされている（商法536①）以上、営業者が破産すると、破産者が破産開始決定のときにおいて有する一切の財産は破産財団とされ（破産法34）、破産財団の管理および処分をなす権利の破産管財人に専属されることになる（同法78①）ことにより、営業者は営業を行うことができなくなり、かつ営業財産の管理処分権限を失うことになるからである。

　匿名組合員は営業者の行為によって第三者に対して権利義務を有しないこととされており（商法536④）、営業者に対する出資金拠出の義務と出資払戻請求権の権利を有しているのみであるから、出資金の拠出が未履行であれば、破産管財人に対して出資金相当額の支払義務を負うことになり、出資金の拠出を履行していれば、出資払戻請求権を破産債権として行使することになる。

　破産法の規定によって、匿名組合契約が営業者の破産を原因として終了したときは、破産管財人は匿名組合員が負担すべき損失の額を限度として出資をさせることができるとされている（破産法183）。つまり、営業者の破産で終了したとしても、匿名組合員の義務は何ら変わることなく破産管財人に引き継がれることになるのである。

　一方、匿名組合契約に基づく匿名組合員の出資払戻請求権は、破産法上一般の破産債権として扱われる。具体的には、裁判所の定めた期間に疎明資料とともに債権届出を行って（破産法111）、債権調査手続を経て、破産管財人等が異議ないときに確定することになる（同法124）。この確定債権について、配当期日に配当を受けることになるのである。匿名組合員の営業者に対する債権は、貸金債権等の営業者の通常の債権に比べて優先もしくは劣後するものではなく、まったく平等に取り扱われるのである。これは、匿名組合契約も借入行為と同様に営業者がその営業のためになした一つの契約に他ならない当然の結果であるとされているからである。

第2節　匿名組合の法的性格　　109

3 匿名組合員の破産と匿名組合契約

　また、匿名組合員の破産も匿名組合契約の当然終了原因とされている（商法541）。これは、匿名組合員が破産した場合においては、破産債権者はできるだけ早く破産終結することを望むであろうから、匿名組合契約を即時に終了させ、これに基づく匿名組合員の営業者に対する出資払戻債権を破産財団として破産管財人によって換価して配当することにしたものである。

　営業者が複数の匿名組合員と匿名組合契約を締結している場合においては、法的には営業者と匿名組合員との契約関係はそれぞれ別個であり、ある匿名組合員が破産手続開始決定を受けても、かかる匿名組合員と営業者との匿名組合契約が終了するにすぎない。営業者と他の匿名組合員との間の匿名組合契約は存続するのであるが、営業者が破産した匿名組合員の破産管財人に対して出資金の払戻義務を負うことによって、営業に必要な資金が枯渇してしまう等、事実上他の匿名組合員の地位が不安定になるおそれがあることは否めない。

　また、匿名組合員が出資義務を未履行の場合に匿名組合員が破産したときは、営業者の匿名組合員に対する出資義務履行請求権は、一般破産債権として届け出て、認否の上、配当を受けることになる。

4 営業者の「事実上の倒産」と匿名組合契約

　上記のように、営業者が法的に破産手続開始決定を受けた場合は匿名組合契約は当然に終了し、権利義務関係も破産管財人により破産手続きに則って整理されることになる。これに対して、営業者が振り出した手形が不渡りとなって銀行取引停止処分を受けたり、任意整理（私的整理）が行われたり、営業者の財産が差し押さえられたりして「事実上の倒産」状態となった場合に、匿名組合契約がどのようになるのかが問題となる。

　営業者が「事実上の倒産」状態となってしまって、その財産を差し押さえられたり、銀行取引停止処分を受けてしまったような場合は、破産の場合と同様に営業を継続することは極めて困難となる場合が多いであろうから、原則として商法540条2項により「やむを得ない事由」があるものとして匿名組合契約

を解除することができるものと解される。

この場合、営業者は匿名組合員に対して出資金の返還義務を負い、匿名組合員は営業者に対して未履行の出資金拠出義務を負っているものと考えられる。もっとも、前述 **2** の破産法183条は、「匿名組合契約が営業者が破産手続開始の決定を受けたことによって終了したとき」と明確に規定されているために、破産以外の事由によって匿名組合契約が終了した場合には適用がないとも解されうるが、営業者が事実上の倒産状態に陥った場合においても、未履行の出資金拠出義務を負っている匿名組合員の義務を免責すべき理由は見当たらず（営業者が事実上の倒産により一方的に営業を廃止することにともなう損害について賠償請求権が認められれば、かかる債権と相殺することは格別）、他の営業者の債務者との均衡上からも匿名組合契約に基づく履行義務は存続するものと考えられる。もっとも、匿名組合契約において、かかる場合の拠出義務の範囲について特約を設けて取り決めておけば、公序良俗に反しない限り認められることになるであろう。

5 匿名組合員の「事実上の倒産」と匿名組合契約

匿名組合員が振り出した手形が不渡りとなって銀行取引停止処分を受けたり、任意整理（私的整理）が行われたり、匿名組合員の財産が差し押さえられたりして「事実上の倒産」状態となった場合には、匿名組合契約はどのような影響を受けるのであろうか。

匿名組合員が「事実上倒産」してしまった場合といえども、営業者との出資関係には何ら影響を及ぼすものではなく、匿名組合契約は従前どおり存続するものと解すべきである。なぜならば、匿名組合員の倒産の場合は、営業者の倒産の場合と異なり、出資義務を履行してしまっていれば営業を継続するについて何の障害もないのであり、かかる場合を匿名組合契約の終了原因とすることは他の匿名組合員の立場をいたずらに不安定なものにすることになるからである。すなわち、匿名組合員の事実上の倒産によって、営業者にとって出資金を中途で返還しなければならないリスクが増すことは、資金の運用が狭められる

第2節　匿名組合の法的性格　　111

図表２・２・１　事実上の倒産と匿名組合契約

	営　業　者	匿　名　組　合　員
破産手続の開始決定	常に終了（商法541条３号） 　組合員の債権→破産債権 　組合員の出資義務→破産財団	常に終了（商法541条３号） 　営業者の債権→破産債権 　組合員の出資義務→破産債権
事実上の倒産	原則として終了（商法540条２項の「やむを得ない事由」） 　組合員の出資払戻権→履行 　組合員の出資義務→履行	原則として存続 　組合員・営業者の権利義務 　　　　　　　　　　→存続

ことになりかねないのである（**図表２・２・１**参照）。

　そして、匿名組合員が匿名組合契約に基づく出資義務あるいは損失負担義務を履行していないとすれば、事実上の倒産によってかかる義務の履行を求めることは将来的にも困難となるであろうから、商法540条２項の「やむを得ない事由」があるときとして告知解除が可能となろうし、匿名組合員の債権者が早期に換価・配当を行うために匿名組合契約を終了させたければ同条１項の予告解除等により解約を行えばよいのであって、常に匿名組合契約を終了させる必要はない。また、どうしてもこれらの規定で解約することが難しければ、破産の申立てを行って破産手続開始決定を得るという方法もある。

6　匿名組合契約書の作成

　次に紹介するのは、投資家(組合員)から出資を募り、営業者が航空機を取得して航空会社に賃貸し、一定期間後に一括売却して投資家に分配することを目的とする匿名組合契約書の例である(**図表２・２・２**参照。現実には、レバレッジをきかせるためローンを入れるのが一般的であり、100％TK出資というのは少ないが、ここでは匿名組合の契約内容を検討するため、あえてローンなしの契約書例とした)。

112　第２章　匿名組合の法務

図表2・2・2　スキームの概要

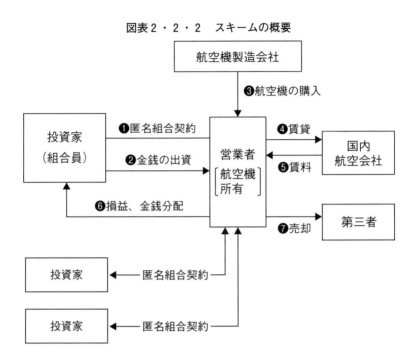

図表2・2・3 匿名組合契約書（航空機リース事業）の例

匿 名 組 合 契 約 書

　本匿名組合契約（以下「本契約」という。）は、　　　年　　月　　日付で　　　　　　　　（以下「営業者」という。）と　　　　　　　　　　　　（以下「本組合員」という。）との間で締結された。

第１条（匿名組合契約）

　本組合員は、営業者に対し、営業者の判断により営業者が行う下記取引（以下「本営業」という。）に関し、本契約に定める条件に従って商法上の匿名組合契約に基づいて出資することを約し、営業者は本組合員に対し、本営業から生ずる利益、損失及び金銭を本契約に定める条件に従って分配することを約する。

記

- (1)　別紙記載の航空機（以下「対象航空機」という。）を取得すること。
- (2)　対象航空機を第三者に賃貸することにより運用及び管理すること。
- (3)　対象航空機を10年後を目処として一括売却を行うこと。
- (4)　その他前各号に関連する一切の取引。

　第１条は、本契約が旅客航空機の取得、賃貸および売却を目的とした金銭出資型の匿名組合契約であることを示している。

　第(4)号で関連取引を加えているのは、付随・関連業務についても営業者の裁量権が及ぶものであることを明らかにするためである。

第２条（出資）

1．本組合員は、本営業のために営業者に対して出資金として金　　　　円（〇口。以下「本出資金」という。）を出資することを約し、これを　　　年　　月　　日の午前10時までに営業者の指定銀行口座に振込み支払うものとする。

2．営業者は、出資予定額を金　　　　円とし、出資金１口の金額を金　　　円、出資予定総口数を　　　口として、出資金を募る。営業者は、このため本組合員以外の複数の組合員と個別に前項の本出資金（口数）を除いて本契約と同一内容の匿名組合契約（以下「他の匿名組合契約」という。）を締結するものとする。

3．出資者の出資総額が出資予定総額に満たなかった場合またはその他の事

由によって　　　年　　月　　日までに対象航空機を取得できなかった場合
には、本契約は直ちに終了するものとする。この場合、営業者は、受領し
た金員及びそれから生じた運用益を本組合員に返還しなければならない。
4．前項の規定にかかわらず、営業者は、出資者の出資総額が出資予定総額
に満たなかった場合に自らその差額を負担して対象航空機を取得すること
ができる。その場合には営業者が負担した差額は、計算上、営業者が出資し
たものとみなして（以下「みなし出資」という。）、本契約の規定を適用する。
5．営業者は、本条第1項の場合を除き、本出資者に対して資金の拠出を求
めることができない。

第1項は、本組合員の出資金の額および口数、出資の時期ならびに方法を規定
している。
第2項では、出資予定額および出資総口数を規定している。匿名組合契約では
営業者と匿名組合員との契約は個別に締結されるので、他の組合員との契約には
影響されないことが原則であるが、予定口数が集められなかった場合においては、
目的を達成することが不可能となるので、第3項以下でかかる場合の規定を置い
ている。
第4項では、出資予定額が集まらなかった場合に、営業者が自ら不足資金を負担
して営業を開始することができる余地を残している。なお、営業者の資金状況に
よっては、第4項を原則として例外的に契約を終了させるとすることも可能である。

第3条（契約期間）
1．本契約の契約期間は、本契約締結時から　　　年　　月　　日までとする。
2．本契約期間内に対象航空機の売却が完了しない場合は、本組合員に事前
に通知の上、　　　年を超えない範囲で、対象航空機の売却が完了するまで、
営業者の判断で契約期間を延長することができる。

匿名組合契約においては、存続期間を定めないことも可能である（商法540条）
が、本契約では契約期間が有限であることを示している。
期間の定めがない場合は、原則として6か月の予告期間により解除することが
可能となる（同条）ので注意を要する。
第2項は、諸々の事情により契約期間内に航空機が売却できなかった場合の規
定である。「営業者の判断で」と規定しているのは、期間延長について組合員の
同意が得られなくとも延長を可能にするためである。

第4条（対象航空機の所有権の帰属及び組合員の損失分担の責任）
1．本営業に関して営業者が取得した対象航空機その他の資産の所有権は、

第2節　匿名組合の法的性格　　115

> 全て営業者に帰属するものとする。
> 2. 営業者は、本組合員に本出資金の返還を保証する義務を負わない。
> 3. 本組合員の損失の分担額は、本出資金を限度とする。

　商法の規定によっても、匿名組合員の出資は営業者の財産に属するとされており（商法536条1項）、第1項は念のために規定しているものである。

　第2項は、出資法1条で禁じられている元本の保証を行わないことを明確にしたものである。

　第3項では、組合員の出資金を限度とする有限責任性を明示している。出資金額以上の責任が負わされることになると出資に二の足を踏むことになりかねないことに加えて、仮に出資金以上の責任を負わせることにしても追加支払いを確保することは困難と考えられるので、ほとんどの匿名組合契約においては有限責任が規定されている（レバレッジド・リース取引およびレバレッジ型オペレーティングリース取引を除く）。

> **第5条（業務状況及び財産管理についての報告）**
> 1. 営業者は、毎年1回　　月　　日までに、本営業に係る財産の管理の状況について報告書（第8条第1項の貸借対照表及び損益計算書を含む。）を作成し、本組合員に交付しなければならない。営業者は本組合員が請求する場合には、財産の管理の状況について説明しなければならない。
> 2. 営業者は、本営業にかかる業務及び財産の状況を記載した書面を備え置き、本組合員の請求に応じてこれを閲覧させなければならない。

　商法539条1項において、匿名組合員が、営業年度の終了時において、営業者の業務および財産の状況を検査することができるとされている。これは、匿名組合契約においては、消費貸借契約等と異なり、出資を行っている組合員も共同事業参加者として業務内容や財産の状況について監視しうる権利を持つという考え方にもとづくものである。

　なお、重要な事由があるときは、いつでも、匿名組合員は裁判所の許可を得て会社の業務および財産の状況を検査することができるとされている（商法539条2項）。

> **第6条（財産の管理）**
> 1. 営業者は、対象航空機の賃貸、売却その他本営業の目的を達成するために必要と判断する行為をすることができる。
> 2. 営業者は善良な管理者の注意義務をもって誠実かつ忠実に本営業を遂行するものとする。営業者は、これらの義務を遵守する限り、本組合員に対

して何ら責を負わない。

　第1項は、営業者が事業の目的を達成するためにある程度のフリーハンドを持っていることを表しているものである。

　第2項は、善管注意義務を負っていること、およびこれらを尽くす限り組合員に対して責任を負わないことを確認したものであり、事業の結果が必ずしも満足のいくものでなかった場合において無用のトラブルを避けるために規定したものである。

第7条（営業者の報酬）
　営業者は、本契約に定める業務執行の対価として以下の報酬を得る。
　(1)　業務開始手数料として、本出資金の　　　％
　(2)　対象航空機の管理運営の対価として、第8条第2項の金銭の分配時に、対象不動産の賃料収入の　　　％
　(3)　対象航空機の一括売却の対価として、第11条第3項の売却代金の分配時に売却価格の　　　％

　営業者の報酬については、当初の契約時点で明確に規定されていることが必要である。

　報酬の定め方については、本件のような定率方式の他、売却金額や賃料収入にかかわらず一定額を支払う定額方式、事業の遂行に要した時間を基準に報酬を算定するタイムベーシス方式や、これらを組み合わせた方式が考えられる。

第8条（出資者に対する損益の分配）
　1．営業者は、毎年　　　月末日を本営業の事業年度終了日として決算を行い、この結果に基づいて本営業に関する貸借対照表及び損益計算書を作成する。
　2．本営業から生ずる損益は、一般に公正妥当と認められる企業会計の基準に従って算出される税引前当期利益をいい、出資予定口数に対して有する口数の割合に応じて本組合員に帰属する。なお、減価償却については、法定償却方法を採用するものとする。
　3．営業者は、本組合員に対し、本営業から生ずる損益並びに減価償却額に対応する金銭を本組合員の出資金額に応じて分配する。但し、減価償却額に対応する金銭の分配にあたっては、第6条第3項に定める修繕引当金を控除するものとする。

　営業者の計算は、商法19条により、「公正妥当と認められる会計の慣行」に基

づくことが要求されている。税引前当期利益で分配するのは、税負担は各組合員がすることになるからである。

第2項は、出資口数に応じて損益が帰属されるべきことを明記したものであり、なお書きで減価償却の方法を定率法に特定している。

減価償却額については、営業者においてプールして契約終了時に一括返還することも可能であるが、本例では修繕費相当額を控除して各組合員に返還するものとしている。

第9条（契約上の地位の譲渡）

1. 本組合員は、本契約上の地位を営業者以外の者に譲渡することはできないものとする。
2. 営業者は、本組合員から本契約上の地位を譲渡したい旨の申し出があった場合は、この地位を買い取ることができる。この場合の価格は本組合員との協議により決定するものとする。
3. 前項の場合には、営業者の譲受価格にかかわらず、計算上前組合員の出資した金額を営業者が出資したものとみなして本契約の規定を適用する。
4. 営業者は前二項により譲り受けた契約上の地位を第三者に譲渡することができる。

第1項では、組合員の契約上の地位の譲渡を原則として禁止している。これは、営業者にとって好ましくない人物、団体が組合員となることを防ぐためである。組合員には、前述のとおり営業者に対する業務ならびに財産状況の監視権が与えられており、その意味で株式会社の株主のような単なる出資者とは異なり、不特定の者に転々譲渡されることは予定していないのである。

ところが、組合員においてどうしても契約上の地位を譲渡したい旨の希望があった場合は、第2項により買い取った上で、第4項により営業者の判断で第三者に再譲渡することができると定めているものである。

第10条（契約の解除・終了）

1. 本組合員は、やむを得ない事由が存在する場合には、本契約を解除することができる。
2. 本組合員が破産した場合には、本契約は当然に終了する。
3. 営業者は、本契約が終了した場合には、速やかに本組合員に出資の価格を返還しなければならない。
4. 前項の出資の返還にあたっては、契約終了時の貸借対照表上の出資金額から本組合員に帰属すべき損失を控除した金額に、対象航空機を適正な方法により評価した評価損益を分配割合に応じて配分した金額を加減して返

還するものとする。

　商法540条2項によれば、匿名組合契約の当事者は、やむを得ない事由がある
ときには契約の解除をすることができるとされている。したがって、第1項は念
のために規定しているものである。なお、「やむを得ない事由」とは、営業者が
その任務に反して利益の分配を怠ったとか、善良な管理者の注意義務を尽くして
いない等、客観的にみて解除をすることがやむを得ないとみなされる事由に限定
され、単に資金的な余裕がなくなってしまった等の個人的事情では認められない
と解されている。
　出資の返還については、単に契約終了時の貸借対照表上の出資額から組合員に
帰属すべき損失を控除した残額とするものと、本例のように対象資産を評価した
評価損益を分配割合で配分するものとに分けられる。相場変動の大きい資産につ
いては、本例のように評価損益を考慮したものにすべきと思われる。

第11条（対象航空機の売却及び清算）

1．営業者は、　　年　　月　　日以降、対象航空機の売却を相当と判断す
　るときは、これを売却できるものとする。
2．前項の売却処分の終了により本契約は終了するものとする。
3．営業者は、対象航空機を売却した場合には、遅滞なく売却価格その他の
　売却条件を記載した文書を作成し、本組合員に送付するものとする。
4．本条第1項の売却処分を行った事業年度の損益については、売却による
　譲渡金額から取得価額及び営業者報酬等の売却費用を控除した後の損益を
　分配するものとする。
5．前項の場合に併せて行われる出資の価額の返還については、契約終了時
　の貸借対照表上の出資金額から本組合員に帰属すべき損失を控除した金額
　を配分して返還するものとする。

　対象資産の売却に関しては、営業者において相当と考える時期および方法によ
ることとしている。
　売却価格や売却条件については特に組合員の関心事であるので、速やかに報告
の文書を送付することとしたものである。
　対象資産の売却を行い、売却による譲渡損益の分配ならびに出資金の返還を行
うことによって営業者と組合員との契約関係は終了することになる。

第12条　（売却以外の事由による終了）

1．本契約は、以下の事由が生じた場合には契約期間の満了前においても終
　了する。

第2節　匿名組合の法的性格　　119

(1) 対象航空機の全損その他の事由により本事業の継続が不可能もしくは著しく困難となった場合。但し、営業者は本組合員にその旨を通知しなければならない。
(2) 営業者の破産
2. 前項の規定によって本契約が終了した場合には、本組合員は第10条第3項及び第4項の規定を準用し、営業者より出資の価額の返還を受けるものとする。

　本例の場合、対象航空機が事故等により全損となってしまったときは、もはや営業の続行は不可能となるので、契約を終了させるものとした。このような規定がない場合でも、対象航空機の全損のようなときは、商法541条1号により、組合の目的たる事業の成功の不能ということで終了原因に該当するものと考えられる。ただし、航空機リースの場合は Substitution Clause といって航空会社が同型の代替機を用意してレッサーが合意することによってリースを継続するケースもある。
　上記サブスティチューションの場合を除いて、対象航空機が全損となってしまった場合、一般的に、付保されている損害保険金が営業者に支払われることになる。
　営業者が破産した場合は、商法541条3号の規定によっても当然に終了となる。この場合、組合員は出資金分配請求権を破産債権として届け出て、一般破産債権者として破産法の手続きに従って配当を受けるしかない。

7　匿名組合の会員規約の例

　次に紹介するのは、競走用馬ファンドの会員規約の例である。競走用馬ファンドとは、投資家が愛馬会法人と匿名組合契約を締結して出資を行い、愛馬会法人が日本中央競馬会（JRA）に馬主登録をしているクラブ法人に競走用馬を現物出資し、クラブ法人は、競走用馬をJRA等の競走に出走させ、当該競走用馬が賞金等を獲得した場合には、諸経費を控除した金額を愛馬会法人に支払い、愛馬会法人は受領した金額を投資家に分配する、という仕組みのファンドである（**図表2・2・4**参照）。

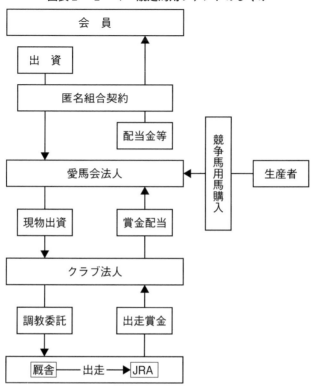

図表2・2・4　競走馬用ファンドのしくみ

　なお、会員規約の好例として、社台サラブレッドクラブの会員規約を参照されたい（https://www.shadaitc.co.jp/wp-content/uploads/2013/10/shadai_tc_2022.pdf）。

| CoffeeBreak | ☕ **SPAC（特別買収目的会社）経由での上場** |

　SPAC（特別買収目的会社：Special Purpose Acquisition Company）を利用した上場というのをご存じであろうか。以下のスキームである。会社をSPAC（企業買収を目的とする会社）として設立後、まず上場させる、その後、上場を希望する会社を買収（通例、合併する）して、当該上場希望の会社を公開させる、というスキームである。

　上場を希望する会社は、上場審査や一般株主向けのIRなどの煩雑でコストがかかる新規公開（IPO）プロセスを経ることなく上場することができるという点がある。米国上場では、2020年から公開の半数はSPACを使ったスキームを利用したものだと言われている。最近は、上場市況そのものが悪化している点やSPACに対する評価や規制が厳しくなり、やや下火になっている。市場としても、おおよそではあるが、株価10ドル超を維持できないと魅力を欠くばかりか、米国においては訴訟リスクもあるだろう。

　SPAC側であるが、上場を希望する会社を発見し買収できるという「目利き」である他にも、以下の規制がある。決して、簡単な状況ではない。諸規制に対応するというSPACスキームの遂行だけではなく、その後の事業資金の調達まで考えれば、SPACの運営側にも相当の実力が必要なのである。

1．SPACの上場が終了してから、おおよそ2年以内に上場希望会社を買収する必要がある。

2．上場希望会社の企業価値が、SPACでの調達額を一定割合で超えている必要がある。

3．上場希望会社との合併には、SPACの株主の同意が必要である。

4．上場希望会社との合併に失敗した場合、SPAC株主に、利息をつけて、株式の償還を行う。

5．SPACが探し出した上場希望会社との合併を望まないSPAC株主にも、利息をつけて、株式の償還を行う。

　SPACスキーム自体はもう少し前からあった。しかし、早期上場、多額な資金調達の可能性、事業が複雑化するために理解ある株主の募集可能性、というメリットがあり、米国では評価されるようになった。利害関係を調整しながら、現在のSPACの規制に至っている。

122　第2章　匿名組合の法務

日本に目を向けると、非公開企業が公開企業に買収されることにより公開を果たすことは、「裏口上場」として厳に「禁じ手」であった。東京証券取引所においては「SPAC上場制度の投資家保護上の論点の整理」（2022年）という報告書を提出している。制度のあり方、開示、投資家保護、妥当性判断などの論点を提起している。報告書の論調としては、SPACにやや否定的だろうか。私見にはなるが、SPAC上場が「裏口上場」として紹介されたことが、わが国の証券界で非常にネガティブな影を落としていると思われる。このようなSPAC（特別買収目的会社）経由での上場は、少なくとも日本では議論されることは少なくなってきた。

　でも、よく見るとこんなことが起こっていないだろうか。日本市場からの非上場化する会社。かつて公開したものの、役割を終了しながら、非公開化もできず「ゾンビ企業」と後ろ指をさされる会社。新規公開しながら、なお脆弱な財務体質と経営体質から株価が冴えず、事実上の身売りとなる会社。しかも、このような会社群が事業や上場を維持しようとして、可能な範囲で目一杯の第三者割当を実施する場合、従来事業をリストラして、新規事業を行う計画を目論見書に記載せよ、などと規制当局より指導される。これは、事実上のSPACスキームであり、忌み嫌われる「裏口上場」ではないだろうか。

　上場企業の新陳代謝、一層の経済成長の実現は、わが国にとって焦眉の課題であろう。SPAC（特別買収目的会社）経由での上場や「裏口上場」という名称は避けても、日本版の企業成長加速装置は、絶対に必要なのである。

第 3 節

匿名組合組成・運用に 関する諸規制

1 金融商品取引法とは

　匿名組合契約によって、資金調達をし、資産の運用をするSPCやファンドの組成に関しては、何らかの業規制が課せられ、さらに開示規制等も課せられることが多い。匿名組合の営業者に関する規制だけでなく、匿名組出資の募集や売買の取扱いに関する業規制もある。そのうち、最も横断的な規制が金融商品取引法だが、それ以外にも、不動産特定共同事業法や商品ファンド法等があり、以下で順次概要を見ていきたい。

　なお、第三者から資金調達することを目的とする匿名組合だけではなく、関係者間で組成した匿名組合であっても多くの場合規制対象となることに注意したい。

　金商法は、幅広い金融商品を対象として包括的な法整備を行い、投資家の保護および金融市場の発展を企図するものである。そのため、対象商品・取引の拡大、金融商品取引業の業務規制、金融商品取引業者等の行為規制について、包括化、横断化、柔軟化が図られている。また、証券や金融商品について幅広い概念として捉え、規制を行う方向へ移行しつつある国際的な潮流への対応を図るものでもある。

124　　第2章　匿名組合の法務

2　匿名組合出資の位置付け

1　みなし有価証券

　匿名組合出資は、原則として、金商法においてその主たる規制対象となる有価証券（いわゆる一項有価証券。3．開示規制**1**を参照のこと）には該当しないが、これにみなされる「みなし有価証券」（いわゆる二項有価証券。3．開示規制**2**を参照のこと）に該当する。

①　みなし有価証券である、商法に規定する匿名組合契約出資持分、投資事業有限責任組合に関する法律に規定する投資事業有限責任組合および有限責任事業組合に関する法律に規定する有限責任事業組合に基づく権利等について、包括的に「集団投資スキーム持分」と定義される（金商法2②五、六）

②　伝統的な有価証券として分類される受益証券（金商法2①十、十二、十三、十四）を除く信託の受益権（金商法2②一、二）もみなし有価証券となる

　抵当証券法に規定する抵当証券が有価証券として追加された（金商法2①十六）。

　ただし、電子記録移転権利に該当する場合には、一項有価証券として取り扱われることとなるため留意が必要である。詳細は5．具体的スキームでの確認**1**［**2**］を参照のこと。

2　集団投資スキーム持分とは

　商法に規定する匿名組合契約出資持分（TK）、投資事業有限責任組合に関する法律に規定する投資事業有限責任組合（LPS）および有限責任事業組合に関する法律に規定する有限責任事業組合（LLP）その他の民法上の組合（NK）に基づく権利等について、みなし有価証券となるが、開示規制などの適用範囲について、これらの組合型のファンドは包括的に「集団投資スキーム持分」としてグルーピングし、規制の明確化をしている（金商法2②五、六）。

第3節　匿名組合組成・運用に関する諸規制　　125

「集団投資スキーム持分」とは、組合契約（NK）・匿名組合契約（TK）その他のいかなる形式によるかを問わず、他者から金銭などの出資・拠出を受け、その財産を用いて事業を行い、当該事業・投資から生じる収益などを出資者に分配するような仕組みに関する権利をいう（金商法2②五、六）。したがって、NK、LPS、LLPを用いたファンド事業にも同様の規制が課せられ、第2種金融取引業（7号または9号）が必要になる。

なお、集団投資スキーム持分のうち次に掲げる権利等については、投資家保護の観点から問題のないものとして有価証券の定義から除外されており、金商法に定める業規制・行為規制の対象とはならない。

① 出資者全員が出資対象事業に関与する場合における当該出資者の権利（金商法2②五イ、金商令1の3②）

② 出資者がその出資または拠出の額を超えて収益の配当または出資対象事業に係る財産の分配を受けることがないことを内容とする当該出資者の権利（①に掲げるものを除く。金商法2②五ロ）

③ 保険業法2条1項に規定する保険業を行う者が保険者となる保険契約、等（①②に掲げるものを除く。金商法2②五ハ）

④ 他の法律の規制により出資や公益性の観点から問題のないと認められる権利（金商令1の3、金融商品取引法第2条に規定する定義に関する内閣府令7）

- 私立学校教職員共済法等の規定により締結される保険または共済に係る契約その他の保険業法に掲げる事業に係る契約に基づく権利
- 有限責任中間法人を除く法人に対する出資または拠出に係る権利
- 分収林特別措置法に規定する分収林契約に基づく権利
- 組合契約に基づく権利であって当該組合契約によって成立する組合が公認会計士等の業務を出資対象事業とするもの
- 会社やその関係会社の従業員等の持株会に基づく権利

なお、不動産特定共同事業に基づく持分は、出資者全員が出資対象事業に関与する場合の出資者の権利として、金商法2条2項5号の規定により金商法の規定の対象外となっているが、平成25年度不動産特定共同事業法（不特法）改

図表2・3・1　金商法におけるヴィークルの分類

	ヴィークル	発行する権利	主な投資対象	運営者に課せられる業規制
集団投資スキーム	NK TK（注） LPS LLP 外国組合（海外 LP 等） 信託受益権	組合員の地位（組合出資）・信託受益権	不動産・不動産信託受益権・航空機・株式・債券・デリバティブ・再生可能エネルギー発電設備（再エネ発電設備）等	第2種金商取引業及び投資運用業の登録または適格機関投資家特例業務の届出・不動産特定共同事業許可・貸金業登録・商品顧問業の許可
投資信託型	投資信託 外国投資信託	信託受益権	株式その他有価証券が主	第1種金融商品取引業または第2種金融商品取引業の登録・投資運用業
会社型	投資法人 特定目的会社 株式会社 外国（offshore）法人	特定社債 投資口 優先出資 （特定）出資	不動産・不動産信託受益権・再生可能エネルギー発電設備（再エネ発電設備）等	第1種金融商品取引業の登録・投資運用業

（注）国内の投資ファンドでは、LPS が主として株式投資に用いられ、不動産投資ついて特定目的会社や投資法人(J-REIT)を用いるほかは、合同会社と匿名組合の組み合わせ(GK-TK）スキームを用いられることが多い。

正により、いわゆる SPC を想定した特例事業者と締結する権利は、金商法上の集団投資スキームに該当し、みなし有価証券に該当することとなった。さらに、特例事業以外の不特事業に係る権利であっても、トークン化（第4章**図表4・1・4**および第9章参照）されたものについては、同様に規制対象とする検討が進んでいる[1]。

　第三者から資金調達することを目的とする匿名組合だけではなく、グループ

1　「金融商品取引法等の一部を改正する法律案」（金融庁 第211回国会提出（令和5年3月14日））

第3節　匿名組合組成・運用に関する諸規制　　127

関係者間で組成した匿名組合であっても多くの場合規制対象となる可能性が高くその出資持ち分を取り扱うためには、第2種金融取引業（7号または9号）の登録が必要になることが原則である。登録の実務としてはゼロからスタートした場合1年超の時間を要する場合が多く、国内の不動産ファンドのうち、不動産の信託受益権を取得する匿名組合事業でも数多く用いられているが、その他の資産を取得する匿名組合契約によるファンド組成の多くが適格機関投資家等特例業務となっている。匿名組合によって資金調達を行おうとする場合には、実務上は第2種金融商品取引業および投資運用業（不動産信託受益権の運用を行う場合には不動産関連投資運用業）の登録を行うか、適格機関投資家特例業務の届出を行うかの2択である。

　適格機関投資家特例業務とは、後に本節4 **5** に記載するように、自己私募（7号業務）、自己運用（15号業務）を行うが、第2種金融商品取引業と投資運用業の登録義務を満たさずに届出で行えることが最大のメリットである。

　グループ関係者間のファンド組成に関して、金融庁のパブコメを見ると業規制の適用除外に該当するかどうかに関しては相当保守的に解釈する必要がある。

　まず、「業として」の考え方として、「対公衆性」や「反復継続性」については、現実に「対公衆性」のある行為が反復継続して行われている場合のみならず、「対公衆性」や「反復継続性」が想定されている場合等も含まれる（平成19年、金融庁により実施された「金融商品取引法制に関する政令案・内閣府令案等」に対するパブリックコメントに対する基づく「コメントの概要及びコメントに対する金融庁の考え方」I．金融商品取引法関連・定義（金融商品取引業）〔第2条第8項〕No.3、p35）他、形式的にはSPC[2]が「100％親会社」のために行う取引であっても、実質的に「対公衆性」が認められるものもあり得る（同No.4、p36）とされている。また、①の適用除外に関しても、単に契約等に定めを置くのみでは足りず、原則として、すべての出資者による同意を得て業務執行を行う必要がある（同・有価証券の定義〔第2条第1項〕No.11〜12、p4〜p5）。

　特に匿名組合に関してはAMおよび匿名組合員が同一の一つの事業者である

場合等について「「匿名組合契約」の性格から、そもそも匿名組合員が匿名組合の事業（出資対象事業）に常時従事すると認められるかが問題となり、「集団投資スキーム持分」の定義（金商法2②五）から除外される要件の1つである「出資者の全員が出資対象事業に関与する場合」（同号イ）に該当するかどうかは疑義があるものと考えられます。」と回答している（同・有価証券とみなされる権利の定義〔第2条第2項〕（匿名組合員が「出資対象事業に関与する場合」）No.34〜37、p10〜p11）。

なお、金商法の規制の適用除外となる部分を含む不動産特定共同事業法に関しても、このパブコメで問題点を指摘された後、平成25年の改正によりそれまで適用除外とされていた親会社を出資者として、完全子会社を営業者とする匿名組合契約に関しても規制対象となっている（不特法施行令1、同施行規則1）。

3 信託受益権

信託受益権のうち、伝統的な有価証券として分類される受益証券（金商法2①十、十二、十三、十四）については従来より証券取引法の規制対象となって

2　金融取引業等に関する内閣府令第33条2項においては、財務諸表規則第8条第7項と同様に特別目的会社に関して以下の規定をおく。

「特別目的会社（資産の流動化に関する法律（平成10年法律第105号）第2条第3項に規定する特定目的会社及び事業内容の変更が制限されているこれと同様の事業を営む事業体をいう。以下同じ。）については、適正な価額で譲り受けた資産から生ずる収益を当該特別目的会社が発行する証券の所有者（同条第12項に規定する特定借入れに係る債権者を含む。）に享受させることを目的として設立されており、当該特別目的会社の事業がその目的に従って適切に遂行されているときは、当該特別目的会社に資産を譲渡した会社等（以下この項において「譲渡会社等」という。）から独立しているものと認め、前項の規定にかかわらず、譲渡会社等の子会社等に該当しないものと推定する。」

この「事業内容の制限」に関して、資産流動化法の改正によって、特定目的会社が一部の資産を追加取得できるように解釈が変更されたことが影響するかに関しては、平成23年11月11日付金融庁のパブコメ48番18ページにおいて、「特定目的会社を用いた資産流動化スキームにおける追加取得のニーズの高まりを受けて、資産流動化法の施行後十数年の間の実務の運用を勘案し、資産流動化スキームの更なる活用を目指す観点から検討された解釈」にすぎない旨回答されている。改正後も当初特定されえていなかった資産の追加取得に関しては、利害関係人全員の同意により流動化計画の変更が求められる。

第3節　匿名組合組成・運用に関する諸規制　129

いたが、これ以外の信託の受益権（金商法2②一、二）については規制の対象外であった。

金融商品取引法においては、信託受益権を金商法2条1項に規定する受益証券と金商法2条2項に規定する信託の受益権とを次のように区分し、すべての信託受益権を規制の対象としている。

① 金商法2条1項に規定する受益証券

　　イ．投資信託および投資法人に関する法律に規定する投資信託または外国投資信託の受益証券（金商法2①十）

　　ロ．貸付信託の受益証券（金商法2①十二）

　　ハ．資産の流動化に関する法律に規定する特定目的信託の受益証券（金商法2①十三）

　　ニ．信託法に規定する受益証券発行信託の受益証券（金商法2①十四）

② 金商法2条2項に規定する信託の受益権……信託の受益権（金商法2条1項10号に規定する投資信託の受益証券に表示されるべきものおよび金商法2条1項12号から14号までに掲げる有価証券に表示されるべきものを除く。金商法2②一）

金商法上の有価証券と信託法および法人税法との関係については第4章第1節4を参照。

4　外国法に基づく権利等

外国の法令に基づく権利であって、金商法2条2項1～5号に掲げる権利に類するものは、いわゆる「海外集団投資スキーム持分」として金商法の対象となる（金商法2②六）。ケイマン籍の Exempted Liability Partnership および Limited Liability Company の持分などがこれに該当するため、日本の投資家向けに募集等を行う場合には金商法の規制の対象となる（**図表2・3・2**参照）。

図表2・3・2　外国籍ファンドの金商法該当性フローチャート

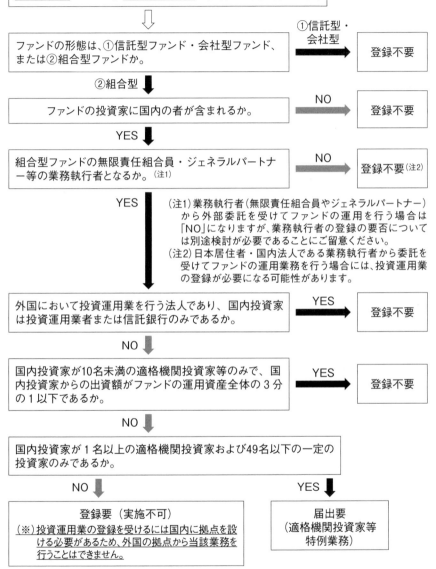

第3節　匿名組合組成・運用に関する諸規制

3 開示規制

金商法においては、情報開示制度について整備が進められ、開示規制の適用範囲も明確に定められた。

企業内容等の開示には、有価証券を発行する際に要求される発行開示と、有価証券を発行した後に要求される継続開示がある。具体的な発行開示書類は有価証券届出書、発行登録書、目論見書等であり、継続開示書類は有価証券報告書が挙げられる。

発行開示においては、新たに発行される有価証券の取得勧誘を有価証券の類型に応じ次のとおり「募集」と「私募」に分類し、「募集」に該当する場合について開示義務を課している。

令和元（2019）年6月に公布され、令和2年6月に施行された改正金融商品取引法においては、集団投資スキーム持分等の二項有価証券をブロックチェーン上のトークンに表示した場合、「電子記録移転権利」として、金融商品取引法上の「一項有価証券」として取り扱われる部分が整理された。

これは、本来、流通性の乏しい二項有価証券であっても、インターネットを通じて世界中で不特定の者との間で転々流通することができるブロックチェーン上のトークンに表示されることにより、事実上の流通性が高まることから、一項有価証券の開示、規制等に関しては同等の取扱いにすることとしたものであり、一項有価証券として取り扱うことで、規制が強化されることになる。原則として開示規制の対象外である二項有価証券と異なり、電子記録移転権利の募集に際しては有価証券届出書等の提出義務の対象となる等様々な開示義務に服することとなる他、仲介には第一種金融商品取引業が必要となる。

1 一項有価証券

令和元年の金商法改正により、**図表2・3・3**のとおり、電子記録移転権利に該当する匿名組合持分は、この類型となっている。

132 第2章 匿名組合の法務

図表 2・3・3

有価証券の区分			開示規制の種別	業規制の登録種別
有価証券	みなし有価証券	証券又は証書（2条1項）	第一項有価証券 原則として発行・継続開示の義務あり	第一種金融商品取引業 登録時の最低資本金5,000万円、自己資本比率の継続的なモニタリングなど、高水準の規制あり。
		「証券又は証書」に表示されるべき権利（=「有価証券表示権利」）（法2条2項柱書前段）		
		「電子記録債権」のうち、流通性その他の事情を勘案し、社債券その他の有価証券とみなすことが必要と認められるものとして政令で定めるもの（現行、該当なし）（2条2項柱書中段）		
		証券又は証書に表示されるべき権利以外の「権利」（信託の受益権、匿名組合出資、投資事業有限責任組合の持分等）（2条2項柱書後段・各号） ／ 「電子記録移転権利」に該当するもの		
		「電子記録移転権利」に該当しないもの	第二項有価証券 原則として発行・継続開示の義務なし	第二種金融商品取引業 最低資本金は1,000万円 自己資本規制なし

① 募集……50名以上を相手方として行う有価証券の取得勧誘（適格機関投資家のみを相手方とする場合を除く。以下「公募」という。金商法2③一・二、金商令1の5）

② 私募……「取得勧誘であって、有価証券の募集に該当しないもの（金商法2③柱書）」とされており、次の3類型がある。

⑴ 適格機関投資家私募（金商法2③二イ）

　　取得勧誘の相手方が適格機関投資家のみであり、かつ適格機関投資家以外の者に転売されるおそれが少ないものとして一定の要件（金商令1の4一等）を満たすもの。

⑵ 特定投資家私募（金商法2③二ロ）

第3節　匿名組合組成・運用に関する諸規制　　133

相手方が特定投資家のみ、あるいは顧客から委託を受けた金商法取引業者等であり、かつ転売のおそれが少ないものとして各有価証券ごとの譲渡制限を満たすもの。

(3) 少人数私募（金商法 2 ③二ハ）

取得勧誘の相手方が50名（適格機関投資家私募要件を満たす有価証券取得勧誘の相手方となるプロを除く）未満であり、少人数向け勧誘の転売制限（金商令 1 の 7 二）、発行日前 3 か月以内の通算要件（金商法 1 の 6）を満たすもの。

2 二項有価証券

① 募集……その取得勧誘に係る有価証券を500名以上の者が所有することとなる取得勧誘（金商法 2 ③三、金商令 1 の 7 の 2）

② 私募……上記以外の場合（金商法 2 ③）

上記 **1** の人数要件は募集について、50人以上の要件、つまり50名以上に「声」をかけたかどうかであるのに対して、**2** の人数要件は募集の結果500名以上が取得することとなるかどうかという点が基準となることに留意する必要がある。また、途中で要件を満たすこととなった場合は当該事業年度末日の人数により判定し、継続開示の対象となる（金商法24①四、金商令 3 の 5 ②）。

なお、匿名組合出資などの集団投資スキーム持分は、二項有価証券に該当することになるが、電子記録移転権利に該当した場合には一項有価証券となる。詳細については本節 2 **2** および第 4 章図表 4・1・4 を参照のこと。

4 業規制

1 業の概念

金商法上、金融商品取引業とは、同法 2 条 8 項各号に掲げる行為のいずれかを「業として」行うことと定義されているところ、「業として」とは、対公衆性および反復継続性をもって行われる行為をいうものと解されている[3]。もっ

134　第 2 章　匿名組合の法務

とも、取引の相手方が特定された1名であったとしても、そのことのみをもっ
て対公衆性がなく金融商品取引業に該当しないと考えられているものではなく
（金商業府令7条4号ニ参照）、「業として」に該当するかは事例ごとに個別具体
的に判断する必要がある。

なお、金商法改正前の証券取引法では、「証券業」を一定の行為を行う「営
業」と定義し（証券取引法2条8項柱書）、営利性を業の要件としていたが、金
商法では、業の範囲の明確化のため、「金融商品取引業」を一定の行為を「業
として行うこと」と定義し（金商法2条8項柱書）、営利性を業の要件としない
こととしている[4]。

2 金融商品取引業

「金融商品取引業」とは、金融商品取引行為のいずれかを業として行うこと
をいう。

[1] 金融商品取引行為

金融商品取引行為とは、投資家の保護のため支障を生ずることがないと認め
られるものとして政令で定めるもの、および銀行等が行うもので、次に掲げる
行為をいう。

① 有価証券の売買（デリバティブ取引に該当するものを除く）、市場デリバティ
ブ取引または外国市場デリバティブ取引（有価証券の売買にあっては競売買
の方法等によるものを除く。金商法2⑧一）

② 有価証券の売買、市場デリバティブ取引または海外市場デリバティブ取
引の媒介、取次ぎ（有価証券等清算取次ぎを除く）または代理（有価証券の
売買の媒介、取次ぎまたは代理にあっては競売買の方法等によるものを除く。
金商法2⑧二）

③ 有価証券の募集または私募のうち、集団投資スキーム持分の形式をとる

3　平成19年7月パブリックコメント回答35頁・No.3参照。

4　小島宗一郎ほか「金融商品取引法制の解説(2)　金融商品取引法の目的・定義規定」『旬
　刊 商事法務1772号』2006年、24頁参照。

第3節　匿名組合組成・運用に関する諸規制　　135

商品の勧誘（金商法2⑧七）

④　有価証券の売出し（金商法2⑧八）

⑤　有価証券の募集もしくは売出しの取扱いまたは私募の取扱い（金商法2⑧九）

⑥　当事者の一方が相手方に対して次に掲げるものに該当し、口頭、文書その他の方法により助言を行うことを約し、相手方がそれに対し報酬を支払うことを約する契約（投資顧問契約）を締結し、当該顧問投資契約に基づき助言を行うこと（金商法2⑧十一）

⑦　金融商品の価値等の分析に基づく投資判断に基づいて有価証券またはデリバティブ取引に係る権利に対する投資として、金銭その他の財産の運用（その指図を含む）を行うことをいい、投資信託および投資法人に関する法律に基づく資産の運用に係る契約の他、当事者の一方が、相手方から、金融商品の価値等の分析に基づく投資判断の全部または一部を一任されるとともに、当該投資判断に基づき当該相手方のため投資を行うのに必要な権限を委任されることを内容とする契約（投資一任契約）をいう（金商法2⑧十二）

⑧　投資顧問契約または投資一任契約の締結の代理または媒介（金商法2⑧十三）

⑨　金融商品の価値等の分析に基づく投資判断に基づいて主として有価証券またはデリバティブ取引に係る権利に対する投資として、次に掲げる権利等を有する者から出資または拠出を受けた金銭その他の財産の運用を行うこと（投資法人資産運用業または投資信託運用業に該当するものを除く）。

イ　受益証券発行信託の受益証券または外国の者が発行する一項有価証券に相当する証券に表示される権利

ロ　信託受益権または外国信託受益権に掲げる権利

ハ　任意組合、匿名組合、LLP、LPS契約または外国組合契約に掲げる権利

［2］金融商品取引行為と金融商品取引業（金商法2⑧、同28）

　以上のように列記されても実務の状況が理解できないのが普通である。金商法28条においては、上記の金融商品取引行為を以下のようにおおむね大きな分類として、主として扱う商品またはサービスの観点から4つに類型化した業形態を規定し、それに応じた登録要件等が課される。同28条には、この4類型以外に有価証券の引き受け（同条⑦）や有価証券関連業として取次代理等（同条⑧）も規定されている。

　さらに、電子募集取扱業務（電子情報処理組織を使用する方法その他の情報通信の技術を利用する方法で有価証券の募集若しくは売出しの取扱いまたは私募若しくは特定投資家向け売付け勧誘等の取扱いを業として行うこと。金商法29の2①六）については、下の4類型の登録に加えて、別途登録が必要になるが、一定の要件を満たした場合、登録要件が緩和されている（金商法29の4の2、29の4の3）。

①　第一種金融商品取引業

　主として株式や社債等の金商法2条1項の有価証券の売買（みなし有価証券を除く）、店頭デリバティブ取引等、引受業務、私設取引システムの運営、有価証券等管理業務などを指し、主に証券会社・銀行等がこれに該当する（金商法2⑧一から三・五・六・八・九・十・十六・十七、28①）。

②　第二種金融商品取引業

　集団投資スキーム等の自己募集、主に金商法2条2項のみなし有価証券の売買等、市場デリバティブ取引（有価証券を除く）などを指し、主に自己募集のファンド等がこれに該当する（金商法2⑧一～三・五・七・九・十八、28②）。特定有価証券管理行為・特定引受行為・電子募集取扱業務を行う場合には、登録要件が加重される。

③　投資運用業・不動産関連特定投資運用業

　投資一任契約等に基づく運用、投資信託等の運用、集団投資スキーム等の運用等を指し、主に投資信託委託業者（運用会社）や投資顧問業者（投資運用業者）がこれに該当する（12、14、15号業務）（金商法28④）。なお、投資運用業（競売買の方法による売買またはその媒介等および14号の投資法人

第3節　匿名組合組成・運用に関する諸規制　　137

資産運用業または投資信託運用業を除く）のうち、不動産信託受益権または
組合契約、匿名組合契約若しくは投資事業有限責任組合契約に基づく権利
のうち当該権利に係る出資対象事業が主として不動産信託受益権に対する
投資を行うものを投資の対象とするものを「不動産関連特定投資運用業」
と呼び（金商業府令7七）、14号業務が除かれているので、投資一任業務（12
号）と匿名組合を含む集団投資スキーム等の運用業務（15号）が実質的内
容となる。

④　投資助言・代理業

投資顧問契約に基づく助言、投資顧問契約や投資一任契約締結の代理・
媒介等を指し、主に投資顧問業者（投資助言・代理業者）が、これに該当
する（金商法2条8項11号または13号業務）（金商法28③）。

［3］匿名組合契約を用いて資金調達する SPC の関連者と業規制の関係

国内の不動産ファンドまたは SPC のうち、不動産の信託受益権を取得・運
用する匿名組合事業の実務上は第二種金融商品取引業および資産運用業の登録
を行うか、適格機関投資家特例業務の届出を行うかの2択であると述べた。

みなし有価証券である不動産の信託受益権を取得して運用する匿名組合事業
で適格機関投資家特例業務に該当しない場合、勧誘（7号業務）について第二
種金融商品取引業の登録が必要であり、自己運用（15号業務）について、投資
運用業の登録が必要となるのが原則である。ただし、運用権限の全部を投資運
用業者または登録金融機関（以下「投資運用業者等」）に委託することにより行
う組合型ファンド等の運用業務に係る特例（定義府令16①十）の要件に該当す
れば、SPC そのものは投資運用業の登録を要しない。

たとえば、以下のような事例で、投資運用業・不動産関連特定投資運用業
（ファンド運用業）の登録を要するのが原則だが、適格機関投資家特例業務以外
にも以下の条件を満たす場合は登録不要である。

①　ファンドの運用権限の全部を投資運用業者等である投資運用会社（B）
に委託するとともに、当該投資運用会社（B）が一定の事項について事前
に当局に届出を行っている場合（定義府令16①十）

138　第2章　匿名組合の法務

② 不動産信託受益権を投資対象とする匿名組合契約に基づく二層構造ファンドのうち子ファンドの運用であり、親ファンドの匿名組合契約に係る営業者が投資運用業者または適格機関投資家等特例業務の届出者であって、当該投資運用業者または適格機関投資家等特例業務の届出者が一定の事項について事前に当局に届出を行っている場合（定義府令16①十一）

③ 海外投資家等から出資された金銭の運用を行う行為（当該出資を受けた金銭の50％超が非居住者から出資を受けたものである場合に限る）で、かつ、投資運用会社（X）が一定の事項について事前に当局に届出を行っている場合（海外投資家等特例業務）（法63の8）[5]

また、匿名組合出資の勧誘を行う場合（自己募集等）にも、第二種金融商品取引業の登録が必要となるのが原則だが（法2⑧七ヘ、28②一、29）、当該出資の投資勧誘（募集または私募の取扱い（法2⑧九））を第二種金融商品取引業者である販売会社（C）に委託し、自らは勧誘行為を行わない場合は、投資勧誘に係る登録は不要となる。この場合にも、資産運用業同様に海外投資家等特例業務（法63の8）に該当する場合には登録は不要となる。

なお、投資運用会社（B）がファンドの業務執行者である投資運用会社（X）から投資判断・投資権限の委任を受けてファンドの運用を行う場合、投資運用会社（B）は投資運用業・不動産関連特定投資運用業（投資一任業）の登録を受ける必要がある（法2⑧十二ロ、28④一、29）。

また、投資運用会社（B）が投資家（A）に対してファンドの投資勧誘（募集または私募の取扱い（法2⑧九））も行う場合は、第二種金融商品取引業の登録が必要となる（法28②二、29）。

---

5 海外投資家等特例業務については、令和5年に至って初めて海外投資家等特例業者の届出事例が現れた。

第3節　匿名組合組成・運用に関する諸規制　139

[事例] 国内に拠点を置く投資運用会社が、国内で組合型ファンドを組成し、その運用及び投資勧誘を行う場合

国内に拠点を置くSPC（X）が、国内において、匿名組合契約を利用して資金調達する事業を組成し、その投資家（A）から出資を受けた金銭を運用（自己運用）するとともに、自ら当該出資持分を投資家（A）に勧誘する場合。

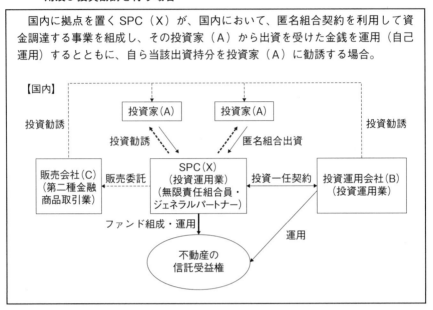

3 金融商品取引業の区分

　金融商品取引業は、金融商品取引業者の行う業務の内容に応じ、四つに区分されている。これらの業を行うためには登録が必要であり、またそれぞれの区分に応じ、人的構成の有無・資本金の額等を要件とする参入規制がおかれている。金融商品取引業およびその各区分ごとの参入規制を図にまとめると、**図表2・3・4**のようになる。

　また、金融商品取引業とは別に、それよりも参入規制が緩い業種として「金融商品仲介業」が定められている（金商法2⑪）。

　発行者自らが行う有価証券の募集および私募は「自己募集」と呼ばれるが、これについては新たに金融商品取引行為となり、集団投資スキーム持分においてもそれを業として行う場合、第二種金融商品取引業者の登録が必要となる（金商法2⑧七ヘ、28②一）。

140　第2章　匿名組合の法務

図表２・３・４　金融商品取引業の区分とその参入規制

	募集・売出し・媒介・取次ぎに関する業区分		投資の助言・運用に関する業区分	
	第一種 金融商品取引業	第二種 金融商品取引業	投資運用業	投資助言・代理業
業務の内容	金商法28条1項 第一項有価証券の売買または代理等	金商法28条2項 匿名組合契約に基づく出資持分を発行する際に、取得勧誘を自ら行う自己募集等	金商法28条4項 匿名組合契約に基づく権利を有する者から拠出を受けた金銭その他の財産の運用を行うこと等	金商法28条3項 投資顧問契約に基づき助言を行うこと等
参入規制① 人的構成の有無	適格に業務を遂行するに足りる人的構成を有すること			特になし
参入規制② 資本金の額	a. 有価証券の元引受であって、損失の危険の管理の必要性の高いもの等（28条1項3号イ） 　30億円以上 b. 有価証券の元引受であって、a. に掲げるもの以外のもの（28条1項3号ロ） 　5億円以上 a.b. 以外 　5,000万円以上	a. 特定有価証券等管理行為に該当すること（業務府令14条） 5,000万円以上 a. 以外 1,000万円以上	5,000万円以上	特になし
参入規制③ 虚偽記載等	登録申請者が行う他の事業が公益に反すると認められない者、または登録申請書類もしくは電磁的記録のうちに虚偽の記載もしくは記録がなく、もしくは記録が欠けていないこと等（金商法29条の4）			

（出所）　さくら綜合事務所

また、主として有価証券等に対する投資として集団投資スキーム持分の発行により出資・拠出を受けた金銭その他の財産を運用する行為（自己運用）は投資運用業の登録が必要になっている（金商法2⑧十五ハ、28④三）。

　匿名組合契約については、従来、営業者がSPCや事業内容の変更が制限されないファンド等である場合には、勧誘を行う人的資源が存在しないことが多く、オリジネーター（当初の資産の提供者）等が選定するSPCの取締役や使用人が勧誘活動を行うことで、自己募集が行われることもあった。

　なお、営業者において登録の必要が出てきたとしても、金融商品取引業者に権限の全部を委託している場合には、そもそも自己募集に該当する行為はないと考えられる。

4　不動産関連特定投資運用業

　国内の不動産ファンドのうち、不動産の信託受益権を取得する匿名組合事業で適格機関投資家等特例業務以外の場合には、自己私募（金商法2条8項7号業務）、自己運用（同15号業務）について、第二種金融商品取引業と投資運用業の登録（または運用権限の全部委託）をするのが原則である旨述べた（金商法28④）。

　この投資運用業のうち、不動産信託受益権または組合契約、匿名組合契約若しくは投資事業有限責任組合契約に基づく権利のうち当該権利にかかる出資対象事業が主として不動産信託受益権に対する投資を行うものを投資の対象とするものを「不動産関連特定投資運用業」と呼び（金商業府令7七）、一般の投資運用業の規制に加えて、異なる規制が課される。

[1] 一般の投資運用業との業務内容の違い

　投資運用業とは **2** で見たとおり、金商法2条8項12、14、15号業務を指すが、「不動産関連特定投資運用業」はその中で競売買の方法による売買またはその媒介等および14号の投資法人資産運用業または投資信託運用業を除く旨、規定されている（金商業府令7七）ので、結局、投資一任業務（12号）と匿名組合を含む集団投資スキーム等のファンド運用業務（15号）が実質的内容となる。

142　　第2章　匿名組合の法務

結局、SPC 等のヴィークルに関連する不動産信託受益権の運用に関する業務ということができる。

「不動産関連特定投資運用業」の登録を受けるための人的要件として、「総合不動産投資顧問業者としての登録を受けている者であること、またはその人的構成に照らして、当該登録を受けている者と同程度に不動産関連特定投資運用業を公正かつ適確に遂行することができる知識及び経験を有し、かつ、十分な社会的信用を有する者であると認められること」が定められている（金商業府令49条第5号「不動産関連特定投資運用業を行う場合の要件を定める件」（金融庁告示第54号））ので、実務上総合不動産投資顧問業の登録（この登録自体は以下で述べるように任意である）を受けてから登録することになり、実際にも「不動産関連特定投資運用業」の登録業者、下の **[2]** ①の現物不動産の取引一任代理（宅地建物取引業法50の2①）の認可業者、**[2]** ②の不動産投資顧問業登録業者はほぼ重なっている。

[2] 現物不動産の投資一任業務または投資助言業務

不動産信託受益権はみなし有価証券なので、「不動産関連特定投資運用業」は、みなし有価証券の運用業ということになり、上で見たとおり金商法に規定されている。

しかし、現物不動産の運用業務は、宅建業法（またはその特則である不動案特定共同事業法）に規定されている。

① 現物不動産の取引一任代理

J-REIT に代表される投資法人、特定目的会社または SPC（特例事業者）を用いる不動産特定共同事業の内の3号事業（不動産特定共同事業法2④三）等のための現物不動産の投資運用においては、宅建業免許の中でも特別な「取引一任代理」の特例が設けられている。これは、宅建業では取引案件ごとに代理・媒介契約を締結しなければならないのが原則だが、国土交通大臣から取引一任代理等の認可を受ければ、個別の媒介契約は締結しなくてもよいとする特例（取引一任代理等に係る特例（宅建業法50の2））で、この認可を受けた宅建業者一覧は国土交通省 HP で公表されている。

第3節　匿名組合組成・運用に関する諸規制　143

「不動産関連特定投資運用業」には、投資法人資産運用業が含まれないので、「不動産関連特定投資運用業」と同時に、宅地建物の取引一任代理等が行いうるのは、主として特定目的会社と不動産特定共同事業の内の3号事業ということになる。

この認可にも「不動産関連特定投資運用業」の登録と同様にARES認定マスター等の資格保有者および実務経験にかかる要件を満たす重要な使用人の配置が必要になる。

② 現物不動産の投資助言

有価証券の投資助言を投資顧問業者が行うのと同様に、「総合不動産投資顧問業」という制度がある。総合不動産投資顧問業は、現物不動産の運用に関する投資助言または投資一任を行う営業をいい、一般不動産投資顧問業は投資助言のみを行う営業をいう。この制度は法律ではなく「不動産投資顧問業登録規程」（平成12年建設省告示第1828号）に基づく登録資格である。法律ではないので、任意の登録資格だが、上で見たように、「不動産関連特定投資運用業」の登竜門化している。

この登録には、ARES認定マスター等の資格保有者および実務経験に係る要件を満たす重要な使用人の配置等の人的配置および資本金の額および純資産額（5,000万円以上）を維持する等の財産的基礎が求められる。

5 金融商品取引業登録の例外

集団投資スキーム持分のうち、適格機関投資家が投資家に含まれる一定の持分について行われる「適格機関投資家等特例業務」については、「登録」ではなく「届出」により行うことができる特例が認められている。

[1] 適格機関投資家等特例業務

適格機関投資家等特例業務とは、適格機関投資家等（適格機関投資家等以外の者で政令で定めるもの（その数が49名以下の場合に限る）および適格機関投資家をいう）で、次の①～③のいずれにも該当しない者を相手方として行う集団投資スキーム持分に係る私募（適格機関投資家等以外の者が当該権利を取得するお

それが少ないものとして政令で定めるものに限る）および金銭の自己運用をいう（金商法63①一イ〜ハ、同項二、金商令17の12）。

① その発行する資産対応証券（SPC法2条11項に規定する資産対応証券をいう）を適格機関投資家以外のものが取得している特定目的会社（SPC法2条3項に規定する特定目的会社をいう）

② 集団投資スキーム持分に対する投資事業に係る匿名組合契約で、適格機関投資家以外の者を匿名組合員とするものの営業者または営業者になろうとする者

③ ①または②に掲げる者に準ずる者として内閣府令で定める者

ここで③の「内閣府令で定める者」とは、具体的には社債券・株券または新株予約券や合同会社の社員権等を適格機関投資家以外の者が取得しているSPC（金融商品取引業等に関する内閣府令235①）、および集団投資スキーム持分で適格機関投資家以外の者を相手方とするものに基づき相手方から出資または拠出を受けた金銭その他の財産を充てて当該投資事業を行う者をいう（金融商品取引業等に関する内閣府令235②）。

ただし、同令235条1項において、その取得の対価の額を超えて財産の給付を受けることがない権利については除かれているので、その趣旨を満たすことで適格機関投資家等特例業務の適用を受けることができる。

[2] 適格機関投資家等特例業務の適用要件

適格機関投資家等特例業務のうち、「集団投資スキーム持分の私募」については、当該権利の取得に応じた者が適格機関投資家以外のものである場合、次に掲げる要件をすべて満たさなければならない。

① 当該権利に係る契約その他の法律行為により、当該権利を取得しまたは買い付けた者が、当該権利を一括して他の一の者に譲渡する場合以外の譲渡が禁止される旨の制限が付されていること

② 当該権利が有価証券として発行される日以前6か月以内に、当該権利と同一種類のものとして内閣府令で定める他の権利が有価証券として発行される場合にあっては、当該権利の取得勧誘に応じて取得した一般投資家の

第3節 匿名組合組成・運用に関する諸規制 　145

人数と、当該 6 か月以内に発行された同種の新規発行権利の取得勧誘に応じて取得した一般投資家の人数との合計が、49名以下となること（金商令17の12）

［3］適格機関投資家

適格機関投資家とは有価証券に対する投資にかかる専門的知識および経験を有するものとして内閣府令で定める者（金商法 2 ③一、金融商品取引法第 2 条に規定する定義に関する内閣府令10）をいい、金融商品取引業者、銀行、保険会社、投信法に規定する投資信託委託業務者および投資法人、農林中央金庫、日本政策投資銀行、信用共同組合、投資事業有限責任組合、投資一任契約に係る認可を受けた証券投資顧問業者などが挙げられる。

なお、金商法の改正により、金融庁長官に届け出た法人については、有価証券報告書の提出が不要となり、届出を行おうとする日の直近の有価証券残高基準が100億円以上から10億円以上に引き下げられた。また、金融庁長官に届け出た個人のうち、有価証券残高が10億円以上、かつ、口座開設後 1 年を経過している者についても適格機関投資家となる。

［4］不動産信託受益権保有に係る投資運用業の特例

投資運用業において、宅地または建物に係る信託の受益権に対する投資として一の相手方と締結した匿名組合契約に基づき出資を受けるもののうち、次に掲げるすべての要件に該当するものについては適格機関投資家等特例業務となり、届出のみとなる（金融商品取引法第 2 条に規定する定義に関する内閣府令16十一）。

① 匿名組合契約の相手方になろうとする者が他の匿名組合の営業者であって、かつ、投資運用業または適格機関投資家等特例業務、もしくは適格機関投資家等特例業務を行う金商品取引業者となるための届出を行ったものであること（金商法28④、63②、63の 3 ①）

② 匿名組合の相手方になろうとする者が、匿名組合契約の締結前に、当該行為を行う者に関する一定の事項を、取引の相手方になろうとする者の区分に応じ、金融庁長官等に届け出ていること

③ 当該行為者に関する一定の事項に変更があったときは、遅滞なくその旨

図表2・3・5　金商法への対応措置（電子記録移転権利以外のケース）

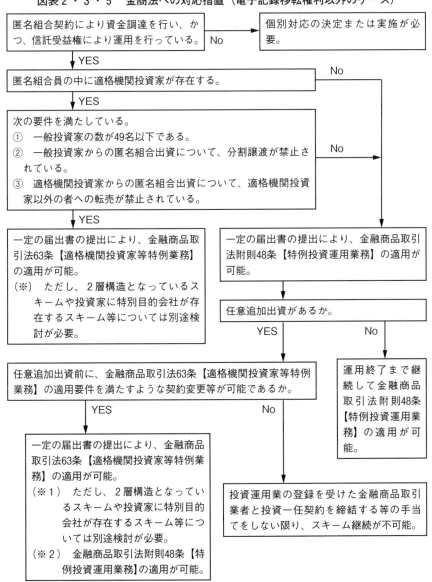

第3節　匿名組合組成・運用に関する諸規制

図表2・3・6　適格機関投資家等特例業務届出者数の推移

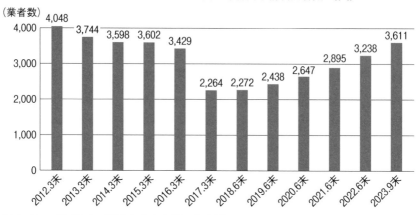

（※）2017.3以降は、業務廃止命令発出先を除いている。

を届け出ること

なお、上記を踏まえ、金商法への対応措置をフローチャートにまとめると、前ページ図表2・3・5のようになる。

6　適格機関投資家等特例業務の実務

［1］適格機関投資家等特例業務の届出

　適格機関投資家等特例業務を行おうとする場合には、あらかじめ、金融商品取引法63条2項に定める「適格機関投資家等特例業務に関する届出書」等を原則として「金融庁電子申請・届出システム[6]」を利用して提出しなければならない（やむを得ない場合のみ、紙面提出が認められる）。

　届出を行った適格機関投資家等特例業者の届出事項は、同法63条5項に基づき縦覧に供される。届出事項に変更のある場合には遅滞なく変更届出を提出し

6　手続きにあたっては、「GビズID（法人・個人事業主向け共通認証システム）」を取得する必要がある。なおIDには3種類があり、事前審査が必要なため取得に期間を要するアカウントもある。金融庁電子申請・届出システムにおいては事前審査不要のアカウントでも手続き可能となっている（令和5年4月1日現在）。

なければならない（同法63⑧）。

[2] 事業報告書・公衆縦覧について

適格機関投資家等特例業者は、事業年度ごとに事業報告書を作成し、毎事業年度経過後3か月以内に提出しなければならない（同法63の4②）。また、新規・変更届の内容をすみやかに縦覧すること（同法63⑥）に加え、事業年度ごとに説明書類を作成し、毎事業年度経過後4か月以内に縦覧する（同法63の4③）必要がある（ただし、説明書類に代えて、事業報告書の写しをもって公表することも可能）。

なお事業報告書の様式の入手および提出については、原則として、金融庁業務支援統合システム（以下「統合システム」という）を利用して行うことになっている。統合システムは上述の金融庁電子申請・届出システムとは異なるため、改めて新規届の提出およびこれにともなうヴィークル証明書の取得、専用端末の準備等が必要となる。ヴィークル証明書およびID／パスワード取得までには申請から2週間〜1月間程度を要するため、前もって準備しておく必要がある。手続きが間に合わない等、やむを得ない場合には紙面での提出が容認されるが、オンライン報告をしない理由書の添付が必要となる。なお、紙面提出された控への収受印押印の事務は廃止されている。

事業報告書の様式は変更されることもあるので、統合システムでダウンロードできる事業報告書の様式を毎期確認されたい。

事業報告書の様式例は、**図表2・3・7〜2・3・8**に掲げるとおりである。

海外業者で、ファンドの決算確定手続きに時間を要するため3か月以内の報告が困難である等一定の理由があるときは、事前の申請により報告期限・縦覧期限について延長が認められる場合がある。

[3] 行政処分等の実施について

各種届出書および事業報告書を提出しない場合や、虚偽の届出や報告をした場合等には行政処分を実施することがある。また、金融商品取引法には罰則も定められているため、法令等への違反には十分留意する必要がある。

図表2・3・7　事業報告書の様式一覧

様式1	1．業務の状況（1）届出年月日＿（9）外部監査の状況 [201]
様式2	1．業務の状況（10）みなし有価証券の私募の状況〜（11）業務の状況 [202]
様式3	1．業務の状況（12）ファンドの状況 [203]
様式3-2	1．業務の状況（12-2）ファンドの状況 [203]
様式4	2．経理の状況（204）)
添付書類	決算書

[4] 各種届出等に関する留意点

　各種届出書等は原則金融庁電子申請・届出システムにより主たる営業所または事務所を管轄する財務局または財務事務所に提出する。なお、国内に営業所または事務所を有しない者（海外業者）の提出先は、関東財務局理財部証券監督第3課である。

　届出事項に変更があった場合、すみやかに手続きしておかないと、オンライン上での事業報告ができない場合がある（たとえば事業年度の変更があった場合、期日の認識相違によりシステム上での事業報告書の受理ができない等）。そのため届出事項の変更がある場合には、すみやかな対応が必要である。

5　具体的スキームでの確認

1　GK－TK スキーム

[1] 電子記録移転権利以外のケース

　不動産を対象とする資産の流動化では、私募ファンドが活用されている。投資の対象となる不動産を信託受益権として取得・保有する SPC が、投資家から匿名組合出資を受け、不動産から生ずる収入のみにその債務履行の原資を限定するノンリコース・ローンを受けるといった一般的なスキームにおいて、金商法の施行が、どのように影響を与えるかについて、検討を行ってみることと

150　　第2章　匿名組合の法務

図表2・3・8　事業報告書の様式例

基準日			

別紙様式第二十一号の二（第二百四十六条の三関係）

（日本工業規格A4）

第 1 期事業報告書 〔 令和　年　月　日から　令和　年　月　日まで 〕

令和　年　月　日提出

商号又は名称

住所又は所在地

氏名

（法人にあっては、代表者の役職氏名）

（注意事項）

　法第63条第2項又は第63条第8項の規定による届出書に旧氏及び名を併せて記載して提出した者については、これらの書類に記載した当該旧氏及び名を変更する旨を届け出るまでの間、氏名を記載する欄に当該旧氏及び名を括弧書で併せて記載し、又は当該旧氏及び名のみを記載することができる。

1　業務の状況
　（1）　届出年月日
　　　①　法第63条第2項又は第63条の3第1項の届出
　　　②　証券取引法等の一部を改正する法律（平成18年法律第65号）附則第48条
　　　　第2項、第4項又は第6項の届出

　（2）　行っている業務の種類

　（3）　当期の業務概要

　（4）　説明書類に記載する事項

1　別紙様式第二十一号の三に記載されている事項
2　事業報告書に記載されている事項

第3節　匿名組合組成・運用に関する諸規制　　151

(5) 株主総会決議事項の要旨

(6) 役員及び使用人の状況
① 役員及び使用人の総数

	役　員	うち非常勤	使　用　人	計
総数	名	名	名	名

② 役員の状況

役　職　名	氏　名　又　は　名　称

③ 国内における代表者又は国内における代理人の状況

氏名、商号又は名称	住　所　又　は　所　在　地	電　話　番　号

④ 役員の業績連動報酬の状況

役員の業績連動報酬の状況

(7) 主たる営業所又は事務所及び適格機関投資家等特例業務を行う営業所又は事務所の状況

名　　称	所　在　地	役員及び使用人
		名
計　　店		計　　名

※営業所等に変更があった場合の注記欄（役員及び使用人の合計が(6)①の合計人数と一致しない場合は当欄に理由を付記）

(8) 株主の状況

氏 名 又 は 名 称	住 所 又 は 所 在 地	割 合
その他（　　名）		
計　　名		100.00%

(9) 外部監査の状況

公認会計士又は監査法人の 氏名又は名称	監 査 の 内 容

事業報告書チェックリスト事業報告書作成チェックリスト

1.(12) ファンドの状況

該当箇所	Excel セル例	確認内容
□ 報告対象ファンド	—	当期末時点で存在する全てのファンドについて作成
□ 出資対象事業持分の名称	B	20号様式（第3面）で届出した内容を転記
□ 出資対象事業の内容	C, D	なお、「私募・運用の別」の欄には、当期において法第63条第1項第1号に掲げる
□ 出資対象事業持分の種別	E	行為に係る業務を行った場合は「私募」と、当期末時点において同項第2号に掲げ
□ 業務の種別	G, H	る行為に係る業務を行っている場合は「運用」と、双方に該当する場合は「私募・ 運用」と記載
□ 設定年月日	F	ファンドの効力発生日を記載
□ 私募の期間	I	私募の開始日と終了日を記載 ※私募を継続中の場合は「○年○月○日〜継続中」と記載
□ 出資金払込口座の所在地	J	国内の場合：国内 海外の場合：国名、地域名まで記載　例）アメリカ合衆国（ニューヨーク州）
□ 資金の流れ	K	出資金払込口座（金融機関名（支店名））を記載 出資金の管理方法について、送金・保管を行う者の名称を示したうえで記載

第3節　匿名組合組成・運用に関する諸規制　　153

☐	存続期間	L	「○年○月○日～存続中」、「○年○月○日～○年○月○日」と記載 ※存続期間の始期は「設定年月日」（F 例）と一致
☐	出資者の状況	M～Q	「適格機関投資家の状況（Z～BM）」、「適格機関投資家以外の者の状況（BN～CN）」との整合性を確認
☐	主な出資者の種別	R～W	「種別」は、参照表 2 の「属性」のうち「国・地方公共団体等」～「外国法人又は外国人等」の 7 種類から選択し、該当しない場合は「その他」と記載 ※「種別ごと」に出資割合が大きい順に記載
☐	適格機関投資家の出資額及び出資割合	X, Y	「出資額」：適格機関投資家が行うファンドへの出資合計額（当期末時点の履行金額）を記載 　※届出者（GP）自身による出資額は含めない 「出資割合」：「出資額（X 列）」／「総出資額（FQ 列）」
☐	適格機関投資家の状況	Z～BM	「区分」は、参照表 2 の「適格機関投資家」が、定義布令10条 1 項のうち何号に該当するかを記載 例　1 号 「第234条の 2 第 1 項第 1 号に規定する金額」は、適格機関投資家が投資事業有限責任組合のみの場合に記載
☐	適格機関投資家以外の者の状況	BN～CN	参照表 2 の「属性」ごとに記載 「数」：「出資者の状況」との整合性を確認 「出資額」：各種別の出資額（履行金額）を記載 　※届出者（GP）自身による出資額は含めない 「出資割合」：「出資額」／「総出資額（FQ 列）」
☐	ファンドの資産構成	CO～EC	各資産の金額の和が「合計」の金額（EC 列）と一致するか
☐	主な投資対象資産	EF～EX	参照表 3 に従って記載
☐	投資対象地域	EL	参照表 4 に従って記載
☐	総出資額	FQ	「適格機関投資家の出資額（X 列）」、「適格機関投資家以外の出資（BN～CN 列）」、「届出者（GP）自身による出資額」の合計を記載
☐	純資産額	FS	ファンドの B/S の資産の部の合計額（FU 列）から負債の部の合計額を控除した額を記載
☐	総資産額	FU	ファンドの B/S の資産の部の合計額 「ファンドの資産構成」の合計額（EC 列）に一致
☐	第233条の 3 各号に掲げる者を相手方とする場合	GF～GJ	20号様式（第 3 面）「第233条の 3 各号に掲げる者の有無」に「有」としている場合に記載

※参照表とは、関東財務局ウェブサイトに掲載の、事業報告書記載例上のものを指します。

その他

	該当箇所	確認内容
☐	2．経理の状況	【届出者が法人の場合】 ☐届出者自身の B/S、P/L の提出が必要です（ファンドの B/S、P/L ではありません） 【届出者が LLP（有限責任事業組合）を構成する連盟の場合】 ☐LLP の B/S、P/L の提出が必要です 【届出者が個人の場合】 ☐確定申告書（1 表）の提出が必要です ☐収支内訳書（白色申告の場合）または青色申告決算書（青色申告の場合）の提出が必要です 　※作成していない場合は理由書（様式任意）が必要です
☐	添付書類	☐（12）ファンドの状況「第233条の各号に掲げる者を相手方とする場合」が「有」の場合、ファンドの財務諸表及び監査報告書の写しの提出が必要です ☐紙媒体にて提出する場合、システムで提出できないことの理由書（様式任意）が必要です

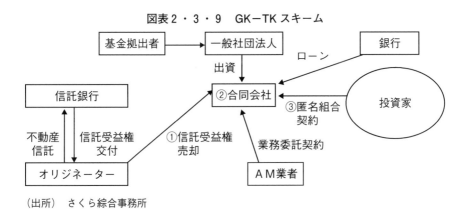

図表2・3・9　GK-TKスキーム

(出所)　さくら綜合事務所

する。

　(※)　現物の不動産を SPC に移転する匿名組合を利用したスキームについては、金商法上の集団投資スキーム持分に該当せず、不動産特定共同事業法の規制の対象となる（金商法2②五ハ）。しかしながら、規制の横断化の観点により、金商法上の行為規制の一部が準用されることとなっている。

なお、従来より不動産証券化の仕組みには GK-TK スキームによることが多い。

① **図表2・3・9の GK-TK スキーム①の視点**（信託受益権売却）

　原則としてオリジネーターの不動産信託の受益権販売は第二種金融商品取引業（金商法28②）の登録を要する。ただし、みなし有価証券である信託受益権の発行者は、その委託者とされており、受益権については自ら行う勧誘行為は金融商品取引行為と定義されていないから、金融商品取引業の対象とはならないとの解釈がなされる（金商法2⑤、金融商品取引法第2条に規定する定義に関する内閣府令14③一イ、ロ）。

② **図表2・3・9の GK-TK スキーム②の視点**（合同会社）

　原則として SPC が有価証券の自己運用を行う場合には、自己運用業の登録が必要となる（金商法28④）。しかし、投資運用業の登録を受けた AM（アセットマネージャー）と業務委託契約を締結することによって、SPC 自

体の登録は不要となる。

　注意すべきは、投資運用にはその指図も含まれる点（金商法2⑧十二）および利益相反行為（金商法42の2）や善管注意義務などの行為規制が課される点である。

③　**図表2・3・9のGK-TKスキーム③の視点**（匿名組合契約）

　　原則として金商法における集団投資スキーム持分の募集または私募について業として行う場合には、金融商品取引業に該当することとなる（金商法2⑧七ヘ）。ただし、SPCは、同一の事業に関して、適格機関投資家1名以上および適格機関投資家以外の者が49名以下であることなどを要件とする適格機関投資家等特例業務の届出をすることにより、自己募集を行うことができる。この届出をする場合、SPCにおいては金融商品取引業の登録は不要となる。ただし、SPCの自己募集自体が適法に行われる必要はある。

[2] トークンに表示した匿名組合出資持分の募集とICO/IEOに係る法規制

　前記のとおり、みなし有価証券である匿名組合出資持分（集団投資スキーム持分）は二項有価証券として扱われ、その募集行為については原則として開示規制の対象とはならない（金商法3三）。また、匿名組合出資持分を自ら募集する場合や、仲介業者がその募集の取扱い等を行う場合は第二種金融商品取引業に該当することとなる（金商法28②一・2⑧七ヘ、同28②二・2⑧二）。なお、いわゆるクラウドファンディングの方法による匿名組合出資持分の募集の取扱いまたは私募の取扱いのみを行う場合には、第二種少額電子募集取扱業務を行うものとしてその登録要件が一定程度軽減される（金商法29の4の3②）。

　これに対して、二項有価証券である匿名組合出資持分をブロックチェーン上のトークンに表示した場合、「電子記録移転権利」に該当し一項有価証券として扱われる（金商法2③）。すなわち、電子記録移転権利の募集行為（いわゆるSTO）については、一項有価証券の募集として開示規制の対象となる。また、通常の一項有価証券の自己募集は金融商品取引業に該当しないところ、電子記録移転権利の自己募集は第二種金融商品取引業に該当することに注意を要する

（金商法2⑧七ヘ）。そして、電子記録移転権利の募集の取扱い等については、一項有価証券の募集の取扱いとして第一種金融商品取引業に該当する（金商法28①一、29）。ただし、いわゆるクラウドファンディングの方法による電子記録移転権利の募集の取扱いまたは私募の取扱いのみを行う場合には、第一種少額電子募集取扱業務を行うものとしてその登録要件が一定程度軽減される（金商法29の4の2）。

　なお、いわゆるICO/IEOは、トークンを新規発行し資金調達する手法という点ではSTOと共通している。もっとも、ICO/IEOにより発行されるトークンは、STOと異なり、投資性のない、決済等に使用することを想定したトークン（ユーティリティトークン）であり、法的には資金決済法上の「暗号資産」に位置づけられる。

　そして、資金決済法はあくまで資金決済に関するサービスの適切な実施の確保等を目的とした規制であり、投資家保護を目的とする金商法とは異なることから、ICO/IEOについて、資金決済法上はとくに開示規制は設けられていない（ただし、資金決済法に基づく自主規制団体である一般社団法人日本暗号資産取引業協会が策定する自主規制規則「新規暗号資産の販売に関する規則」に基づき一定の情報提供義務は課せられている）。また、ユーティリティトークンを新規発行し自ら販売する行為や、第三者が発行したユーティリティトークンを当該発行者の委託を受けて販売する行為については、それぞれ「自己販売業務」、「受託販売業務」として位置づけられ、当該業務を行う主体について暗号資産交換業登録が必要となる。なお、資金決済法上、暗号資産のクラウドファンディングについては想定されておらず、特例等は設けられていない。

　匿名組合出資持分、トークンに表示した匿名組合出資持分の募集およびICO/IEOに係る法規制の概要を整理すると、**図表2・3・10**のとおりである。

2 二層構造のGK−TKスキーム

① **図表2・3・11**の二層構造のGK−TKスキーム①の視点（信託受益権売却）上記**1**［**1**］①と同様の解釈である。

図表2・3・10　暗号資産のケース

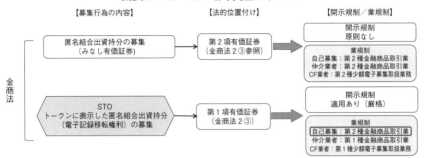

(注) 資金決済法2条14項但書において、電子記録移転権利は暗号資産の定義から除外されることが明確化されている。したがって、STOについて資金決済法が重畳適用されるものではない。

- 本図表における「CF」とは、クラウドファンディングの略称であり、「CF業者」とは、クラウドファンディング業務のみを行う業者を想定している。
- 「ユーティリティトークン」とは、投資性のない、決済等に使用することを想定したトークンをいい、資金決済法上の暗号資産に該当するものをいう。

（出所）アンダーソン・毛利・友常法律事務所外国法共同事業　弁護士　長瀬威志

② **図表2・3・11の二層構造のGK-TKスキーム②の視点（合同会社）**
　上記**1**［1］②と同様の解釈であるが、次の例外規定が追加される。投資運用対象が不動産信託受益権である二層構造の親ファンドと子SPCであって、子SPCが適格機関投資家等特例業務として所要の届出等をしている場合における自己運用行為については金融商品取引業の登録は不要である（金商令1の8の3①四、金融商品取引法第2条に規定する定義に関する内閣府令16①五）。

③ **図表2・3・11の二層構造のGK-TKスキーム③の視点（匿名組合契約）**
　上記**1**と同様の解釈である。

④ **図表2・3・11の二層構造のGK-TKスキーム④の視点（匿名組合契約）**
　不動産証券化実務において多く利用されているスキームに限定した特例として適用除外を認めるものなので、「子SPC」に匿名組合出資を行う者

図表2・3・11　二層構造のGK－TKスキーム

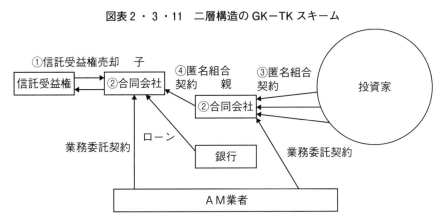

(出所)　さくら綜合事務所

図表2・3・12

		子SPC	親ファンド
自己募集	原則	登録が必要	登録が必要
	例外届出制	現物不動産の場合対象外	
		適格機関投資家等特例業務届出者	適格機関投資家等特例業務届出者
		投資運用対象が不動産信託受益権である場合でも金融商品取引業者に募集に関する行為の一切を委託	金融商品取引業者に募集に関する行為の一切を委託
自己運用	原則	登録が必要	登録が必要
	例外届出制	適格機関投資家等特例業務届出者	適格機関投資家等特例業務届出者
		投資運用業登録業者との投資一任契約	投資運用業登録業者との投資一任契約

が「親ファンド」の運営者（匿名組合営業者）1社に限られ、かつ、「親ファンド」である匿名組合営業者は、資運用業または適格機関投資家等特例業務もしくは適格機関投資家等特例業務を行う金商品取引業者となるための届出を行った者であること等が定められている（金融商品取引法第2条に規定する定義に関する内閣府令16①十一）。

3　一般社団法人への出資

　図表2・3・11のGK–TKスキームにおいて、一般社団法人への基金拠出についても、原則として集団投資スキーム持分の定義に該当するため注意が必要である。

　ただし、これらの基金に利息を付さず、基金拠出者に対してその拠出した額を超えて残余財産の分配を行わない旨の規定がおかれている場合には、金商法2条2項5号ロに該当し、有価証券とはみなされないものとされている（金商令1の3の3二）。

　基金の募集が金商法2条8項7号の金融商品取引業となる自己募集となったり、中間法人が合同会社の出資に主として運用することになったりしても、金商法2条8項15号の金融商品取引業となる自己運用となることはなく、当該基金の取扱いをする者にも特段の登録等は要しないこととなる。

　なお、SPCである合同会社の社員権はみなし有価証券となる（金商法2②三）が、自己募集が金融商品取引業となる有価証券（金商法2⑧七）には該当しない。オフショアSPCがこれに類する外国のものである場合も金商法2条2項6号に該当し、同様となる。しかし、そのSPCが匿名組合や任意組合出資するヴィークルが適格機関投資家等特例業務の届出を行おうとする場合には、そのSPCへ出資するすべての出資者が適格機関投資家ではない限り、その拠出した額を超えて残余財産の分配を行わない旨の定款変更が必要となる場合があるため注意が必要である。

　なお、中間法人の代わりに社団法人を用いる場合、社団法人に対する基金拠出は集団投資スキーム持分とはみなされない（金商法2②五、金商令1の3の3

160　第2章　匿名組合の法務

二）ため、自己募集や自己運用が金融商品取引業となることはない。

4 投資事業有限責任組合

[1] 集団投資スキーム持分該当性

　投資事業有限責任組合がローン債権および株式に投資する場合、金商法の規定によると投資事業有限責任組合契約に基づく権利は、原則として金商法2条2項5号により、いわゆる集団投資スキーム持分として有価証券にみなされるが、以下の場合について問題となる。

　① 　出資者全員が事業に関与するために、集団投資スキーム持分に該当しないかどうか

　　　出資者全員が出資対象事業に関与する場合として、金商令1条の3の2各号の要件が実質的に遵守されていれば、集団投資スキーム持分に該当しないこととなる（金商法2②五イ）。

　　　まず、第1号の「すべての出資者の同意」については、原則として、業務執行の決定についてすべての出資者の同意を実際に得ることが必要となる。なお、単に契約等に定めを置くのみでは足りず、原則として、すべての出資者による同意を得て業務執行を行う必要がある（金商令1の3の2一）。

　　　次に、第2号の「出資対象事業に常時従事すること」等については、出資対象事業に係る契約等に当該要件が規定されているかどうかを問わず、個別事例ごとに実態に即して実質的に判断される必要があると考えられる。たとえば、各出資者が出資対象事業において中心的な役割を担う時期が異なり、必ずしも日常的・継続的かつ実質的に従事していると認められない場合には、「常時従事すること」との要件に該当しないものと考える。

　　　また、「特に専門的な能力であって出資対象事業の継続の上で欠くことのできないものを発揮して当該出資対象事業に従事すること」（金商令1の3の2二ロ）という要件に関しては、たとえば、「知的財産権の管理」が「特に専門的な能力」（金商令1の3の2二ロ）を要するものであり、また、そうした能力を発揮して行う当該「知的財産権の管理」が「出資対象事業

第3節　匿名組合組成・運用に関する諸規制　　161

の継続の上で欠くことができない」（同号ロ）という特別の実態が認められれば、当該要件を満たし得るものと考えられるが、個別判断となる。

② AM との関係

当該投資事業有限責任組合が行う投資事業について、「アセットマネージャー」に投資判断や投資運用権限が「一任」されているような場合には、当該投資事業有限責任組合は「出資者の全員が出資対象事業に関与する場合」に該当しないものと考えられる。

全組合員が「出資対象事業に関与する場合」の要件を満たすかどうかは実質的に判断されるものであり、「アセットマネージャー」の行為が金商法2条8項12号ロに該当しないからといって、当該要件を満たすことになるとは限らないと考えられる。

③ 労務の出資を行った組合員の出資

有価証券に該当する権利は、金銭等の出資をした組合員の権利であると考えられる。

［2］業者登録

集団投資持分に該当する場合には、自己募集（私募）であっても勧誘行為が金融商品取引業に該当し（金商法2⑧七）、第二種金融商品取引業の登録を要する（金商法28②一）ほか、主として有価証券またはデリバティブ取引にかかる権利に投資する場合には自己運用であっても金融商品取引業に該当し（金商法2⑧十五ハ）、投資運用業の登録を要することとなる（金商法28④三）。

① 組合出資の募集およびキャピタルコール

組合設立時には、出資約束金額の一部のみを各組合員が払込み、出資約束金金額の残額は無限責任組合員の求め（いわゆる「キャピタル・コール」）に応じて各組合員が払い込む方式（いわゆる「キャピタル・コール方式」）がしばしば採用される。

これは、組合契約の規定に従って、組合設立後に組合員に対して出資の払込みの履行を求めるものであって、組合員等について何らの前提条件もなく当該払込みを行う義務が定められているような場合には、すでに締結

された組合契約の履行を求めるものにすぎないものとして、金商令1条の7の2の「取得勧誘」、または同令1条の8の2の「売付け勧誘」等には該当しないと考えられる。

　一方、当該出資払込みの履行の求めに応じた組合設立後の組合員の出資が、何らの前提条件もなく当該払込みを行う義務が定められているような場合には、組合設立時における出資の履行と一体の「取得勧誘」または「売付け勧誘」等として、当該組合設立時において取得勧誘または売付け勧誘等に該当していたものと考えられる。

② 　AM業務の金融商品取引業（投資運用業）の登録

　実質的に当該投資事業有限責任組合の財産の投資運用を行っている者は、当該者が無限責任組合員であるか有限責任組合員であるかを問わず、主として有価証券またはデリバティブ取引にかかる権利に投資する場合には、いわゆる「自己運用」（金商法2⑧十五）を行うものとして、金融商品取引業（投資運用業）の登録が必要となる。

［3］適格機関投資家への該当性

　業務執行組合員が交代した場合には、改めて、新しい業務執行組合員が適格機関投資家としての要件（金融商品取引法第2条に規定する定義に関する内閣府令10①二十三ロ(1)、二十四ロ(1)等）に該当することが必要となるが、業務執行組合員等が銀行や金融商品取引業者等である場合には、そもそも適格機関投資家であることから、同項23号または24号の規定による届出を行う必要はないものと考えられる。

［4］適格機関投資家特例業務

　集団投資スキームの運営者（GP）自身による出資は、当該GPによる勧誘をともなうものではないことから、唯一の適格機関投資家が当該集団投資スキームのいわゆるGPである場合には「適格機関投資家等」を相手方として行う集団投資スキーム持分の「自己募集（私募）」には該当せず、適格機関投資家等特例業務の特例の要件（金商法63①一）を満たさないものと考えられる。

5 銀行法規制

[1] 改正案の枠組み

銀行等の自己資本比率規制において「リスク・リテンション規制」が導入されている。銀行が保有する証券化エクスポージャーについて、一定の要件を充足しない限り自己資本比率規制上のリスク・ウェイトを加重するという間接的な仕組みを採用している。

すなわち、オリジネーターを直接に規制するというものではない。

改正案では、証券化エクスポージャーが [2] に述べるいずれかのリスク・リテンション要件を満たしていることを銀行が確認することができないときは、[3] に述べる例外を除き、当該証券化エクスポージャーについて3倍のリスク・ウエイト（上限は1250%）を適用するものとされている。

なお、新たなリスク・リテンション規制案では、銀行自身がオリジネーターである場合にも適用されるものとされている。

[2] 5%のリスク・リテンション要件

改正案のリスク・リテンション要件を満たすためには、オリジネーターは以下のいずれかの証券化エクスポージャーを保有する必要がある。

① すべてのトランシェの均等な割合部分であって、当該証券化エクスポージャーの合計額が当該証券化取引の原資産のエクスポージャーの総額の5%以下であるもの

② 証券化エクスポージャーの最劣後のトランシェを保有し、かつ、当該エクスポージャーの合計額が当該証券化取引の原資産のエクスポージャーの総額の5%以上であるもの

③ 最劣後トランシェがエクスポージャーの総額の5%未満である場合において、当該最劣後トランシェのすべておよびそれ以外のトランシェの均等な割合区分であって、当該証券化エクスポージャーの合計額が当該証券化取引の原資産のエクスポージャーの総額の5%以下であるもの

④ 継続的に保有している証券化エクスポージャーであって、上記①から③までの条件のいずれかを満たす場合の信用リスクと同等以上の信用リスク

164 第2章 匿名組合の法務

を負担しているもの

なお、信用リスクをヘッジする方法その他の方法により、オリジネーターが実質的に証券化エクスポージャーの信用リスクを負担していない場合には、当該部分はオリジネーターにより保有されていないものとみなされる。

[3] 5％のリスク・リテンション要件の例外規定

このリスク・リテンション規制には、2つの例外が定められている。1つは規制が導入された平成31年3月31日時点で保有し、その後保有を継続しているものには適用されない。つまり、規制以前から継続保有している証券化商品には影響はない。

そして2つ目に、不適切な原資産の組成がされていないと判断できる場合も、リスク・ウェイトを3倍にするという扱いは適用されない。

第3節　匿名組合組成・運用に関する諸規制　　165

CoffeeBreak ☕ 事業体選択と租税回避行為の否認

　今や日本は営利活動を行うために選択できる事業体の多様さにおいて大国になったといえる。法人格を有する事業体としては、会社法に基づく株式会社、合名会社、合資会社、合同会社（GK：日本版LLC）のほか、いわゆるSPC法に基づく特別目的会社（SPC）・資産流動化のための特定目的会社（TMK）等がある。これに対して、法人格のない事業体として、商法に基づく匿名組合（TK）、民法に基づく任意組合、SPC法に基づく特定目的信託、信託法に基づく一般の事業信託、特定受益証券発行信託、特別法に基づく有限責任事業組合・投資事業有限責任組合等がある。

　他方、法人税法は、原則として、法人格のある事業体を納税義務者とするものであるが、90％配当要件を充足すること等、法人に利益がほとんど留保されない場合には、組合との衡平の観点から、例外的に配当の損金算入を認めることにより、実質的に法人税が課されない制度も設けられた。いわゆるペイ・スルー事業体としての特定目的会社、特定目的信託、投資法人、プロ私募投資信託等がこれである。また、GK-TKスキームにより、法人格を有する事業体を利用しながらも、実質的に法人税をパススルーすることも可能である。

　どのような事業体を設立するかという事業体選択は、いかなる事業活動をするかにより決定されるのが基本であるが、その事業目的が投資利益の分配である場合には、投資家ないし出資者に対する分配利益を最大にすることが重要になる。そのためには、事業体自体の費用・損失といった消極勘定はできるだけ少ない方がよいし、消極勘定のなかには租税公課も含まれるから、当該事業活動に対する課税が存在しないタックスヘイブンや、投資家ないし出資者の居住国との租税条約により租税負担が少ない国・地域に事業体が設立されることが多くなる。また逆に、投資家ないし出資者が自己の所得税負担を軽減するために、名目的損失の配賦を求める場合には、事業体の投資対象を減価償却額、引当金その他の損金算入可能額が大きい資産とすることにより、収益を上回る損失額を生み出すこともある。このように事業体選択や事業体の投資対象資産の選択については、投資家ないし出資者の要望に適合するように、次々と新しいスキームが創造されてきたのである。

　これに対して、世界各国の課税当局は、個別租税法規における個別的租税回

避否認規定を設けたり、いかなる租税回避スキームにも対応できるように一般的租税回避否認規定を制定したり、また、タックスヘイブン対策税制として、いわゆるグローバル・ミニマム課税を導入する合意をし、現在、OECD加盟国の多くにおいては、その国内法化が進められつつある。

わが国においても、後者のグローバル・ミニマム課税については、令和5年度税制改正により、CFC税制の見直しが行われるほか、所得合算ルール（IIR）が導入され、同一グループ関連企業における外国子会社等の租税負担が最低税率（15%）に至るまで内国親会社の所得と合算課税が行われることになり、さらに、翌令和6年度税制改正により、外国親会社等の租税負担が最低税率に至るまで内国子会社等の所得と合算課税を行う軽課税所得ルール（UTPR）及び日本に所在する事業体の租税負担が最低税率に至るまで日本が課税できる国内ミニマム課税（QDMTT）が導入される予定である。

他方、租税回避行為の否認方法については、わが国では、個別的否認規定を設ける立法政策がとられてきた。例えば、有限責任事業組合の組合員の計上できる組合損失の額を調整出資金額の範囲内に限定する措置（措法27の2①）、航空機リース・船舶リース等から生ずる減価償却損失の特定組合員における不動産所得に係る損益通算を否認する措置（措法41の4の2）、国外中古建物に係る減価償却により生ずる不動産所得の損失の損益通算を否認する措置（措法41の4の3）等の租税特別措置法の規定の新設や、従前からある同族会社の行為計算否認規定（法法132①一、所法157①一等）に加えて、組織再編を濫用した行為計算の否認規定（法法132の2、所法157④）及び通算法人制度を濫用した行為計算の否認規定（法法132の3）が設けられた。

しかしながら、事業体選択を濫用した行為計算の否認の規定は存在しない。この場合、個別的租税回避否認政策により生ずる課税の空白は、放置されるのか、裁判所の法解釈により解決されるのか、新たな立法措置が必要となるのか、関心が持たれるところである。

（明治大学専門職大学院法務研究科教授　岩﨑政明）

第4節

不動産特定共同事業法における匿名組合

1 法の概要

　平成7年4月1日に施行となった不動産特定共同事業法（以下「不特法」という）の立法の第一の目的は、投資家（事業参加者）の保護を図ることである。このため、不特法は不動産特定共同事業を営む者（以下「事業者」という）に対しては原則として許可制度によって開業規制を行うほか、行政庁（主務大臣、都道府県知事）に指示、指導、立入検査等の監督権を与えている。また、不特法は事業者に関すること、不動産特定共同事業の契約に関すること、および不特事業の運営状況等について様々な情報開示の義務を事業者に課している。

1 立法の背景

　不動産特定共同事業（以下「不特事業」という）は、不動産を小口化して商品として投資家に提供する不動産証券化の手法の一つである。

　不特法が制定された背景としては、一時期ブームとなった不動産小口化商品において平成3年頃を中心に事業参加者の被害が多発したということがある。そこで、事業参加者がその自己責任において安心して投資できる市場を整備するための必要最小限のルールを整備する必要があった。不特法は投資家保護を図り、ひいては健全な投資市場を整備することを目的としている。そうすることにより、投資市場からの直接金融によってデベロッパーの資金調達が可能に

168　第2章　匿名組合の法務

なり、多くの事業参加者の出資等を土地の有効利用や良好な都市開発事業（一時期、阪神・淡路大震災の復興事業に活用する動きが見られた）の推進など社会的な運用資金として活用することが期待できるようになった。

2 不動産特定共同事業法の改正

不特法制定当初においては、SPCを用いたスキームを利用できない点や、厳しい業規制が敬遠され、一般的な不動産の流動化においては抵触を避ける傾向にあった。

平成18年6月14日には、金融商品取引法の成立にともない、新たな不動産特定共同事業契約の締結・代理や媒介等について金融商品取引法を準用することとなり、不特法施行規則（以下「規則」という）が改正され、平成19年9月30日に、金融商品取引法と同時に施行された。不動産特定共同事業契約に関する出資持分については、集団投資スキームとして金融商品取引法の規制対象となるか否かについて議論があったが、最終的には規制の対象外となり、不動産特定共同事業は、従来どおり不動産特定共同事業法の下に営まれることとなった[7]。

その後、平成25年にSPC（特別目的会社）を用いた特例事業が導入され[8]、平成29年には小規模不動産特定共同事業が創設されるとともに、クラウドファンディングに対応するための環境整備、適格特例投資家限定事業の創設などが行われた。

［1］平成25年以前の証券化手法の問題点

平成25年12月の不特法改定以前は、宅地建物取引業（以下「宅建業」という）の免許（宅建業法3②）を受けていない法人は事業者となることはできなかっ

7　不動産特定共同事業契約に基づく権利は譲渡について制約があることから、流動性が低いものとして原則として集団投資スキーム持分から除外され、金商法の対象とならないが、トークン化されたものについては金商法の改正が予定されている（「金融商品取引法等の一部を改正する法律案」（金融庁 2023年3月14日（第211国会提出））。

8　特例スキームの持分については、「集団投資スキーム持分」（金商法2②五）に該当するものとされており、みなし有価証券として金商法の対象となる。

第4節　不動産特定共同事業法における匿名組合　　169

ため、事実上SPCが事業者となることは困難であった（不特法6②）。

　しかしながら、不動産開発の場合や、信託を利用できない不動産の場合、事業としては不特法の規制のかかる事業者が最も制度趣旨に適合している一方、倒産隔離性を確保できず、適格機関投資家からのファイナンスを受けられないことによる事業資金の資金調達が困難なことや、適格機関投資家からの投資商品として不適格であるという問題があった。

　不動産特定共同事業はもともと「事業会社の信用力」と「事業会社の運用力」、そして「対象不動産の価値」について投資家が投資するものであるが、「事業会社の信用力」が含まれることにより不動産投資としての性格が薄れ、投資判断が困難となることで、マーケットへの訴求性が低下するきらいがあった。こうした背景を踏まえ、平成22年に「国土交通省政策集2010」[9]として「不動産投資市場の活性化」の政策が打ち出され、SPCを不特法の特例事業者とする改正不特法が平成25年6月に施行されるに至ったのである（図表2・4・1〜2・4・2参照）。

不動産投資市場の活性化

- 遊休化・老朽化した不動産のリニューアルや環境投資の促進のためには不動産投資市場における民間の知恵と資金を活用することが必要なことから、**新たな証券化手法を追加的に創設する**
- 不動産会社等の事業会社から倒産隔離されたSPCが不動産特定共同事業を営むことが可能となるよう、**不動産特定共同事業法を改正**
- これにより不動産特定共同事業法において、機関投資家等からの資金調達が容易になることから、不動産投資市場の活性化が図られる

---

［2］特例事業スキーム

　SPCを利用した特例事業スキームとは、不特法の投資家保護のための規制と倒産隔離性確保の両方を満たすために、これまで事業主体に許可条件および行為制限を規制していたものを、条件を満たす事業者にすべて委任することを

9　https://www.mlit.go.jp/common/000117134.pdf

図表2・4・1

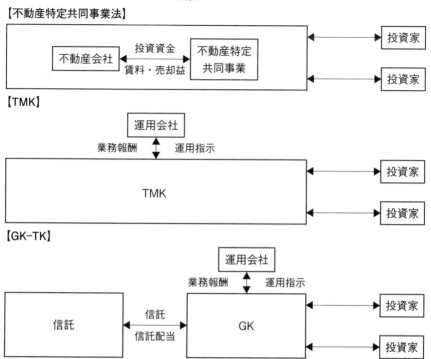

〈不特事業の類型(不特法2条4項)〉

第1号事業	不特事業契約を締結して当該不特事業契約に基づき営まれる不動産取引から生ずる収益または利益の分配を行う行為
第2号事業	不特事業契約の締結の代理または媒介をする行為
第3号事業	特例事業者の委託を受けて当該特例事業者が当事者である不特事業契約に基づき営まれる不動産取引にかかる業務を行う行為
第4号事業	特例事業者が当事者である不特事業契約の締結の代理または媒介をする行為

図表２・４・２

	J-REIT（投資法人）	TMK（特定目的会社）	GK-TK（合同会社・匿名組合契約）	不動産特定共同事業（FTK）（特例事業者）	JV	有責法
ヴィークルの組成に要する費用・期間	1法人当たり行政庁（金融庁）による一定の審査期間・費用が必要	1法人当たり行政庁（金融庁）による一定の審査期間・費用が必要	任意スキームであり、ヴィークルの組成にかかる時間・費用は比較的少ない。	行政庁（国交省）との1法人当たり一定の審査期間・費用が必要	任意スキームであり、ヴィークルの組成にかかる時間・費用は比較的少ない。	組合形式であるが、登記が必要。ただし手続きは簡便で費用は少額。
信託関係費用	不要【現物不動産の場合】	不要【現物不動産の場合】	必要【信託報酬が毎期発生】	不要	（REIT、TMKと同じ）	（REIT、TMKと同じ）
案件の性質	原則、開発や大規模改修を行うことができない	開発・既存物件の大規模改修も可能（現物不動産の流動化）（※）信託受益権型の場合は信託銀行による適法性チェック要	信託銀行による適法性チェックに馴染む案件（耐震性が劣る既存物件等は不適）現物不動産は不可（不特法に抵触）	開発・大規模改修も可能	有責としたい場合は利用不可。事業についての融資は組合員が借り主となる	事業体としての認知度が低く、融資が困難
取得物件にかかる流通税コスト	登録免許税2.0→1.3% 不動産取得税：3／5控除【現物不動産の場合】	登録免許税2.0→1.3% 不動産取得税：3／5控除【現物不動産の場合】	受益者変更登記のみ（1件1,000円）	登録免許税2.0→1.3%（移転）、0.4→0.3%（保存）不動産取得税：1／2控除	特段の優遇規定なし	特段の優遇規定なし
情報開示、監督等	投信法・金商法に基づく主務官庁への届出、監督	資産流動化法・金商法に基づく主務官庁への届出、監督	会社法・金商法に基づく主務官庁への届出、監督	不動産特定共同事業法・金商法に基づく情報開示、主務官庁への届出	特段の規定なし（契約に基づく）	特段の規定なし（契約および機関設計に基づく）
一般的な適性	1物件当たりの規模が比較的大規模な既存稼働物件	1物件当たりの規模が比較的大規模な資産流動化等物件	投資家を広く募る場合、資産を入れ替える等の新規開発・既存稼働物件	1物件当たりの規模が比較的小規模（数十億規模）な物件、耐震性が劣る既存物件の再生等	事業としてリスクを取ることができる開発案件等	合意形成ができる範囲で柔軟な機関設計による共同事業を行いたい場合等

中小規模の再生案件等に適したスキーム

（出所）国土交通省資料を基にさくら綜合事務所により編集

図表2・4・3

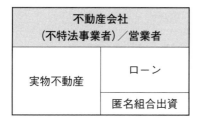
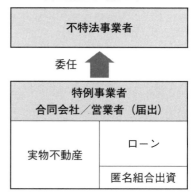

条件として、事業を行う主体は財産的基礎、人的構成を有さないいわゆるSPCでもよいとするものである。

SPCを特例事業者（事業者の許可は不要で届出制）とし、業務の全部委託を受ける事業者は第3号事業者となり、出資の勧誘を行う事業者は第4号事業者となる（図表2・4・3参照）。

また、事業参加者は金融機関や適格機関投資家等不動産投資にかかる専門的知識および経験を有する者等の特例投資家等に限定されていたが、平成29年の改正により、事業参加者の保護に欠けるおそれのないものとして一定の要件の下に特例投資家等以外の一般投資家の参加が認められることとなった（不特法2⑧四、規則2）。

〈一般投資家が参加できる要件〉

・対象不動産について、宅地の造成または建物の建築に関する工事、建物の修繕または模様替に関する工事であること。
・不動産取引にかかる業務を一の事業者（第三号事業者に限る）に委託する場合にあっては、対象不動産の価格の1割に相当する額を超えないこと。

特例事業スキームについては、平成25年12月に一般社団法人不動産証券化協会がモデル約款の概要および全体解説等についてまとめた報告書[10]を取りまとめて発行している。また、国土交通省からの調査依頼により、平成27年３月には一般財団法人日本不動産研究所が「不動産特定共同事業等を活用した不動産証券化モデル事業報告書」[11]を取りまとめ、「実務ガイドライン編」[12]も併せて公表している。

　なお、平成27年12月の改正不特法の施行にともない、国土交通省から適正な運営を確保する観点から改正後の「不動産特定共同事業の監督に当たっての留意事項について」[13]が公表されている。

[3] 小規模不動産特定共同事業

　空き家・空き店舗棟の再生事業に地域の不動産業者等が幅広く算入できることを企図して、平成29年の不特法改正により創設された。出資総額が一定規模以下の小規模不動産特定共同事業（以下「小規模不特事業」という）については、これまでの事業者の資本要件を緩和し、不特事業の活用を促進するものである。

　小規模不特事業は、従来の１号事業者に該当する小規模特定事業（以下「小規模第１号事業」という）と従来の３号事業者に該当する小規模特定事業（以下「小規模第２号事業」という）に区分され、共に事業参加者が行う出資の価額および当該出資の合計額が一定額を超えないものに限られる（不特法２⑥、施行令２②）。

10　https://www.ares.or.jp/information/pdf/modelyakkan_1219.pdf

11　https://www.reinet.or.jp/wp-content/uploads/2015/11/cc5f18d5a86a1a26b706844887b7f206.pdf

12　https://www.reinet.or.jp/wp-content/uploads/2015/11/2cfd54e29336468a6182b6d18d16e518.pdf

13　https://www.mlit.go.jp/common/001390608.pdf

〈事業参加者の出資額の制限〉

小規模 第1号事業	・事業参加者が行う出資の価額：百万円（当該事業参加者が特例投資家である場合にあっては、1億円） ・事業参加者が行う出資の合計額：1億円
小規模 第2号事業	・事業参加者が行う出資の価額：100万円（当該事業参加者が特例投資家である場合にあっては、1億円） ・事業参加者が行う出資の合計額：1億円（不特事業契約に基づき営まれる不動産取引にかかる業務を委託する特例事業者が2以上あり、かつ、それぞれの特例事業者につき事業参加者が行う出資の合計額が1億円を超えない場合にあっては、10億円）

　小規模不特事業は、許可制ではなく、主務大臣（一の都道府県の区域内のみに事務所を設置して小規模不特事業を行おうとする者（小規模第2号事業を行おうとする者を除く）にあっては、当該事務所の所在地を管轄する都道府県知事）への登録により、事業者となることができる（不特法41①）。登録の有効期間は5年で期間満了前に更新の申請が求められている。

　登録の要件は不特事業と同様に不特法6条の欠格事由に該当しない他、資本金や純資産、財産基礎および人的構成について一定の基準が設けられている（不特法44）。

〈小規模特定共同事業者の資本金〉

小規模第1号事業者	1,000万円以上
小規模第2号事業者	1,000万円以上

（※）　従来の1号事業者は1億円以上、3号事業者は5,000万円以上。

[4] 電子的方法による取引

　平成29年の不特法の改正により、クラウドファンディング（第10章を参照のこと）による取引のための整備として、不特事業者として「電子取引業務を行う」場合には、その旨を申請書に記載する旨が定められた（適用時期：平成31年4月15日、既存許可・登録事業者への適用は同年7月15日）。

ここで、電子取引業務は「電子情報処理組織を使用する方法その他の情報通信の技術を利用する方法であって主務省令で定めるものにより、勧誘の相手方に不特事業契約の締結の申込をさせる業務」と定義付けられている（不特法5①十）。

　事業者の許可の基準として、電子取引業務を的確に遂行するために必要な体制が整備されていることが求められている（不特法7七、規則54）。これについては、平成31年4月から適用が開始された電子取引業務ガイドライン[14]に拠ることになる。同ガイドラインでは、自らのホームページ等で契約の締結の申込みをさせる電子取引業務を行う不特事業者等が整備すべき業務管理体制の一層の明確化等を行うことにより、電子取引業務の適正な運営の確保と投資家の利益の保護を図ることを目的とするとしており、特に組織体制の整備には個人情報保護法のガイドラインで示されるレベルと同様が求められるほか、多方面にわたった体制の整備が詳細に記載されている。

　平成29年における一連の改正により、不特事業において、資産の入れ替えを行いながら長期・安定的な運用を可能とする対象不動産変更型契約と、個人が投資しやすいクラウドファンディングを組み合わせることで、投資家の幅は広がり、投資家に魅力ある商品の組成が可能となった。

　なお、不特事業契約に関する書面、財産管理状況の報告書をインターネットを通じて提供することが可能とされた（不特法24③、25①四、28④、規則44）。これにより、電子取引業務を行う事業者以外の事業者においても、これらの書類をインターネットで提供することができるものと解される。

[5] 適格特例投資家限定事業の創設

　特例投資家のうち、不動産に対する投資に係る専門的知識および経験を特に有すると認められる者を「適格特例投資家」（スーパープロ投資家）と定め（不特法2⑭）、スーパープロ投資家に限定して不特事業を行う事業者には、不特事業の許可は不要とし、所定の届出のみで事業が行える制度が創設された（不

14　https://www.fsa.go.jp/common/law/guide/kaisya/07-2.pdf

特法59)。

スーパープロ投資家の範囲は、金融商品取引法の適格機関投資家や特例事業における特例投資家よりも限定されることになる。一方、スーパープロ投資家限定事業では、匿名組合出資持分が有価証券から除外されるため、不特事業者も金融商品取引業者の関与なくスキームの組成、勧誘や運用が可能となる。すなわち、SPCが不動産取引に係る業務のすべてを宅建業者に委託するならば、不特事業者及び金融商品取引業者の関与なく現物不動産を対象として、匿名組合を利用したいわゆるGK-TKスキームの組成が可能となり、不特法の活用の幅が大きく広がったといえる。

［6］その他の改正事項

不特法改正では、上記の他、以下に掲げる制度の創設および整備が行われ拡充がなされている。

① 特例投資家向け事業における約款規制の廃止

特例投資家とは、銀行、信託会社その他不動産に対する投資にかかる専門的知識および経験を有する者として所定の要件を満たす株式会社である（不特法2⑬）。

特例投資家のみを事業参加者とする一定の不特事業、すなわちプロ投資家向けの事業においては、あらかじめ許可または認可を受けた不特事業契約款では、彼らのニーズを満たすことができず、約款の変更や追加によって事業の円滑な実施が妨げられることも多かった。このため、プロ投資家向けの事業では約款規制が一部廃止された（不特法23①、68③）。

② 対象不動産変更型契約の規制緩和

対象不動産変更追加型契約とは、不特事業者が事業参加者（投資家）からの委任を受けて自らの判断で投資対象である不動産（対象不動産）の変更または追加を行うものであるため、事業の健全性確保と事業参加者の保護を図るための規制が設けられている。

対象不動産の売却後は、原則として1年以内に当該売却により得られた金銭により不動産の追加取得を行う必要があったが、平成31年度の改正で

この金銭の運用が緩和された（規則11②十六）。一方、対象不動産の追加取得の方針の明確化等や取引価格の妥当性に関する事業参加者への説明、対象不動産の入れ替えへの公正な第三者の関与等を義務付けるものとした（規則11②十五イ、リ）。

③ 新設法人の不動産特定共同事業参入要件の緩和

「不動産特定共同事業の監督に当たっての留意事項について」の改定により、設立後3年未満の法人であっても、その親法人が所定の不特事業法人である場合には、一定の要件の下に平成31年4月15日より不特事業の参加が可能となった。

④ 特例事業者の宅建保証協会への加入の解禁

特例事業者は、不動産特定共同事業法に基づくSPCであり、宅建法上の宅建業者とみなされる。従来、特例事業者の宅地建物取引業保証協会への加入は事実上困難であったが、一定の要件を満たす特例事業者の加入を認める措置がなされた。

3 規制対象

不動産特定共同事業を営もうとする者は、主務大臣または都道府県知事の許可を受けなければならない（不特法3①）。不動産特定共同事業とは、「不動産特定共同事業契約を締結して当該不動産特定共同事業契約に基づき営まれる不動産取引から生ずる収益又は利益の分配を行う行為」（不特法2④）で、「業として行うもの」であり、その契約の類型は、「任意組合型」「匿名組合型」「賃貸型」（外国法令に基づく契約も含む）の3類型に限定されている。しかし、形式的にはこれらの類型に該当しても、投資家の保護が確保されているものについては政令で除外されている[15]。

4 許認可および届出

［1］許可権者

規制対象に該当する事業を営む場合には、主務大臣または都道府県知事の許

178　第2章　匿名組合の法務

可を受けなければならない（不特法3①）。また、自らが該当する事業を営む場合でなくても、「不動産特定共同事業契約の締結の代理又は媒介をする行為」も不動産特定共同事業であるとされている（不特法2④二）ので、同様に主務大臣または都道府県知事の許可を受けなければならない（ただし、特例事業者スキームを除く）。

　許可を与える権限を有する者（以下「許可権者」という）は、不動産特定共同事業を営もうとする者が二つ以上の都道府県に「事務所」を設置する場合は主務大臣、一つの都道府県のみに事務所を設置する場合はその都道府県知事である。なお、この場合の「事務所」とは、「本店又は支店、その他の継続的に業務を行うことができる施設を有する場所で不動産特定共同事業に係る契約を締結する権限を有する使用人を置くもの」をいう（施行令3）。また、主務大臣とは、基本的には任意組合型および匿名組合型の契約の場合で、かつ当初金銭出資であり、契約終了時における残余財産の分割等も金銭により行われるものについては内閣総理大臣および国土交通大臣、その他のものについては国土交通大臣とされている（不特法73①）。

　許可権者は許可に条件を付したり、この条件を変更することができるが、この条件は不動産特定共同事業の適正な運営を確保するために必要最小限度のものに限り、かつ許可を受ける者に不当な義務を課することとなるものであってはならないとされている（不特法4②）。

　許可申請は、許可権者が都道府県知事である場合は当然その所在地を管轄する都道府県知事に対して行うが、許可権者が主務大臣である場合においても、その主たる事務所の所在地を管轄する都道府県知事を通じて行うこととなる（不特法5①）。

15　政令によって不動産特定共同事業から除かれる契約は、次のとおりである（不特法施行令1）。
　　①　賃貸型で、「宅建業者が賃貸型事業の賃貸（委任）の目的となることを示して行った販売（代理、媒介）に係る不動産」以外の不動産を不動産取引の目的とするもの
　　②　外国において締結される契約で、当該外国の法令の規定により収益または利益の分配を受ける者の保護が確保されていると認められる契約として主務省令で定めるもの

第4節　不動産特定共同事業法における匿名組合　179

不動産特定共同事業の許可については、次に述べるような厳格な許可基準が設けられており、この許可を得ないで事業を営んだり、不正な手段で許可を得た場合、また業務停止命令に違反した場合には、懲役を含む重い罰則の適用がある（不特法52）。

　また、名義貸しが横行すれば許可制度にした意味がなくなってしまうので、事業者は自己の名義をもって他人に不動産特定共同事業を営ませてはならず（不特法15）、これに違反すると同じ罰則が適用される。

［2］許可基準

　不動産特定共同事業の許可を得るためには、下記に掲げる一定の要件を満たさなければならない。この要件は不特法・同政省令・通達によって詳細に定められている。しかし、中には宅地建物取引業法等の他の法律でも見られるような要件も含まれている。

① 　法人であること（外国法人は国内に事務所を有するものに限る。不特法6一）

　　　契約の履行期間が通常は長期間となるため、事業存続の安定性を考慮して法人に限ることにしたものである。

② 　宅建業者（宅建業法3条1項の免許を受けた者）であること（不特法6二）

　　　不動産の共有持分を事業参加者に譲渡したり、契約終了時に不動産を処分する等、この事業を営むためには宅地建物取引業を行うことが不可欠であるからである。

③ 　最低資本金（または出資の額）が下記の基準を満たすこと（不特法7一、施行令5、規則10）

　　　財産的基礎が十分でない法人が事業者となることを排除する趣旨である。最低資本金（または出資の額）の基準は、下記のとおりである。

イ．不動産特定共同事業契約の締結業務を行う法人……1億円以上

ロ．不動産特定共同事業契約の締結業務を行う法人のうち、次の要件を満たす法人（特別子会社）……2,000万円以上

　a．不動産特定共同事業契約の締結を行う資本金（または出資の額）が

　　1億円以上の「事業者」（イの法人）の100％子会社で、

b．その法人（イの法人）が連帯して債務を負担し、

　　c．不動産特定共同事業以外の事業を営まない法人であること

　ハ．代理・媒介業務のみを行う法人……1,000万円以上

　ニ．「第三号事業」を行おうとする法人……5,000万円以上

　ホ．「第四号事業」を行おうとする法人……1,000万円以上

④　純資産の資本に対する比率が90％以上であること（不特法7二）

　　経営基盤が不安定な会社を排除する趣旨である。赤字はないほうがよい
　が、10％の余裕をみたのは、開業直後の会社には黒字を期待できないこと
　が多いからである。この比率は帳簿上の金額で判断することになる。

　　特に「特別子会社」については、設立後まもなく総資本の額も小さいこ
　とが多いであろうから、この要件は実務上はかなり厳しい障害となるおそ
　れがあるので注意すべきである。

⑤　その事務所に下記の要件を満たす業務管理者がおかれていること（不特
　法7①四）

　　業務管理者は、投資家に対する公布が義務付けられている書面に記名捺
　印すること、「事務所」における業務について助言や指導および監督管理
　を行うこと等、事業法において重要な役割が課されている。

　　業務管理者の要件は、次のとおりである（不特法17①）。

　イ．その従業者であること

　ロ．宅地建物取引業主任の資格を有すること

　ハ．不動産特定共同事業の業務に関し3年以上の実務の経験を有する者、
　　またはそれと同等以上の能力を有する者として主務大臣が指定する実務
　　講習を修了した者であること

　ニ．対象不動産変更追加業務を遂行するに足りる十分な知識および経験を
　　有する者であること

　　　〈主務大臣が定める基準〉

　　　•不動産コンサルティング技能試験・登録事業に係る登録者

　　　•ビル経営管理士審査・証明事業に係る登録者

第4節　不動産特定共同事業法における匿名組合　　181

⑥　不動産特定共同事業契約約款の内容が政令で定める基準に適合するものであること（不特法7五、施行令6、規則11）

　許可申請時には、事業者はその約款が法令に適合するものであるかどうかの審査を受け、事業者はその約款に基づいて投資家である事業参加者と契約を締結しなければならない。不特法はこのようにして投資家保護を図ろうとしているのである。政令に定める必要な記載事項および主務省令で定める基準の概略は下記のとおりである。

　不特法2条3項1号および2号に掲げる契約（対象不動産変更型契約を除く）にかかる不動産特定共同事業契約約款の内容については、一般社団法人不動産証券化協会作成のモデル約款（平成29年度版）、対象不動産変更型契約にかかる不動産特定共同事業契約約款の内容については、国土交通省作成のモデル約款（令和元年度版）が公表されており、国土交通省「不動産特定共同事業の監督に当たっての留意事項について」（脚注7。以下「通達」という）においても、作成にあたって、事業者はこの報告書を参考とすべきこととされている（通達第3-2(1)）。

イ．契約の種別（不特法2③各号のいずれに該当するかの明示）

ロ．取引の目的となる不動産（対象不動産）の特定（所在・地番その他必要な表示）、およびその不動産取引の内容（売買・交換・賃貸借のいずれかを明示）に関する事項

ハ．事業参加者に対する収益または利益の分配に関する事項（分配すべき収益または利益の額の算定の方法ならびにその分配の時期および方法）

ニ．不動産特定共同事業契約に係る財産の管理に関する事項

　　a．任意組合型・匿名組合型契約（出資をともなう契約）にあっては、出資の目的である財産の総額は、当該特定共同事業契約に係る不動産取引を行うのに必要な額までに限る旨（ただし、平成11年9月の改正により、不動産取引に必要な額にその3分の1を加えた額まで出資を受けることができることとなった）

　　b．出資等の目的である財産を当該契約にかかる不動産取引により運用

182　　第2章　匿名組合の法務

する旨

c．対象不動産を管理するために必要な負担に関する定め

d．あらかじめ定められた出資または費用の額を超えて負担を求める場合の要件および手続きについての定め

e．出資をともなう契約にあっては、対象不動産を当該不動産特定共同事業契約に基づく事業の目的以外のために担保に供し、または出資の目的とすることを禁ずる旨

f．任意組合型契約の場合にあっては、業務執行組合員を登記名義人として民法667条の出資を原因とする所有権移転の登記を行う旨、その他対象不動産を保全する方法に関する定め

g．平成11年9月の改正により、対象不動産の「変更」および「追加」が可能となった。ただし、不動産を売却した後、新たな不動産を取得するまでの期間を1年以内とする。対象不動産の入れ替えに事業参加者の同意は必要なく、事業者の判断で入れ替えた後、事業参加者に通知することでよいことになった。それにともない、事業参加者の保護を図るため、対象不動産変更型契約約款の追加、および次の事項に関する規定がおかれた

  •勧誘、契約の際の書面公布と事業開始後の不動産の入替えおよび追加出資時の書面交付

  •不動産の入替えに反対する事業参加者が、契約を解除または組合を脱退することが可能となった

ホ．契約期間に関する事項

　契約期間の延長を予定する場合にあっては、その要件および手続きに関する定め。

ヘ．契約終了時の清算に関する事項

　契約終了の原因となる事由および契約終了時の残余財産の分配の方法その他の手続きに関する定め。

ト．契約の解除に関する事項

第4節　不動産特定共同事業法における匿名組合　183

事業参加者はやむを得ない事由が存する場合または死亡・破産その他これらに準ずる場合に契約を解除し、または組合から脱退することができる旨。

チ．不動産特定共同事業者の報酬に関する事項

リ．その他主務省令で定める事項

　　a．対象不動産の所有権の帰属に関する事項

　　b．損失が生じた場合の損失の負担に関する事項

　　c．業務および財産の状況にかかる情報の開示に関する事項

　　d．対象不動産の売却に関する事項

　　　　売約の予定の有無・売却の時期および手続きに関する定め。

　　e．事業参加者の契約上の権利および義務の譲渡に関する事項

　　　　平成11年2月の改正により、第三者にも自由に譲渡できることとなった。この場合、契約上の地位を譲り受けた第三者は、契約締結事業者と不動産特定共同事業契約を締結することを条件とする。

　　f．業務上の余裕金の運用に関する事項

　　　　余裕金の運用先は国債・地方債等、銀行等への預金、郵便貯金、当該不動産特定共同事業以外の不動産特定共同事業契約に係る出資、不動産信託受益権ほか一定の範囲に限定されている。

　　g．対象不動産の変更にかかる手続きに関する事項

　　h．業務上以外の金銭の運用に関する事項

⑦　不動産特定共同事業を適確に遂行するに足りる財産的基礎を有するものであること（不特法7六、通達第3－2(2)）

　　事業を適確に遂行するに足りる財産的基礎は、下記のとおりである。

イ．最終の決算において当期利益を有し、かつ翌事業年度以降も同様であることが見込まれるなど、許可申請の日における最終の決算状況がおおむね良好であり、かつ、翌事業年度以降も引き続き良好と見込まれること

ロ．金融支援を受けていないなど、財務内容に不良がないこと

⑧　電子取引業務を適確に遂行するために必要な体制の整備がされているか否か（不特法７七、通達第３－２⑶）

　　「不動産特定共同事業法の電子取引業務ガイドライン」記載の措置を適確に実施するための態勢の整備については下記等を審査するものとしている。

　イ．商号等の表示（不特法31の２①③、規則53①）

　　　不特事業者の運営するホームページ上の見やすい箇所に会社名、不動産特定共同事業許可番号、代表者の氏名、事務所ごとの業務管理者の氏名等、必要事項を記載していること

　ロ．電子情報処理組織の管理（規則54一）

　　　電子取引業務において用いる電子情報処理組織の基本方針・取扱規定等の整備、管理に関する組織体制、人的体制、物理的・技術的な管理体制の整備状況等

⑨　その他の要件

　イ．不特法36条の規定により許可を取り消されたことがないこと

　　　取消しの日から５年を経過していれば可（不特法６三）。事業法に相当する外国の法令の規定によって、その許可を取り消された法人も排除される。

　ロ．不特法36条の許可の取消事由に該当する旨の通知があった日から処分の有無の決定があった日までの間に廃業の届出をした法人でないこと

　　　その届出の日から５年を経過していれば可（不特法６四）。

　ハ．不特法、宅建業法、出資法（または、これらに相当する外国の法令）により罰金刑に処せられたことがないこと

　　　刑の執行の日（または、執行を受けることがなくなった日）から５年を経過していれば可（不特法６五）。

　ニ．役員または政令で定める使用人に不適格者がいないこと（不特法６六）

　　　この場合における「役員」とは、業務を執行する社員もしくは取締役またはこれらに準ずる者で、名称の如何にかかわらずこれらの者と同等

以上の支配力を有する者を含む。また、「政令で定める使用人」とは、「事務所」（前述）の代表者であるもののことである。

ホ．その法人（または、その役員もしくは事務所の代表者である使用人）が5年以内に不動産特定共同事業に関し不正または著しく不当な行為をしたものでないこと（不特法7三）

ヘ．「役員」および「政令で定める使用人」に関する不適格要件（不特法6十）

　　a．破産者で復権を得ていない者（外国法令上における同種の者を含む）

　　b．禁錮以上の刑（これに相当する外国の法令による刑を含む）に処せられた者（刑の執行を終わり、または受けることがなくなった日から5年経過していれば可）

　　c．次に掲げる法律に違反し、または罪を犯したことにより罰金（これに相当する外国の法令による刑を含む）の刑に処せられた者（刑の執行を終わり、または受けることがなくなった日から5年経過していれば可）

　　　•不特法（本法）、宅建業法、出資法、暴力団員による不当な行為の防止等に関する法律、これらに相当する外国の法令

　　　•刑法204条（傷害）、206条（傷害の現場助勢）、208条（暴行）、208条の2（凶器準備集合）、222条（脅迫）、247条（背任）、暴力行為等処罰に関する法律の罪

　　d．事業者が不特法36条の規定により許可を取り消された場合において、取消処分の通知があった日前60日以内にその事業者の役員であった者（その取消しの日から5年を経過していれば可）

　　e．不特法に相当する外国の法令の規定によりその外国において受けている許可を取り消された者、およびその取り消された法人の取消しの日前60日以内に役員に相当する者であった者（取消しの日から5年を経過していれば可）

　　f．心身の故障により不特法の業務を適正に行うことができない者として規則9条の2で定める者

[3] 変更の許可、認可、届出等

① 変更の許可

次の変更の場合は許可が必要であるが、この場合の不特法7条の許可基準については3号および4号を満たすのみで足りる。

イ．許可権者が主務大臣から都道府県知事に変更される場合（事務所が一つの都道府県のみに所在することとなった場合）

ロ．都道府県間の移転（事務所が一つの都道府県のみに所在する場合）

ハ．許可権者が都道府県知事から主務大臣に変更される場合（事務所が複数の都道府県に所在することとなった場合）

② 変更の認可

次の変更については許可権者の認可が必要である。

イ．業務の変更（不特法2④各号）

ロ．約款の追加、変更

ハ．事務所の追加設置（許可権者の変更がない場合）

③ 変更・廃止の届出

不特法5条1項各号に掲げる事項で上記以外の変更の場合と、廃業をした場合は許可権者への届出が必要である。

5 不動産流通税に関する特例措置

不特法上の特例事業者等が取得する一定の不動産に対する不動産流通税については、以下のような軽減措置が時限措置として設けられており、令和5年度の税制改正において、その適用期限が令和7年3月31日までに延長された。対象となる不動産については**図表2・4・4**および**図表2・4・5**を参照のこと。

登録免許税	所有権移転登記　税率：本則2％→1.3%
	所有権保存登記　税率：本則0.4%→0.3%
不動産取得税	課税標準から1／2を控除

図表2・4・4　登録免許税（要件概要）：特例事業者（小規模特例事業者を除く）および適格特例投資家限定事業者

<table>
<tr><th colspan="3"></th><th>新築等
（新築または改築）</th><th>増築等
（増築、修繕または模様替え）</th></tr>
<tr><td rowspan="3">対象契約</td><td colspan="2">契約類型</td><td colspan="2">匿名組合型または任意組合型</td></tr>
<tr><td colspan="2">取得時期</td><td>契約締結後に対象不動産取得</td><td>契約締結後に対象不動産取得
（※）土地・建物同時</td></tr>
<tr><td colspan="2">着工時期</td><td>土地取得後2年以内に新築等に着手</td><td>土地・建物取得後2年以内に増築等に着手</td></tr>
<tr><td rowspan="7">対象不動産</td><td colspan="2">土地</td><td colspan="2">新築等・増築等を行う建物の敷地の用に供されている土地で300㎡以上（借地可、更地に建築も可）</td></tr>
<tr><td rowspan="6">建物</td><td>工事前</td><td colspan="2">築10年以上もしくは災害等で被害を受けた建物</td></tr>
<tr><td rowspan="4">工事後</td><td>用途</td><td colspan="2">住宅、事務所、店舗、旅館、ホテル、料理店、駐車場、学校、病院、介護施設、保育所、図書館、博物館、会館、公会堂、映画館、遊技場、倉庫</td></tr>
<tr><td>耐火耐震</td><td colspan="2">耐火建築物または準耐火建築物であって耐震基準を満たすもの</td></tr>
<tr><td rowspan="2">構造</td><td colspan="2">・5階以上
・延床面積2,000㎡以上
・建築面積150㎡以上かつ新築等の場合は延床面積1㎡当たりの工事費25万円以上
のいずれかを満たすこと
（※）住宅（サ高住を除く）・駐車場・倉庫の場合は、「5階以上」または「延床面積2,000㎡以上」のいずれかを満たすこと</td></tr>
<tr><td colspan="2">S、RC、SRC、石造、煉瓦造、コンクリートブロック</td></tr>
<tr><td colspan="2">工事費用</td><td>―</td><td>1,000万円または取得価格の100分の1のいずれか多い金額を超えること</td></tr>
</table>

（※）申請にあたっては租税特別措置法（昭和32年法律第26号）第83条の3、同法施行令（昭和32年政令第43号）第43条の3、同法施行規則（昭和32年大蔵省令第15号）第31条の5の2、告示（国土交通省平成25年1287号、平成29年292号、平成29年1116号）を確認のこと。

図表２・４・５　不動産取得税（要件概要）：特例事業者（小規模特例事業者を除く）
および適格特例投資家限定事業者

			新築等 （新築または改築）	増築等 （増築、修繕または模様替え）
対象契約	契約類型		匿名組合型	
	取得時期		契約締結後に対象不動産取得	契約締結後に対象不動産取得 （※）土地・建物同時
	着工時期		土地取得後2年以内に新築等に着手	土地・建物取得後2年以内に増築等に着手
対象不動産	土地		新築等・増築等を行う建物の敷地の用に供されている土地（借地可、更地に建築も可）	
	建物	工事前	築10年以上もしくは災害等で被害を受けた建物	
		工事後　用途	保育所、住宅、事務所、店舗、旅館、ホテル、料理店、駐車場、学校、病院、介護施設、図書館、博物館、会館、公会堂、映画館、遊技場、倉庫	
		工事後　耐火耐震	耐火建築物または準耐火建築物であって耐震基準を満たすもの	
		構造	—	
		工事費用	—	1,000万円または取得価格の100分の1のいずれか多い金額を超えること

（※）　申請にあたっては地方税法（昭和25年法律第226号）附則第11条第12項、同法施行令（昭和25年政令第245号）附則第7条第17項・第20～22項、同法施行規則（昭和29年総理府令第23号）附則第3条の2の17・第3条の2の19・第3条の2の20、告示（国土交通大臣平成25年1288号、平成29年1117号、平成29年第293号）を確認のこと。

（出所）図表２・４・４とも国土交通省資料を基にさくら綜合事務所により編集

第4節　不動産特定共同事業法における匿名組合　　189

6 情報開示

［1］ 開示する情報についての分類

　開示すべき情報は、事業者自身に関する情報と、ある特定の不動産特定共同事業契約にかかる情報とに分けられる（**図表2・4・6**参照）。たとえば財産の状況について考えてみると、匿名組合型契約の場合は事業契約にかかる財産は事業者のバランスシートに含まれていることになるが、任意組合型契約等では事業者のバランスシートは事業契約に係る財産のすべてを包含しない。

　したがって、開示するP/L、B/S（または類似する書類）については、事業者自身のものと特定の事業契約にかかるものの2種類の概念が存在することになるので、注意が必要である。

［2］ 不動産特定共同事業者の名簿の開示

　不動産特定共同事業の許可を受けようとする者は、一定事項を記載した申請書を許可権者に提出しなければならない。記載事項は、商号または名称および住所、役員等の氏名、事務所の名称および所在地ならびに業務管理者の氏名、資本等の額、宅建業者の免許に関する事項、業務の種別、他に行っている事業の種類、役員が他の事業を営んでいる場合等にあっては、それに関する一定の事項その他である（不特法5①、規則7）。

　許可権者は許可を受けた事業者の名簿を備え、名簿の閲覧所を設けることとされている（不特法12）。許可権者が主務大臣の場合は、この閲覧所は国土交通省総合政策局不動産業課である。

　この事業者名簿には、事業者の商号または名称および住所、役員等の氏名、

図表2・4・6　開示情報の概要

分類	事業者に係る情報	事業契約に係る情報
例	商号および住所、大株主の氏名、住所、経理の状況等	事業契約の内容、財産管理の状況、事業参加者名簿等
条文	5条、12条、13条、16条、24条、29条、33条、42条、49条、50条、58条、59条、74条	24条、25条、27条、28条、30条、32条、49条、74条

190　第2章　匿名組合の法務

事務所の名称および所在地ならびに業務管理者の氏名、資本等の額、他に行っている事業の種類その他一定の事項が登録される（不特法12、規則18）。

[3] 投資家に対する開示

① 契約成立前の重要事項説明、書面の交付

　　事業者には、不動産特定共同事業契約の申込者に対して、書面を交付して契約の成立前に契約の内容および省令で定める事項を説明することが義務づけられている。省令で定める事項は引用を省略するが、おおむね事業者の概要に関する事項と、事業契約にかかる内容（上記**4**[2]⑥参照）に関する事項が定められている（不特法24①、規則43）。

　　一般的に不動産特定共同事業は、宅建業法の規制範囲の業務（たとえば共有持分権の販売等）を包含することが多いと思われる。匿名組合型で対象不動産を賃貸する場合等においては宅建業法の適用がないということも考えられなくはないが、通常は宅建業者としての重要事項説明（宅建業法35）も行わなければならないことが多いであろう。その場合は、これらの重要事項説明は投資家の混乱を防ぐために同時に行うべきである。

　　なお、最低出資単位規制は数回の引き下げを経て、平成13年7月の改正で完全に撤廃された（不特法制定時は金銭出資時1億円、現物出資時500万円が最低出資単位であった）。これにともない、投資家に対する契約成立前の情報開示が強化され、特に対象不動産が建物であり、テナントがいる場合には、原則としてその詳細を開示しなければならなくなる（規則43⑲）など、不動産特定共同事業契約の成立前交付書面の記載事項の拡充がなされている。

② 契約成立時の書面の交付

　　事業者は、不動産特定共同事業契約が成立したときは、一定の事項を記載した書面を契約当事者に遅滞なく交付しなければならない。この記載事項は、おおむね約款の記載事項と同一である（不特法25①、規則47）。

③ 財産の分別管理

　　開示の前提として、事業者は事業契約に係る財産を自己の固有財産や他

第4節　不動産特定共同事業法における匿名組合　　191

の不動産特定共同事業契約に係る財産と分別して管理しなければならない。事業者には、対象不動産が同一である事業契約ごとに不特法32条の「帳簿書類」（後述）を作成・保存し、これによってその事業契約にかかる財産を他の財産と計算上分別して管理することが求められており、対象不動産が同一である事業契約ごとに預金口座を分けることが望ましいとされている（不特法27、規則49）。

ただし、ここでいう分別管理とは、信託法34条に基づく「分別管理」とは異なるものであることは注意を要する。信託法の「分別管理」は出資財産の独立性が確保され、事業参加者の出資財産に対する優先権が確保されるのであるが、この事業法の分別管理は単に計算上分別して管理することにすぎない。

④　財産管理報告書の交付

事業者は契約にかかる財産の管理状況について、求めに応じて事業参加者に説明しなければならない（不特法28①）。

事業者は1年を超えない期間ごとに、その期間における財産の管理状況について、下記に掲げる事項を記載した報告書を作成し、事業参加者に交付しなければならない（不特法28②、規則50）。

イ．報告の対象となる期間

ロ．その期間の満了の日（基準日）における当該事業参加者の出資持分、出資割合もしくは共有持分

ハ．当該事業契約に基づきその期間内に行った不動産取引の内容およびその取引から生じた収益または利益および損失の状況

ニ．基準日における当該事業契約に係る財産の状況

任意組合型や匿名組合型等の組合型共同投資については、会社法施行規則や企業会計原則等は直接的には適用がないものと解され、どのような会計報告が妥当であるのか議論されてきた。不特法が制定されて前掲の「財産管理報告書」の交付義務が定められたのであるが、その様式を具体的に定める規定は特にない。ただし、上記ハは損益計算書に相当し、ニは貸借

図表2・4・7　会計報告書類の例

	任意組合型	匿名組合型
B/S　〔貸借対照表〕	○	△
P/L　〔損益計算書〕	○	○
SS　　〔損益分配計算書〕	○	○
CFS　〔資金収支計算書〕	○	△
DP　　〔減価償却明細書〕	○	△（注）
SGA　〔販管費内訳書〕	○	○

○あり　△ケースバイケース
（注）　通常は営業者（事業者）の減価償却明細となる。

対照表に相当すると理解されている。さくら綜合事務所の調べによると、既往の商品にかかる会計報告書は、おおむね**図表2・4・7**に示すものが取りそろえられている。

前掲の「不動産特定共同事業の約款等に係る研究会報告書」は、通達によりオーソライズされたものであるが、この報告書に例示されている「標準約款案」において、組合型の「損益及び金銭の分配方法に関する事項」に係る条項は、損益の分配と金銭の分配とを明確に区別している。損益分配と金銭分配は別個に計算されるのであるから、キャッシュ・フロー計算と損益計算について別の処理および書類の作成が必要となろう。

⑤　書類・名簿の閲覧

事業者は業務および事業者自身の財産の状況を記載した書類を事務所ごとに備え置き、求められれば事業参加者に閲覧させなければならない（不特法29、規則51別記様式10号）。この書類は、業務状況調書および比較貸借対照表からなる。比較貸借対照表は、事業の計算期間とは関係なく事業者の期末のものであり、様式は財務諸表規則によるものと類似している。また、有価証券報告書をもって代用することができる。財務諸表規則と異なる点には会計方針等があり、保証債務残高、発行済株式総数および授権株数、後発事象、その他必要事項を除けば、基本的には変更がある場合のみ

第4節　不動産特定共同事業法における匿名組合　　193

注記することとされている。

事業者は、事業契約を締結したときは事業参加者の商号（名称）または氏名および住所を記載した事業参加者名簿を作成・保存し、これを事業参加者の求めに応じて閲覧させなければならない（不特法30、規則52）。事業参加者は、これによって他の事業参加者と連絡を取り合うことが可能となり、また事業者による二重販売等の不正に対するチェックも可能となる。

［4］ 行政庁への継続的な開示

① 業務に関する帳簿書類の作成・保存義務

事業者は、対象不動産が同一である事業契約ごとに業務に関する帳簿書類を作成して保存しなければならない。ただし、作成・保存義務だけで、誰かに対して見せることは要件ではなく、事業参加者はこの帳簿書類を閲覧することはできない。

この帳簿書類とは、事業参加者名簿、事業参加者への交付が義務付けられている書類（不特法24条、25条、26条の書類）の写し、財産管理報告書（不特法28条2項の書類）、不動産取引から生ずる収益または利益の明細、事業財産の明細、出資財産の明細である（不特法32、規則56）。

以上の書類を「調製」（わかりやすく綴じる）してできあがるのが「業務に関する帳簿書類」である。この帳簿によって、前述した不特法27条の「分別管理」を行う。

② 事業報告書の提出義務

事業者は、事業年度ごとに事業報告書を事業年度経過後3か月以内に許可権者に提出しなければならない。この事業報告書においては、事業の概要、不動産特定共同事業に関する事項（前掲の業務状況調書による）、事業者自身に関する株主に関する事項（大株主名簿）および経理の状況を報告することになる。経理の状況に関しては比較貸借対照表、比較損益計算書、比較利益処分（損失処理）計算書により報告する（不特法33、規則57）。これらについても有価証券報告書で代用することができる。

③ 立入検査権等

行政庁は、事業者に対して報告や資料の提出を命じ、または事務所その他への立入検査等を行うことができる。この場合の行政庁とは、「許可権者」のみを指すのではなく、主務大臣はすべての事業者に対し、都道府県知事はその都道府県の区域内で事業を営む者に対し、それぞれその権限を有する（不特法40）。

2 匿名組合を利用した投資ストラクチャー

不動産特定共同事業の契約類型のスキームは、**図表 2・4・8**のとおり三つの類型に分けられる。

任意組合型の組合財産については公示方法が民法上設けられていないため、任意組合型の投資家保護を法的に確保するための方策が検討されてきた。一般的に、任意組合形式に比し匿名組合形式においては次のようなメリットがあることから、小口化され投資家数が多いほど匿名組合形式が選好される傾向がある。

① 所有権登記の集中により好ましくない第三者の参入を阻止できること

② 投資家の破産等の場合の競落人に対する分割請求禁止の対抗

③ 有限責任性（P/L責任等）

匿名組合型の概念は任意組合型の法的性格を明らかにするためのミラーとして用いられてきた時代があったが、現在では主流を占めている。このような経緯から、任意組合型は次第に匿名組合型に近い実質を有するように変化してきており、登記名簿等は事業者である理事の単独名義とされることが多く、法律制定にともなって考案された「標準的約款」でもその形態が採用されている。

なお、不動産特定共同事業法では組合持分の転売や市場での流通を原則として認めていないので、持分の流動化を図るためには、コマーシャル・ペーパーの発行やゼロ・クーポン債の発行等を組み合わせたスキームを検討することとなる。これについては、東京三菱銀行が不良債権の担保不動産流動化の手法としてゼロ・クーポン債を組み合わせたスキームの開発事例がある。

第4節　不動産特定共同事業法における匿名組合　　195

図表2・4・8

〈任意組合型〉

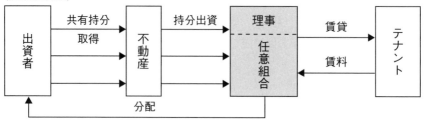

〈匿名組合型〉

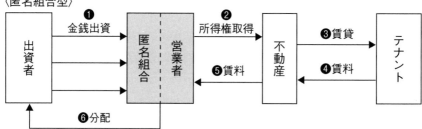

〈賃貸型〉

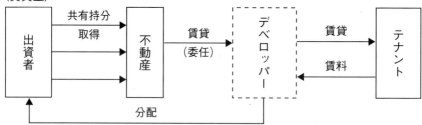

❶ 株式会社である営業者が一般出資者から出資を募り、匿名組合契約を締結し、その出資金と金融機関からの借入で不動産を取得する。
❷ 営業者名義で不動産を取得し、登記する。
❸ テナントに賃貸する。
❹❺ テナントから賃貸料収入を得る。また、匿名組合契約終了時には不動産を売却し売却収入を得る。
❻ 賃貸事業または不動産の売却による金銭の分配および損益の配当を行う。

3 不動産特定共同事業法の会計開示に関する規定

　不動産特定共同事業法は、特に民商法、税法等の特則を定めているわけではなく、基本的には投資家保護を目的とした特定共同事業の業者規制法である。したがって、この法律が予定する次のような枠組みごとに従来の会計慣行が一番の指針となることは疑いない。

　なお、不特法の事業の運営方法に関する規定の中には、会計報告・開示に関する条項も存在する。同法の会計開示に関する規定について触れることとする。

図表2・4・9　会計・税務に影響を与える特性と事業形態

	資産の帰属と団体性	投資家の資産の特性
任意組合型	共有・共同事業性	共有持分＋債権的地位
匿名組合型	営業者の所有・事業参加の意思	債権的地位
賃　貸　型	単純共有・団体なし	共有持分

1 不特法 27 条──財産の分別管理

　この事業法は投資家保護を目的とした法律であり、信託に関して検討したのと同様に、ここでも「分別管理」は投資家保護の中心概念の一つと考えられる。ただし、前出のとおり、ここでいう分別管理とは、財産の帰属について法的効果をもたらすのではなく、事務手続上、執行事業者と投資家の財産を区分することを求めているだけである。

　分別管理の方法は、不動産特定共同事業法施行規則（以下「規則」という）56条で不特法32条の帳簿により分別すべき旨定められている。具体的な内容は下記 4 を参照のこと。

　不動産共同投資事業の会計報告が重要なのは、事業参加者の預り資産が大きいからである。そこで、顧客から資産を預る他の業種では、顧客からの預り資産はどのように管理されているかを検討してみる。

第4節　不動産特定共同事業法における匿名組合　197

① 証券業の「預り有価証券」（on balance）

主として信用取引の担保としての預り（質受）資産証券で会社の債務の再担保に供し得る等、分別管理されていない。

② 証券業の保護預り有価証券（off balance、注記方式）

顧客別に厳密な分別管理が行われている。

③ 事業会社等の債券の消費貸借・使用貸借（on balance）

使用貸借では分別管理されているはずである。

④ 銀行の預金（on balance、負債）

分別管理されていない。

⑤ 不動産賃貸業の一般の受入保証金・その他の預り金（on balance、負債）

分別管理されていない。

以上のように、分別管理財産は B/S 上、off balance されるケースとされないケースがある。

2 不特法 28 条——財産管理報告書の事業参加者への交付

「財産管理報告書」を事業参加者（投資家）に交付することを定めたのが本条の内容である。この財産管理報告書は、事業内容の開示報告書類であり、決算書類等はこの中に含まれるものと考えられる。

具体的には、規則50条において、1 年を超えない期間ごとに定期的に事業参加者に交付すべき書類として、次の事項が規定されている。

① 報告の対象となる期間

② 期末における事業参加者の出資持分等

③ ①の期間およびその直前 3 年の各期間内の不動産取引の内容、損益の状況等の推移

④ ①の期間およびその直前 3 年の各期間末の財産の状況

⑤ ③、④に掲げる事項に対する公認会計士または監査法人の監査の有無および監査を受けた場合にはその範囲（財産管理報告書に公認会計士または監査法人の監査証明にかかる書類が添付されており、かつ、当該書類に監査を受

198 第 2 章 匿名組合の法務

けた範囲が明記されている場合を除く）

⑥　①の期間における不動産特定共同事業に係る重要な業務（当該契約に係る財産管理にかかるものに限る）の委託業務の内容

⑦　①の期間における関係会社（親子会社、関連会社等）との間の不動産特定共同事業に係る重要な取引（年間取引額が対象不動産の全賃料収入の10％以上）の有無および取引の内容

⑧　出資をともなう契約にあっては、①の期間における借入れの有無および当該借入れの状況

③、④が通常でいう B/S と P/L を指すものと考えられるが、そのように明記されていないのは、会計慣行の成熟前に会計報告を法律上規定することを避けたためと考えられる。

3 不特法 29 条──業務および財産の状況を記載した書類の備置・閲覧

本条で規定しているのは、事業そのものではなく、特定共同事業を行う事業者の経営状況の開示書類である。先に検討したとおり、特定共同事業では、事業者が倒産した場合には投資家は資金回収が事実上難しくなる。そこで、事業そのものだけではなく、事業者についても経営内容の開示が求められているのである。

具体的には規則51条において、不動産特定共同事業者の業務および財産の状況（第三号事業を行う者にあっては、委託特例事業者の業務および財産の状況）を記載した書類として、別記様式第10号による業務状況調書および比較貸借対照表ならびに別記様式第11号による比較損益計算書、株主資本等変動計算書または社員資本等変動計算書および主要株主名簿または主要社員名簿その他の主要な社員の状況を記載した書類がその対象とされ、事務所ごとに備え置き、事業参加者の求めに応じ、これを閲覧させなければならないとされている。

なお、比較貸借対照表、比較損益計算書および株主資本等変動計算書または社員資本等変動計算書については、有価証券報告書をもって代えることができる。

第 4 節　不動産特定共同事業法における匿名組合　　199

4 不特法 32 条──業務に関する帳簿書類の作成・保存

業務に関する帳簿書類は、**1**で述べた分別管理のための具体的な書類であり、作成・保存することを定められている。そのうち、財産管理報告書に交付義務がある。

以下の書類を「調製」してできあがるのが「業務に関する帳簿書類」であり、「これを以て分別管理する」（規則56、不特法27）とされている。

主務省令で定めるところにより作成することになっている「業務に関する帳簿書類」は、次の五つの資料が実質的な内容となる。これらをわかりやすく綴じることが「調製」の意味であり、要するに書類を作成することで分別管理したことになる。

規則22条に業務に関する帳簿書類の作成方法の要件が規定されており、具体的には次の5種類の書類を「調製」することになる。

① 不特法24条、25条、26条の書類（契約成立前、成立時、解除時の交付書類）
② 不特法28条の「財産管理報告書」
③ 事業損益の明細
④ 事業財産の明細
⑤ 出資財産の明細（出資をともなうもののみ）

このうち、投資家に対する②の書類が通常の会計報告を指すことになる。

5 不特法 33 条──事業報告書

さらに法では、事業者の事業年度経過後3か月以内に次の書類を大臣等に提出することになっている。書類の様式は規則57条に定められ、別紙様式第11号が用意されている。

具体的な内容は、前半は先の別紙様式第10号（3期比較貸借対照表）と、後半は大株主名簿3期比較損益計算書および株主資本等変動計算書となっている。

これも有価証券報告書で代用可であり、損益計算書・株主資本等変動計算書も基本的には財規ベースに近いが、注記事項はない。

なお、監査を受けた財務諸表の提出が必要となっている。

4 不動産特定共同事業の会計・税務

1 匿名組合方式の場合

匿名組合方式の場合には、他章に記載する会計・税務の論点とおおむね同様の取扱いとなる。

2 任意組合方式の場合

［1］会計処理

任意組合方式については、会社計算規則や企業会計原則等は直接的には適用がないものと解され、どのような会計報告が妥当であるか議論されてきたところであるが、不動産特定共同事業法が制定され、「財産管理報告書」の交付義務が定められた。具体的な記載内容は、本節3 **2** 記載のとおりである（不特法28②、規則50）。

任意組合方式の不動産特定共同事業に係る商品について、個々の共有持分を独立した不動産と考えて経理する方法が考えられる。しかし、任意組合の構成員がかなりの数に上った場合、個々の組合員のために個別に会計報告をすることは不可能に近いと思われる。

一般的な不動産の共同投資商品についてみると、会計報告は貸借対照表、損益計算書、収支計算書等のそれぞれについて出資一口当たりの金額で表示してあるものが多い。しかし、組合員としては不動産全体としてどれくらい収益が生じ、それがどのように配分されたかという情報も欲しいであろうから、組合財産全体の会計がわかる会計報告も必要ではないだろうか。

［2］分配金の源泉税の源泉徴収票

任意組合の場合には分配金に対する源泉税はなく、任意組合の預金利息等に関して払った源泉税は各投資家の段階で税額控除することになる。ただし、平成17年度税制改正により、PEを有する外国法人・非居住者に対する分配金については源泉税が課されることになっている。

CoffeeBreak ☕ 航空機の引取り

　たいがいの物の売買は地上で行われる。しかし、カンタス航空がボーイング社から航空機を引き取る際は、常に公海上の空の上で行われてきた（今も続いているはずである）。

　ボーイング社の製造工場は、ワシントン州シアトル市の郊外にある。同工場で完成した航空機は、同社の滑走路から飛び立ち、米国・カナダ両国の領空境界線からほんの少し離れた公海上で、引渡しが行われる。理由は、両国の税金を節約するためである。

　レーダー上で領空外に存在する航空機を確認し、同機上の弁護士から、たった今、引渡しが行われた旨の報告を受ける両国の徴税官は、さぞ苦々しく思っていることであろう。一方、機上では、SPCの代理人とカンタス航空職員とが、シャンパンで無事、引渡しが完了したことを祝うのである。

　機は約30分のフライトの後、カナダのバンクーバーに着陸し、何事もなかったかのごとく、乗客を乗せ、シドニーへの長旅に出発するのである。

第5節

商品ファンド法における匿名組合

　商品先物の世界最初の取引事例として、17世紀に日本で行われた米の先物に関する記録がある。先物取引は、農産物のような季節性のある商品を年間を通じて供給する場合の問題解決手法として、自然発生的に起こった。日本では、商人が将来売る予定の米を倉庫に保存し、「米券」を売却して流動化を図った。この「米券」は、最終的には通貨と同等の価値を持つ有価証券と認められ、ルール化が成された。このときにつくられたルールは、現在米国の先物取引でのルールと近いものであった。

　米国では、19世紀半ばに穀物市場で先物取引が開始された（1848年に CBT（Chicago Board of Trade）が設立された）。米国の近代的商品ファンドの歴史は、リチャード・D・ドンシャンによって、1949年に設立された「フューチャーズ・インク」がその出発点と言われている。このファンドには、当時としては巨額の100万ドルもの投資運用総額資金が集まり、約10年間運用が続けられた。また、1952年には、ハリー・J・マコーウィッツ（1990年ノーベル経済学賞受賞）が、いわゆるマコーウィッツ理論に関する論文を発表し、その後のポートフォリオ理論の先駆的考え方である、分散投資の有効性を確立した。

　1970年代から1980年代にかけて、ニューヨークにコーヒー・綿花・農作物取引所が設置された。1974年には、米国商品取引所法 CEA（Commodity Exchange Act）が大きく改正され、米国において先物取引を統一的に監督する商品先物取引委員会 CFTC（Commodity Futures Trading Commission）が連邦政府機関の一部として設立された。先物市場を活性化させた大きな出来事は、1970年代に

第5節　商品ファンド法における匿名組合　　203

シカゴで開始された、通貨・金利などの金融商品先物であり、さらに1980年代のS&P500などの株価指数先物商品の登場であった。

その後、1987年のブラック・マンデーに際しても、株や債権に投資した投資家は大きな損失を被ったが、商品ファンドは逆に利益を計上し、急速に人気が高まった。その理由として、商品先物市場は、株式市場や債券市場と相関性が薄く、資金運用にあたって、そのポートフォリオに商品ファンドを組み込むことで、ファンドの運用成績をアップさせることが理論的にも、経験的にも実証されたことにある。

日本における商品ファンドの販売は、1988年9月、海外において組成された商品ファンドを日本に持ち込む形態ではじまった。当初商品ファンドは英領ケイマン諸島にリミテッド・パートナーシップを設立し、その持分を投資家に販売するという形態をとっていたのであるが、この形態は、以後販売された商品ファンドの典型的なスキームとなっている。

商品ファンドについては、旧証券取引法にいう「有価証券」に該当するか否かについての解釈に争いがあり、商品ファンドの販売は証券会社に限定されるかどうかが問題となっていた。そこで、国内商品先物市場の育成の切り札として、管轄省庁である当時の通産省が主導し、大蔵省、農林水産省との合意のもと、平成3年4月に3省共管により「商品投資に係る事業の規制に関する法律」（以下「商品ファンド法」という）が国会で成立、同年5月に公布され、翌年4月に施行となった。

1 法の目的

商品ファンド法は、商品投資販売業・商品投資顧問業を営む者について許可制度を導入し、その事業に対し必要な規制を行うことによって商品投資に係る事業を公正かつ円滑にするとともに、投資家の保護を図ることを目的として制定された（商品ファンド法1）。

制定の背景には、1990年10月、商品ファンドを利用して高利回りを唱い文句

に一般投資家から資金を集め、実際には商品投資は行わずに自転車操業に陥り、投資家に被害を与えたTPC事件が検挙され、投資家保護のための法整備が望まれていたことなどが挙げられる。

商品ファンドは施行当初、最低販売単位が1億円との規制があったため、投資を行うのはおおむね一部の機関投資家に限られていたが、その後徐々に規制緩和が行われ、1998年には最低販売単位の規制は撤廃された。これにより個人向けの小口投資商品の販売も行われるようになったが、1997年以後、商品ファンドの設定本数および設定金額は年々減少傾向にあった。

このため、商品ファンドの実態や金融商品としての特性をふまえ、制度の見直しをはかることが検討され、2006年6月の金融商品取引法（以下「金商法」という）制定にともない、商品ファンド持分は金融商品として包括的に「集団投資スキーム」と位置づけられることとなった（本章第3節参照）。これにより、商品投資顧問業および販売業の一部については引き続き商品ファンド法のもとに営まれるが、販売業の主な部分については金商法により規制されることとなった。

2 規制の内容

1 規制の対象

商品ファンド法の規制の対象となるのは、出資された財産または信託財産を主として商品投資により運用することを目的とした商品ファンドである。金商法施行前は出資財産の50％超を商品投資により運用するものに限られていたが、施行時に法改正が行われ、運用規制が撤廃された。なお、商品投資とは、内外における商品先物取引、相対オプション取引、現物取引とされている。

日本における商品ファンドの形態としては、匿名組合、任意組合、信託および外国の法令に基づく類似の契約（リミテッド・パートナーシップがこれに含まれる）に限定されている。

第5節　商品ファンド法における匿名組合　　205

2　販売規則

　商品ファンド法施行当初は、商品投資契約の締結（代理、媒介を含む）または商品投資受益権の販売（代理、媒介を含む）を行う者は、同法に規定する「商品投資販売業者」として、一定の許可基準を満たし、主務大臣の許可を受けた法人でなければできないことになっていた。

　また、商品ファンド法においては、投資家保護の観点から独自のルールによる行為規制を行っていたが、金商法施行により、ファンド持分が「集団投資スキーム持分」とされ規制対象となったことを受け、商品投資販売業は商品ファンド法ではなく、金商法により規制を行うこととなった。

　金商法では、金融商品取引業を第一種と第二種に区分している（本章第3節参照）。ファンド販売業者はこのうち第二種金融商品取引業として位置づけられることとなり、許可制から登録制に改められた。

3　運用規則

　商品ファンド法において、商品投資顧問業は、一定の許可基準を満たしている株式会社（国内に営業所を有する同種の外国法人を含む）で主務大臣の許可を受けた者（商品投資顧問業者）のみが行うことができる。「商品投資顧問業者」は情報開示を義務づけられるとともに、顧問業者から金銭もしくは有価証券の預託を受け、または当該商品投資顧問業者と密接な関係を有する者に顧客の金銭もしくは有価証券を預託させてはならない等の規制を受ける（商品ファンド法25）。

　商品投資顧問業については、金商法施行後においても、「商品投資のアドバイスは金融商品に位置付けられない」との考え方から、金商法の規制対象とはなっていない。商品先物市場を健全に発展させるために、商品投資顧問業の育成が重要であるとして、経産・農水の2省が所管官庁となり、商品ファンド法により引き続き規制されることとなっている。

CoffeeBreak ☕ インフラファイナンス、PPP、PFI、IR

太陽光、洋上風力、地熱、バイオマス等の再生可能エネルギーの発電所のみならず、インフラファイナンス、PPP、PFI、IR（カジノや MICE などの統合型リゾート）に対する国の予算は増加の一途の分野でもある。

英国など海外では小さな政府や民営化等行財政改革の流れの一つとしてとらえられ、VFM（value for money）は、PFI（private finance initiative）の基本原則となり、既に PFI 方式による公共サービスの提供が実施されており、橋、鉄道、病院、学校などの公共施設等の整備、再開発などの分野で成果を収めている。

当該事業のために借用した資金を、当該事業で生み出す収入で返済することができる事業かどうかを見極めることである。日本の地方自治体も可能な限り自治体としての将来を見通す資金収支表、貸借対照表、損益計算書をもって経営すべきといえる。そのためにも匿名組合を使って管理されていることが多い。

こういった分野にも、金融機関のノウハウだけでなく、会計・税務の果たす役割が大きいと期待されている。

第 **3** 章

匿名組合の
会計処理と会計監査

第 1 節

匿名組合の会計の意義

　会計とは、本来資産を預かった者が預けた者に対し事業ないし資産の状況を説明すること（アカウンタビリティ、accountability）を起源としている。

　第2章でみてきたように、匿名組合の出資の性格は法律上は必ずしも明らかではない。しかし、営業者に対して出資者は財産を出資し、営業者はその財産を利用して事業を行い、その損益を分配することになるのであるから、営業者は出資者に対して、「どうしてそのような損益となったのか」について何らかの報告が求められることは当然ともいえよう。

　株式会社は、会社法において会社計算規則が定められており、また、金融商品取引法においても財務諸表に関する規則が定められているが、わが国においては匿名組合に関する法的拘束力のある会計規定はない。

　多様な形態の匿名組合に関して、会社法431条における「一般に公正妥当と認められる企業会計の慣行」のような法律に基づいた規範性のある会計慣行が成立しているとは考えにくい状況にある。

　そこで、日本公認会計士協会公表の監査基準委員会報告書800「特別目的の財務報告の枠組みに準拠して作成された財務諸表に対する監査」においても、匿名組合の財務諸表の監査は、匿名組合契約において定められている財務報告に関する取決めに基づいて作成された完全な一組の財務諸表に対する任意監査を前提としている。

　本章では、類型としては数少ない事例の中から読者の参考になりそうな開示事例を取り上げて解説する。

第 2 節

不動産ファンド等にみる 匿名組合の会計報告

1 不動産ファンド等にみる匿名組合の会計報告

　匿名組合型の不動産ファンドは、不動産特定共同事業法の不動産ファンドや、レバレッジド・リースファインドからはじまり、すでに多数の実行例があり、そこでの一種の会計慣行的な会計上の取扱いおよび会計報告がある。

　匿名組合型の不動産ファンドは、営業者が一つの不動産事業のためにのみ設立された特別目的会社（SPC）をヴィークルとして使用することが多い。

　一方、不動産特定共同事業法における不動産ファンドには事業会社が営業者となり、出資者から匿名組合出資を募り、匿名組合契約に定めた特定の不動産事業にかかる会計報告書を営業者の決算書から切り出して作成することもある。

　以下では説明の簡便化のため、SPCで匿名組合型の不動産ファンドを組成した時の会計報告に絞って説明する。

2 営業者と匿名組合の貸借対照表

　SPCで匿名組合型の不動産ファンドを組成した場合の貸借対照表は、後頁に「（営業者の）貸借対照表」と「匿名組合の貸借対照表」事例を記したので比較されたい。資本の部のあたりが異なるだけで、ほとんど同じような貸借対

212　第3章　匿名組合の会計処理と会計監査

照表であることが理解いただけるであろう。法律上も不動産ファンドの資産負債は営業者に帰属し、匿名組合の貸借対照表は営業者の貸借対照表の一部であると国税当局もとらえている（国税不服審判所平成４年の裁決例）。

匿名組合の会計報告の貸借対照表における純資産の部は匿名組合出資金、剰余金、分配金で構成されるが、一方、営業者の資本の部は営業者の登記上の資本金となり、匿名組合出資は法律上金銭債権債務であるため負債の部に計上されることになる。匿名組合貸借対照表の純資産の部の合計が、営業者においては長期預り金として計上されている。

3　営業者の損益計算書および利益（損失）分配計算書

匿名組合型の不動産ファンドの収入・費用は貸借対照表同様営業者に帰属するため、一旦営業者の損益計算書を作成し、そこから匿名組合契約に基づく不動産ファンドの損益計算書を切り出して匿名組合の損益計算書を作成する。SPCで匿名組合型の不動産ファンドを組成した事例を同じく後頁に記したため比較されたい。

SPCで組成した場合には、匿名組合損益計算書で計算された不動産ファンドの損益はほとんど匿名組合出資者に分配するように契約していることが多い。ただし、営業者においても不動産ファンド事業から僅少な営業者報酬を収入としてそこから法人税等計上し、当期利益を計上している。

事例では、不動産ファンドの損益を営業者報酬20万円を残しすべて匿名組合出資者に分配している。また、営業者は税引前純利益20万円（匿名組合事業営業者報酬）を計上し、そこから法人税等を計上し、当期利益を計算している。

4　出資者の会計処理

不動産ファンドのうち、航空機等を対象としたものや、開発不動産を対象とした場合、リース期間の前半において、損失が分配され、後半には利益が分配

第2節　不動産ファンド等にみる匿名組合の会計報告　213

Ｙ株式会社

貸 借 対 照 表

令和×年 9 月30日現在

(単位：円)

資産の部		負債・資本の部	
流動資産	(43,685,579)	負債の部	
現金預金	360,200	流動負債	(184,262,261)
未収賃貸料	42,875,379	1年以内に返済	
前払費用	450,000	する長期借入金	154,684,567
固定資産	(3,190,728,713)	未払費用	29,452,694
有形固定資産	(3,186,678,713)	未払法人税等	125,000
賃貸用資産	3,853,120,930	固定負債	(3,050,016,831)
減価償却累計額	△666,442,217	長期借入金	2,834,865,460
投資等	(4,050,000)	長期預り金	215,151,371
長期前払費用	4,050,000	負債の部合計	3,234,279,092
		資本の部	
		資本金	100,000
		当期未処分利益	35,200
		資本の部合計	135,200
資産の部合計	3,234,414,292	負債・資本の部合計	3,234,414,292

Ｙ株式会社を営業者とする
匿名組合

匿 名 組 合 貸 借 対 照 表

令和×年 9 月30日現在

（単位：円）

資産の部		負債・純資産の部	
流動資産	(43, 425, 379)	負債の部	
現金預金	100, 000	流動負債	(184, 137, 261)
前払費用	450, 000	1年以内に返済	
未収賃貸料	42, 875, 379	する長期借入金	154, 684, 567
固定資産	(3, 190, 728, 713)	未払費用	29, 452, 694
有形固定資産	(3, 186, 678, 713)	固定負債	(2, 834, 865, 460)
賃貸用資産	3, 853, 120, 930	長期借入金	2, 834, 865, 460
減価償却累計額	△666, 442, 217	負債の部合計	3, 019, 002, 721
投資等	(4, 050, 000)		
長期前払費用	4, 050, 000	純資産の部	
		匿名組合出資金	879, 323, 125
		損益分配額	△664, 171, 754
		（当期損益分配額）	（△340, 805, 313）
		純資産の部合計	215, 151, 371
資産の部合計	3, 234, 154, 092	負債・純資産の部合計	3, 234, 154, 092

第 2 節　不動産ファンド等にみる匿名組合の会計報告　　215

Ｙ株式会社

損 益 計 算 書 （営 業 者）

自　令和×年10月 1 日
至　令和×年 9 月30日

（単位：円）

営業収益		
賃貸料収入		200,978,343
営業費用		
減価償却費	400,576,873	
支払利息	140,860,712	
支払手数料	154,500	541,592,085
営業損失		△340,613,742
営業外収益		
受取利息	2,571	
雑収入	7,300	9,871
営業外費用		
雑損		1,442
匿名組合契約分配損		△340,605,313
損失分配額		△340,805,313
税引前当期純利益		200,000
法人税等		125,000
当期利益		75,000

注記（省略）

216　第 3 章　匿名組合の会計処理と会計監査

Ｙ株式会社を営業者とする
匿名組合

匿 名 組 合 損 益 計 算 書

自 令和×年10月1日
至 令和×年9月30日

（単位：円）

営業収益
　賃貸料収入　　　　　　　　　　　　　　　　　　　　　　200, 978, 343

営業費用
　減価償却費　　　　　　　400, 576, 873
　支払利息　　　　　　　　140, 860, 712
　支払手数料　　　　　　　　　 154, 500　　　　　　541, 592, 085

営業損失　　　　　　　　　　　　　　　　　　　　　△340, 613, 742

営業外収益
　受取利息　　　　　　　　　　　 2, 571
　雑収入　　　　　　　　　　　　 7, 300　　　　　　　　　9, 871

営業外費用
　雑損　　　　　　　　　　　　　 1, 442
　営業者報酬　　　　　　　　　 200, 000　　　　　　　　201, 442

当期損失　　　　　　　　　　　　　　　　　　　　　△340, 805, 313

注記（省略）

Ｙ株式会社を営業者とする

匿名組合

匿名組合損益分配計算書

自　令和×年10月１日

至　令和×年９月30日

（単位：円）

出資者名	出資金額	損失分配額
貴　　社	100,000,000	△38,757,688
その他の匿名組合出資者	779,323,125	△302,047,625
合　　計	879,323,125	△340,805,313

令和×年〇月×日

〇〇〇〇　御中

Ｙ株式会社

代表取締役　Ａ

会 計 報 告 書

　令和×年〇月×日に貴社と締結いたしました匿名組合契約の第９条の規定により、次に掲げる計算期間に係る本事業の損益を報告いたします。

記

１．計算期間：自　令和〇年10月１日
　　　　　　　至　令和〇年９月30日
２．事業損益：添付の匿名組合の財務諸表参照
３．貴社に帰属する損益の計算：
　　　△340,805,313円×（100,000,000円÷879,323,125円）＝△38,757,688円

以　上

されることも多い。そして、満了時に近づいてから現金が分配される場合が多い。それまでの間は、現金はすべてレンダーへの元利返済に充当されるためである。

現在、不動産ファンド取引に出資した投資家の会計処理の仕方には三つの方法がある。

① 第1の方法

当初の出資金を100とした場合、営業者から分配される損失の額と出資金をネットする。出資金が0となった後は、未払金として累積していく。現金分配または利益分配があった場合、その額だけ未払金を減らす。

この方法の問題点は、現金分配が、営業者の匿名組合事業決算日とずれていた場合、現金分配時の期中仕訳の仕方を投資家に徹底するのが難しいことである。また、税務当局の調査に対して、分配された現金を利益認識しないことの説明が難しい。

② 第2の方法

当初の出資金を100とした場合、出資金を増減せず、営業者から分配される損失の額だけそのつど、未払金を積み増していく。現金分配があった場合、その額と出資金とをネットする。利益分配があった場合、その金額と未払金とをネットする。この方法であっても、投資家の決算日には決算仕訳で、未払金と出資金とをネットし、一方を残し他方を0とする。

③ 第3の方法

当初から未払金を積み増していく点は、第2の方法と同じであるが、利益分配に際して、未収金を積み増す。現金分配に際しては出資金を取り崩す。決算日には、未払金と未収金とをネットし、その結果と出資金とをネットする、いわば2段階トーナメント方式である。しかしながら、相殺適状でないものはネッティングできないことはいうまでもない。

上記いずれかの方法でなければならないというルールは存在しない。しかし、どの方法を採用しても、リース期間中、または他のリース取引に対しても、統一した方法を採用すべきであり、案件ごとに、または時期によって恣意的に会

図表3・2・1　投資家の仕訳と会計処理の例

単位：百万円

年月	仕訳				会計処理			
2006/03	出　資　金	100／現　　　金	100		現　預　金△100	未　払　金	86
	投　資　損　失	86／未　払　金	86		その他投資 100	留　保　金	△86
2007/03	投　資　損　失	14／未　払　金	14		現　預　金△100	未　払　金	100
					その他投資 100	留　保　金	△100
2008/03	投　資　損　失	0／未　払　金	0		現　預　金△100	未　払　金	100
					その他投資 100	留　保　金	△100
2009/03	投　資　損　失	0／未　払　金	0		現　預　金△100	未　払　金	100
					その他投資 100	留　保　金	△100
				～			
2021/03	未　払　金	10／投資収益	10		現　預　金△100	未　払　金	90
					その他投資 100	留　保　金	△90
2022/03	未　払　金	26／投資収益	26		現　預　金 △67	未　払　金	64
	現　　　金	19／出　資　金	19		その他投資 67	留　保　金	△64
2023/03	未　払　金	64／投資収益	144		現　預　金 80	未　払　金	0
	現　　　金	80／			その他投資 0	留　保　金	80
	現　　　金	81／出　資　金	81				

計処理法を変えることは好ましくない。

　1億円出資した投資家の会計処理を、上記「第2の方法」で表記すると、図表3・2・1のようになる。当該投資家の決算日は3月31日とする。

5　現金分配報告書の作成例

　匿名組合報告書の様式について、法令等の特段の定めはなく、一例として図表3・2・2のとおりである。また、匿名組合員への現金分配が生じた場合に、各組合員への現金分配報告書の一例として図表3・2・3のとおりである。

図表３・２・２　匿名組合報告書のひな形

第　３　期

第　１　会計期間

匿名組合会計報告書

自　2023年01月01日

至　2023年03月31日

営業者：○○合同会社

2023年 3 月31日

○○株式会社　御中

営業者
○○合同会社
代表社員　○○一般社団法人
職務執行者　○○

匿名組合契約第7.1条の規定に基づき、第 3 期第 1 計算期間（2023年01月01日〜
2023年03月31日）の会計につき、下記の通りご報告いたします。

記

1. 匿名組合貸借対照表　　　　　　別紙
2. 匿名組合損益計算書　　　　　　別紙
3. 匿名組合員資本等変動計算書　　別紙
4. 個別注記表　　　　　　　　　　別紙
5. 匿名組合損益分配計算書　　　　別紙

以上

1．匿名組合貸借対照表

営業者：○○合同会社

匿名組合貸借対照表

2023年03月31日

（単位：円）

資産の部			負債の部		
流動資産	現 金 及 び 預 金	465,540,567	流動負債	未 払 費 用	7,819,069
	未 収 収 益	911,890		前 受 収 益	19,320,235
	前 払 費 用	214,790		未 払 消 費 税 等	4,443,200
	仮 払 金	349			
	小計	466,667,598		小計	31,582,504
固定資産	【有形固定資産】	4,929,606,995	固定負債	信 託 預 り 敷 金	148,241,500
	信 託 建 物	806,872,454			
	信託建物附属設備	279,796,446			
	信 託 構 築 物	0			
	信託工器具備品	7,688,100			
	信 託 土 地	3,881,504,520			
	減価償却累計額	△46,254,525			
				小計	148,241,500
				負 債 合 計	179,824,004
	小計	4,929,606,995	純資産の部		
繰延資産	開 業 費	4,644,275	匿名組合員	匿名組合出資金	5,187,936,647
				利 益 剰 余 金	33,158,215
				匿名組合分配金	0
	小計	4,644,275		純 資 産 合 計	5,221,094,862
資 産 合 計		5,400,918,866	負債・純資産合計		5,400,918,866

222　第3章　匿名組合の会計処理と会計監査

２．匿名組合損益計算書

営業者：○○合同会社

匿名組合損益計算書
自2023年01月01日　至2023年03月31日

（単位：円）

	科　　目	金　　額
営業損益	売上高	
	賃　料　収　入	52,691,550
	水　道　光　熱　費　収　入	3,126,357
	純売上高計	55,817,907
	売上原価	
	広　告　宣　伝　費	30,000
	水　道　光　熱　費	3,129,196
	租　税　公　課	3,419,405
	Ｐ　Ｍ　報　酬	1,704,714
	修　繕　維　持　費	170,000
	保　　険　　料	114,383
	減　価　償　却　費	7,207,548
	売上原価計	15,775,246
	売　上　総　利　益	40,042,661
	販売費及び一般管理費	
	通　　信　　費	146,507
	支　払　手　数　料	20,220
	Ａ　Ｍ　報　酬	1,812,329
	サ　ブ　Ａ　Ｍ　報　酬	3,062,500
	信　託　報　酬	162,500
	不　動　産　鑑　定　報　酬	600,000
	事　務　管　理　報　酬	693,000
	販売費及び一般管理費計	6,497,056
	営　業　利　益	33,545,605
営業外損益	営業外収益	
	受　取　利　息	2,288
	雑　　収　　入	147
	営業外収益計	2,435
	営業外費用	
	開　業　費　償　却	339,825
	営業外費用計	339,825
	経　常　利　益	33,208,215
	当　期　利　益	33,208,215
	営　業　者　報　酬（※）	50,000
	当　期　純　利　益	33,158,215

※匿名組合契約第6.1条6項

３．匿名組合員資本等変動計算書
営業者：○○合同会社

匿名組合員資本等変動計算書
自2023年01月01日　至2023年03月31日

〔単位：円〕

	匿名組合員資本			純資産合計
	匿名組合出資金	利益剰余金	匿名組合員資本合計	
当期首残高	5,195,144,211	32,278,021	5,227,422,232	5,227,422,232
当期変動額				
追加出資金	—		—	—
出資返還金	7,207,564		7,207,564	7,207,564
損益分配	—	△ 32,278,021	△ 32,278,021	△ 32,278,021
現金分配	—		—	—
当期純損益	—	33,158,215	33,158,215	33,158,215
当期変動額合計	△ 7,207,564	880,194	△ 6,327,370	△ 6,327,370
当期末残高	5,187,936,647	33,158,215	5,221,094,862	5,221,094,862

４．個別注記表

1．重要な会計方針に係る事項の注記
　　1）資産の評価基準及び評価方法
　　　　有形固定資産の減価償却の方法
　　　　定額法で計算しております。

　　2）消費税の会計処理
　　　　税抜方式によっております。

　　3）開業費の償却方法
　　　　開業の時から5年以内のその効果及び期間にわたって、定額法により償却する方法を採用しております。

5．匿名組合損益分配計算書

匿名組合損益分配

出資者：○○株式会社

自2023年01月01日　至2023年03月31日

（単位：円）

損益分配処分	条文	当期損益分配額
当期損益		33,158,215
当期分配損益総額		33,158,215
貴社持分対応利益合計額（円未満端数切捨て）	匿名組合契約第6.1条4項及び5項	29,842,393
貴社持分対応損失合計額（円未満端数切捨て）	匿名組合契約第6.1条4項及び5項	0
貴社持分対応損失累計額	匿名組合契約第6.1条4項	0
貴社持分対応損失負担限度額	匿名組合契約第6.1条4項	4,681,737,000
貴社持分対応損益分配額		29,842,393

【注1】残高一覧

（単位：円）

項目	前回損益分配後の金額	増加	減少	今回損益分配後の金額	異動額のうち源泉税の対象取引金額
匿名組合出資金残高	4,675,629,789	0	6,486,808	4,669,142,981	
未払利益分配金残高	29,050,219	29,842,394	29,050,219	29,842,394	0
未収損失分配金残高	0	0	0	0	0

貴社における勘定残高とのご照合をお願いいたします。

【注2】累計一覧

（単位：円）

項目	前回損益分配後の金額	増加	減少	今回損益分配後の金額
損益分配累計	48,106,984	29,842,394	0	77,949,378
現金分配累計	19,056,765	19,066,765	0	38,113,530
当初匿名組合出資金	4,681,737,000	0	0	4,681,737,000
追加匿名組合出資金	0	0	0	0
匿名組合出資金返還累計	6,107,211	6,486,808	0	12,594,019

貴社における勘定残高とのご照合をお願いいたします。

第2節　不動産ファンド等にみる匿名組合の会計報告　　225

図表3・2・3　現金分配報告書

2023年5月30日

○○株式会社　御中

（営業者）
　　○○合同会社
　　　代表社員　　○○一般社団法人
　　　職務執行者　　○○

現 金 分 配 報 告 書

　2021年01月01日付匿名組合契約（その後の変更を含む。）に基づき、匿名組合現金分配の額を確定しましたのでご報告いたします。

1．計算期間

　　2023年01月01日から2023年03月31日まで

2．現金分配額の計算

（単位：円）

1．現金分配可能金額		
（1）リリース口座残高（令和5年2月28日時点）	70,951,729	匿名組合契約第9条の2
（2）計算期間末日時点における信託配当受取口座残高	0	匿名組合契約第9条
（3）口座残高　小計	70,951,729	匿名組合契約第9条
（4）計算期間に係る未収金で現金配分日から7営業日前までに回収された金額	0	
（5）計算期間に係る未収金で現金配分日から7営業日前までに支払された金額	0	
（6）必要留保金額		
（7）現金分配可能金額	70,951,729	
2．現金分配額	70,951,729	
3．貴社への現金分配額		

3．現金分配額

貴社への現金分配額	63,856,556
源泉所得税	13,039,509
差引支払額	50,817,047
（現金分配額の内訳）	
未払利益分配金の支払	61,856,556
未収損失の相殺に係る源泉税	1,000,000
匿名組合出資金返還	1,000,000

4．残高一覧

項目	前回現金分配時の金額	増加	減少	今回現金分配時の金額	増減額のうち源泉税の対象取引金額
匿名組合出資金残高					
未払利益分配金残高					
未収損失分配金残高					

貴社における勘定残高とのご照合をお願い致します。

所得税法第210条及び所得税基本通達181〜223共－1により、匿名組合契約に基づく利益の分配の支配に係る源泉所得税を徴収しております。当該源泉所得税は、御社の税務申告上、所得税額控除又は損益算入の対象となると存じますが、詳細は顧問税理士にご確認頂きますようお願い申し上げます。

5．累計一覧

項目	前回現金分配時の金額	増加	減少	今回現金分配時の金額
損益分配額累計				
現金分配額累計				
内損益分配額累計				
内出資返還額累計				
当初匿名組合出資金				
追加匿名組合出資金				
匿名組合出資金返還累計				
匿名組合出資金残高				

貴社における勘定残高とのご照合をお願い致します。

6．現金配分日
令和05年05月30日

7．支払先口座
銀行名：　○○銀行
本支店名：○○支店
口座種類：普通
口座番号：1111
口座名義：○○株式会社

第 **3** 節

典型的ケースでの
会計処理例

1　契約条件別の会計処理例

　前節では、匿名組合のある時点での財務諸表を並べてみた。しかし、時系列的に考えると会計処理上多様な問題点がある。とはいえ、会計処理とは一つの事象を会計的に表現することに他ならない。一つの事象に対していろいろな(正しい)会計処理が考えられる場合には、それを会計方針によって選択することになる。このような事柄の代表例に減価償却方法の選択がある。しかし本来、正しい会計処理は一つであるが、当事者の意思や事実関係の解釈によってさま

図表3・3・1

契約例	損　益　分　配			現　金　分　配	
	出資金勘定に　充　当	追加出資	出資金より填　　補	現金分配	出　資　の払　戻　し
1 —(1)	○	×	——	○	——
1 —(2)	○	×	——	——	——
2 —(1)	○	○	——	○	——
2 —(2)	○	○	——	——	——
3 —(1)	×	×	——	○	——
3 —(2)	×	×	——	——	○
4 —(1)—①	×	○	——	○	——
4 —(1)—②	×	○	——	——	○
4 —(2)—①	×	○	○	○	——
4 —(2)—②	×	○	○	——	○

（※）　○…あり、×…なし、——…該当なし

228　　第3章　匿名組合の会計処理と会計監査

ざまな処理が考えられるということもある。

　以下で検討するいくつかの処理方法は、後者の場合に該当する。つまり、本来正しい処理方法は一つなのだが、契約上合意した事象が明らかでないので、契約条件別に会計処理例を列挙する。しかし、通常は実務上契約でそこまで事細かに約定しない。つまり、ここでいう契約条件とはあくまで会計処理上の理想型であり、実務的にはこれらの中のどれかを当事者が解釈しながら経理していくことになろう。

　場合が分かれる点を列挙すると次のようになる。

①　分配損の負担……投資家の損失負担を出資金までとする（これは原則である）か（**契約例1、3**）、出資金を超える負担を特約するか

②　分配損益の処理……出資金を増減する（**契約例1、2**）か、投資家の未収入金（未払金）とする（**契約例3、4**）か

③　期中の金銭分配の処理……出資金勘定を取り崩すのか、前渡金にするのか

2　金融商品会計基準に基づく会計処理

投資家側の会計処理は**図表3・3・2**のとおりである。

図表3・3・2

任意組合、匿名組合、パートナーシップ、リミテッド・パートナーシップ等への出資の会計処理

132. 第134項に定める商品ファンドへの投資を除き、任意組合すなわち民法上の組合、匿名組合、パートナーシップ、及びリミテッド・パートナーシップ等（以下「組合等」という。）への出資については、原則として、組合等の財産の持分相当額を出資金（金融商品取引法第2条第2項により有価証券とみなされるものについては有価証券）として計上し、組合等の営業により獲得した純損益の持分相当額を当期の純損益として計上する。ただし、任意組合、パートナーシップに関し有限責任の特約がある場合にはその範囲で純損益を認識する。

　　なお、組合等の構成資産が金融資産に該当する場合には金融商品会計基準に

第3節　典型的ケースでの会計処理例　　229

従って評価し、組合等への出資者の会計処理の基礎とする。（以下略）

308. 任意組合、パートナーシップについては、法律上その財産は組合員又はパートナーの共有とされていることを考慮して、組合財産のうち持分割合に相当する部分を出資者の資産及び負債として貸借対照表に計上し、損益計算書についても同様に処理する実務もある。しかし、出資者が単なる資金運用として考えている場合、又は有限責任の特約が付いている場合など、多くの場合には、匿名組合、リミテッド・パートナーシップと同様に貸借対照表及び損益計算書双方について持分相当額を純額で取り込む方法が適切と考えられることから、その方法を原則とした。特に、投資事業有限責任組合又はそれに類する組合への出資で金融商品取引法第2条第2項により有価証券とみなされるものについては、これに当てはまる場合が多いと考えられる。また、状況によっては貸借対照表について持分相当額を純額で、損益計算書については損益項目の持分相当額を計上する方法も認められると考える。

　他方、匿名組合及びリミテッド・パートナーシップについては、それらが実質的に匿名組合出資者等の計算で営業されている場合もありうるため、貸借対照表及び損益計算書双方について持分相当額を純額で取り込む方法が妥当でないことも想定される。

　このような多様な実情を踏まえ、組合等への出資（有価証券とみなされるものを含む。）については、その契約内容の実態及び経営者の意図を考慮して、経済実態を適切に反映する会計処理及び表示を選択することとなる。

（出所）　日本公認会計士協会会計制度委員会報告第14号「金融商品会計に関する実務指針」

　金融商品取引法において、匿名組合出資持分は「集団投資スキーム持分」に含まれる。

　ここにいう集団投資スキーム持分とは、組合契約・匿名組合契約その他のいかなる形式によるかを問わず、①他者から金銭などの出資・拠出を受け、②その財産を用いて事業を行い、③当該事業・投資から生じる収益などを出資者に分配するような仕組みに関する権利をいう（この改正を踏まえ、金商法および信託法および法人税法の定義を第4章にまとめたので参照されたい）。

3 期中に出資金勘定を増減した場合の会計処理

企業会計基準第10号「金融商品に関する会計基準」によれば、市場価格のない株式は、原則として取得価額で評価し、発行会社の財政状態の悪化により実質価額が著しく下降したときは、相当の減額をなし、評価差額は当期の損失として処理しなければならない。実務上は、この規定の適用を受ける非上場株式等の場合、税法の評価規定を参考に、出資対象会社の簿価純資産価額が50％程度を下回り、かつ回復可能性の明らかでない場合にはじめて評価減しているものと思われる（金融商品会計基準21、同実務指針92、132、285－2、308）。

金融商品取引法上のみなし有価証券である匿名組合の出資金がこの適用を受けるものと考えた場合、匿名組合配当を匿名組合の各計算期間に段階的に減少または増加させる方法がとりうるものなのかどうかの問題が生ずる。

以上の点に関しては、次のように考える。

匿名組合は商法上、外部的には営業者の1人事業であるが、内部的には各組合員が営業者に対する監視権を有する共同事業であり、持分に対する所有権はないが、契約終了時には売却配分するため、その価値を間接的に保有している。したがって、任意組合の出資持分（共有部分）と同様に、各計算期末にその損益を配分した出資持分を計上することも、会計基準にいう実質優先の原則(Substance Over Form)には適合するのではないだろうか。

なお、匿名組合の契約上、追加出資義務を、持分を下回る損失が生じた場合ではなく、「持分に減少が生じた場合」と明記した場合には、出資金を減少させずに損失が生じた場合にはすぐに未払金を計上すべきであり、その場合には、上記の問題ははじめから生じない。

（※）　税法上の時価……法人税、所得税、相続税ともに規定なし。

したがって、会計制度委員会報告第14号「金融商品会計に関する実務指針」（日本公認会計士協会公表）において任意組合、匿名組合、パートナーシップ、リミテッド・パートナーシップ等への出資の会計処理は、金銭債務のその他の

【契約例1─(1)】

〈損益分配〉

　営業者は各計算期間末日および本事業終了後、本事業から生じた利益または損失を出資割合に応じて出資者に分配する。ただし、分配する損益を直ちに出資金勘定に充当するものとする。

　本事業中に損失が生じ、損失額の累計が出資金を超過した場合、出資者は損失の負担は行わない。

〈仕訳例〉

(1)　分配益の処理（分配益100）

　　　　営業者の処理：分配益　100／出資金　100

　　　　組合員の処理：出資金　100／分配益　100

(2)　分配損の処理

　①　超過損失発生前（分配損100）

　　　　営業者の処理：出資金　100／分配損　100

　　　　組合員の処理：分配損　100／出資金　100

　②　超過損失発生後（超過損失20）

　　　　営業者の処理：仕訳なし

　　　　組合員の処理：仕訳なし

〈現金分配〉

　営業者は本事業に関して分配可能な余剰が営業者に生じた場合は、各計算期間末日のつど、累積損失の有無にかかわらず、出資者に分配する。ただし、保証金部分は含まれない。

〈仕訳例〉（余剰金50）

　　　　営業者の処理：前渡金　50／現　金　50

　　　　組合員の処理：現　金　50／前受金　50

金融資産および金融負債の項目において金融商品取引法改正後においても変更はなく、原則として組合等の財産の持分相当額を出資金（金融商品取引法2条2項により有価証券とみなされるものについては有価証券）として計上し、組合等の営業により獲得した純損益の持分相当額を当期の損益として計上するとしている。

———————【契約例 1 —(2)】———————

〈損益分配〉

　営業者は各計算期間末日および本事業終了後、本事業から生じた利益または損失を出資割合に応じて出資者に分配する。ただし、分配する損益を直ちに出資金勘定に充当するものとする。

　本事業中に損失が生じ、損失額の累計が出資金を超過した場合、出資者は損失の負担は行わない。

〈仕訳例〉

(1)　分配益の処理（分配益100）

　　　営業者の処理：分配益 100／出資金 100

　　　組合員の処理：出資金 100／分配益 100

(2)　分配損の処理

　①　超過損失発生前（分配損100）

　　　営業者の処理：出資金 100／分配損 100

　　　組合員の処理：分配損 100／出資金 100

　②　超過損失発生後（超過損失20）

　　　営業者の処理：仕訳なし

　　　組合員の処理：仕訳なし

〈現金分配〉

　営業者は本事業に関して分配可能な余剰が営業者に生じた場合は、各計算期間末日のつど、累積損失の有無にかかわらず、出資者に対し同額の払戻しを行う。ただし、保証金部分は含まれない。

〈仕訳例〉（余剰金50）

　　　営業者の処理：出資金　50／現　金　50

　　　組合員の処理：現　金　50／出資金　50

第3節　典型的ケースでの会計処理例　　233

──【契約例 2 ─(1)】──

〈損益分配〉

　営業者は各計算期間末日および本事業終了後、本事業から生じた利益または損失を出資割合に応じて出資者に分配する。ただし、分配する損益を直ちに出資金勘定に充当するものとする。

　本事業中に損失が生じ、損失額の累計が出資金を超過した場合、出資者は損失を負担するものとする。

〈仕訳例〉

(1)　分配益の処理（分配益100）

　　　営業者の処理：分配益 100／出資金 100

　　　組合員の処理：出資金 100／分配益 100

(2)　分配損の処理

　①　超過損失発生前（分配損100）

　　　営業者の処理：出資金 100／分配損 100

　　　組合員の処理：分配損 100／出資金 100

　②　超過損失発生後（超過損失20）

　　　営業者の処理：未収金　20／分配損　20

　　　組合員の処理：分配損　20／未払金　20

〈現金分配〉

　営業者は本事業に関して分配可能な余剰が営業者に生じた場合は、各計算期間末日のつど、累積損失の有無にかかわらず、出資者に分配する。ただし、保証金部分は含まれない。

〈仕訳例〉（余剰金50）

　　　営業者の処理：前渡金 50／現　金 50

　　　組合員の処理：現　金 50／前受金 50

---【契約例 2 ―(2)】---

〈損益分配〉

　営業者は各計算期間末日および本事業終了後、本事業から生じた利益または損失を出資割合に応じて出資者に分配する。ただし、分配する損益を直ちに出資金勘定に充当するものとする。

　本事業中に損失が生じ、損失額の累計が出資金を超過した場合、出資者は損失を負担するものとする。

〈仕訳例〉

(1)　分配益の処理（分配益100）

　　　　営業者の処理：分配益 100／出資金 100

　　　　組合員の処理：出資金 100／分配益 100

(2)　分配損の処理

　①　超過損失発生前（分配損100）

　　　　営業者の処理：出資金 100／分配損 100

　　　　組合員の処理：分配損 100／出資金 100

　②　超過損失発生後（超過損失20）

　　　　営業者の処理：未収金 20／分配損 20

　　　　組合員の処理：分配損 20／未払金 20

〈現金分配〉

　営業者は本事業に関して分配可能な余剰が営業者に生じた場合は、各計算期間末日のつど、累積損失の有無にかかわらず、出資者に対し同額の払戻しを行う。ただし、保証金部分は含まない。

〈仕訳例〉（余剰金50）

　　　　営業者の処理：出資金 50／現　金 50

　　　　組合員の処理：現　金 50／出資金 50

第3節　典型的ケースでの会計処理例　235

別紙──【契約例1─(1)、契約例2─(1)】：損益分配は出資金勘定に充当し、現金分

							1年目	2年目	3年目
営業者	B/S	資産	現金	100,000	100,000		100,000	100,000	100,000
			別途預金				110,000	110,000	110,000
			前渡金						
			建物		800,000		760,000	722,000	685,900
			土地		1,200,000		1,200,000	1,200,000	1,200,000
		負債	未払費用				92,040	58,032	24,013
			保証金				110,000	110,000	110,000
			借入金		1,000,000		1,000,000	1,000,000	1,000,000
			長期預り金		1,000,000		867,960	863,968	861,887
		資産	資本金	100,000	100,000		100,000	100,000	100,000
	P/L	収益	組合収益				110,000	110,000	110,000
		費用	組合費用				242,040	113,992	112,081
		損益	分配前利益				△132,040	△3,992	△2,081
			損益分配				△132,040	△3,992	△2,081
			税引前利益				0	0	0
			法人税等				0	0	0
			税引後利益				0	0	0
組合	B/S	資産	別途預金				110,000	110,000	110,000
			前渡金						
			建物		800,000		760,000	722,000	685,900
			土地		1,200,000		1,200,000	1,200,000	1,200,000
		負債	未払費用				92,040	58,032	24,013
			保証金				110,000	110,000	110,000
			借入金		1,000,000		1,000,000	1,000,000	1,000,000
		資本	出資金		1,000,000		867,960	863,968	861,887
	P/L	収益	賃料収入				110,000	110,000	110,000
			不動産売却益						
		費用	減価償却費				40,000	38,000	36,100
			借入金利息				40,000	40,000	40,000
			固定資産税				23,800	23,752	23,741
			不動産取得税				56,000		
			登録免許税				70,000		
			火災保険料				1,600	1,600	1,600
			修繕費				8,000	8,000	8,000
			管理費				2,640	2,640	2,640
		損益					△132,040	△3,992	△2,081

配する契約

(単位：千円)

4年目	5年目	6年目	7年目	8年目	9年目	10年目	売却・返却・精算	累計
100,000	100,000	100,000	100,000	100,000	100,000	100,000	100,000	
110,000	110,000	110,000	110,000	110,000	110,000	110,000		
9,982	43,917	77,758	111,470	145,020	178,375	211,503		
651,605	619,025	588,074	558,670	530,737	504,200	478,990		
1,200,000	1,200,000	1,200,000	1,200,000	1,200,000	1,200,000	1,200,000		
110,000	110,000	110,000	110,000	110,000	110,000	110,000		
1,000,000	1,000,000	1,000,000	1,000,000	1,000,000	1,000,000	1,000,000		
861,587	862,942	865,832	870,140	875,757	882,575	890,493		
100,000	100,000	100,000	100,000	100,000	100,000	100,000	100,000	
110,000	110,000	110,000	110,000	110,000	110,000	110,000	360,000	1,460,000
110,300	108,645	107,110	105,692	104,383	103,182	102,082		1,209,507
△300	1,355	2,890	4,308	5,617	6,818	7,918	360,000	250,493
△300	1,355	2,890	4,308	5,617	6,818	7,918	360,000	250,493
0	0	0	0	0	0	0	0	0
0	0	0	0	0	0	0	0	0
0	0	0	0	0	0	0	0	0
110,000	110,000	110,000	110,000	110,000	110,000	110,000		
9,982	43,917	77,758	111,470	145,020	178,375	211,503		
651,605	619,025	588,074	558,670	530,737	504,200	478,990		
1,200,000	1,200,000	1,200,000	1,200,000	1,200,000	1,200,000	1,200,000		
110,000	110,000	110,000	110,000	110,000	110,000	110,000		
1,000,000	1,000,000	1,000,000	1,000,000	1,000,000	1,000,000	1,000,000		
861,587	862,942	865,832	870,140	875,757	882,575	890,493		
110,000	110,000	110,000	110,000	110,000	110,000	110,000		1,100,000
							360,000	360,000
34,295	32,580	30,951	29,404	27,933	26,537	25,210		321,010
40,000	40,000	40,000	40,000	40,000	40,000	40,000		400,000
23,765	23,825	23,919	24,048	24,210	24,405	24,632		240,097
								56,000
								70,000
1,600	1,600	1,600	1,600	1,600	1,600	1,600		16,000
8,000	8,000	8,000	8,000	8,000	8,000	8,000		80,000
2,640	2,640	2,640	2,640	2,640	2,640	2,640		26,400
△300	1,355	2,890	4,308	5,617	6,818	7,918	360,000	250,493

第3節　典型的ケースでの会計処理例　　237

────【契約例 3 ―⑴】────

〈損益分配〉

　営業者は各計算期間末日および本事業終了後、本事業から生じた利益または損失を出資割合に応じて出資者に分配する。

　本事業中に損失が生じ、損失額の累計が出資金を超過した場合、出資者は損失の負担は行わない。

〈仕訳例〉

⑴　分配益の処理（分配益100）

　　　営業者の処理：分配益 100／未払金 100

　　　組合員の処理：未収金 100／分配益 100

⑵　分配損の処理

　①　超過損失発生前（分配損100）

　　　営業者の処理：未収金 100／分配損 100

　　　組合員の処理：分配損 100／未払金 100

　②　超過損失発生後（超過損失20）

　　　営業者の処理：仕訳なし

　　　組合員の処理：仕訳なし

〈現金分配〉

　営業者は本事業に関して分配可能な余剰が営業者に生じた場合は、各計算期間末日のつど、累積損失の有無にかかわらず、出資者に分配する。ただし、保証金部分は含まない。

〈仕訳例〉（余剰金50）

①　営業者に未払金残高がある場合

　　　営業者の処理：未払金 50／現　金 50

　　　組合員の処理：現　金 50／未収金 50

②　営業者に未払金残高がない場合

　　　営業者の処理：前渡金 50／現　金 50

　　　組合員の処理：現　金 50／前受金 50

───【契約例 3 ─⑵】───

〈損益分配〉

　営業者は各計算期間末日および本事業終了後、本事業から生じた利益または損失を出資割合に応じて出資者に分配する。

　本事業中に損失が生じ、損失額の累計が出資金を超過した場合、出資者は損失の負担は行わない。

〈仕訳例〉

⑴　分配益の処理（分配益100）

　　　営業者の処理：分配益 100／未払金 100

　　　組合員の処理：未収金 100／分配益 100

⑵　分配損の処理

　①　超過損失発生前（分配損100）

　　　営業者の処理：未収金 100／分配損 100

　　　組合員の処理：分配損 100／未払金 100

　②　超過損失発生後（超過損失20）

　　　営業者の処理：仕訳なし

　　　組合員の処理：仕訳なし

〈現金分配〉

　営業者は本事業に関して分配可能な余剰が営業者に生じた場合は、各計算期間末日のつど、累積損失および未払金残高の有無にかかわらず、出資者に対し同額の出資の払戻しを行う。ただし、保証金部分は含まない。

〈仕訳例〉（余剰金50）

　　　営業者の処理：出資金 50／現　金 50

　　　組合員の処理：現　金 50／出資金 50

第 3 節　典型的ケースでの会計処理例　　239

───────【契約例 4 ─(1)─①】───────

〈損益分配〉

　営業者は各計算期間末日および本事業終了後、本事業から生じた利益または損失を出資割合に応じて出資者に分配する。

　本事業中に損失が生じ、損失額の累計が出資金を超過した場合、出資者は損失を負担するものとする。

〈仕訳例〉

(1)　分配益の処理（分配益100）

　　　営業者の処理：分配益 100／未払金 100

　　　組合員の処理：未収金 100／分配益 100

(2)　分配損の処理

　①　超過損失発生前（分配損100）

　　　営業者の処理：未収金 100／分配損 100

　　　組合員の処理：分配損 100／未払金 100

　②　超過損失発生後（超過損失20）

　　　営業者の処理：未収金　20／分配損　20

　　　組合員の処理：分配損　20／未払金　20

〈現金分配〉

　営業者は本事業に関して分配可能な余剰が営業者に生じた場合は、各計算期間末日のつど、累積損失の有無にかかわらず、出資者に分配する。ただし、保証金部分は含まない。

〈仕訳例〉（余剰金50）

①　営業者に未払金残高がある場合

　　　営業者の処理：未払金　50／現　金　50

　　　組合員の処理：現　金　50／未収金　50

②　営業者に未払金残高がない場合

　　　営業者の処理：前渡金　50／現　　金　50

　　　組合員の処理：現　　金　50／前受金　50

240　　第 3 章　匿名組合の会計処理と会計監査

─【契約例 4 ─(1)─②】─

〈損益分配〉

　営業者は各計算期間末日および本事業終了後、本事業から生じた利益または損失を出資割合に応じて出資者に分配する。

　本事業中に損失が生じ、損失額の累計が出資金を超過した場合、出資者は損失を負担するものとする。

〈仕訳例〉

(1)　分配益の処理（分配益100）

　　　営業者の処理：分配益 100／未払金 100

　　　組合員の処理：未収金 100／分配益 100

(2)　分配損の処理

　①　超過損失発生前（分配損100）

　　　営業者の処理：未収金 100／分配損 100

　　　組合員の処理：分配損 100／未払金 100

　②　超過損失発生後（超過損失20）

　　　営業者の処理：未収金　20／分配損　20

　　　組合員の処理：分配損　20／未払金　20

〈現金分配〉

　営業者は本事業に関して分配可能な余剰が営業者に生じた場合は、各計算期間末日のつど、累積損失および未払金残高の有無にかかわらず、出資者に対し同額の出資の払戻しを行う。ただし、保証金部分は含まない。

〈仕訳例〉（余剰金50）

　　　営業者の処理：出資金　50／現　金　50

　　　組合員の処理：現　金　50／出資金　50

第3節　典型的ケースでの会計処理例　　241

―――【契約例 4 ―⑵―①】―――

〈損益分配〉

　営業者は各計算期間末日および本事業終了後、本事業から生じた利益または損失を出資割合に応じて出資者に分配する。

　本事業中に損失が生じ、損失額の累計が出資金を超過した場合、出資者は損失を負担するものとする。<u>損失は直ちに出資金により補填する。</u>

〈仕訳例〉

⑴　分配益の処理（分配益100）

　　　営業者の処理：分配益 100／未払金 100

　　　組合員の処理：未収金 100／分配益 100

⑵　分配損の処理

　①　超過損失発生前（分配損100）

　　　営業者の処理：出資金 100／分配損 100

　　　組合員の処理：分配損 100／出資金 100

　②　超過損失発生後（超過損失20）

　　　営業者の処理：未収金　20／分配損　20

　　　組合員の処理：分配損　20／未払金　20

〈現金分配〉

　営業者は本事業に関して分配可能な余剰が営業者に生じた場合は、各計算期間末日のつど、累積損失の有無にかかわらず、<u>出資者に分配する。</u>ただし、保証金部分は含まない。

〈仕訳例〉（余剰金50）

①　営業者に未払金残高がある場合

　　　営業者の処理：未払金　50／現　金　50

　　　組合員の処理：現　金　50／未収金　50

②　営業者に未払金残高がない場合

　　　営業者の処理：前渡金　50／現　金　50

　　　組合員の処理：現　金　50／前受金　50

242　　第 3 章　匿名組合の会計処理と会計監査

―――――――――【契約例 4 ―(2)―②】―――――――――

〈損益分配〉

　営業者は各計算期間末日および本事業終了後、本事業から生じた利益または損失を出資割合に応じて出資者に分配する。

　本事業中に損失が生じ、損失額の累計が出資金を超過した場合、出資者は損失を負担するものとする。<u>損失は直ちに出資金により補填する。</u>

〈仕訳例〉

(1)　分配益の処理（分配益100）

　　　営業者の処理：分配益 100／未払金 100

　　　組合員の処理：未収金 100／分配益 100

(2)　分配損の処理

　①　超過損失発生前（分配損100）

　　　営業者の処理：出資金 100／分配損 100

　　　組合員の処理：分配損 100／出資金 100

　②　超過損失発生後（超過損失20）

　　　営業者の処理：未収金　20／分配損　20

　　　組合員の処理：分配損　20／未払金　20

〈現金分配〉

　営業者は本事業に関して分配可能な余剰が営業者に生じた場合は、各計算期間末日のつど、<u>累積損失および未払金残高の有無にかかわらず、出資者に対し同額の出資の払戻しを行う。</u>ただし、保証金部分は含まない。

〈仕訳例〉（余剰金50）

　　　営業者の処理：出資金　50／現　金　50

　　　組合員の処理：現　金　50／出資金　50

第 3 節　典型的ケースでの会計処理例　　243

第 4 節

商法19条と企業会計基準との関係

　営業者は、商法19条2項に従い、匿名組合の営業のために使用する財産について、適時に、正確な商業帳簿（会計帳簿および貸借対照表をいう）を作成しなければならない。また、匿名組合員は営業者の貸借対照表の閲覧権を有する（商法539）。

　その場合、「一般に公正妥当と認められる会計の慣行に従うものとする」（商法19①）とあるように、一般に公正妥当と認められる会計の慣行に従って帳簿の作成にあたらなければならない。

　さて、このような共同投資事業の投資家に対してどのような会計報告が妥当であろうか。企業会計原則等の適用の有無については、共同投資事業がどのような形態で営まれるかによるが、本章の冒頭で述べたように、現在普及している任意組合や匿名組合の投資家に対する報告に関しては、**図表3・4・1**でわかるように直接的には適用がないのではないだろうか。

　任意組合の会計基準としても特段のものはない。ただし、組合員の業務・財産検査権（民法673）や業務執行組合員の「善良ナル管理者」としての報告義務に呼応して、なにがしかの会計報告が必要となるものと解されている他、所得税基本通達36・37共-20で原則として資産負債および損益をグロスグロス法を用いることを定めているが、法人税には同様の通達はない。

　任意組合の構成員が共有持分を持つ小口化商品の場合に、個々の共有持分を独立した持分と考えて経理する方法が考えられる。しかし、任意組合の構成員がかなりの数に上った場合、個々の組合員のために個別に会計報告をすること

は不可能に近く、また、組合員の欲しい情報としては全体としてどれくらい収益が生じ、それがどのように配分されたかということも含むだろうから、やはり組合財産全体の会計がわかるものである必要があろう。

図表3・4・1　会計の規範

	個人	組合 組合	組合 匿名	会社 合名	会社 合資	会社 株式	会社 合同	公益法人 一般・公益	公益法人 学校	公益法人 宗教	公益法人 特殊	公益法人 公営
商法												
総則	○	—	○									
（商業帳簿）	商人											
会社法												
総則				○	○	○	○					
（商業帳簿）												
会計の計算				○	○	○	○					
計算規則				○	○	○	○					
会社												
企業会計基準委員会企業												
会計基準												
企業会計原則（注）	?	—	?	?	?	○	?					
企業結合に関する会計基準												
連結財務諸表原則	商法19条、会社法431条、同614条（公正な会計慣行）の解釈指針とされている											
連続意見書	公益法人会計処理基準より営利事業を対象と推定される											
原価計算基準												
公認会計士協会実務指針等												
公企業会計												
財政法・会計法会計												
公益法人会計基準								○				
学校法人会計基準									○			
国立大学法人会計基準												
独立行政法人会計基準												
宗教法人会計基準案										○		
労働組合会計基準											○	
社会福祉法人会計基準											○	
特殊法人等会計処理基準												
金融商品取引法						○						
財務諸表規則						公開会社等						
中間財務諸表規則												
連結財務諸表規則												

第4節　商法19条と企業会計基準との関係　　245

開示省令
開示通達
各業法・行政指導による会計基準（財務諸表規則の特則）
建設業会計処理基準（建設業法施行規則 4 条・10条）

（注）　商法、法人税法等の強行法規等と企業会計原則の関係
    ①　会社法（債権者保護）
      企業会計原則は会社法431条、614条の解釈指針であり、会社法の計算規定を補足する役割。
    ②　商法（債権者保護）
      企業会計原則は商法19条の解釈指針であり、商法の計算規定を補足する役割。
    ③　法人税法（課税の公平）
      企業会計原則は法人税法22条の 2 の所得計算において前提とされる「一般に公正妥当と認められる会計処理の基準」の一つ。
    ④　金融商品取引法（投資家の保護）
      会社法計算規定と抵触しない範囲で、実質的会計処理規定の機能。
    ⑤　官庁・業界団体等の会計慣行
      一般に公正妥当な会計慣行と解されている。

CoffeeBreak ☕ **別記事業**

　「別記事業」とは、財務諸表等規則 2 条に規定されているもので、財務諸表等規則が予定する一般の事業会社に適用される財務諸表の表示が困難なので、その事業固有の会計基準を例外として財務諸表等規則の規定を優先させるものである。これには銀行か証券等の他、特定目的会社の計算に関する規則（資産流動化業）も含まれる。

　投資信託および特定目的信託は、「別記事業」ではないが、「特定信託」というくくり（ 2 条の 2 ）でやはり固有の会計基準の適用が認められている。

　しかしながら、投資信託でもない信託等が公募要件に該当すると有価証券報告書を出さなくてはならないが、「別記事業」でも「特定信託」でもないため、一般の事業会社の財務諸表と同様の表記となってしまう。そこで、実務では、規則に忠実に一般の事業会社に近い財務諸表を開示しているケースと投資家の見易さを考慮して、投資信託に近い表記としているケースの両方がある。

第 5 節

匿名組合会計をめぐる
その他の問題点

匿名組合会計をめぐるその他の問題点として、次のような事項がある。

① 脱退・解散・清算の会計処理

② 匿名組合の営業者に対する報酬の処理

③ SPC 方式と本体方式

④ 匿名組合の会計監査

⑤ 営業者固有持分の処理

1 脱退・解散・清算の処理

1 清算分配の方法

解散・脱退の対処を考える際には、まず匿名組合の「解散」および「清算」そのものの意味を考察する必要がある。株式会社等と異なり、匿名組合については解散から清算に至るプロセスが決定されていないため、清算段階にある取引なのかどうかという区分は匿名組合契約にさかのぼって判断することになる。つまり、以下に述べることも基本的には契約の問題である。

次に、清算分配に際し「出資」の考え方も再検討することになる。

商法542条（匿名組合契約の終了に伴う出資の価額の返還） 匿名組合契約が終了したときは、営業者は、匿名組合員にその出資の価額を返還しなければならない。ただし、出資が損失によって減少したときは、その残額を返還すれば足りる。

第5節　匿名組合会計をめぐるその他の問題点　247

商法542条に定める出資金返還請求権の対象となる出資とは、この清算計算を経た後の出資金の残額と考えられる。そこで、株式会社の清算と同様に匿名組合の場合も出資金が原則として一般債権に劣後して配当されることになるが、金額的には原則として残額すべてが分配される。ただし、営業者の破産時には（信託説を採らなければ）、次の債権は一応同順位となる。匿名組合の内部関係では、①が②に優先して弁済されることになるのが原則であるが、営業者の対外関係では③と同順位である。特に、①は③の一部である。

① 匿名組合の一般債権者
② 匿名組合清算後の出資金返還請求権
③ 営業者のその他の一般債権者

このような意味では、匿名組合において損益を出資金勘定の増減で処理するか、未収入金・未払金処理となるかどうかということは、究極的には大きな差は生じないのではないかとも考えられる。ただし、最近では、出資金勘定を増減する場合、仮に出資金を割り込んでしまった場合の匿名組合契約の有効性の問題、また、出資金勘定の増減が実務的に評価損益の計上につながるという見解などもあり、未収入金、未払金処理をしている例も多いようである。

2 プロジェクト途中の一部組合員の脱退の処理

これとは別に、プロジェクト途中で一部組合員が脱退・清算した場合、事業・資産の含み損益の帰属等ないし、その計算方法は大きな問題となりうる。

たとえば清算損益の帰属については、根本的に他の投資家の匿名組合の損益なのかどうかという疑問が生ずる。匿名組合は基本的には1対1の契約関係であり、実質的に同一の匿名組合契約を結んでいた投資家が複数いたとしても、他の匿名組合員の財産状態に影響するのはおかしいとも考えられるからである。

A、B、Cの3人が匿名組合に100ずつ出資して、300の不動産を買い、便宜上毎年30の利益を10ずつ分配している状況を想定しよう。

匿名組合の開始貸借対照表は次のとおりとなる。

匿名組合貸借対照表

不　動　産	300	出　　資	300

　ここで、匿名組合員Ａが清算分配金150で脱退したとする。

［1］営業者が中途清算の損益を担う場合

　もし、この清算損が匿名組合B/Sに一切影響しないで、営業者の責任で行われたのならば、次のように処理されることになる。営業者の責任で行われたかどうかは、一部清算の取扱いが匿名組合契約上どのように規定されているのか、あるいは、一部清算にあたって他の組合員と営業者がどのように合意したかということ、つまり契約事項と考えられる。

　この結果、匿名組合B/Sは下記のようになる（便宜上、現金は借入金で調達したものとした）。

```
（営 業 者）（借）長期預り金  100      （貸）現      金  150
              清　算　損   50
（匿名組合）（借）出      資  100      （貸）現      金  100
（投 資 家）（借）現      金  150      （貸）出  資  金  100
                                    清　算　益   50
```

匿名組合貸借対照表

不　動　産	300	借　入　金	100
		出　　資	200

　以上のように考えた場合にも、匿名組合の残り期間の損益配分は、残ったB、Cに各10ずつとならなければおかしい。したがって、匿名組合B/Sは出資金を減らさず、次のように営業者のみなし出資金（あるいは自己出資金）勘定100をたてたほうがわかりやすい。その場合には、営業者の貸借対照表上にも、自己出資金を計上したほうがわかりやすいだろう。つまり、上記の営業者の仕訳は、次のようになる。ただし、匿名組合の営業者の自己出資が法的に認められるか（混同により消滅するのではないか）という問題は残るが、経済実態をよりよく表現するものと考える。

第5節　匿名組合会計をめぐるその他の問題点　　249

（営業者）（借）自己出資金 100	（貸）現　　金 150
清　算　損 50	

匿名組合貸借対照表

不　動　産	300	出　　資	300
		（内みなし出資	100)

　もっとも、これは表示の問題であるから、匿名組合 B/S 上、出資が200となっていても、毎年3分の1分配するように契約されていれば、それはそれで問題はないかもしれない。

　なお、営業者に生じた清算損は、究極的には匿名組合の含み損であり、税務上損金処理しうるものかどうか（つまり、自己出資金の取得価額的性格なのではないか）の問題もある。益金の場合にも、同様の問題が生ずる。

[2] 匿名組合に中途清算損益を帰属させる場合

（営業者）（借）長期預り金 100	（貸）現　　金 150
清　算　損 50	
（損益配分）	
（借）未　収　金 50	（貸）損　　益 50
（匿名組合）（借）出　　資 100	（貸）現　　金 150
清　算　損 50	
（損益配分）	
（借）未　収　金 50	（貸）損　　益 50
（投資家）（借）現　　金 150	（貸）出　資　金 100
	清　算　益 50
（損益配分）	
（借）損　　益 50	（貸）未　払　金 50

匿名組合貸借対照表（損益配分前）

不　動　産	300	借　入　金	150
		出　　資	200
		損　　失	△50

匿名組合貸借対照表（損益配分後）

不　動　産	300	借　入　金	150
未　収　金	50	出　　資	200

250　　第3章　匿名組合の会計処理と会計監査

匿名組合に清算損益を帰属させる場合には、以上のような処理となろう。匿名組合にいったん計算上帰属させた損益は、損益配分により残存匿名組合員にパススルーする。この処理を採る場合には、清算負担を営業者に関係なく、組合員のリスクで行うわけであるから、事後の清算された部分の出資に対応する損益もＢ、Ｃの二者で分配するという合意がなされることが多いのではないだろうか。以上は、そうした合意を前提として処理した。

[3] その他の処理方法

　なお、上記以外の処理方法として、米国のパートナーシップの解散清算分配処理の内の Goodwill Method を模して、出資金プレミアムを不動産の含み益や営業権として計上したりする方法もあるが、採用している事例が乏しいので省略する。

2　匿名組合の営業者に対する報酬の処理

　もともと、匿名組合の営業者に対する報酬支払いの処理方法には、次の２種類がある。

① 　損益分配の計算段階で営業者の分を一定の計算で差し引く

② 　匿名組合についての業務報酬として販売費および一般管理費として差し引く

　①の損益配分は、営業者報酬がなければ、本章の第２節の損失分配の例のように行われる。ここでは、損益分配の分母として匿名組合の出資者の当初出資金（つまり、出資金を損益分減らす処理をした場合の減らす前の金額）の合計をあて、分母は当該分配対象の出資者の当初出資金としている。

　しかし、この分母に1,000万円を追加することがよくある（「みなし出資」などといわれる）。この1,000万円は営業者の資本金部分である（当初の約定で、営業者にもその分を匿名組合営業にもっぱら使わせる旨約定されている場合には、このように約定されることが多い）。仮に営業者が匿名組合に特段に財産的に寄与していなくとも、営業者の分配計算に一定率あるいは一定額の営業者に帰属す

第5節　匿名組合会計をめぐるその他の問題点　　251

る損益を約定しておくことは、商法上差し支えない。

となると、①と②の違いは、匿名組合の損益計算書上で営業者報酬を差し引くのか（②）、損益分配計算書で差し引くのか（①）の違いだけということになる。実務上は①を採用した場合、営業者報酬がB/Sに反映されるのが1期ずれることになるため、わかりにくい処理になることが多い。

なお、②の場合、自分にあてた報酬を営業者のP/L上、損益計算書の支払報酬と営業者の固有勘定の受取報酬の両建てにしてよいのかという質問をよく受ける（もちろん、信託説を採用する場合には、支払報酬は出てこないことになる）。実務上はネットにすることが多いようである。なお、営業者報酬の消費税は会社内部の取引となるため不課税である。

3 SPC方式と本体方式

匿名組合方式によると、共同事業シンジケーションをプロジェクトごとの別会社方式とする場合と、本来会社本体の一部のプロジェクトとして行う場合とを比較すると、後者には以下のような投資家保護上望ましくない点がある。

① 会計監査の重要性が異なる

本体で行われる会計監査は、本体の株式投資家や一般の債権者のために行われる。したがって、当該プロジェクトに投資（本体においては「預り金」）する出資者にとって特定の取引が重要であっても、本体の会計監査上は重要性がないとされることがありうる。

② 親会社との取引、他のプロジェクトとの棲み分けの経理上の明瞭性が著しく後退する

①の例でもあるが、本体での一般経費や本来コーポレート・ファイナンスとしての借入金利は、プロジェクトごとに明瞭に区分することは非常に難しい。また、いわゆる損失補填を目的とする勘定振替を究極的に防止することは非常に困難である。

また、投資家の自己責任を追及する場合、本体の安定性を利用して投資

家保護を手厚くしようとする発想は、結局は他の成功しているプロジェクトの投資家の利益をデフォルトしようとするプロジェクトの投資家へ振り替えることであり、本体方式を採用した場合には、投資勘定間の損失補填を誘導することになる。少なくとも投資家が二重に存在することになる。

③　本体である事業会社の利益を潜在化させる

別会社方式で行う場合、営業者であり事業実行者である本体のプロフィット部分（事業委託収入）は、当初から予定されていた分だけが収入されることにすれば、事後的に操作することも難しくなる。

本体それ自体も多くの場合、株主である投資家が後に控えており、プロジェクトの収支が結果的に悪くなったからといって、本体に予定されている適正な利益を削ってプロジェクト投資家に回すことは、株主の同意を得ない限り、背任となって許されない。また、逆もしかりであり、本体方式を採った場合、本体の他の事業リスクにプロジェクト投資家がさらされやすいことになる。

唯一、本体方式を採用することの利点は（欠点と裏腹ではあるが）、本体の経営の安定性によって、匿名組合の投資家がプロジェクトの短期的資金不足（デフォルト）から救われる可能性がある点である。

しかし、匿名組合の投資家への損失保証は、一般住宅の不良品の保証とは異なり、本体自身の固有の投資家とのバランスやプロジェクト投資家の自己責任の観点から、上記①～③の問題と真っ向から対立する要請でもある。

また、本体の財政状況が芳しくない、またはプロジェクト・ファイナンスのシンジケーターとして適性がない場合には、開示事項さえ守られれば、むしろ③の理由により別会社方式のほうが望ましいといえよう。

なお、本体が意図的にまたは不正により、プロジェクトの投資家に損失を被らせようとした場合の救済保護としては、むしろ別会社方式とした上で本体に債務保証させる方がまだ望ましいであろう。その場合には、本体の財務諸表に注記され、附属明細表に脚注されることにより、本体側の投資家との均衡を失わない。

しかし、本体からの債務保証を受けているのでは、プロジェクト・ファイナ

第5節　匿名組合会計をめぐるその他の問題点　　253

ンスとしての意義は大きく損われることになる。

4 匿名組合の会計監査

1 匿名組合の会計監査の意義

匿名組合の会計監査については、営業者の会計監査を行っている場合は必要ないのではないかという意見がある。SPC方式の場合には特にそうであろう。しかし、次の2点で会計監査の意義・必要性がある。

① 本質的に営業者の（株式会社としての）監査と視点が異なること

② 匿名組合員の業務監視権の一つであること（商法539）

匿名組合の成立要素（消費寄託等との対比で）として「浮動する利益の分配」と「事業参加の意思」が判例上あげられている。この「事業参加の意思」と、任意組合に求められる共同事業性とは、どのように異なるのかが問題となるが、匿名組合員は業務執行権はなく（商法536③）、営業者の業務監視権（同539）が確保されているかどうかは判断のポイントとなる。

したがって、業務監視権行使の一形態である会計監査（その意味では外部監査である必要はない）ないし業務監査は通常欠くことができないであろう。

なお、営業者が他に事業を行っている場合には、会計監査上の重要性等に大きな違いが生ずるので、匿名組合の分配金、分配損益に関する会計監査が必要であるということはおそらくすぐに納得できるであろう。そうでなくとも、通常の株式会社に対して行われる会計監査は主として株主および一般の債権者のために株式会社の財務諸表について行われるが、匿名組合の会計監査は匿名組合決算につき損益分配も含め匿名組合出資者だけのために行われるという本質的違いがある。したがって、損益分配に影響しない事項は監査項目に入れる必要性はなく、逆に、株式会社であれば、大きな影響のない匿名組合勘定の振替処理や営業者の報酬計算過程等は重要な監査項目となる。

254　第3章　匿名組合の会計処理と会計監査

2 匿名組合の監査の準拠規範

すでに述べたように、匿名組合会計は、基本的に契約で定められた分配損益等の計算を主目的とするので、企業会計原則等、公にされた会計原則の直接的な適用がないと思われるので、ここでは監査の結果について、「一般的に公正妥当な会計基準に準拠し……正しく示しているものと認める」という文言ではなく、「法令および匿名組合契約に従い……」となっている。

企業会計審議会は、平成26年2月18日付で「監査基準の改訂に関する意見書」を公表し、一般に公正妥当と認められる企業会計の基準に準拠して作成された財務諸表の監査を基本としつつも、特別目的の財務諸表、財務諸表を構成する個別の財務表及び財務諸表項目等に対する監査、ならびに準拠性に関する意見の監査基準における位置づけを明確化した。これを受け、日本公認会計士協会は、平成26年4月4日に、監査基準委員会報告書800「特別目的の財務報告の枠組みに準拠して作成された財務諸表に対する監査」、監査基準委員会報告書805「個別の財務表又は財務諸表項目等に対する監査」および関連する他の監査基準委員会報告書の改正を公表している。

一般的な監査では、完全な一組の財務諸表に対して適正性に関する意見を表明することのみが前提とされているが、事業活動の複雑化や多様化を受け財務報告に関するニーズも多様化している。そこで、一般目的の財務報告の枠組みを基礎として、特定利用者のニーズに照らして必要な修正を加えたりし、特別の条件の下で監査意見の表明をすることが可能となった。

一般に匿名組合契約において特に規定がなければ、分配損益の計算は契約に従い、必ずしも一般に公正妥当と認められる企業会計の基準に従う必要はないので、それに準拠して財務諸表を作成していた場合、財務諸表及び監査報告書において、匿名組合契約において定められている財務報告に関する取り決めに準拠していると記載した上で監査意見の表明をすることができる。

監査基準委員会報告書800では、通常の会計監査とは異なる「特別目的の財務諸表に対する監査」として、**図表3・5・1**に示すような監査報告書の文例を記載している。

第5節　匿名組合会計をめぐるその他の問題点　255

図表3・5・1

```
┌─────────────────────────────────────────────────────────────┐
│                                                              │
│              独立監査人の監査報告書                          │
│                                                              │
│                                              X年X月X日       │
│                                                              │
│ ○○匿名組合                                                  │
│ 営業者　○○株式会社                                          │
│ 　代表取締役　○○○○殿                                      │
│                                                              │
│                        ○ ○ 監 査 法 人                     │
│                          ○○事務所                          │
│                        指 定 社 員                          │
│                                   公認会計士　○○○○　印   │
│                        業務執行社員                         │
│                        指 定 社 員                          │
│                                   公認会計士　○○○○　印   │
│                        業務執行社員                         │
│                                                              │
│                                                              │
│ 監査意見                                                     │
│ 　当監査法人は、○○株式会社を営業者とする○○匿名組合の×年×月×日から │
│ ×年×月×日までの事業年度の財務諸表、すなわち、貸借対照表、損益計算書、│
│ 重要な会計方針およびその他の注記について監査を行った。       │
│ 　当監査法人は、上記の財務諸表が、全ての重要な点において、営業者と匿名組 │
│ 合出資者との間のX年X月X日付けの○○匿名組合契約（以下「契約書」という。）│
│ 第X条に定められている財務報告に関する取決めに準拠して作成されているもの │
│ と認める。                                                   │
│                                                              │
│ 監査意見の根拠                                               │
│ 　当監査法人は、我が国において一般に公正妥当と認められる監査の基準に準拠 │
│ して監査を行った。監査の基準における当監査法人の責任は、「財務諸表の監査 │
│ における監査人の責任」に記載されている。当監査法人は、我が国における職業 │
│ 倫理に関する規定に従って、営業者から独立しており、また、監査人としてのそ │
│ の他の倫理上の責任を果たしている。当監査法人は、意見表明の基礎となる十分 │
│ かつ適切な監査証拠を入手したと判断している。                 │
│                                                              │
│ 強調事項─財務諸表作成の基礎並びに配布及び利用制限           │
│ 　注記Xに記載されているとおり、財務諸表は、上記の契約書第X条において定 │
│ められている財務報告に関する取決めに基づき匿名組合出資者に提出するために │
│ 営業者により作成されており、それ以外の目的には適合しないことがある。当該 │
│ 事項は、当監査法人の意見に影響を及ぼすものではない。         │
│                                                              │
└─────────────────────────────────────────────────────────────┘
```

本報告書は、営業者と匿名組合出資者のみを利用者として想定しており、営業者及び匿名組合出資者以外に配布及び利用されるべきものではない。

財務諸表に対する経営者の責任
　経営者の責任は、契約書第Ｘ条に定められている財務報告に関する取決めに準拠して財務諸表を作成することにある。これには、不正又は誤謬による重要な虚偽表示のない財務諸表を作成するために経営者が必要と判断した内部統制を整備及び運用することが含まれる。財務諸表を作成するに当たり、経営者は、継続企業の前提に基づき財務諸表を作成することが適切であるかどうかを評価し、継続企業に関する事項を開示する必要がある場合には当該事項を開示する責任がある。

その他の記載内容
　その他の記載内容は、監査した財務諸表を含む開示書類に含まれる情報のうち、財務諸表及びその監査報告書以外の情報である。
　当監査人は、その他の記載内容が存在しないと判断したため、その他の記載内容に対するいかなる作業も実施していない。

財務諸表監査における監査人の責任
　監査人の責任は、監査人が実施した監査に基づいて、全体としての財務諸表に不正又は誤謬による重要な虚偽表示がないかどうかについて合理的な保証を得て、監査報告書において独立の立場から財務諸表に対する意見を表明することにある。虚偽表示は、不正又は誤謬により発生する可能性があり、個別に又は集計すると、財務諸表の利用者の意思決定に影響を与えると合理的に見込まれる場合に、重要性があると判断される。
　監査人は、我が国において一般に公正妥当と認められる監査の基準に従って、監査の過程を通じて、職業的専門家としての判断を行い、職業的懐疑心を保持して以下を実施する。
• 不正又は誤謬による重要な虚偽表示リスクを識別し、評価する。また、重要な虚偽表示リスクに対応した監査手続を立案し、実施する。監査手続の選択及び適用は監査人の判断による。さらに、意見表明の基礎となる十分かつ適切な監査証拠を入手する。
• 財務諸表監査の目的は、内部統制の有効性について意見表明するためのものではないが、監査人は、リスク評価の実施に際して、状況に応じた適切な監査手続を立案するために、監査に関連する内部統制を検討する。
• 経営者が採用した会計方針及びその適用方法の適切性、並びに経営者によって行われた会計上の見積りの合理性及び関連する注記事項の妥当性を評価する。
• 経営者が継続企業を前提として財務諸表を作成することが適切であるかどうか、

第5節　匿名組合会計をめぐるその他の問題点　　257

また、入手した監査証拠に基づき、継続企業の前提に重要な疑義を生じさせるような事象又は状況に関して重要な不確実性が認められるかどうか結論付ける。継続企業の前提に関する重要な不確実性が認められる場合は、監査報告書において財務諸表の注記事項に注意を喚起すること、又は重要な不確実性に関する財務諸表の注記事項が適切でない場合は、財務諸表に対して除外事項付意見を表明することが求められている。監査人の結論は、監査報告書日までに入手した監査証拠に基づいているが、将来の事象や状況により、匿名組合は継続企業として存続できなくなる可能性がある。

• 財務諸表の表示及び注記事項が、契約書第Ｘ条に定められている財務報告に関する取決めに準拠しているかどうかを評価する。

監査人は、経営者に対して、計画した監査の範囲とその実施時期、監査の実施過程で識別した内部統制の重要な不備を含む監査上の重要な発見事項、及び監査の基準で求められているその他の事項について報告を行う。

利害関係

営業者と当監査法人又は業務執行社員との間には、公認会計士法の規定により記載すべき利害関係はない。

（※）　独立監査人の監査報告書は、監査基準や監査基準委員会報告書等の改訂に伴い、記載内容の見直しが必要となる場合がある。

　なお、金融商品取引法上のいわば公募型ファンドに該当する匿名組合の監査においては、財務諸表が、わが国において一般に公正妥当と認められる企業会計の基準（以下、GAAP）に準拠して、財政状態および経営成績を適正に表示しているか否かについて意見表明がなされ、開示されている事例がある。

　この点、従来、わが国の会計監査は、一般目的の財務諸表に対する法定監査が中心であったという経緯があり、匿名組合が金融商品取引法上のいわゆるみなし有価証券（金商法2②一〜七）として公募による開示対象となった時点では、会計監査はGAAPに準拠した財務諸表に対して行われるものしかなかったといえるため、いわば妥協の産物として、このような開示形態になったと思われる。

　また、SPCに対して、匿名組合出資を行う場合で匿名組合の組成時に資産を取得する場合には、営業者の簿価と匿名組合会計の簿価がほぼ等しいことか

258　　第3章　匿名組合の会計処理と会計監査

図表3・5・2　匿名組合における会計処理例

	営業者（固有の勘定）	匿名組合勘定	組合員（A）	組合員（B、C）
契約締結時	現　金300/預り金300　B/S　資　産400/預り金300　資本金100	現　金300/出　資300　B/S　資　産300/出　資300	出資金100/現　金100　B/S　出資金100	出資金100/現　金100　B/S　出資金100
①　他の匿名組合員が負担する場合　出資額＜払戻額	預り金100/現　金120　損　失　20/　B/S（損益分配前）　資　産280/預り金180　資本金100	出資金100/現　金120　損　失　20/　B/S（損益分配前）　資　産180/出資金200　損　失　20	現　金120/出資金100　/分配金　20	損　失　10/未払金　10　B/S　出資金90
出資額＞払戻額	預り金100/現　金　80　/減資差益20　B/S（損益分配前）　資　産320/預り金200　資本金100　利　益　20	出資金100/現　金　80　/利　益　20　B/S（損益分配前）　資　産220/出　資200　剰余金　20　損益分配　損　益　20/未払金　20	現　金　80/出資金100　損　失　20/	未収金　10/利　益　10　B/S　出資金110
②　営業者が負担する場合　出資額＜払戻額	預り金100/現　金120　損　失　20/　B/S　資　産280/預り金200　資本金100　損　失　20	出資金100/現　金100　B/S　資　産200/出　資200	現　金120/出資金100　/分配金　20　B/S	（仕訳なし）　出資金100
出資額＞払戻額	預り金100/現　金　80　/減資差益20　B/S　資　産320/預り金200　資本金100　減資差益20	出資金100/現　金100　B/S　資　産200/出　資200	現　金　80/出資金100　損　失　20/　B/S	（仕訳なし）　出資金100
③　匿名組合の全体を清算する場合　a．組合清算時まで繰り返す方法　出資額＞払戻額	預り金100/現　金120　減資差益20/　（または営業権）　B/S　資　産280/預り金200　減資差益20/資本金100　（または営業権）	出資金100/現　金120　減資差益20/　（または営業権）　B/S　資　産180/出　資200　減資差益20/　（または営業権）	現　金120/出資金100　/分配金　20　B/S	（仕訳なし）　出資金100
出資額＜払戻額	預り金100/現　金　80　/預り金　20　B/S　資　産320/預り金220　資本金100	出資金100/現　金　80　/減資差益20　B/S　資　産220/出　資200　剰余金　20	現　金　80/出資金100　損　失　20/　B/S	（仕訳なし）　出資金100

b. 全体を清算する方法 出資額＜払戻額	資　産360／資　産300 　　　　　／評価益 60 預り金100／現　金120 分配金 60／預り金 40 B/S	資　産360／資　産300 　　　　　／評価益 60 出資金100／現　金120 分配金 60／出　資 40 B/S	現　金120／出資金100 　　　　　／分配金 20	出資金 20／分配金 20 B/S
	資　産300／預り金240 　　　　　／資本金100	資　産200／出　資240		出資金120
出資額＞払戻額	資　産240／資　産300 評価損 60 預り金140／現　金 80 　　　　　／評価損 60 B/S	資　産240／資　産300 評価損 60 出資金140／現　金 80 　　　　　／評価損 60 B/S	現　金 80／出資金100 損　失 20	損　失 20／出資金 20 B/S
	資　産260／預り金160 　　　　　／資本金100	資　産160／出　資160		出資金 80

ら、便宜上、営業者自身の会計の結果を匿名組合会計に取り込むことが多く、その場合にも、一般に公正妥当な会計基準に近い利益計算が行われることが多く見られる。

3 不動産共同事業への拠出を偽装した資金還流の事例

　日本公認会計士協会より公表されている「監査提言集」において、次のような事例が明らかにされている。

> 業績悪化を契機に、経営者が取引先と共謀し、期末日近くに多額の売上を架空計上した。売上の数か月前には、当該取引先に対し売上とほぼ同額の資金拠出がなされており、同社に対するキックバックを除く資金が会社に還流した。

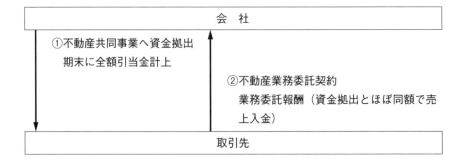

これを受けて、公認会計士の監査にあたっては、

- 入出金については事業実体・経済実態を見極めること、
- 不明瞭な取引について、資産を損失処理すれば監査責任が果たされるという判断は適切ではないこと
- 個々の取引だけでなく一連の取引全体を見る必要があること

が提言されている。

第**4**章

匿名組合の税務

第 1 節

匿名組合の基本構造

〔復興特別所得税と源泉徴収〕

　平成23年12月2日、東日本大震災からの復興のための施策を実施するために必要な財源の確保に関する特別措置法（平成23年法律第117号）が公布され、「復興特別所得税」および「復興特別法人税」が創設された。これにより平成25年1月1日より源泉徴収すべき所得税に対しては、復興財源確保法8条および28条により、2.1%の復興特別所得税が課せられることとなっている。

　なお、防衛力強化に係る財源確保のための税制措置（令和5年度税制改正）により、所得税に対し1%の新たな付加税の創設、および復興特別所得税の1%減率と期限延長が予定されている（令和6年以降の適切な時期に施行）。

1 匿名組合の課税構造

　法人税の納税義務者は内国法人と外国法人、そして公益法人等および人格のない社団等である。匿名組合の営業者が法人の場合には、その匿名組合事業はその営業者である法人の事業の一環として行われる。したがって、匿名組合事業から生じる収益については、1次的には営業者である法人に対して法人税が課されることになる。しかし、匿名組合契約の特殊性から、組合員に分配すべき損益については営業者である法人および人格のない社団等の課税対象から除外されている（法基通1-1-1、14-1-3）。

　匿名組合に類似する形態としての任意組合の課税の構造（任意組合の場合に

第1節　匿名組合の基本構造　　265

は共有であるため、組合財産や損益の帰属は組合員であり、そのことからパススルー団体といわれる）と比較しても、同様のパススルー性を認めるべき匿名組合はある。商法536条4項では、匿名組合員は営業者の行為について、第三者に権利義務を有しないが、SPC等を用いる場合には、匿名組合事業から生じる損益は組合員に直接帰属するというべきであり、匿名組合事業について営業者は事実上所得税または法人税の納税義務はほとんど負わない。しかしながら、上の商法規定等により、匿名組合事業の行為主体として消費税では営業者が納税義務者であり、分配損益についてのみ損金とすることで結果的に納税義務を免れるという構造をとっている。そこから、実質的には所得の帰属者ではない営業者に対する課税が行われるといった場面が生じてくる。その他、匿名組合に関する税務上の取扱いに関する問題点として、次のようなものが挙げられる。

① 営業者に対する土地重課課税（令和8年3月31日まで停止中）
② 個人組合員の分配組合損益の所得区分（所得税）
③ 組合損益の帰属時期
④ 営業者決算と組合決算との関係

2 匿名組合の主要な税務規定

匿名組合の税務については、匿名組合の本質をどのようにとらえるかに左右される。匿名組合を任意組合の一部としてとらえるか、または信託法の信託としてとらえるかするのであれば、税務上の取扱いはほとんど変わらないものと思われる。ただし、匿名組合を「一種独特の契約」とする通説に立つと、税務上の取扱いも一つ一つ「一種独特の解釈」をする必要性が生ずる。これを起草時に参考にした外国法からすることは、いったん絶滅した米国のパートナーシップの仕組みを参考に組成した現在の匿名組合契約の当事者の行為意思解釈に資するかどうか疑問である。

匿名組合を信託、任意組合の一種とすると、組合財産の実質的所有者は、法律形式上の所有者にかかわらず組合員である。したがって、所得は営業者をパ

ススルーし、組合員に直接帰属する。匿名組合に係る損益については、法基通14－1－3および所基通36・37共－21において次のように規定されている。

法基通14－1－3（匿名組合契約に係る損益）　法人が匿名組合員である場合におけるその匿名組合営業について生じた利益の額又は損失の額については、現実に利益の配分を受け、又は損失の負担をしていない場合であっても、匿名組合契約によりその分配を受け又は負担をすべき部分の金額をその計算期間の末日の属する事業年度の益金の額又は損金の額に算入し、法人が営業者である場合における当該法人の当該事業年度の所得金額の計算に当たっては、匿名組合契約により匿名組合員に分配すべき利益の額又は負担させるべき損失の額を損金の額又は益金の額に算入する。

所基通36・37共－21（匿名組合契約による組合員の所得）　匿名組合契約（商法第535条《匿名組合契約》の規定による契約をいう。以下この項及び36・37共－21の2において同じ。）を締結する者で当該匿名組合契約に基づいて出資をする者（匿名組合契約に基づいて出資をする者のその匿名組合契約に係る地位の承継をする者を含む。以下この項及び36・37共－21の2において「匿名組合員」という。）が当該匿名組合契約に基づく営業者から受ける利益の分配は雑所得とする。

　　ただし、匿名組合員が当該匿名組合契約に基づいて営業者の営む事業（以下この項及び36・37共－21の2において「組合事業」という。）に係る重要な業務執行の決定を行っているなど組合事業を営業者と共に経営していると認められる場合には、当該匿名組合員が当該営業者から受ける利益の分配は、当該営業者の営業の内容に従い、事業所得又はその他の各種所得とする。

（注）1　匿名組合契約に基づく営業者から受ける利益の分配とは、匿名組合員が当該営業者から支払を受けるものをいう（出資の払戻しとして支払を受けるものを除く。）。以下36・37共－21の2において同じ。

　　　2　営業者から受ける利益の分配が、当該営業の利益の有無にかかわらず一定額又は出資額に対する一定割合によるものである場合には、その分配は金銭の貸付けから生じる所得となる。

　　　　なお、当該所得が事業所得であるかどうかの判定については、27－6参照。

所基通36・37共－21の2（匿名組合契約による営業者の所得）　36・37共－21により営業者が匿名組合員に分配する利益の額は、当該営業者の該当組合事業に係る所得の金額の計算上必要経費に算入する。

匿名組合員に分配される利益については、原則として雑所得に区分されるが、匿名組合が投資家である外国法人に対して分配金として支払った金額を、不動産所得と認めた以下の裁決もある。

　不動産の賃貸を営業目的とする匿名組合が外国法人に対して分配金として支払った金額は、当該外国法人の設立が請求人の依頼に基づくものであること、当該匿名組合の設立、当該不動産の購入及び賃貸借契約の締結が請求人の意向に沿って行われていること、請求人が投資信託等に出資金として支払った資金が当該外国法人を経由して当該不動産の購入に充てられていること等から、仮に当該分配金相当額が当該外国法人に留まっていたとしても、請求人と当該外国法人との合意（通謀）に基づいて、当該外国法人が請求人のために当該分配金相当額を保有しているものと認められるから、請求人に帰属するものと認められ、その所得区分は、当該分配金が、当該不動産の賃貸により生じたものであることから、不動産所得に該当する。（平成17年10月21日裁決　東裁（所）平17－49）

　法基通14－1－3によれば、法人税法上、匿名組合に生じた損益については、その計算期間末に組合員は自己の損益として計上することができるという趣旨であり、任意組合（民法上の組合）の規定と本質的には同旨である。外部的には営業者の個別の事業であるが、内部的には共同事業であるという匿名組合の実体に則した取扱いとなっている。

　その他の匿名組合に関する主な税務規定は、**図表4・1・1**のとおりである。

　また、法人税法、所得税法における会計処理方法と税法上の規定の適用関係は**図表4・1・2**のようになっている。現行の法人税、所得税の取扱いで、パススルー性（団体としての課税を免れる性格）は任意組合、匿名組合、信託の三つにしか存在しない。

　なお、所得税基本通達36・37共－20の改正により、平成24年8月30日以降締結される組合契約により成立する任意組合等については、個人組合員の所得計算方法として原則総額方式しか採れないこととなった。これによって、純額方式では可能となっていた分離課税と総合課税の損益通算といったことが原則できないこととなった。

　受益者等課税信託、任意組合の場合には、執行事業者が利益配分するかどう

図表 4・1・1　匿名組合に関する主な税務規定

	所得税法・法人税法・租特法	相続税法	その他の税法
本法	実質所得者課税の原則 　　法法11、所法12 所得税の課税標準 　　所法174九、178 国内源泉所得 　　所法161①十六 所得税の源泉徴収 　　所法210、211、212、213 外国税額控除 　　所法95④十四、法法69④十二 国外転出時譲渡所得の特例 　　所法60の2 支払調書 　　所法225①三	特になし	特になし
本法施行令	匿名組合契約の範囲 　　所令288、298⑧、327 国内にある資産の譲渡により生ずる所得 　　所令281	特になし	特になし
本法施行規則	支払調書 　　所規85	特になし	特になし
基本通達	法人でない社団の範囲 　　法基通1－1－1、所基通2－5 分配金の計算方法 　　法基通14－1－3、所基通36・37共－21 土地重課の取扱い 　　措通63(6)－2	特になし	匿名組合に係る消費税の納税義務 　　消基通1－3－2 非課税の対象となる有価証券等の範囲 　　消基通6－2－1(2)ロ
個別通達	法個通レバレッジ・リースの取扱い	特になし	特になし
措置法	分配の取扱い 　　措法67の12、41の4の2（任意組合）	特になし	特になし
措置法施行令	措令39の31	特になし	特になし

（出所）　さくら綜合事務所

第1節　匿名組合の基本構造　　269

図表4・1・2　法人税法および所得税法における会計処理と税法上の規定の適用関係

税法の規定の適用		任意組合			匿名組合
		ネットネット法	グロスネット法	グロスグロス法	ネットネット法
法人税法	受取配当等の益金不算入	×	○	○	×
	所得税額の控除	×	○	○	×
	引当金繰入	×	×	○	×
	準備金積立	×	×	○	×
	寄附金の損金不算入	○	○	○	×
	交際費等の損金不算入	○	○	○	×
所得税法	非課税所得	(×)	(○)	○	×
	引当金繰入	(×)	(×)	○	×
	準備金積立	(×)	(×)	○	×
	配当控除	(×)	(○)	○	×
	源泉徴収税額の控除	(×)	(○)	○	×

（※）所得税法においてはグロスグロス法が原則となる。

かを問わず、そこで発生した所得はただちに事業参加者の所得に算入しなければならない。匿名組合の場合も、法人税基本通達では契約上配分されるべき金額を組合員サイドでも（実際に利益の分配を受けない場合でも）、契約上利益配分率が決まっているならば、計算期間の末日の属する事業年度に計上することになる（法基通14−1−3）が、個人組合員の場合には利益の分配額（所基通36・37共−21注書きによれば「支払いを受ける者（出資の払戻しを除く）」）を計上すればよいことになっている。また、法人でも利益配分が契約上損益の帰属の条件となっている場合（たとえば他の投資家との関連上一定の条件が備わらないと計算不可能な場合等）には、計算可能となった時点で計上することになろう。

　組合の法的根拠や会計処理規定等を含めて任意組合、匿名組合等の異同を図表4・1・3にまとめたので参照されたい。

図表4・1・3　任意組合、匿名組合等の異同

＜現状の異同＞				
項目	投資事業有限責任組合 （LPS）	有限責任事業組合 （LLP）	任意組合	匿名組合
根拠条文等	LPSは、税法上任意組合である（第5章第1節3参照） 所基通2-5 所得税法第2条第1項第8号に規定する法人でない社団とは、多数のものが一定の目的を達成するために結合した団体のうち法人格を有しないもので、単なる個人の集合体でなく、団体としての組織を有し統一された意思の下にその構成員の個性を超越して活動を行うものをいい、次に掲げるようなものはこれに含まれない。 ・民法667条《組合契約》の規定による組合	所基通2-5 所得税法第2条第1項第8号に規定する法人でない社団とは、多数のものが一定の目的を達成するために結合した団体のうち法人格を有しないもので、単なる個人の集合体でなく、団体としての組織を有し統一された意思の下にその構成員の個性を超越して活動を行うものをいい、次に掲げるようなものはこれに含まれない。 ・民法667条《組合契約》の規定による組合	所基通2-5 所得税法第2条第1項第8号に規定する法人でない社団とは、多数のものが一定の目的を達成するために結合した団体のうち法人格を有しないもので、単なる個人の集合体でなく、団体としての組織を有し統一された意思の下にその構成員の個性を超越して活動を行うものをいい、次に掲げるようなものはこれに含まれない。 ・民法667条《組合契約》の規定による組合	所基通2-5 所得税法第2条第1項第8号に規定する法人でない社団とは、多数のものが一定の目的を達成するために結合した団体のうち法人格を有しないもので、単なる個人の集合体でなく、団体としての組織を有し統一された意思の下にその構成員の個性を超越して活動を行うものをいい、次に掲げるようなものはこれに含まれない。 ・商法535条《匿名組合契約》の規定による匿名組合
団体として課税	なし	なし	なし	なし
法律的性格	有限責任（ただし、業務執行者である無限責任組合員は無限責任）	有限責任	無限責任	有限責任
計算	事業年度毎3か月以内に財務諸表を作成し、保管（LPS法8条）	事業年度毎2か月以内に財務諸表を作成し、保管（LLP法31条）	委任者の請求に対する報告（民法671条、645条）	商法539条会計帳簿 B／S
利益処分	民法674条（損益分配の割合）	民法674条（損益分配の割合）	民法674条（損益分配の割合）	特に規定なし
財務諸表	業種別監査委員会報告第13号 B／S、P／L、業務報告書、附属明細書 会計監査が必要（LPS法8条）	B／S、P／L、附属明細書（LLP法31条）	規定なし B／S、P／L、S／Sが普通	規定なし B／S、P／L、S／Sが普通
配当たる性格 （益金不算入） 法法23①	原則適用なし	原則適用なし	原則適用なし	原則適用なし
分配制限	純資産額を超えた分配不可	その分配の日における分配可能額（組合員に分配することができる額として純資産額の範囲内で経済産業省令で定める方法により算出される額をいう）を超えた	組合員の同意によるのみで制限なし	出資が損失によって減少した時はその塡補後に限り配当する（商法538条）

第1節　匿名組合の基本構造　　271

		分配不可		
所得税法上の所得区分	組合の主たる事業内容に従う	組合の主たる事業内容に従う	組合の主たる事業内容に従う	原則雑所得（所通36・37共-21）
配当損益の認識時点	組合の計算期間終了の日であり、現金の分配の有無は関係ない（法基通14-1-1の2）。	組合の計算期間終了の日であり、現金の分配の有無は関係ない（法基通14-1-1の2）。	組合の計算期間終了の日であり、現金の分配の有無は関係ない（法基通14-1-1の2）。	組合の計算期間の末日であり、現金の分配の有無は関係ない（法基通14-1-3）。
源泉徴収義務	配当については、①PEのある外国法人・非居住者については、源泉税あり（20.42%）。ただし、一定の場合については、源泉免除の特例あり。②PEがないものについては、源泉税なし。（所法212、213、214）	配当については、①PEのある外国法人・非居住者については、源泉税あり（20.42%）。ただし、一定の場合については、源泉免除の特例あり。②PEがないものについては、源泉税なし。（所法212、213、214）	配当については通常はなし。	あり。(所法210、211)(20.42%)
消費税	各組合員が出資比率に応じた部分についてそれぞれ課税資産の譲渡及び課税仕入を行ったことになる。各組合員はその部分について各自納税義務の判定を行い、組合員ごとで納付をすることとなる。	各組合員が出資比率に応じた部分についてそれぞれ課税資産の譲渡及び課税仕入を行ったことになる。各組合員はその部分について各自納税義務の判定を行い、組合員ごとで納付をすることとなる。	各組合員が出資比率に応じた部分についてそれぞれ課税資産の譲渡及び課税仕入を行ったことになる。各組合員はその部分について各自納税義務の判定を行い、組合員ごとで納付をすることとなる。	営業者において、納税義務の判定を行い、納付することとなる。
固定資産税	組合員が連帯して納付することとなる（実務上は業務執行者が代表して納付）。	組合員が連帯して納付することとなる（実務上は業務執行者が代表して納付）。	組合員が連帯して納付することとなる（実務上は業務執行者が代表して納付）。	営業者（信託受益権の場合は受託者）が納税義務を負い納付することとなる。
不動産取得税	組合員が連帯して納付することとなる。また、組合員が現物出資した場合はその組合員の持分部分は課税標準に含まれず。	組合員が連帯して納付することとなる。また、組合員が現物出資した場合はその組合員の持分部分は課税標準に含まれず。	組合員が連帯して納付することとなる。また、組合員が現物出資した場合はその組合員の持分部分は課税標準に含まれず。	現物不動産を取得した場合においては、営業者が納税義務を負い、納付することとなる。
投資家の経理～出資金勘定科目	会社計算規則5条適用 金融商品実務指針131、308	会社計算規則5条適用 金融商品実務指針131、308	会社計算規則5条適用 金融商品実務指針131、308	会社計算規則5条適用 金融商品実務指針131、308
会計処理（法人）	ネットネット処理、グロスネット処理、グロスグロス処理（法基通14-1-2）	ネットネット処理、グロスネット処理、グロスグロス処理（法基通14-1-2）	ネットネット処理、グロスネット処理、グロスグロス処理（法基通14-1-2）	ネットネット処理のみ
相続評価	共有持分として評価	共有持分として評価	共有持分として評価	財産評価基本通達185（純資産価額）（質疑応答事例）

3 匿名組合出資持分の譲渡

　匿名組合計算期間の中途において匿名組合員による匿名組合出資持分の譲渡があった場合には、計算期間の末日に匿名組合出資持分を保有する者に損益分配が行われる。そのため、実際の取引上は、計算期間の中途においては、譲渡価格を計算するとき、匿名組合出資持分に含み益または含み損を考慮することとなる。

　なお、匿名組合契約に係る権利の相続税評価については、国税庁ホームページ「質疑応答事例」に、以下の記述がある。

　匿名組合の有する財産は、利益配当請求権と匿名組合契約終了時における出資金返還請求権が一体となった債権的権利であり、その価額は出資金を含めた匿名組合契約に基づく営業者の全ての財産・債務を対象として、課税時期においてその匿名組合契約が終了したものとした場合に、匿名組合員が分配を受けることができる精算金の額に相当する金額が出資金の評価となる。（13年資産税関係質疑事例集　国税庁課税部審理室・資産税課・資産評価企画官）

（出所）　国税庁ホームページ（質疑応答事例）

　その他に、譲渡にあたっては、グループ法人税制が論点になることも考えられる。匿名組合出資持分の譲渡を行った法人において、譲渡先が法人税法2条に規定する完全支配関係にある他の内国法人であり、当該匿名組合出資が有価証券や債権である等一定の要件を満たす場合には、譲渡損益を繰り延べることとなっている（法法61の11）。対象となる資産として、有価証券や債権等5項目が限定列挙されているが、匿名組合出資は法人税法上の有価証券や債権に該当しない（**図表4・1・4**参照）ことから、譲渡損益調整資産にあたらず、よって、上記の課税の繰延べの対象とならないという意見がある（渡辺研究室「国際税務」VOL. 32（2012.6））。

　なお、外国法人が保有する匿名組合出資の譲渡については、含み益を分配した後に出資を譲渡するか、分配前に譲渡するかにより含み益部分に対する課税の取扱いが異なる。

第1節　匿名組合の基本構造　　273

日本の税法上の内国普通法人である営業者が、外国法人である組合員に匿名組合利益を分配する場合で、租税条約等による軽減を受けない場合には、国内源泉所得として源泉税20％が課せられる。なお、PEがある場合にはさらにそのPE所得に対し法人税等が課せられる。

　一方、匿名組合の計算期末までに匿名組合出資自体（または組合員たる地位）を譲渡した場合には、国内源泉所得（法令177）に該当するが、恒久的施設を有しないPE法人が課税を受ける国内源泉所得（法法141二、法令178）には含まれない。そのためPEがない場合には、出資の譲渡による譲渡対価および利益について、原則としてわが国では課税を受けないと考えられる。

4　金融商品取引法および信託法および法人税法・所得税法の「有価証券」の定義

　第2章第3節2に記載のとおり、金商法において、匿名組合出資持分は「集団投資スキーム持分」に含まれる。

　集団投資スキーム持分とは、組合契約・匿名契約その他のいかなる形式によるかを問わず、①他者から金銭などの出資・拠出を受け、②その財産を用いて事業を行い、③当該事業・投資から生じる収益などを出資者に分配するような仕組みに関する権利をいう（出資対象事業に係る業務執行の決定について全出資者の同意を要すること等に該当し、出資者全員が関与しているものは集団投資スキーム持分の定義から除外）。

　金商法および信託法および法人税法の定義をまとめると、**図表4・1・4**のとおりとなる。

　法人税法2条21号に規定する有価証券の定義では、「金融商品取引法第2条第1項に規定する有価証券その他これに準ずるもので政令で定めるものをいう」とされており、同施行令11条では金商法2条1項1～15号まで（定義）に掲げる有価証券に表示されるべき権利（当該有価証券が発行されていないものに限る）や合名会社、合資会社または有限会社の社員の持分、協同組合等の組合員または会員の持分その他法人の出資者の持分等が規定されている。特定目的

274　第4章　匿名組合の税務

図表４・１・４　金商法および信託法および法人税法の「有価証券」の定義

		①	任意組合・匿名組合に関する権利等のうち出資者の全員が出資対象事業に関与する場合および不動産特定共同事業契約に基づく権利等（金商法２②五イ〜ニ）。ただし、トークン化（電子情報処理組織を用いて移転することができる財産的価値に表示）された権利等を除く（※１）。
金融商品取引法上の有価証券（みなされるものも含む（金商法２①、②）	金融商品取引法上有価証券とみなされるもの（金商法２②）	②	上記以外の任意組合および匿名組合に関する権利および電子記録移転権利に該当する不特法権利、④以外の信託の受益権（LPS・LLPに関する権利を含む。金商法２②一、二、五、六、七）
		③	合名会社（社員のすべてが株式会社および合同会社であるもの）および合資会社（無限責任社員のすべてが株式会社および合同会社であるもの。金商法２②三、四、金商令１の２）
	金融商品取引法上の有価証券（金商法２①）	④	金商法２条１項１号〜15号までおよび17号に規定する有価証券、投資信託・貸付信託の受益証券・資産の流動化に関する法律に規定する特定目的信託の受益証券・信託法に規定する受益証券発行信託の受益証券（金商法２①十、十二、十三、十四に規定する信託の受益証券）
			上記以外の合名会社・合資会社の持分等（法令11三、金商令１の３の３二）、譲渡性預金

法人税法上の有価証券（法法２二十一、法令11、法規８の２の４）

（※１）　電子記録移転権利に該当する不動産特定共同事業契約にも続く権利は、令和５年11月の金商法改正により金商法２条２項によりみなし有価証券に該当し金融検査の対象となり、同条３項に規定する「第一項有価証券」となる電子記録移転権利となったので、発行者規制が株式等同様となる。

（※２）　２項各号に掲げる権利のうち、流通性等を勘案し内閣府令に定める一定の場合を除き、電子的情報処理組織を用いて移転することができる財産的価値に表示される電子記録移転権利は金商法上は一項有価証券として取り扱われる（金商法２③）が、法人税法上は有価証券ではない。また、金融商品会計基準でいう有価証券は②から最下段のうち、②の信託受益権を除いたものとなる（金融商品実務指針３、８、131、134、310）。

（出所）　さくら綜合事務所

第１節　匿名組合の基本構造　　275

会社の特定社債券や優先出資証券は金商法2条1項4号および8号に規定されているが、匿名組合出資は含まれていない。

そのため、金商法により有価証券とみなされる匿名組合出資は、トークン化した電子記録移転権利（金商法2③）も含めて、法人税法上の有価証券には該当せず、法人税法における有価証券に関する規定（売買目的有価証券の評価損益の計上（法法61の3）、評価損の計上（法法33）、一単位当たりの帳簿価額の算出方法（法令119）など）の適用はない。金商法2条1項14号の信託法に規定する受益証券発行信託の受益証券は、法人税法上の有価証券となるが、その他の信託の受益権は法人税法上の有価証券とはならない。また、消費税法上は以前より匿名組合出資および任意組合の出資持分は有価証券として取り扱われる（消基通6－2－1(2)ロ）。

匿名組合出資は所得税法においても有価証券に該当しないが、所得税法60条の2第1項の有価証券等には含まれるため、国外転出時課税の対象となる。国外転出時課税の詳細については第6章第3節5に記載している。

トークン化された匿名組合出資は、金商法上の電子記録移転有価証券表示権利等に該当する（金商業等府令1④十七、金商法29の2①八、金商業等府令6の3）。電子記録移転有価証券表示権利等については、実務対応報告43号「電子記録移転有価証券表示権利等の発行及び保有の会計処理及び開示に関する取扱い」が公表されており、その取扱いについては**図表4・1・5**のようになる。

276　第4章　匿名組合の税務

図表 4 ・ 1 ・ 5 　電子記録移転有価証券表示権利等の取扱い

区分	対象	基準
金融商品会計基準等上の有価証券に該当する場合	発生および消滅の認識(注1)	金融商品会計基準7項から9項 金融商品実務指針
	貸借対照表価額の算定および評価差額	金融商品会計基準15項から22項 金融商品実務指針
金融商品会計基準等上の有価証券に該当しない場合(注2)	全般	金融商品実務指針 実務対応報告第23号「信託の会計処理に関する実務上の取扱い」(注2)

（注 1 ）ただし、電子記録移転有価証券表示権利等の売買契約について、契約を締結した時点（金融商品実務指針における「約定日」に相当する時点）から電子記録移転有価証券表示権利等が移転した時点までの期間が短期間である場合は、金融商品実務指針第22項の定めに関わらず、契約を締結した時点で買い手は電子記録移転有価証券表示権利等の発生を認識し、売り手は電子記録移転有価証券表示権利等の消滅を認識する。なお、短期間に該当するか否かは、わが国の上場株式における受渡しにかかる通常の期間とおおむね同期間かそれより短い期間かどうかに基づいて判断するものと考えられる。

（注 2 ）ただし、金融商品会計基準等上の有価証券に該当しない電子記録移転有価証券表示権利等のうち、金融商品実務指針および実務対応報告第23号の定めに基づき、結果的に有価証券とみなして、または、有価証券に準じて取り扱うこととされているものについての発生の認識（信託設定時を除く）および消滅の認識は、上記の「金融商品会計基準等上の有価証券に該当する場合」の定めに従って行う。

　匿名組合出資は金融商品会計基準上の有価証券に該当するため、「金融商品会計基準等上の有価証券に該当する場合」の取扱いが適用される（金融商品実務指針 8 ）。

第 1 節　匿名組合の基本構造　　277

第 2 節

損益分配と現金分配

1 損益分配の配当たる性格

　配当たる性格とは、受け取った法人で「益金不算入」になるかどうかということである。つまり、支払法人の段階でいったん課税されているから、その課税された後の所得を受け取った法人に課税すると、二重課税になる。これを排除するために、原則として受取配当には課税しないことになっている。ここでいう「配当たる性格」というのは、その前の段階で課税されるかどうかということと対応している。つまり、法人同士では従来から二重課税されないという考え方がある（実務上は完全子会社配当以外は制約がある）。

　任意組合と匿名組合は団体としての課税がないが、その後で「配当」を受け取った者に課税する。同じ配当という名称がついているが、これは上でいう「配当たる性格」はないことになる（本書の他の個所では、この点を明確にするため、匿名組合の配当は「分配金」または「分配損益」と呼んでいる）。

　一方、株式会社や合同会社だけでなく、合名会社、合資会社、法人課税信託の配当は、配当を受け取った段階では法人税を課税しないという考え方になっている。権利能力なき社団（人格なき社団および財団）の場合は、法人税法上は原則として公益法人に近い取扱い（もともと支払者側での課税がないのが原則）をしているので、配当の益金不算入、つまり受け取った法人のほうで税務計算上は利益に入れないでよいという取扱いはない。

278　　第4章　匿名組合の税務

2　分配金の課税時期

所基通36・37共－21（匿名組合契約による組合員の所得）
　匿名組合契約（商法第535条《匿名組合契約》の規定による契約をいう。以下この項及び36・37共－21の2において同じ。）を締結する者で当該匿名組合契約に基づいて出資をする者（匿名組合契約に基づいて出資をする者のその匿名組合契約に係る地位の承継をする者を含む。以下この項及び36・37共－21の2において「匿名組合員」という。）が当該匿名組合契約に基づく営業者から受ける利益の分配は雑所得とする。

　ただし、匿名組合員が当該匿名組合契約に基づいて営業者の営む事業（以下この　項及び36・37共－21の2において「組合事業」という。）に係る重要な業務執行の決定を行っているなど組合事業を営業者と共に経営していると認められる場合には、当該匿名組合員が当該営業者から受ける利益の分配は、当該営業者の営業の内容に従い、事業所得又はその他の各種所得とする。（平17課個2－39、課資3－11、課審4－220改正）

（注）
1　匿名組合契約に基づく営業者から受ける利益の分配とは、匿名組合員が当該営業者から支払を受けるものをいう（出資の払戻しとして支払を受けるものを除く。）。以下36・37共－21の2において同じ。
2　営業者から受ける利益の分配が、当該営業の利益の有無にかかわらず一定額又は出資額に対する一定割合によるものである場合には、その分配は金銭の貸付けから生じる所得となる。
　　なお、当該所得が事業所得であるかどうかの判定については、27－6参照。

法基通14－1－3（匿名組合契約に係る損益）
　法人が匿名組合員である場合におけるその匿名組合営業について生じた利益の額又は損失の額については、現実に利益の分配を受け、又は損失の負担をしていない場合であっても、匿名組合契約によりその分配を受け又は負担をすべき部分の金額をその計算期間の末日の属する事業年度の益金の額又は損金の額に算入し、法人が営業者である場合における当該法人の当該事業年度の所得金額の計算に当たっては、匿名組合契約により匿名組合員に分配すべき利益の額又は負担させるべき損失の額を損金の額又は益金の額に算入する。（昭55年直法2－15「三十三」、平17年課法2－14「十五」により改正）

第2節　損益分配と現金分配　　279

法人である匿名組合員における匿名組合損益分配の認識時点は、匿名組合契約による計算期間の末日の属する事業年度となり、匿名組合の損益は各計算期間末に投資家に分配される。実務上は、このときに損益分配の計算書を作成して投資家に配布し、投資家サイドでは、これに基づき匿名組合の損益を自己の決算に織り込むことになる。

　問題となるのは、投資家と匿名組合の決算時期のズレが存在する場合である。たとえば投資家の決算期が3月で、匿名組合契約の計算期間の末日が4月であるような場合である。このような場合、匿名組合に損失が生じており、それを3月に匿名組合の決算を行って損失分配しても、当初契約の計算期間が年1回（4月）ならば、損失分配を同年3月決算に織り込むことができない。そこで、匿名組合契約の締結時には投資家の決算時期を十分に確認する必要がある。

　レバレッジド・リース事業に係る匿名組合契約の出資者が匿名組合営業者から分配を受ける利益または損失は、当該営業者の各事業年度末でなければ確定しないとされた事例（平成元年3月1日〜平成2年2月28日事業年度法人税・平成4年9月16日裁決、平成4年度下期裁決事例集、217〜233頁）のポイントは、もともとの匿名組合契約に定める事業期間を変更して、覚書で出資者の決算期に合致させるように計算期日を定め、損失の分配を行ったというものである。裁決の要旨の中でも、本件レバレッジド・リースを「節税目的の金融商品」として損失の負担額を早期に計上しようと意図的に計算期間を変更したものであり、課税の公平の原則からみて相当でないと結論づける根拠として、出資者が営業者から受ける損益の分配は、営業者の各事業年度の確定決算により算定された匿名組合契約に係る事業損益の額に基づきなされるとしている。

　すなわち、営業者はその営む事業について各事業年度末に決算を行うこととなるが、匿名組合契約に係る事業も営業者自らの事業となり、匿名組合の事業の収益は営業者の収益と認識され、匿名組合の財産は営業者に帰属することとなるので、営業者は匿名組合事業と自己の事業を含めて各事業年度の決算を行うため、匿名組合契約における税法上の減価償却等の要件として要求される「確定した決算」により算定された損益とは、営業者の確定決算に基づく損益であ

280　第4章　匿名組合の税務

るとされる。ただし、この裁決において、確定した決算に基づいていないために税務上の損益の分配を否定されたのかどうかは明らかではないが、仮にそうであったとしても、営業者が中間仮決算によって損益を分配した場合には、営業者の事業年度には必ずしも縛られないものと思われる。

さらに、営業者の決算期と匿名組合の計算期間の末日はなるべく同じにしたほうが良い。匿名組合営業者における匿名組合損益分配の認識時点が、匿名組合契約による計算期間の末日の属する事業年度となることである。ここで、営業者の決算日において、匿名組合の計算期間末日が同日に設定されていない場合は、その時点で損益分配を行うことができず、その時点までに生じた匿名組合損益がそのまま営業者の課税所得として認識され、SPC等を用いる場合にはヴィークル段階で法人税課税が発生してしまう。これを回避するために、契約時または決算期変更時において、匿名組合計算期間を営業者の決算期と整合させるような手配が必要となる。実務上は「ただし、計算期間が開始した以降、終了日より前の日に営業者の決算日または解散の日等、営業者の法人税法上の事業年度が終了し、または、終了したとみなされる日が到来した場合においては、計算期間もその日に終了したものとみなす」といった規定を設けることが多い。

また、売却後、ローンなどの債務免除益が発生した場合には、すでに匿名組合の契約期間が終了していた場合には営業者の課税所得となってしまうため、売却、解散、清算と匿名組合契約の終了時期についても検討を要する。

3 金銭分配に係る源泉税の取扱い

1 居住者または内国法人に対する源泉徴収

[1] 原則的取扱い

匿名組合契約等の利益の分配に係る源泉徴収については、平成19年12月31日までは、9人以下の匿名組合員と締結している匿名組合契約については源泉徴収義務はなかったが、平成20年1月1日以後に支払われる利益の分配について

第2節 損益分配と現金分配 281

図表４・２・１　平成20年１月１日以後に支払われる匿名組合契約等の利益の分配
　　　　　　　に係る源泉税の取扱い（復興所得税加味）

		原　　則
匿名組合出資者	居住者・内国法人	源泉所得税20.42%（所法210、所令288、327） 所得税・法人税課税あり
	非居住者または外国法人の場合 PEがある場合	源泉所得税20.42%（所法161⑫、212、213） 所得税・法人税等課税あり（所法164②一、法法141）
	非居住者または外国法人の場合 PEがない場合	源泉所得税20.42%（所法161⑫、212、213） 所得税・法人税等課税なし（所法164②二、法法141）

はこの人数要件が廃止され、匿名組合員の数にかかわらず20％の源泉徴収が必要である（**図表４・２・１**参照）。なお、復興所得税を加味すると20.42％となる。これは上場株式等の配当は原則として所得税15％と住民税５％なので、復興所得税を加味すると20.315％となるので注意したい。

　ここで、源泉徴収義務についてはあくまで「匿名組合契約に基づく利益の分配につき支払をする者」と規定していることから（所法210）、その支払い（金銭分配）が利益の分配をともなうものか、ともなわないものかによって、源泉税の取扱いが異なることとなることに留意する必要がある。

　なお、過去の発生した匿名組合損益に基づく未払配当金について、一計算期間における匿名組合損益がマイナスとなったことにより新たに発生した匿名組合損益に基づく未収入金と相殺した場合にも、下記の所基通181〜223共－１に基づき源泉所得税を徴収することとなるが、同通達の適用範囲はそこまで広くないものと解釈し、当該相殺に関しては同通達の「支払」に当たらず、源泉所得税の徴収は不要とする考え方もある。

所基通181〜223共－１

　法第４編《源泉徴収》に規定する「支払の際」又は「支払をする際」の支払には、現実の金銭を交付する行為のほか、元本に繰り入れ又は預金口座に振り替えるなどその支払の債務が消滅する一切の行為が含まれることに留意する。

282　第４章　匿名組合の税務

［2］ 信託財産に係る匿名組合契約に基づく利益の分配の課税の特例

　内国信託会社が平成20年1月1日以後に支払を受ける匿名組合契約に基づく利益の分配のうち、その引き受けた退職年金等信託の信託財産に属する匿名組合契約に基づく権利につき、国内において利益の分配をする者の備え付ける帳簿に、その匿名組合契約に基づく権利がその信託財産に属する旨等の登載を受けているものであってその登載を受けている期間内に支払われるものについては、所得税が免除されている（所法176②）。

［3］ 匿名組合出資金等の債務免除

　匿名組合の終了の時期等に、匿名組合に資金が存在しないため、匿名組合出資者が、匿名組合の営業者に対して、出資金返還請求権や利益分配請求権の放棄等を行う場合がある。

　この場合において、出資者が、利益配当請求権を債務免除通知等により放棄したとしても、上記の所基通181〜223共−1により源泉徴収の対象となる可能性があるため留意するとともに、法人である匿名組合出資者側では、出資金返還請求権や利益分配請求権の免除が寄附金となる可能性があるため、注意が必要である（所基通181〜223共−2、法基通9−4−1〜2、9−6−1参照）。

2 非居住者または外国法人に対する源泉徴収

　匿名組合の組合員が非居住者または外国法人である場合にも、原則としてその支払の際に20.42％の源泉所得税が徴収され、その利益については他の国内源泉所得と合算され、確定申告を通じて精算されることとなる。この場合において、その非居住者または外国法人が国内に支店等（「恒久的施設＝Permanent Establishment：PE」という）を有しないときは、この20.42％の源泉徴収のみで課税関係は終了する。

　なお、復興特別所得税については、租税条約の適用により、国内法（所得税法および租税特別措置法）に規定する税率以下となるものについては、復興特別所得税を併せて源泉徴収する必要はないが、国内法（所得税法および租税特別措置法）の税率のほうが租税条約上の限度税率よりも低いため、国内法（所

得税法および租税特別措置法）の税率を適用するものについては、復興特別所得税も併せて源泉徴収する必要がある。

したがって、非居住者または外国法人に対する匿名組合契約等に係る利益の分配については、次の事項も考慮しておくとよい。

① 国内源泉所得に係る法人税額等≧源泉所得税率20.42％（＝かなりの黒字）である場合には、支店等がなく法人税・住民税が課税されないほうがよい

② 国内源泉所得に係る法人税額等≦源泉所得税率20.42％（＝ほとんど赤字）である場合には、支店等を設置し源泉税が還付されるほうがよい

なお、②により外国法人が法人税の青色欠損金の繰越控除の適用を受けるためには、支店での帳票の保管が必要となる。

3 匿名組合契約等の利益の分配の支払調書

匿名組合金銭分配に係る源泉徴収義務者である営業者は、その利益の分配につき支払を受ける者の各人別に、支払の明細を記載した支払調書・支払調書合計表をその支払の確定した日の属する年の翌年1月31日までに税務署長に提出しなければならない（所法225、所規85）。

また、匿名組合員に対しても会計報告とは別に支払調書を交付し、投資家段階での税額控除手続きを逃さないようにする必要がある（**図表4・2・2**参照）。

284　第4章　匿名組合の税務

図表4・2・2　支払調書の様式

令和　　年分　匿名組合契約等の利益の分配の支払調書合計表

処理事項	通信日付印	検収	整理簿登載	身元確認
	※　・　・	※	※	※

提出者

住所（居所）又は所在地	電話（　　−　　−　　）
個人番号又は法人番号	
フリガナ　氏名又は名称	
フリガナ　代表者氏名	

令和　年　月　日提出

税務署長殿

整理番号	
資本の提出区分（新規＝1、追加＝2、訂正＝3、無効＝4）	提出媒体	本店一括　有・無
作成担当者	
作成税理士　署名	税理士番号（　　　　）
	電話（　　−　　−　　）

○平成28年1月1日以後提出用

支払確定年月	件数	出資金額	利益の分配率	支払金額			源泉徴収税額	摘要
				課税分	非課税又は免税分	計		
年　　　月	件	円	％	円	円	円	円	
年　　　月								
年　　　月								
年　　　月								
年　　　月								
年　　　月								
年　　　月								
年　　　月								
計								
計のうち支払調書を提出するものの合計								
計の内訳　居住者又は内国法人に支払ったもの								
非居住者又は外国法人に支払ったもの								

○　提出媒体欄には、コードを記載してください。（電子＝14、FD＝15、MO＝16、CD＝17、DVD＝18、書面＝30、その他＝99）

（注）　平成27年12月分以前の合計表を作成する場合には、「個人番号又は法人番号」欄に何も記載しないでください。

（用紙　日本産業規格　A4）

令和　　年分　匿名組合契約等の利益の分配の支払調書

支払を受ける者	住所（居所）又は所在地	
	氏名又は名称	個人番号又は法人番号

支払確定日	出資の金額	利益分配率	支払金額	源泉徴収税額
年　　月　　日	千　　円	％	千　　円	千　　円
・　　・				
・　　・				
・　　・				

（摘要）

支払者	住所（居所）又は所在地	
	氏名又は名称　（電話）	個人番号又は法人番号

整理欄	①	②

○「個人番号又は法人番号」欄に個人番号（12桁）を記載する場合には、右詰で記載します。

320

第2節　損益分配と現金分配　　285

第 **3** 節

匿名組合と
他の団体との区分等

1 匿名組合と他の団体

1 匿名組合と他の団体との区分

　通達が根拠となって、実務的には匿名組合については団体としての課税がないということになっている。通達上の任意組合、匿名組合に関する取扱いは実質所得者課税の原則からきているから、契約のタイトルから決まるのではなく、実際の取引の実質が任意組合または匿名組合になっていなければならない。たとえ匿名組合というタイトルの契約書をつくっても、実質的にその中身が匿名組合でなければ、駄目である。

　ただし、実質的に組合であるか否かという点については明示的な定めがあるわけではない（**図表 4・3・1** 参照）。

2 匿名組合と他の団体との区分に関する判例

　民法上の組合と匿名組合の区分については、昭和63年と平成 2 年に最高裁判決がある。この判決では、民法上の組合である条件は「共同事業性」および「財産の共有」であるとされている。

①　組合 vs 匿名組合（最判・昭和63年10月13日）……「民法上の組合契約（殊に講学上の内的組合）と商法上の匿名組合とは、共同事業性の有無及び組合財産が共有か否かにその区分が存する」

286　第 4 章　匿名組合の税務

図表 4・3・1 匿名組合俯瞰図

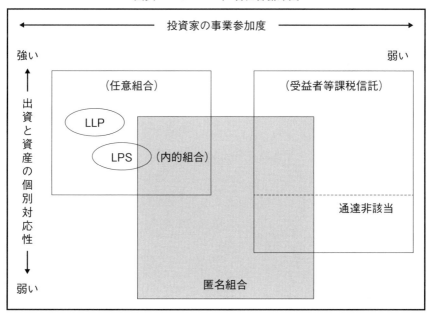

　この判決では、不動産の売却は匿名組合の事業としての行為であって、不動産の売却益は営業者に帰属するため、土地重課の適用があるとして追徴課税を受けている。

② 土地所有権移転登記等請求事件（東京地判・昭和62年11月5日）……「営業名義人が1人であったとしても、他の組合員が単なる出資者として利益配分を受けるだけでなく、営業に参加する地位にあったので、民法上の組合である」

③ 法人税更正処分取消請求事件（名古屋地判・昭和60年3月25日）……「営業者の名義で取消し、その判断で取引が行われ、共同事業性がなく、組合財産の共有も認められないので民法上の組合でない」

④ 法人税更正処分取消等請求事件（名古屋地判・平成2年5月18日）……「資金不足が生じたとき別途協議する旨の条項があるのみでは、民法上の組合

とはいえない（共同事業性は認められない）」

⑤　法人税法および所得税法違反被告事件（佐賀地判・平成元年10月24日）……「匿名組合が税金対策上のもので経営実体に何ら変更がないので、この契約は虚偽のものである」

　法人格なき社団と、任意組合あるいは匿名組合との区分は難しい。これは、税法そのものが民事訴訟法の訴訟の当事者能力の条文を参考にしているところから、団体としての名称を使っているか、団体構成員の交替が容易かどうか、人数、期間設定の可否、期間設定があるかどうかということと、定款の有無、団体財産が独立して運用されているかどうかが、判断基準として挙げられている。これらが一通り全部あれば、団体としての課税は免れないことになる。また、共同事業性が少なくて、これらの項目が法人に近いという実態があるという場合には、団体課税があるのでないかというように考えられる。

　一方、匿名組合契約と営業者との貸金契約との区分(注)という問題では、「出資者の客観的事業参加の意思」と「浮動する利益の分配」ということが判例上挙げられている。ここでいう事業参加、あるいは共同事業性というものが具体的にどういうことであるかははっきりしない。

（注）　匿名組合契約と営業者との貸金契約との区分
　　①　出資者の客観的事業参加の意思（最判・昭和36年10月27日）
　　②　浮動する利益の分配（最判・昭和37年10月2日）

　天下一家の会をめぐる判決（熊本ネズミ講事件・最高裁・平成16年7月13日・平成12年（行ヒ）第32号・「判例時報」1874号、58頁）では、人格なき社団の成立は昭和39年10月15日最高裁判決（民集18巻8号、1671頁）の4要件を外見的に満たせば足りるとの判断が示されている（解説として「租税判例研究」（図子善信「税務事例」Vol.37、No.4）等）。

　この4要件とは以下のとおりであるが、証券化ヴィークルについても、突きつめると「該当しない」とも必ずしも言い切れないケースが発生する可能性がある。

　①　団体としての組織

② 多数決の原則

③ 構成員の変更によっても団体が存続すること

④ 組織によって代表の方法、総会の運営、財産の管理その他団体としての主要な点が確定していること

　ヴィークルと法人税課税に関する空白地帯に包括的に適用される可能性のある条項として、法人税法2条8号の「人格のない社団等」がある。人格のない社団等は法人とみなしてこの法律の規定を適用する（法法3）。収益事業（および現在停止されている退職年金等）のみが課税対象であるものの（したがって、有価証券の運用益等は原則として法人税の課税対象とならないが、不動産売買・賃貸等は課税対象となる）、信託や組合等が人格のない社団等に該当すると原則として法人税の課税が発生する。問題は、上の規定では「人格のない社団等」は「法人（法人税法では法人の定義規定がないので、商法等の会社の概念が借用できるものと考えられている）でない社団または財団で代表者または管理人の定めがあるもの」と定義され、極めて広範な範囲をカバーする可能性がある点である。

　従来はあまりにも広範囲な規定のせいか、法人登記をしておらず法人格を有していない団体にこの規定により法人税を課したケースは極めて少なかったようだ。一方で、法人格を取得しながら法人としての実態がないとして構成員に直接課税するということも、法人税法がすべての法人を納税義務者としている結果、皆無（法人格否認により個別取引を否定した事例があるが、直接法人課税の是非を問うたものはないのではないかと思われる。取引を否認した事例に対しては、学説等において、一般条項を使わずに現状の法令で対応できる等、「租税法律主義」の形骸化となるとの批判もある）だったのではないかと思われる。要するに法人税課税は、事実上法人登記の有無に拠っていたといえよう。

2　個人の所得区分・出資の減少の補填

1　組合分配損益の所得区分

　個人投資家が損益の分配を受ける場合、その個人に対する課税は所得税法の

第3節　匿名組合と他の団体との区分等　289

計算になる。任意組合の場合には、任意組合から損益の分配を受ける個人における所得区分はその任意組合の主たる事業内容に従うこととなり、たとえば、組合で不動産事業による賃貸料収入がある場合には個人で不動産事業を行っていた場合と同じであり、その所得区分は不動産所得になる。また、組合で通常の事業（物品の販売等）を行っている場合には事業所得、利息であれば、原則として利子所得ということになる。

　一方、匿名組合の場合、匿名組合員である個人がその匿名組合契約に基づく営業者から受ける利益の分配については原則として雑所得に区分される。ただし、匿名組合員がその匿名組合契約に基づいて営業者の営む事業（以下「組合事業」という）に係る重要な業務執行の決定を行っているなど組合事業を営業者とともに経営していると認められる場合には、その匿名組合員が営業者から受ける利益の分配は、その営業者の営業の内容に従い、事業所得またはその他の各種所得とされる（所基通36・37共−21）。これは、匿名組合員が事業運営に参画して事業者としてその出資をした場合には営業者の営業の内容に従った所得区分とするが、出資のみを目的とした投資については、人格のない社団の構成員と同様にその所得区分を判断すべきだとの考えに基づいている（人格のない社団等の構成員がその構成員たる資格においてその人格のない社団等から受ける収益の分配金については、雑所得に該当することとなっている（所基通35−1(6)））。

　損益の分配が雑所得に区分される場合、その雑所得の金額は雑所得以外の所得の金額との損益通算は認められないため、雑所得の金額がマイナスとなった場合でも他の所得と相殺して税金の還付を受けることはできない。

　さらに、国税庁の公表する「個人課税課情報　第2号　平成17年度税制改正及び有限責任事業組合契約に関する法律の施行に伴う任意組合等の組合事業に係る利益等の課税の取扱いについて（情報）（平成18年1月27日）」では、匿名組合契約の各計算期間に損失の負担を求めない場合（当該匿名組合契約の終了時に損失分担義務を負うこととした場合）であっても、通常その損失の額は匿名組合員により分担され、計算上、出資の価額が減少することになるのであるが、匿名組合契約の終了時までは、匿名組合員が負担すべき損失の価額は確定しない

ことから、各計算期間における損失の分担額を当該計算期間の各種所得の計算上、必要経費に算入することはできないとの見解が示されている。

　匿名組合以外の組合についても、不動産事業を行う組合等のその組合事業等による不動産所得の金額について損失の金額があるときは、その損失の金額については生じなかったものとみなされる規定が設けられ（措法41の4の2）、実質的に組合損失の取り込みについては規制されていることを意味している。

2 出資の減少の補填

　なお、出資の価額が損失の分担により減少した場合は、後の営業年度に利益が生じても、当該利益で出資の欠損額を填補し、なお余りがあるのでなければ、匿名組合員は、利益の分配を請求することはできない（商法538）。

　したがって、翌営業年度以降に当該匿名組合事業に利益が生じた場合については、利益配当請求権を有する部分、すなわち、出資の欠損額を填補した後に分配を受ける利益が、各種所得の金額の計算上総収入金額に算入されることになる。

［例］

- 第1期（損失の分担200、損失の負担は求めない。）

　　出資の価額（1,000）→出資の価額を200減額→出資の価額（800）

　（※）　当該出資の減額分については、各種所得の金額の計算上必要経費に算入されない。

- 第2期（利益500、当該利益で出資の欠損額を填補する。）

　　利益（500）→出資の価額の填補（200）→出資の欠損額の填補後に分配される利益（300）

　（※）　匿名組合員は300につき利益配当請求権を有すことになる。したがって、当該金額を各種所得の金額の計算上総収入金額に算入することになる。

第3節　匿名組合と他の団体との区分等　　291

第 4 節

組合事業等による損失が
ある場合の取扱い

　法人が任意組合・匿名組合等の組合員（組合事業に係る業務の執行の決定に関与し、契約を締結するための交渉等を自ら執行する組合員を除く）の場合は、その組合事業等による損失については次のように取り扱う（措法67の12）。

① 　組合債務を弁済する責任の限度が実質的に組合財産等の価額とされている場合(注)には、その法人のその組合事業等による損失の額のうちその法人のその組合事業に係る出資の価額等として計算した金額を超える部分の金額は、損金の額に算入しない

② 　損失補填契約、収益保証契約の締結等により、その組合事業等に帰せられる損益が実質的に欠損とならないことが明らかな場合には、その法人のその組合事業による損失の額は、損金の額に算入しない

(注) 　「組合債務を弁済する責任の限度が実質的に組合財産等の価額とされている場合」とは、金融機関からの借入金がノンリコースローン（借手の返済義務が、一定の範囲（組合財産の価額）内を限度とするもの）であること等により、組合事業に係る債務の額のうちに占める責任限定特約債務の額の割合がおおむね80％以上となる場合や、組合事業についての損失補填契約等の履行により、その履行後の累積損失額が出資金合計額のおおむね120％以下となると見込まれる場合等が該当する（措令39の31、措規22の18の２）。

　　この規制は、平成17年度税制改正により創設され、原則として平成17年４月１日以後に締結される組合契約が対象となったのであるが、既存の組合であっても、平成17年４月１日以後に新規に組合に参加（地位の承継を含む）する場合には適用されることが改正附則40条（平成17年３月31日法律第21号抄）で規定された。

なお、確定申告書を提出する法人が前事業年度以前の各事業年度において生じた損金不算入額を有している場合で、当事業年度において組合事業等に係る利益の額があるときは、確定申告書に別表9(2)「組合事業に係る組合損失額等の損金不算入又は組合損失超過合計額等の損金算入に関する明細書」を添付することを要件に、当事業年度の組合事業等に係る利益の額を限度として当事業年度の所得の金額の計算上、損金の額に算入することができる。

　個人が組合員の場合においては、特段の明文規定はおかれていないのであるが、損失の取り込みが実質的に制限されていることは前述のとおりである（本章第3節2 **1** 参照）。

〈組合債務を弁済する責任の限度が実質的に組合財産の価額とされている場合〉

〈組合事業等に帰せられる損益が実質的に欠損とならないことが明らかな場合〉

第 5 節

実務上の留意点

1 匿名組合において税務調整項目がある場合の取扱い

特に匿名組合または営業者に会計監査が入っている場合、会計と税務における会計基準の差（たとえば、費用計上における発生主義と債務確定主義との違い等）が監査上の問題として指摘され、問題となることがある。この差は税務上の調整項目となるが、匿名組合においては税務上の調整項目については取扱いが必ずしも明確ではない点もあり、問題になることが多い。

税務上の調整項目としては、たとえば次のようなものが挙げられる。

- 修繕費と資本的支出
- 貸倒損失
- 貸倒引当金繰入超過額
- 減損会計
- 交際費、寄附金
- 減価償却費
- 未払費用

なお、平成17年12月26日に法人税基本通達の改正があり、改正以前は任意組合に関する通達「当該組合事業の支出金額のうちに寄附金又は交際費の額があるときは、当該組合事業を資本又は出資を有しない法人とみなして法法第37条≪寄附金の損金不算入≫又は措置法第61条の4≪交際費等の損金不算入≫の規

294　第4章　匿名組合の税務

定を適用するものとしたときに計算される利益の額又は損失の額を基として各
事業年度の益金の額又は損金の額に算入する金額の計算を行うものとする」（法
基通14－1－2（注5））が準用されていたが、匿名組合についてはこの準用規
定が削除された。そのため、税務上の調整項目が発生した場合において、当該
税務調整項目を匿名組合員に通知し、匿名組合員の法人税の申告書上で調整を
行う方法は採り難くなった。

　したがって、税務上の調整項目が発生した場合の処理としては、匿名組合契
約において営業者税務否認条項（発生した税務否認項目を実質的に匿名組合員で
負担するようにする条項[注1]）を設けておき、次のような処理を行うことが一般
的である。なお、法人税額の算定にあたり、実効税率を33.58%[注2]として計
算している。

①　税務上の調整項目のうち、内部留保項目[注3]の調整の場合には、会計上
　　匿名組合員に損益分配する金額に別表調整金額[注4]を加算し、結果として
　　匿名組合員の所得が加算される方法

　　例：税引前利益　1,000
　　　：減価償却超過額　100
　　　：営業者報酬　20
　　　　　匿名組合員に分配する金額＝1,000－20＋100＝1,080

②　税務上の調整項目のうち社外流出項目[注5]の調整の場合には、会計上匿
　　名組員に損益分配する金額から別表調整金額（実際に社外流出項目として資
　　金が支払われているため、会計上の金額をそのまま分配するとキャッシュが
　　ショートしてしまう）を控除して、匿名組合員に分配する方法

　　例：税引前利益　1,000
　　　：交際費等損金不算入額　100
　　　：営業者報酬　20
　　　匿名組合員に分配する金額＝1,000－20－｛100×0.3358÷（1－0.3358）｝
　　　　　　　　　　　　　　　　＝929

匿名組合事業の益金および損金項目により計算されたネット損益（営業者報

第5節　実務上の留意点　　295

酬控除後）は、匿名組合契約に基づき匿名組合員に分配され、当該匿名組合分
配利益額または損失額は営業者の損金または益金に算入されることとなる。た
だし、匿名組合契約上、組合員に追加出資義務がない場合、税務上、損失は出
資金の範囲を限度に分配することとなるため、それを超えた部分は営業者自身
の損失となる。

（注1）　たとえば、次のような条項を記載しておく。

- 営業者は、各計算期間ごとに、わが国において一般に公正妥当と認められ
る会計基準に従って当該計算期間における本事業の損益を計算し、当該損
益を出資者にその出資比率に応じて分配する。ただし、一般に公正妥当と
認められる会計基準が税法に定められる会計処理の方法と相違する場合に
おいては、税法に定められる会計基準を適用するものとする。
- 営業者の法人税法上の所得計算に関して匿名組合事業に係る損益について
申告調整を行う項（本営業者の法人税申告期限後に判明したものを含む）
がある場合には、営業者は匿名組合員にその項目および金額を通知し、匿
名組合員は当該申告調整項目に記載された金額を負担するものとする。

（注2）　実効税率は一般的に次のとおり算定している（税効果会計に適用する税率
に関する適用指針3）。

｜法人税率23.2％×（1＋地方法人税率10.3％＋住民税率7％）＋事業税率
7％＋事業税率7％×地方法人事業税率37％｜÷（1＋事業税率7％＋事
業税率7％×地方法人事業税率37％）≒33.58％

（※）　令和2年4月1日以降に開始する事業年度で、東京都23区内かつ外形標準課
税法人及び特別法人以外の法人のうち標準税率かつ軽減税率適用法人の場合。

なお、この数値例の計算にあたり、実効税率を使うことについては、事業
税相当額が翌期に損金算入されることを前提としており、一時的に発生した
税務否認条項に関する計算に当たっては、表面税率を使うこととなる。

（注3）　将来において、別表で調整した金額が解消される項目をいう。減価償却超
過額、貸倒引当金繰入超過額などがこれにあたる。

（注4）　内部留保項目の調整の場合は、営業者の法人税の申告書で加算される金額。
社外流出項目（資本積立金額を構成するものおよび特別控除項目を除く）の
調整の場合は、営業者の法人税の申告書で加算調整した結果生じる税額を（1
－実効税率）で除した金額をいう。

（注5）　将来において、別表で調整した金額が解消されない項目をいう。交際費、
寄附金などがこれにあたる。

2　匿名組合契約終了時の処理

　匿名組合契約を終了させる際の税務上の留意点として、固定資産税等の賦課決定時期および営業者の解散清算費用の取扱いなどが挙げられる。

　まず、固定資産税等の賦課決定時期についてであるが、法人税法上、固定資産税等の損金算入時期は原則、賦課決定のあった日の属する事業年度とされているため、仮にその年度の固定資産税等の賦課決定前に物件を売却し、売却と同時、もしくは賦課決定前に匿名組合契約を終了させてしまうと、当該固定資産税等を匿名組合事業における費用として計上することができず、営業者で費用負担することとなる。営業者に当該固定資産税等相当額の納税資金がない場合、資金ショートするおそれがあるため、固定資産税等の賦課決定前に物件を売却する際には、匿名組合契約の終了時期について、十分に検討する必要がある。

　また、営業者に係る解散清算費用についても同様に、法人税法上、その損金算入時期は、当該費用に係る債務が成立し、当該費用に係る役務提供が完了しており、さらに、金額が合理的に算定できる日の属する事業年度とされており、通常は解散期、もしくは清算期が該当すると考える。仮に営業者に十分な余剰資金がない状態で、解散清算前に匿名組合契約を終了させてしまうと、解散清算費用を営業者において負担することができずに、必要な手続きが行えないという事態が生ずる。

　したがって、上記の固定資産税等と同様に、匿名組合契約の終了時期および費用負担（匿名組合事業の費用とするのか、営業者の費用負担とするのか）についても、あらかじめ検討する必要がある。

3　流通税

1　基本的な課税関係

　不動産を取得等した場合、不動産取得税・登録免許税などの流通税がかかる。

第5節　実務上の留意点　　297

匿名組合における流通税の負担について、匿名組合は営業者と組合員との1対1の契約により形成されるものであり、組合自体には納税義務はなく、営業者が納税義務を負う。

しかし匿名組合事業のために不動産を取得したのであれば、通常匿名組合の損益の計算上費用として計上される。そして損益分配により、最終的に組合員が流通税を負担することとなる。

2 信託受益権化された不動産を取得した場合

不動産証券化では不動産は信託されていることが多い。所得税・法人税・相続税・贈与税・消費税においては、受益者が特定している信託は、原則として受益者が財産を保有しているものとみなされて課税される。しかし、その他の税法でもこの取扱いが当然適用されるわけではなく、通常は、法律上の所有権の帰属のとおり、信託の受託者が取得したものとして取り扱われる(注1)。

（注1）　信託設定した際には委託者から受託者への譲渡となり、受託者に流通税が課されるのが原則であるが、この取扱いに関しては、原則課税が免除される旨、条文上、明記されている。

信託された不動産を売買する場合、不動産の所有権の譲渡ではなく、信託受益権の譲渡として行われる。不動産取得税や登録免許税においては、信託受益権の譲渡は、あくまでも受益権の譲渡であるため、通常、不動産を譲渡する際の課税関係と取扱いが異なることとなる。

その取扱いを図示したものが**図表4・5・1**となる(注2)。

（注2）　この税法の取扱いと似ている論点として、不動産の信託受益権譲渡は国土法上、届出の対象となるが、宅建業法上は規制対象にならないというものがある（そのため、宅建業法の特則である不動産特定共同事業法の規制対象から外れる）。

この図表でわかるように、信託受益権を利用することによる流通税の軽減効果は非常に大きい。ただしこれらは信託受益権を譲り受けた場合の効果であることに注意しなければならない。いったん不動産を譲り受けた直後に譲受人が

図表 4・5・1　信託受益権と流通税（流通税では信託設定も原則は譲渡）

現物不動産	不動産信託受益権
〈不動産取得税〉 土地＝固定資産税評価額×1／2×3％ 　　（3％は令和6年3月31日まで。本則は4％、 　　　　1／2特例も令和6年3月31日まで） 〔地法附則11の2①、同法11の5①〕 建物（住宅）＝固定資産税評価額×3％ 　　　　（令和6年3月31日まで。本則は4％） 〔地法附則11の2①〕 建物（住宅以外のもの）＝固定資産税評価額×4％ 〔地法73の15〕 **特別土地保有税（取得）** 停止中（当分の間） 〈登録免許税〉 土地所有権移転登記（売買のみ）＝固定資産税評価 額×1.5％ 　　　　（令和8年3月31日まで。本則は2％） 〔措法72①一〕 建物所有権移転登記＝固定資産税評価額×2％ 〔登録免許税法別表第1・1号(2)ハ〕 〈印紙税〉 売買契約書の契約書金額に応じて課税 〔印紙税法別表1・1号〕 ただし、令和6年3月31日まで軽減措置あり 〔措法91②〕	〈不動産取得税〉 非課税〔地法73の7〕 **特別土地保有税（取得）** 停止中（当分の間） 〈登録免許税〉 信託による所有権移転登記 非課税〔登録免許税法7〕 不動産の所有権の信託登記（土地） 固定資産税評価額×0.3％ 　　　　（令和8年3月31日まで。本則は0.4％） 〔措法72①一〕 不動産の所有権の信託登記（建物） 固定資産税評価額×0.4％ 〔登録免許税法別表第1・1号(10)イ〕 **〈受益者名義変更〉** 一個の不動産につき1,000円（土地「筆」・建物「棟」） 〔登録免許税法別表第1・1号(14)〕 （参考：解除交付　信託の効力が生じた時から引 き続き委託者のみが信託財産の元本の受益者であ る信託の受託者から受益者（信託の効力が生じた 時から引き続き委託者である者に限る）への信託 財産の移転：非課税） 〔登録免許税法7〕 不動産の所有権以外の権利の信託 固定資産税評価額×0.2％ 〔登録免許税法別表第1第1号(10)ハ〕 〈印紙税〉 信託契約書　1通200円 〔印紙税法2条別表1・12号〕 受益権譲渡契約書　200円 〔印紙税法2条別表1・12号または15号〕

信託設定した場合には、最終的な当事者間の関係は同じであっても、譲渡した対象が信託受益権ではなく不動産そのものであるため、軽減効果はないのである。

信託受託者が施工主となって建物等を建設した場合には、信託勘定でできあがった建物等を取得することになる。この場合の不動産取得税の取扱いは、受益者であるSPCが取得したことにはならず、受託者である信託銀行等が取得したこととなり、受託者に対して不動産取得税が課されることになる（ただし、通常、当該不動産取得税は信託勘定で負担することとなり、結果的に受益者が負担することとなる）。

4 消費税

匿名組合における消費税の取扱いは、以下のとおりとなっている。

① 匿名組合の事業に属する資産の譲渡等または課税仕入れ等については、営業者が納税義務者となる（消基通1－3－2）

② 匿名組合出資持分は有価証券に類するものとして取り扱われるため、その譲渡は、非課税取引となる（消基通6－2－1(2)ロおよび国税庁質疑応答事例（消費税）「匿名組合の出資者の持分の譲渡」）

消費税法上、匿名組合の事業に属する課税取引は、営業者に帰属するものとして、営業者に納税義務を課している。匿名組合員は契約に基づき事業から生じる損益の分配を受けるだけで、消費税について納税義務はない。

また、匿名組合員の持分は、非課税の対象となる有価証券の範囲を定めた消基通6－2－1(2)ロにおいて、「その他法人（人格のない社団等、匿名組合及び民法上の組合を含む。）の出資者の持分」とされ、その持分の譲渡は、非課税取引となる。

消基通1－3－2（匿名組合に係る消費税の納税義務）
　匿名組合の事業に属する資産の譲渡等又は課税仕入れ等については、商法第535条《匿名組合契約》に規定する営業者が単独で行ったことになるのであるから留

意する。

消基通 6 − 2 − 1 （非課税の対象となる有価証券等の範囲）

(2)ロ　合名会社、合資会社又は合同会社の社員の持分、協同組合等の組合員又は
　　　会員の持分その他法人（人格のない社団等、匿名組合及び民法上の組合を含
　　　む。）の出資者の持分

質疑応答事例（匿名組合の出資者の持分の譲渡）

【照会要旨】

　匿名組合（国内）の組合員が行う持分の譲渡は、協同組合等の組合員の持分の
譲渡（消令9①二）として非課税と考えてよいでしょうか。

【回答要旨】

　匿名組合の出資者の持分の譲渡は、消令第9条第1項第2号《有価証券に類す
るものの範囲等》に規定する「その他法人の出資者の持分」に該当し、有価証券
に類するものの譲渡として取り扱います。なお、この「出資者の持分」には、人
格のない社団等、民法の組合に対する出資持分等も含まれます。

【関係法令通達】

　消費税法別表第1第2号、消費税法施行令第9条第1項第2号

　なお、上記のとおり、営業者が消費税の納税義務者となるため、匿名組合事
業に係る分配損益は不課税取引となる。

5　土地重課

1　土地重課制度

　土地の譲渡益に対しては、保有期間に応じて、通常の法人税とは別に以下の
ような特別税率を課される。ただし、現在は適用が停止されている。

	保有期間	特別税率	適用停止期間
・短　　期	5 年以下	10%	平成10年 1 月 1 日〜令和 8 年 3 月31日
・長　　期	5 年超	5 %	平成10年 1 月 1 日〜令和 8 年 3 月31日

2　匿名組合と土地重課

　営業者の土地譲渡益に対する土地重課税（通常の法人税の課税にプラスアル

第 5 節　実務上の留意点　　301

ファがかかる部分の課税）については、損益が分配された場合であっても、営業者が全額支払わなければいけない（営業者が納税義務を全額負わなければいけない）。すなわち、実際に所有権を持っているのは営業者であって、それを譲渡した行為そのものは営業者であるから、重課税は営業者が支払わなければいけないということである。

　同じ利益について、通常の法人税の部分はパススルーするが重課税の部分はパススルーしないという点は消費税同様であり、租税特別措置法関係通達62の3(6)－2にもこのことが盛り込まれている。

　そこで、スキーム上営業者では土地重課税の負担原資がない場合、実務上は匿名組合契約に「受益権（不動産）を売却したことにより租税特別措置法第62条の3、第63条の土地重課制度で課税される法人税およびそれにより増加する住民税が発生する場合には、その合計額を100％から営業者に対する法人税および住民税の実効税率等の合計を控除した割合で除した金額を匿名組合費用とする」等の規定を設けて、土地重課税相当額を匿名組合費用としていることが多い。

措通62の3(6)―1　（民法上の組合が行った土地等の譲渡）　民法上の組合が土地等の譲渡をした場合には、当該土地等の譲渡に係る対価の額、原価の額及び経費の額は、各組合員の持分に応じ、それぞれ各組合員に対応する額を計算し、各組合員において措置法第62条の3の規定を適用するものとする。

（注）　土地の所有者及び建築業者等が、それぞれ土地又は建築資金を出資して建物を建築し、これを共同で譲渡してその利益をそれぞれの持分に応じて分配する民法上の組合契約を締結している場合には、土地所有者が建築業者から取得する建物の持分及び建築業者等が土地所有者から取得する土地の持分は、当該建物を第三者に譲渡した時に、その持分の算定の基礎とした価額により、それぞれ譲渡及び取得があったものとした上、本文の取扱いを適用する。

措通62の3(6)―2　（匿名組合等が行った土地等の譲渡）　法人を営業者とする匿名組合が土地等を譲渡した場合における措置法第62条の3第1項又は第9項の規定の適用については、当該営業者である法人にその譲渡利益金額の全額が帰属するものとして計算するのであるが、この場合においてその匿名組合員に対する利益の配当は、当該譲渡利益金額の計算上直接又は間接に要した費用の額に算入しないものとする。

法人が融資を受けて土地の購入、造成及び譲渡をしている場合（融資者と民法上の組合契約を締結している場合を除く。）において、当該融資をした者に対する支払額があらかじめ定められた融資期間に対応する利率を基に計算されていないため支払利子ではなく、譲渡利益金額の分配であると認められるときも同様とする。

（注）　匿名組合員が分配を受ける金額又は融資をした者が受ける分配額については、措置法第62条の３第１項又は第９項の規定は適用しない。

措通63(6)—２（匿名組合等が行った土地等の譲渡）　法人を営業者とする匿名組合が土地等を譲渡した場合における措置法第63条第１項の規定の適用については、当該営業者である法人にその譲渡利益金額の全額が帰属するものとして計算するのであるが、この場合においてその匿名組合員に対する利益の配当は、当該譲渡利益金額の計算上直接又は間接に要した費用の額に算入しないものとする。

　　法人が融資を受けて土地の購入、造成及び譲渡をしている場合（融資者と民法上の組合契約を締結している場合を除く。）において、当該融資をした者に対する支払い額があらかじめ定められた融資期間に対応する利率を基に計算されていないため支払利子ではなく、譲渡利益金額の分配であると認められるときも同様とする。

（注）　匿名組合員が分配を受ける金額又は融資をした者が受ける分配額については、措置法第63条第１項の規定は適用しない。

6　租税条約により課税されないケース

　　非居住者や外国法人が日本国内の匿名組合から受ける利益の分配については、原則として日本で20％の源泉徴収により課税されることは前述のとおりである。しかし、租税条約締結国との取引においては、原則として国内法よりも租税条約が優先して適用される点に注意が必要である。

　　匿名組合の分配損益については、多くの租税条約で「その他所得」に関する規定が該当するものと解されている。この「その他所得」条項に該当するとわが国での課税が免れる場合が多いが、その契約が匿名組合としての実質を備えているものかどうか、より厳密な検討が必要となる。

　　たとえば、イタリア法人である匿名組合員については、日伊租税条約により居住地国（イタリア）でのみ課税される。したがって、わが国での課税はない

ことになる。

　日米租税条約と日伊租税条約とを比較してみるとわかりやすいのだが、日米租税条約では、米国法人が日本国内の匿名組合から受ける利益の分配は日本国内法の規定に基づいて課税されるのに対して、日伊租税条約では、日本にPEがない限り日本では課税されないことになっており、日伊租税条約に基づく源泉免除届出を出せば源泉所得税も免れる。なお、租税条約の適用により、国内法に規定される税率以下になるものまたは源泉所得税が免除されるものについては、復興特別所得税の徴収が免除される（復興財源確保法33④）。

　匿名組合の分配金は「企業の利得」という解釈もあるが、そうでないとしても日伊租税条約第22条の「その他所得」に該当し、日本国内にPEがない場合には日本では課税されずイタリアのみが課税権を有する。

　しかし、このような租税条約により課税されないケースはわが国でも問題視され、近年では租税条約に匿名組合分配に関する条項を盛り込み、課税逃れを防止するための対策が進められつつあるため、クロスボーダーSPCの組成の際には条約の改定動向にも注意が必要である。

　以下では、匿名組合を使った様々な租税回避スキームが作られる中で、課税庁が挑戦的な課税処分をした結果、裁判で争われたケースを取り上げる。これらは課税庁が様々な主張をしながらもいずれも排斥され敗訴しているもので、タックスプランニングの事前の準備の重要性およびそれに対しての裁判所の尊重を示唆するものである。

1　ガイダント事件（匿名組合活用による二重非課税スキーム）

（東京高裁平成19年6月28日判決、後、上告不受理により確定）

【事案の概要】

　米国における医療機器事業の分割譲渡の企業再編に伴い、日本国内においても同様の医療機器事業の譲渡が必要となり、その費用として約10億円の出資が必要とされた。かかる資金の出資のために、米国ガイダント社のオランダ孫会社（原告）が日本ガイダント社を営業者とする匿名組合に参加した。そして、この匿名組合契約に基づく利益の分配として約45億円が原告に支払われた。

304　　第4章　匿名組合の税務

この金銭に対して、税務署長（被告）は、①本契約は匿名組合契約ではなく、任意組合契約である、②本所得は、旧日蘭租税条約8条1項にいう「企業の利得」に該当する、③原告は日本に恒久的施設を有している、ことを理由に法人税決定及び無申告加算税賦課決定を行った。

　この処分に対して、原告が①匿名組合契約であり、②本所得は同条約23条の「その他所得」に該当する、③仮に「企業の利得」に該当しても日本に恒久的施設を有さない、ことを理由に上記各決定の取消を求めて提訴した。

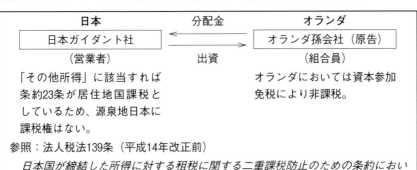

参照：法人税法139条（平成14年改正前）
日本国が締結した所得に対する租税に関する二重課税防止のための条約において国内源泉所得につき前条の規定と異なる定めがある場合には、その条約の適用を受ける法人については、同条の規定にかかわらず、国内源泉所得は、その異なる定めがある限りにおいて、その条約に定めるところによる。（以下略）

【判旨】
〈①について〉

　契約内容および文言を詳しく認定、解釈した上に、契約に至る経緯も考慮に入れ「当事者間に匿名組合契約を締結するという真の合意がある場合には、それにもかかわらず、匿名組合契約を締結する主な目的が税負担を回避することにあるという理由により当該匿名組合契約の成立を否定するには、その旨の明文の規定が必要であるところ、法人税を課するに当たってそのような措置を認めた規定は存しない」「本件契約の締結の大きな目的が税負担の回避にあるとしても、本件契約は、匿名組合契約であると認めざるを得ない」と判示した。

〈②について〉

　「匿名組合契約に基づき内国法人である営業者から外国法人である匿名組合

員に支払われる分配金については、匿名組合では、匿名組合員が恒久的施設を通じて事業を行っているわけではないので、同項（8条1項。注：筆者）に該当せず」「上記分配金は、旧日蘭租税条約23条に規定する『一方の国の居住者の所得で前諸条に明文の規定がないもの』に該当するというべきである」と判示した。

〈③について〉

被告は、控訴審より諸外国の制度を参考に、本件契約が匿名組合契約と認定されたとしても、非典型的匿名組合故に日本ガイダント社の事業所は原告の日本における恒久的施設であると主張したが、「本件契約は我が国の商法を準拠法として締結されたものである」「従って、本件契約の性質は、我が国の商法、その他の我が国の法律及び日蘭租税条約に基づき決定すべきである」「我が国の…法律には…非典型的匿名組合という制度に関する規定は存在しない」と判示した。

【コメント】

本判決は、本件匿名組合契約の法的な性格の判断に議論の重点が置かれ、その判断に基づき自動的に訴訟事案としての結論付けがされているため(注1、2)、「租税条約における所得類型の解釈は、国内法上の匿名組合分配金の性質決定の依拠すべきところ、本判決ではその点について十分な議論が展開されて」(注3)いない。実際、匿名組合の分配金については、①匿名組合を私人間の契約関係を超えた事業体として捉えた上で事業所得とする見解(注4)、②法形式を重視した上で出資した資産が組合員には帰属せず、また出資が営業者から見ると負債にほかならないことから利子所得とする見解(注5)、③両者に該当しうることを認めた上で、条約適用における明確性および利益分配金を資本制所得と性質決定する国内法との整合性から利子所得とすべきという見解(注6)などがあったが、本判決においては「その他所得」になるという課税当局の解釈(注7)およびそれに基づく実務上の運用が肯定されることとなった。

なお、その後日蘭租税条約の改正により、「条約のいかなる規定も、日本国が、匿名組合契約又はこれに類する契約に基づいて取得される所得及び収益に

306　第4章　匿名組合の税務

対して、日本国の法令に従って源泉課税することを妨げるものではない」との
条項（9条）が議定書に追加され、現在では課税の空白問題は解決された（平
成23年12月29日に発効）。

(注1)　錦織康高「居住地国課税と源泉地国課税」『フィナンシャル・レビュー』通
　　　　巻94号（2009）41頁参照

(注2)　本田光宏「租税条約上の所得分類についての考察」『筑波ロージャーナル』
　　　　13号（2013）80頁参照

(注3)　宮本十至子「日蘭租税条約の『その他所得』―ガイダント事件」『租税判例
　　　　百選（第五版）』（2011）131頁

(注4)　宮武敏夫「匿名組合と税務」『ジュリスト』1255号（2003）　106頁

(注5)　淵圭吾「匿名組合契約と所得課税」『ジュリスト』1251号（2003）177頁

(注6)　谷口勢津男「匿名組合の課税問題」『日税研論集』55巻（2004）173頁

(注7)　宮崎裕子「国際課税におけるデファクト・スタンダード」『ソフトロー研究』
　　　　9号（2007）92頁

2　匿名組合員への利益の分配に係る源泉徴収義務の有無について
（東京高裁　平成26年10月29日判決）

【事案の概要】

　アイルランド法人のKは出資持分譲渡を受けることで、当初の匿名組合員
からその地位を譲り受け、X（原告）を営業者とする匿名組合に参加した。か
かる持分譲渡代金の調達のため、KはBなどから借入を受けており、BもS
から借入を受けていた。そして、同時期にKとSはスワップ契約を締結して
いた。かかる経緯を経たのち、Xが利益分配としてKに対して支払いをした
ことに対して、課税庁は所得税法212条1項に基づき源泉所得税を徴収し国に
納付すべき義務を負うとしてXに対して源泉所得税の各納税の告知の処分及
び不納付加算税の各賦課決定をした。これに対して、Xは日愛租税条約23条が
「その他所得」につき、居住地国課税をしているため日本には課税権がないと
して上記各処分の取消を求めた。

　課税庁は、①資金の流れを詳細に検討した結果、経済的観点から見ると実質
的にはSが出資し、利益を受けたといえるため、日愛租税条約の適用はない、②
OECDコメンタリーの内容を参照し、租税条約の特典を利用した租税回避を

その目的とするものは条約の濫用として条約の適用が否定されると主張した。

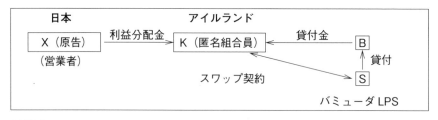

【判旨】

①について、各契約の中身、関係者の認識などを考慮した上で「客観的な事実を離れて、実際にはKからSに対する契約上の地位又は債権の一部の譲渡があったことを前提としてSに対して本件各分配金の支払いをしたものであると認めることは困難である」とした。

②についても、「コメンタリーは、法的に拘束力を有する租税条約の具体的な条文の解釈に当たって参照する余地があるとしても、租税条約の具体的な条文を離れて、それのみで、条約と同等の効力を有する独立の法源となると解することはできない。そのため、『租税回避を目的とするような取引については、源泉課税を制限する租税条約の適用を否定する』旨定めた租税条約の規定がないにもかかわらず、コメンタリーのパラグラフの記載がそのような一般的法理を定めているとの主張を前提として、コメンタリーのみに基づいて源泉課税を制限する租税条約の適用を否定し、課税することはできない」と判示した。

【コメント】

本判決では、結論としては、①において、契約の名義人通りの課税関係を肯定したが、課税庁が契約解釈における「当事者の真意の探求」のあり方に基づいて事実認定を行い(注8)、裁判所もそれに従いうるということに留意しておく必要がある。

(注8) 片山直子 判批「新・判例解説 Watch 租税法」No. 128（2015）3頁

〈参考〉一方で慎重な立場をとる裁判例も存在する。

「いわゆる租税法律主義の下においては、法律の根拠なしに、当事者の選択した法形式を通常用いられる法形式に引き直し、それに対応する課税要件が充

308　第4章　匿名組合の税務

図表 4・5・2 　租税条約による匿名組合契約に基づく所得に関する課税関係

相手国名	項目／匿名組合契約に基づく所得（匿名組合契約に関する項目がない場合は「その他所得」）	相手国名	項目／匿名組合契約に基づく所得（匿名組合契約に関する項目がない場合は「その他所得」）
OECD モデル条約	居住地国課税	28 スウェーデン王国	源泉地国課税
		29 ス ペ イ ン 国	国内法により課税
わが国の条約例	同 OECD モデル	30 ス ロ ベ ニ ア	源泉地国課税
1 ア イ ス ラ ン ド	源泉地国課税	31 セイロン政府（スリランカ）	－
2 ア イ ル ラ ン ド	同 OECD モデル	32 タ イ 王 国	源泉地国課税
3 ア メ リ カ 合 衆 国*	国内法により課税	33 中 華 人 民 共 和 国	同上
4 ア ル ゼ ン チ ン	源泉地国課税	34 チェッコスロヴァキア社会主 義 共 和 国	同 OECD モデル
5 グリート・ブリテンおよび北部アイルランド連合王国*	同上	35 チ リ	同上
6 イ ス ラ エ ル 国	同上	36 デ ン マ ー ク 王 国	国内法により課税
7 イ タ リ ア 共 和 国	同 OECD モデル	37 ド イ ツ 連 邦 共 和 国	同上
8 イ ン ド 共 和 国	源泉地国課税	38 ト ル コ 共 和 国	源泉地国課税
9 イ ン ド ネ シ ア 共 和 国	同 OECD モデル	39 ニ ュ ー ・ ジ ー ラ ン ド	同上
10 エジプト・アラブ共和国	－	40 ノ ー ル ウ ェ ー 王 国	同上
11 エ ク ア ド ル	同 OECD モデル	41 バ ハ マ 国	－
12 エ ス ト ニ ア	源泉地国課税	42 バ ミ ュ ー ダ 諸 島	－
13 オ ー ス ト ラ リ ア 連 邦*	同上	43 ハンガリー人民共和国	同 OECD モデル
14 オ ー ス ト リ ア 共 和 国	同上	44 バングラデシュ人民共和国	源泉地国課税
15 オ マ ー ン	同 OECD モデル	45 パ キ ス タ ン 共 和 国	同上
16 オ ラ ン ダ 王 国	源泉地国課税	46 フ ィ リ ピ ン 共 和 国	同 OECD モデル
17 カ ザ フ ス タ ン 共 和 国	同上	47 フ ィ ン ラ ン ド 共 和 国	同上
18 カ タ ー ル	同上	48 フ ラ ン ス 共 和 国	源泉地国課税
19 カ ナ ダ	同上	49 ブ ラ ジ ル 連 邦 共 和 国	同上
20 大 韓 民 国	同 OECD モデル	50 ブ ル ガ リ ア 共 和 国	同上
21 ク ロ ア チ ア	源泉地国課税	51 ブルネイ・ダルサラーム国	同上
22 ケ イ マ ン 諸 島	同 OECD モデル	52 ベトナム社会主義共和国	同 OECD モデル
23 コ ロ ン ビ ア	源泉地国課税	53 ベ ル ギ ー 王 国	国内法により課税
24 サ ウ ジ ア ラ ビ ア 王 国	同上	54 ポーランド人民共和国	同 OECD モデル
25 ザ ン ビ ア 共 和 国	同 OECD モデル	55 香 港	源泉地国課税
26 シ ン ガ ポ ー ル 共 和 国	源泉地国課税	56 マ レ ー シ ア	同上
27 ス イ ス 連 邦	同上	57 マ ン 島	－

第 5 節　実務上の留意点　　309

58	メキシコ合衆国	源泉地国課税	61	ルクセンブルグ大公国	同上
59	ラ ト ビ ア	同上	62	ルーマニア社会主義共和国	―
60	リ ト ア ニ ア	同上	63	ロ シ ア	同 OECD モデル

（※1） 締結当時の相手国名を掲載。現在は分離・独立した各々の国が承継しているものもある。

（※2） 近年発行の租税条約においては、たとえば「匿名組合契約その他これに類する契約に関連して、一方の締約国の居住者である匿名組合員が取得する所得に対しては、当該所得が他方の締約国内において生じ、かつ、当該他方の締約国におけるその支払者の課税所得の計算上控除される場合には、当該他方の締約国において、当該他方の締約国の法令に従って租税を課することができる。」などとしており、二重課税を防止する意図がより明確に示されている。

（※3） この表の中で匿名組合の英文表記を"a sleeping partnership"とするものは＊、その他は"a silent partnership"としている。

足されたものとして取り扱う権限が課税庁に認められているものではない」(東京高裁平成11年6月21日)

　「現代社会における合理的経済人にとって、税負担を考慮することなく法的手段、形式を選択することこそ経済原則に反するものであり、何らかの意味で税負担を考慮するのがむしろ通常であると考えられるから、このような検討結果を経て選択した契約類型が真意に反するものと認定されるのであれば、それは事実認定の名の下に、法的根拠のない法律行為の否認を行うのと異ならないとの非難を免れ難いというべきである。したがって、選択された契約類型における『当事者の真意の探求』は、当該契約類型や契約内容自体に着目し、それが当事者が達成しようとした法的・経済的目的を達成する上で、社会通念上著しく複雑、迂遠なものであって、到底その合理性を肯認できないものであるか否かの客観的な見地から判断」する（名古屋地裁平成16年10月28日、名古屋高裁平成17年10月27日）（下線はいずれも筆者による）。

営業者の利益分配による損失はすべてのケースで認められるか

　本章で記載したように、現在の税務実務では、広く匿名組合員に対して利益を分配した場合、その部分は営業者の所得から除いてよいという取扱いが認められている。つまり、匿名組合の分配は、分配した営業者において、損金扱い（匿名組合分配損）となるのが原則であり、措置法の分配「損」の規則も投資家に対するものであり、営業者が「利益」を分配した際の営業者サイドの損失扱いは規制されていない。

　しかし、あらゆる場合にこの分配損が認められるのだろうか。本文で取り扱ったような法人格なき社団に該当する場合や、租税条約の濫用に当たる場合以外にも、以下のような場合が考えられる。

(1) **匿名組合が事業参加する以前から発生していた含み益を分配する場合**

　匿名組合員が参加する前から発生していた含み益は既に営業者に帰属していたものなので、それを匿名組合員に分配するのは不合理であり営業者が株式会社等の場合には、背任となる場合もあるだろう。これの応用問題として、以下のような場合はどうだろう。

① TK出資により資金調達した会社が含み益を有する会社の全株式を買収

　　　　　親B/S（SPC）　　　　P社　　　　　　子B/S　　　　　　　S社

　　　S株　　100　TK預り金　　90　　　土地　　　　10　資本金　　10
　　　　　　　　　資本金　　　10　　　（時価　100）

② 子会社が親会社と合併（適格合併）

　　　土地　　　10　TK　　　　　　90
　　　　　　　　　　資本金　　　　10　（自己株式消却損　いわゆる資積・
　　　　　　　　　　自己株式　　△90　　その他資本剰余金）

③ 土地を売却し、売却益をTK分配

　　　　　　　　　　現金　　　100　TK預り金　　　90
　　　　　　　　　　　　　　　　　未払TK損益　　90
　　　　　　　　　　　　　　　　　資本金　　　　10
　　　　　　　　　　　　　　　　　自己株式　　△90

現金	10	TK 預り金	90
		資本金	10
		自己株式	△90

投資家は TK 償却損90を計上することで、売却益の課税はない

④　翌期解散

(2)　TK 分配が市場相場と乖離する場合

　(1)のようなケースも、通常は匿名組合員にその出資と関係のない活動（この場合は合併）で得られた利益を分配することは、市場取引ではあり得ないということもできよう。しかしながら、(1)のような極端なケースではなくとも、TK 出資が優先劣後に分割されていたり、TK より劣後するローンがある場合にその利回りが明らかに市場水準と異なる場合もあるだろう。その場合にはやはり問題となる可能性もある。決して TK 契約は魔法の杖ではない。

第 6 節

契約書等のチェック項目

1 匿名組合契約のチェック項目

1 一般的なチェック項目

〈チェック項目〉

---

(1) TK 決算日は営業者決算日に一致しているか。
(2) 以下の文言を入れているか。

> TK の計算期間が開始した以降、終了日より前の日に営業者の決算日または解散の日等、営業者の法人税法上の事業年度が終了し、または、終了したとみなされる日が到来した場合においては、計算期間もその日に終了したものとみなす。

(3) TK 決算日が投資家決算日に与える影響を検討したか。
(4) それぞれの案件のケースに該当する以下の文言の営業者税務否認金調整条項を入れたか。
　① ケース A：最終 TK 分配後において、各投資家との間で税務否認条項の精算（貸倒れ処理等）が行える案件の場合

> ① 法人税法及び租税特別措置法（以下「法人税法等」という）の規定に基づき申告調整を行う項目の内、交際費、寄付金、その他法人税法等に基づき営業者の所得計算上加算される社外流出項目（法人税申告書別表四の社外流出欄に記載されるものをいい、別紙○に例示するものその他のものをいう）に係る申告調整すべき金額（営業者の法人税額から控除される所得税額及び法人税法第 2 条第16号に規定される資本金等の額を

第 6 節　契約書等のチェック項目　　313

構成するものを除く）

② 法人税法等の規定に基づき法人税申告書別表四の留保欄に記載される申告調整を行う項目（以下「内部留保項目」といい、別紙○に例示するものその他のものをいう）

③ 実効税率とは、以下の算式により計算される値をいう。なお、各税率については、本項を適用する各事業年度において法令に基づき営業者に適用される税率とする。

{法人税率×（1＋住民税法人税割税率）＋事業税所得割税率＋基準法人所得割額の計算税率×地方法人特別税率}÷（1＋事業税所得割税率＋基準法人所得割額の計算税率×地方法人特別税率）

② ケースB：最終 TK 分配時において、各投資家との間で税務否認条項の精算が行えない案件の場合（例：レイコフ等の個人投資家が多数いるケースや、機関投資家のためケースAの処理が不能なケース）

　本事業に係る損益分配の計算について、営業者の法人税法上の所得を計算する上で会計上の損益に調整が必要な場合（本事業に関するものに限り、本件営業者の法人税申告期限後に判明したものを含む）には、営業者が本出資者に分配する匿名組合損益の額は、会計上の分配すべき損益に以下の調整項目のうち①と②についてはその合計額に {実効税率／（1－実効税率）} を乗じた金額を減算し、③についてはその金額のうち営業者の所得計算上加算される金額は加算、営業者の所得計算上減算される金額は減算し、④についてはその金額及びその金額に {実効税率／（1－実効税率）} を乗じた金額の合計額を減算した金額とする。なお、本項における実効税率の計算方法は⑤に記載のとおりとする。

① 法人税法及び租税特別措置法（以下「法人税法等」という）の規定に基づき申告調整を行う項目の内、交際費、寄付金、その他法人税法等に基づき営業者の所得計算上加算される社外流出項目（法人税申告書別表四の社外流出欄に記載されるものをいい、別紙○に例示するものその他のものをいう）に係る申告調整すべき金額（営業者の法人税額から控除される所得税額及び法人税法第 2 条第16号に規定される資本金等の額を構成するものを除く）

② 法人税法等の規定に基づき法人税申告書別表四の留保欄に記載される申告調整を行う項目（以下「内部留保項目」といい、別紙○に例示するものその他のものをいう）のうち、本契約終了日の属する計算期間において申告調整が生じた、金銭債権に係る貸倒引当金繰入限度超過額、繰延消費税等の損金算入限度超過額、本契約終了後に賦課される固定資産

税・都市計画税や本契約終了後に役務提供または引渡が完了する費用及び資本的支出等の本契約終了後に営業者の所得計算上損金算入可能となる費用等の所得加算額、その他終了する本事業に係る回収可能性の乏しい資産について損失として処理することとした場合における当該損失の所得加算額

③　本契約終了日の属する計算期間前の各計算期間において申告調整が生じた内部留保項目に係る申告調整すべき金額

④　③に規定する内部留保項目の内、本契約終了日の属する計算期間において申告調整が解消していない内部留保項目について、本契約終了日の属する計算期間前の各計算期間において申告調整された金額

⑤　実効税率とは、以下の算式により計算される値をいう。なお、各税率については、本項を適用する各事業年度において法令に基づき営業者に適用される税率とする。

｛法人税率×（1＋住民税法人税割税率）＋事業税所得割税率＋基準法人所得割額の計算税率×地方法人特別税率｝÷（1＋事業税所得割税率＋基準法人所得割額の計算税率×地方法人特別税率）

(5)　上記(4)ケースＡの貸倒処理時に未払TK分配金の債務免除する際の源泉税はSPCにおいて、債務超過状態が相当期間継続し、その支払いができないと認められることができないと認められる場合でなければ、源泉所得税納付が必要となることを確認したか（所得税取扱通達基本通達181〜223共—2）。

(6)　上記条項を入れることにより、借地権償却、資産除去債務、減損損失が発生した場合に債務超過となっても問題ないか、各関係者に確認したか。

【営業者否認条項修正に伴う社外流出項目リストアップ】

社外流出項目の例示

〈加算項目〉

1	交際費等の損金不算入額
2	寄附金の損金不算入額
3	損金計上罰金等
4	役員報酬損金不算入額
5	使途不明金否認
6	移転価格否認

【営業者否認条項修正に伴う内部留保項目リストアップ】

内部留保項目の例示

〈加算項目〉

第6節　契約書等のチェック項目　　315

1	減価償却の償却超過額	
2	貸倒引当金の繰入限度超過額	
3	貸倒損失の否認額	
4	繰延消費税等の損金算入限度超過額	例示として、必ず
5	繰延資産の償却超過額	契約書に盛込むこと
6	固定資産評価損の否認額	
7	未払経費の否認額	
8	固定資産税・都市計画税の否認額	
9	未払不動産取得税の否認額	

〈減算項目〉

1	減価償却超過額の認容額
2	貸倒引当金繰入限度超過額の認容額
3	貸倒損失の認容額
4	繰延消費税等損金算入限度超過額の認容額
5	繰延資産償却超過額の認容額
6	固定資産評価損の認容額
7	未払経費の認容額
8	固定資産税・都市計画税の認容額
9	未払不動産取得税の認容額

(7) 金銭分配と損益分配の規定に矛盾はないか。

(8) 損益分配の項目に「本件事業から生じる損益は各計算期間終了時に本件匿名組合員に帰属し、利益については営業者は本件匿名組合出資者に支払わなければならない」との記載を追加したか。

(9) 損失分配限度額は出資金及び現金分配留保額までとなっているか。そうでない場合には、追加出資条項を追加したか。

(10) 一時的でない損失が見込まれるスキームの場合、追加出資が「できる」ではなく、「義務」になっているか。義務となっている場合、「出資者は、本件事業から生じた損失相当額の出資金返還請求権を放棄し、出資金を超える損失については営業者に支払うものとする」との記載を追加したか。

(11) 最終的に NRL 残高を割る資産売却額の場合、ローン約定からいくらかの債務免除益が発生した場合には、その債務免除益は TK 事業収益として分配されることを明確にしたか。

(12) 土地重課復活規定が入っているか。

(13) 現金分配額の計算は誰が行い誰に報告・通知するか、明確となっているか。

(14) TK 損益分配の会計基準は税務基準となっているか。税務基準とする条項が損益分配額を決定する条項に規定されているか。

（※）ディスクロージャー条項や会計報告書の書式等を規定した条項に記載されていても意味がないため、注意すること。報告書上は、証取法等に準拠した内容となっていたとしても損益を分配する金額については契約当事者の意思により規定することができる。

⒂ 支払銀行の準デフォルト事由の通知・公告（格付下落の確認）等は、実行できる範囲か。

⒃ 営業者報酬の計算が事業年度ではなく、12か月で20万円程度になっているか。
（※）半期、四半期決算の場合や出資者が複数の場合は注意する必要がある（あえて高額にする場合あり）

⒄ 営業者が事業に参加している場合または営業者が事業に自己資金をもって参加している場合において、営業者報酬額が経済合理性のある金額として設定されているか。

⒅ その他営業者の約束に無理がないか。

⒆ 期中損益分配を行う場合には、利益のみの分配であることが条件になることを通知したか。

⒇ 匿名組合員は、50人超の構成になっているか。

㉑ 匿名組合員が、50人超の構成の場合、人格なき社団に該当しないことにつき弁護士の意見書をとったか。

㉒ TK出資者に年金基金 or 信託銀行年金口等（但書信託）がいるか。

㉓ TK出資者に非居住者はいるか。

㉔ TK出資者が複数いる場合で損益分配の端数1円未満は、原則切り捨てとしたか。

㉕ 匿名組合計算期間と現金分配計算期間が一致しているか。

㉖ 金銭分配条項において、翌期間におけるランニングコストが留保され、資金ショートしない建て付けになっているか。つまり、TK契約上、金銭分配基準が収益または預金残高のいずれか低い金額とだけなっていて、その後のランニングコスト（支払利息、AM報酬、事務代行報酬等）控除を考慮し忘れている契約となっていないか。

㉗ 複数TK出資者のいる場合、TK出資者相互に同意義務等の法的関係がないこと。これには、投資委員会や出資者間協定等TK契約外での合意のほうが多いので留意すること。

㉘ 出資者間協定は、あるか、ないか確認したか。

㉙ 投資委員会（Operating Committee）はあるか確認したか。ある場合は、投資委員会の構成を確認したか。

㉚ TK出資者間で出資者間協定をしてはならない旨明記してあるか。

㉛ 匿名組合の契約当事者の人数が9人以下であるか。

㉜ ㉛がYesまたは未確定の場合、匿名組合員の中に但書信託、有限責任投資

事業組合等パススルーの導管性を持つ事業体及びそれに準ずる事業体が存在するか（将来存在する可能性があるか）。

（※）LLCはアメリカでは選択した場合には導管体となるが、日本では法人となる。LPは導管体となる場合とならない場合があるので注意が必要。

⑶ 匿名組合員の中に但書信託、有限責任投資事業組合等パススルーの導管性を持つ事業体及びそれに準ずる事業体が存在するかがYesまたは不明の場合、以下の追加条文を金銭分配の条項に追加したか。

> 所得税法174条、210条、211条、所得税施行令298条8項に規定する匿名組合分配の源泉徴収制度において、営業者が採用している匿名組合員と締結している匿名組合契約の人数の判定に相違が生じたことにより源泉税（本税、不納付加算税及び延滞税等を含む）が発生することとなった場合は、営業者は出資者に発生した旨及び金額を通知し、出資者は当該金額を負担するものとする。なお、営業者が採用している人数の判定については、いかなる一の契約当事者である匿名組合員についても、1人として数えるものとしている。

⑶ 海外投資家をTK出資者としたスキーム上でのPE問題の懸念は、事前の段階で、論点整理が完了しているか。

⑶ 投資委員会を設ける場合において、（TK出資者以外の第三者を委員会のメンバーに加える等）TK性の議論を検討したか。

⑶ 海外からの収益に源泉税がかかるか。海外への支払に源泉税がかかるか。各国の租税条約における特典制限条項（LOB条項）の不利扱い（例：日米議定書13a）の有無を検証したか。

⑶ 投資家に非居住者がいる場合、分配（利益・損失）、現金分配（源泉税の有無と源泉税率）あるいは、持分の譲渡が課税対象になるか否か。租税条約を踏まえて検討したか。

⑶ TK契約上の損益項目または清算項目において匿名組合員が「清算費用その他合理的に計算した現金支出額相当額（税金負担分を含む）」を負担すると必ず明記すること（すべての契約対象。期中または終了時に営業者報酬を変更する処理は行わないこと）。

⑶ 「当該出資の価額の返還により出資金の残額が0円となった場合でも、第〇条に規定する契約終了事項に該当しない限り、本契約の効力に影響を及ぼさないものとする」という文言を追加することまたは「出資の返還は出資金残高〇千万円を限度とする」文言を追加すること。

⑷ 「他の匿名組合契約の解約により発生する損失を、残存匿名組合契約の相手方が解約を承諾した場合には、匿名組合事業により発生する損失として計上で

きる」旨、明記しているか。

⑷ 同一の匿名組合事業に参加する他の匿名組合員が脱退（解除）により清算する場合で他の匿名組合員の合意がある場合には、その清算に要する金銭を、他の匿名組合員に優先して分配することができる。

⑷ TK契約終了事由に対象物件売却がなっているか。なっている場合には、必ず「別途合意する日」に変更すること。

⑷ TK出資を上回る損失が出た場合の翌期以降の分配をシミュレーションしたか。

⑷ 清算時、金銭分配額の計算根拠を明確化したか。利益・損失、財産等の定義、計算過程を明確にしなければならない。

⑷ 清算時費用に係る債務すべてを弁済したか。または、留保した後の残高を分配するようにすること。

⑷ 第1TK期黒字、第2TK期大赤字、第3TK期黒字となった場合、TK現金分配計算書シミュレーション、TK契約が機能する内容になっているか確認。

⑷ 解散、清算時のTK現金分配計算書フォーム契約書にTK契約終了時期が明記されていれば、解散時期に影響されず、TK契約を終了できるが、解散と同時の場合もある。黒字の場合、赤字の場合のシミュレーションを添付すること。TK契約が機能しているか。

⑷ TK契約の費用に営業者の費用（設立費用含む）項目を入れたか。また「TK終了後に営業者がTK事業後に解散清算することを予定する場合に、解散・清算費用に必要となる金額を合理的に見積もり営業者の支払う法人税等租税公課も含めて費用とする」という文言も挿入したか。

⑷ 「TK事業終了後、営業者において、TK事業に関して確定した費用、収益及び法人税等租税公課の金額と実際の費用、収益及び法人税等租税公課の金額に差額が生じた場合は、匿名組合事業終了後においても原則として匿名組合出資者は当該差額を享受又は負担するものとする。ただし、営業者が負担する場合には、残余財産の金額を限度とする。」と入れたか。

⑸ 「TK事業終了後、営業者において、親会社の経費及び清算費用等の立替金並びに今後支払がなされ、精算されないことが確定している支出がある場合には、営業者において負担する法人税等租税公課も含めて匿名組合出資者は負担するものとする。」と記載したか。

⑸ 従来どおり、匿名組合終了時期について、「別途合意した時」とし、「匿名組合終了時期を経費損金算入時期まで延長できる場合については対応できるように文言を追加する」と記載したか。

⑸ 「利益を超える現金分配は出資の戻しとする」という条項があるか。

⑸ 前渡しができるTK契約となっているか。

⑸ 前渡しができるTK契約の場合、「TK現金分配を前渡しした後、利益が計上

第6節　契約書等のチェック項目　319

されなかった場合については、TK出資者は直ちに前渡しされたTK現金分配金をSPCに返還しなければならないものとする。」という文言をTK契約書に入れたか。入れない場合、現金分配の度ごとに回収可能性等について検討すること。

⒂ 特に複数のTK出資者がいる案件について、前渡金としてTK現金分配ができるTK契約にする場合には、回収可能性を検討すること。TK契約時に利益より先に多く現金分配できる内容のTK契約を締結させないこと。

⒃ TK計算期間の変更（最終計算期間を含む）
 ① TK計算期間の変更に伴い、法人税の事業年度を変更したか。
 ② 事業年度変更していない場合に、投資家サイドで租税回避行為にならないか、その他損益の取り込み時期等を含め、法人税法上の事業年度変更をしなくても問題が生じないことを確認したか。
 （※）TK決算期と事業年度末が異なる場合における税務否認条項については、TK決算日時点において、役務提供完了か否かが判断されるのであるから、注意が必要である（法人税法上の事業年度ではない）。

⒄ 金融商品取引法63条（適格機関投資家等特例業務）の適用を受ける場合、すべてのTK契約に次の2つの条項を記載したか。
 ① 匿名組合員の表明保証事項として「金融商品取引法63条の適用上、適格機関投資家として取扱われる者であること」または「金融商品取引法63条の適用上、適格機関投資家以外の適格機関投資家等として取扱われる者であること」
 ② 匿名組合員の約束事項として「金融商品取引法63条の適用上、適格機関投資家として取扱われる者に該当しないこととなった場合には、速やかにその旨を書面にて営業者に通知する」旨または「金融商品取引法63条の適用上、適格機関投資家以外の適格機関投資家等として取扱われる者に該当しないこととなった場合には、速やかにその旨を書面にて営業者に通知する」旨

⒅ 適格機関投資家の数・適格機関投資家以外の適格機関投資家等の数を確認したか。

⒆ 出資金返還に関するTK契約変更、覚書等の場合、以下を確認したか。
 ① 出資返還する理由
 ② 出資返還金額
 ③ 必要留保額
 ④ 出資返還額と必要留保額の金額についてのアレンジャーまたはTK出資者の同意を得たか
 ⑤ TK出資返還の契約変更または覚書を締結する場合、レンダーの承諾を得ているか（ローン返済後であれば不要）
 ⑥ 物件売却後の返還の場合には法人税の仮の申告書を作成した。
 ⑦ 物件売却後の返還の場合には消費税の仮の申告書を作成した。

⑧　物件売却しない場合には、その後の CF 表を作成し、資金ショートしないか確認する。

⑨　直近の BS・PL 添付し、①での支払・入金との整合性を確認する。

⑩　出資金返還についての源泉税の取扱いについて確認した。出資金の返還が明記されない場合には源泉対象分配となる可能性があるので要注意。

⑹　TK 利益、損失の発生や、現金分配、出資返還等に関して、それらが TK 契約上どのように取り扱われるのか、事前にすべての取引を明確にしておき、会計処理を想定しておくこと。

　例えば当初に損失が発生した場合に、TK 契約上、TK 出資金が毀損することとなるのか、未収損失勘定を計上するのか、追加出資を受け入れなければならないのか（金商法の問題も別途要検討）等、その取扱いが明確に TK 契約上規定されているか。

　また、例えば、その後、利益が発生した場合に TK 出資金を回復することなるのか、未収損失勘定を減じるのか、未払 TK 勘定を計上するのか等、その取扱いが明確に TK 契約において規定されているか。TK 出資金の返還とみなす場合と TK 出資金が毀損する場合等を明確に区分しているか。前渡金・仮払金、未払 TK 分配金等の弁済期は契約上明確か。現金分配が先行するスキーム等で、相殺が想定される場合に、相殺適状を検討したか。

　その他、前渡金・仮払金の増減、未払金、TK 出資金の毀損・回復等の発生しうる取引のすべて TK 契約において明確に合意がされているかを確認したか。

A　損失が発生した場合	①　TK 出資金の減少 ②　未収損失勘定の計上 ③　未払 TK 勘定の減少 ④　その他
B　利益が発生した場合	①　毀損した TK 出資金の補填 ②　未収損失勘定の減少 ③　未払 TK 勘定の増加 ④　その他
C　現金分配を行った場合	①　未払 TK 勘定から減少 ②　出資金から減少 ③　前渡金・仮払金として計上
D　その他考えられるケース	① ② ③

第 6 節　契約書等のチェック項目　　321

2 金銭分配先行したまま契約終了した場合

TK 契約終了時において、金銭分配が先行していて、前払金が残存している場合でも、ローン契約がノンリコースの場合には前払金を返還清算せずに終了できる（一種の放棄・貸倒処理）場合があるが、その点多くの契約書で明らかにしていない。

この問題は、[A]先行金銭分配を利益の前払として規定されているのか、[B]利益分配とは別個のものとして規定されているのかによって結論が分かれる。

[A] 利益の前払と規定されている場合

不当利得返還請求（民法703〜708条）により、前払金の返還義務を負う（ただし、現存利益の範囲か利子の問題あるのでこれも要明記）のではないかと思われる（弁護士要確認）。

[B] 利益分配とは別個のものとしている場合

事後の損益に関わらず返還を要しないことになるが、ということは、そもそも金銭分配時点で利益が確定していたことになり、損益認識すべきだったことにもなる。

したがって、現行の会計実務では［A］説に立って規定をしておいたほうが無難である。

〈チェック項目〉

> (1)　TK 契約終了時に利益分配より金銭分配が先行した結果、前払金が残存しうる（最終期損失または不十分な利益の）場合には、営業者が行うべきことは以下のいずれか、金銭消費貸借または TK 契約に規定する。
> ①　前払金と出資金返還債務は相殺して超える部分のみ返還を要するのか。
> ②　前払金と出資金返還債務は相殺するが、超える部分は返還を要しない。
> ③　前払金と出資金返還債務は相殺せず、前払金は返還せず、出資金は全額返還する。

3 TK 出資金が返還等によりなくなった場合の効果

TK 出資金が 0 になる場合として、①出資の払戻による場合、②金銭分配が利益分配に先行した場合に、会計処理上出資金を減少させている場合がある。②は、法的に①の効果を生じさせることを合意していない限り、ミスリードすることになるので②の場合の処理を明記する必要がある。

仮に法的にも①の効果を生ずる場面で、出資金が 0 になった場合、に効力を有するかについては、有するとすることが実務だが、念のため規定しておいたほうがよい。有しないとする説は、金銭消費貸借（通常、元本全額返済により自動解約）のように財産的拠出がないので自動的に解約になるという考え方である。

2 出資持分譲渡契約や増資減資手続

法人税法の繰越欠損金を有している法人の出資持分譲渡契約等の場合、欠損法人の欠損金等の損金算入制限の対象となるか検討を行う必要がある。

〈チェック項目〉

> (1) 他の者（当該内国法人以外の者）が発行済株式（自己株式を除く）の総数の50％超の株式を直接または間接に保有する関係となったか。
>   ① 合同会社等（特に TMK 注意）の場合において、期中に持分譲渡、増資及び減資を行い、50％超を支配している者から当該支配している者以外の者に譲渡されたとき、または、50％超支配されていなかった TMK が当該持分譲渡により50％超を支配される関係になったときは、当該規定の対象となるため注意すること（上記譲渡には、減資を行うことにより当該支配関係に該当する場合も含むため注意すること）。
>   ② SPC の場合において、一般社団法人と合同会社等（TMK、株式会社含む）を同時に設立し、その後合同会社等の第 1 期事業年度末後に一般社団法人に持分譲渡した場合には、第 1 期に係る繰越欠損金については、当該規定の対象となることから注意すること。
>   ③ SPC の場合において、当初のスキームが終了した後に、他のスキームに

第 6 節　契約書等のチェック項目　　323

使用する目的で持分を譲渡した場合には、当該規定の対象となることから注意すること。

(2) (1)のいずれかに該当する場合には、欠損法人の欠損金等の損金算入制限につき詳細に検討を行ったか。

3 証券化費用負担

SPCが費用負担すべき費用をオリジネータ等が負担した場合、税務否認リスクがある。そのため証券化費用の負担者を確認する必要がある。

〈チェック項目〉

	費用を負担すべき者	実際に負担した者		
		SPC	オリジネータ	その他
信託アップフロントフィー	オリジネータ			
信託登録免許税				
社債発行費用	SPC			
優先出資発行費用				
ローンアップフロントフィー				
特定出資設定費用				
法人設立費用				
抵当権設定登記費用				
受益者変更登記費用				
弁護士費用	内容によって、オリジネータまたはSPC			
アレンジャーフィー				
不動産仲介手数料				
不動産鑑定費用・デューデリ費用・エンジニアリング費用等				

324　第4章　匿名組合の税務

会計税務アドバイザリー費用			
印紙税			

4 宅地開発負担金の取扱いについて（法基通7-3-11の2）

　宅地開発負担金は内容により税務上の取扱いが異なるため、開発型SPC等では宅地開発負担金が発生しないかCM（コンストラクションマネージャー）または計画立案者に確認する必要がある。

	負担金等の区分	施設の内容等	税務上の取扱い
①	直接土地の効用を形成すると認められる施設に充てられるもの	例えば、団地内の道路、公園、緑地、公道との取付道路、雨水調整池（流下水路を含む）等	土地の取得価額
②	土地または建物の効用を超えて独立した効用を形成すると認められる施設で、当該法人の便益に直接寄与すると認められるものに充てられるもの	例えば、上水道、下水道、工業用水道、汚水処理場、団地近辺の道路（取付道路を除く）等	それぞれの施設の性質に応じて、無形減価償却資産の取得価額または繰延資産
③	主として、団地外の住民の便益に寄与すると認められる公共的施設に充てられるもの	例えば、団地周辺又は後背地に設置される緩衝緑地、文教福祉施設、環境衛生施設、消防施設等	繰延資産（償却期間8年）
④	純然たる寄附金の性質を有するもの	―	寄附金

5 道路用地の提供・寄附

　道路用地の提供・寄附は内容により税務上の取扱いが異なるため、開発型SPC等では道路用地の提供・寄附が発生しないか、CMまたは計画立案者に確

第6節　契約書等のチェック項目　　325

認する必要がある。

	区分	純然たる寄附	土地の利用のための道路	その他自己が便益を受ける道路
①	道路用地の無償提供	国等に対する寄附金	土地の取得価額	繰延資産 専用…耐用年数の70% 非専用…耐用年数の40%
②	私道の寄附		土地の取得価額	繰延資産（同上）

6 公共施設等の寄附金や負担の取扱い

　以下の費用は、固定資産、棚卸資産、寄附金、交際費、土地取得費、建物取得費、繰延資産のいずれかに該当する。そのため開発型SPC等では以下の取引が発生しないか、CMまたは計画立案者に確認する必要がある。

①　歩道橋

②　歩道の拡幅工事の一部負担（路面舗装、植樹等）

③　汚水処理場

④　簡易水道の工事負担金

⑤　モデルハウスの寄附（公民館として）

⑥　林道の付替費用

⑦　国道の改良工事費用

⑧　公共的施設の設置または改良に伴う負担金（繰延資産か？）

⑨　埋立地の堤防用地の寄附（埋立地取得のために当然必要な費用であり、取得した埋立地の取得原価に含めるべきか？　寄附金処理はできないか？）

⑩　寄附した道路が取付道路（寄附でも繰延資産でもなく、土地原価）

⑪　共聴アンテナ設置（近隣への贈与ではなく寄附金にはならず、支払によって便益を受ける性質であれば繰延資産となるが、一種の損害賠償として一時の損金処理）

CoffeeBreak 外国法人・非居住者と含み益のある不動産SPC（TMKは譲渡してから分配金をもらい、TKは譲渡する前にTK出資を譲渡する）

円安で多額の含み益のある不動産SPCに出資している外国投資家が目立つ。これらの外国投資家が合同会社SPC等に対する匿名組合出資を有しているのか、TMKの優先出資を保有しているのか、によって、税務上の有利な取引が正反対になることが多い。

まず、外国法人出資者が合同会社SPC等に対する匿名組合出資を有している場合を考える。外国法人出資者が匿名組合出資を100％保有していても、下の外国法人出資者が保有しているのがTMKに対する優先出資である場合で述べる不動産関連法人の株式等の譲渡のような規定はない。

(1) SPCが不動産（信託受益権）を譲渡してから分配する場合

日本の税法上の内国普通法人である合同会社が不動産の信託受益権を売却して売却益を匿名組合契約により外国法人である匿名組合の出資者に分配する場合（または信託受託社が不動産を売却してその売却益を受益者である有限会社に信託配当し、有限会社がその配当を匿名組合契約により外国法人である組合員に分配する場合）には、原則としてわが国の源泉所得として源泉税20.42％で課税は完了するが、PEがあり、PE関連所得の場合にはさらに法人税等が課せられる（消費税は不課税）。

(2) 外国法人出資者が含み益を有する匿名組合出資そのものを譲渡する場合

匿名組合の不動産（信託受益権）を譲渡する前に匿名組合出資自体（または組合員たる地位）を譲渡した場合には、源泉税が課される国内源泉所得（所法161①三、7①五、178）には該当せず、PEがない法人税が課税される国内源泉所得（法法138①三。法令178に規定なし）には含まれないので、PEがない場合には条約の有無に関わらず日本では非課税となるのが原則である。

次に、外国法人出資者が保有しているのが不動産TMKに対する優先出資である場合を考える。

(3) TMKが不動産（信託受益権）を譲渡して外国出資者がその配当を受ける場合

外国法人のPE関連所得でない限り、国内源泉所得として20.42％の源泉所

得税の対象となるが、それで課税は完了する。この源泉税については、租税条約によって恩典が得られる場合がある（日米租税条約10条2項・3項、日星10条、日香10条）が、不動産関連法人であるTMKのようなペイスルー法人に対して条約の特典を制限する規定（日米租税条約10条5項）もある。

(4) 外国法人出資者が含み益を有するTMK優先出資を譲渡する場合

株式の譲渡にかかる所得は、PEがない場合には原則として日本の源泉所得とならず、日本では非課税となるのが原則だが、事業譲渡類似の場合や不動産関連法人の株式等の譲渡に該当する場合には、日本で法人税等の課税が生ずる。TMKの優先出資の場合、以下で見るように多くの場合不動産関連法人の譲渡に該当する。

まず、「不動産関連法人」とは、その株式の譲渡の日から起算して365日前の日から、当該譲渡の直前の時までの間のいずれかの時において、その法人が有する資産価額の総額のうち、国内にある土地等の価額等が占める割合が50%以上である法人をいう。通常、税務で「土地等」というと建物は含まれないが、ここでは含まれることに留意したい。50%以上かどうかは、その不動産関連法人の株式の譲渡の日から起算して365日前の日から当該譲渡の直前の時までの間のいずれかの時において、時価ベースで判定する（法令178⑧）ので、多くの不動産保有TMKは該当することになる。このような不動産保有株式等の2%超の持ち分（上場REIT等上場株式等は5%超。同条⑨）を有する株主グループに属する者が譲渡する場合に日本（源泉地国）の源泉所得となるので、不動産TMKに出資する多くの外国法人出資者の譲渡は通常はこれに該当し、譲渡益に法人税が課されることになる（ただし、日米租税条約13条、日星13条、日香13条にも不動産関連法人株式に類似して源泉地国課税とする規定があるが、日伊・日独租税条約のように外国法人の居住地国課税となり日本での課税がなくなる場合もある。法法139）。

なお、非居住者・外国法人の不動産の譲渡の場合、買い手は原則として10.21%の源泉税を支払う必要がある。この場合の不動産にも建物が含まれるが、不動産関連法人株式は含まれないので、源泉税は心配しないで良い（所令281の3）。

第5章

その他のヴィークルと信託

第 1 節

組合

　組合方式のヴィークルの種類としては、匿名組合の他、任意組合、有限責任事業組合、投資事業有限責任組合がある。これらの組合の税務については、組合において課税されずに、投資家段階で課税されることとなる点において原則としては同様である。

1　任意組合

1　概要

　任意組合とは、民法667〜688条に規定されており、各当事者が出資をなして共同の事業を営むことを約する合意によって成立する団体である。団体としての権利義務の認識はなく、法的にも組合員の権利義務として構成されており、その特徴は以下の点である。

- 組合員は組合の財産に対して持分を有するが、原則として持分の分割請求はできない
- 組合員は組合の事業に対して、直接、無限の責任を負う

　任意組合では各組合員が無限責任を負うこととなる点が、一般的な証券化ヴィークルにおいては敬遠される向きがある。不動産特定事業法の任意組合スキームでは契約において責任限度を限定するような対応が図られる。

　また、組合員が直接不動産に権利義務を有すると解される点に着目し、相続対策を行うスキームなども組成されるが、事業としての実態がないような場合

第1節　組合　　331

には、単なる債権とみなされる可能性が生じる点も留意しなければならない。

2 投資家の会計税務

[1] 法人組合員の帰属損益額

税務通達においては、組合員の分配利益の計算方法を定めた次のような規定がある。実務の上で、組合員側の処理に配慮する場合には、会計上もこの通達に従った処理を行うこととなる。

法人税基本通達14－1－2 （任意組合等の組合事業から分配を受ける利益等の額の計算） 法人が、帰属損益額を14－1－1及び14－1－1の2により各事業年度の益金の額又は損金の額に算入する場合には、次の(1)の方法により計算する。ただし、法人が次の(2)又は(3)の方法により継続して各事業年度の益金の額又は損金の額に算入する金額を計算しているときは、多額の減価償却費の前倒し計上などの課税上弊害がない限り、これを認める。

(1) 当該組合事業の収入金額、支出金額、資産、負債等をその分配割合に応じて各組合員のこれらの金額として計算する方法

(2) 当該組合事業の収入金額、その収入金額に係る原価の額及び費用の額並びに損失の額をその分配割合に応じて各組合員のこれらの金額として計算する方法

　　この方法による場合には、各組合員は、当該組合事業の取引等について受取配当等の益金不算入、所得税額の控除等の規定の適用はあるが、引当金の繰入れ、準備金の積立て等の規定の適用はない。

(3) 当該組合事業について計算される利益の額又は損失の額をその分配割合に応じて各組合員に分配又は負担させることとする方法

　　この方法による場合には、各組合員は、当該組合事業の取引等について、受取配当等の益金不算入、所得税額の控除、引当金の繰入れ、準備金の積立て等の規定の適用はない。

この通達は、法人投資家について組合損益をどのように投資家の経理に取り込むかを指示したものである。

ネットネット法においては、組合出資を株式投資と同様に考えるから、貸借対照表（B/S）では出資金勘定一本で処理し、他方、損益計算書（P/L）では受

332　　第5章　その他のヴィークルと信託

図表 5・1・1

| | 組合出資の考え方 | （経理方法） | |
		B/S	P/L
ネットネット法	株式投資と同様	出資金勘定一本	受取配当勘定一本
グロスネット法	損益のみ配分	同　上	各勘定を自己の分配割合で配分
グロスグロス法	資産・損益とも分割	組合財産を分配割合で配分	各勘定を自己の分配割合で配分

取配当勘定一本で処理することになる。

　したがって、ネットネット法による場合には、組合員たる法人においてはその組合の行った取引等について、受取配当等の益金不算入、所得税額の控除、引当金、準備金の繰入れ等は、いずれもその適用がない。

　グロスネット法においては、組合出資を損益のみ分配すると考えるから、B/Sでは、ネットネット法と同様に、出資金勘定一本で計上されるが、P/Lでは、各勘定を自己の分割割合で配分することになる。

　したがって、グロスネット法による場合は、各組合員は組合の収益および費用ならびに損失について自己の分配割合により自己の収益および費用ならびに損失として認識しているので、その組合の取引等について受取配当等の益金不算入、所得税額の控除等、収益および費用を基礎とするものの規定の適用はあるが、引当金の繰入れ、準備金の積立て等資産を基礎とするものの規定の適用はない。

　グロスグロス法においては、組合出資を資産、損益とも分割するものと考えるから、B/Sでは組合財産を分割割合で配分し、P/Lにおいてもグロスネット法と同様に各勘定を自己の分配割合で配分することになる。

　したがって、グロスグロス法による場合は、組合の収入・支出、資産・負債は自己の分配割合により自己の収入・支出、資産・負債と認識しているので、これらは法人固有の金額と同様に取り扱われることとなる。

第1節　組合　　333

また、ネットネット法により損益の配分を行う場合でも、組合の支出金額のうちに寄附金または交際費等に該当する金額があるときは、一括して寄附金または交際費等の損金不算入の計算を行い、その損金不算入額を加算したところにより各組合員に配分すべき純損益の額を計算することとしている。

　これにより、仮に組合において寄附金または交際費等の損金不算入額に相当する金額が生じた場合には、決算上の受入処理は省略し、確定申告にあたり所得に加算するとともに、その処分は「その他社外流出」として処理することになる。

（※）　この場合には、組合員自らの寄附金、交際費等の計算とは切り離してその加算を行うことになる。

［2］個人組合員の利益等の額の計算

　個人組合員においては、平成24年8月30日以降締結される組合契約により成立する任意組合（投資事業有限責任組合および有限責任事業組合を含む）については、個人組合員の所得計算方法として原則グロスグロス法しか採れない。ネットネット法では分離課税と総合課税の損益通算といったことが原則不可能となる。これは、平成23年8月4日付東京高等裁判所の判決[1]を受け、グロスグロス法により計算することが困難であると認められる場合にのみ他の2法が適用可能とする前提条件が追加されたという経緯があり、平成24年8月30日より前に組合契約により成立した任意組合の組合員の組合事業にかかる所得の計算方法については、従前通り継続してネットネット法またはグロスネット法により計算している場合には、その計算方法で計算することができる。

　グロスグロス法により計算することが困難であると認められる場合とは、通達の注書きでは、組合事業の損益額の報告状況、組合事業への関与状況等からみて、組合員において組合事業にかかる収支や資産負債等を明らかにできない場合が該当するとされている。「有限責任事業組合等に係る組合員所得に関する計算書」（所法227の2）の提出義務のある投資事業有限責任組合および有限

1　東京高等裁判所の判決「任意組合の組合員の組合事業に係る利益の計算について」（平成23年8月4日付）

責任事業組合および不動産特定共同事業法施行規則56条で不特法32条の帳簿により分別が求められる任意組合についてはグロスグロス法によらざるを得ない場合が多いだろう。

　なお、法人組合員については通達の改正はされておらず、上述のとおり継続適用を条件にグロスネット法とネットネット法を採りうることとなっている。

（任意組合等の組合員の組合事業に係る利益等の額の計算等）
36・37共－20　36・37共－19及び36・37共－19の2により任意組合等の組合員の各種所得の金額の計算上総収入金額又は必要経費に算入する利益の額又は損失の額は、次の(1)の方法により計算する。ただし、その者が(1)の方法により計算することが困難と認められる場合で、かつ、継続して次の(2)又は(3)の方法により計算している場合には、その計算を認めるものとする。（平17課個2－39、課資3－11、課審4－220、平24課個2－30、課審5－25改正）
(1)　当該組合事業に係る収入金額、支出金額、資産、負債等を、その分配割合に応じて各組合員のこれらの金額として計算する方法
(2)　当該組合事業に係る収入金額、その収入金額に係る原価の額及び費用の額並びに損失の額をその分配割合に応じて各組合員のこれらの金額として計算する方法
　　この方法による場合には、各組合員は、当該組合事業に係る取引等について非課税所得、配当控除、確定申告による源泉徴収税額の控除等に関する規定の適用はあるが、引当金、準備金等に関する規定の適用はない。
(3)　当該組合事業について計算される利益の額又は損失の額をその分配割合に応じて各組合員にあん分する方法
　　この方法による場合には、各組合員は、当該組合事業に係る取引等について、非課税所得、引当金、準備金、配当控除、確定申告による源泉徴収税額の控除等に関する規定の適用はなく、各組合員にあん分される利益の額又は損失の額は、当該組合事業の主たる事業の内容に従い、不動産所得、事業所得、山林所得又は雑所得のいずれか一の所得に係る収入金額又は必要経費とする。
（注）　組合事業について計算される利益の額又は損失の額のその者への報告等の状況、その者の当該組合事業への関与の状況その他の状況からみて、その者において当該組合事業に係る収入金額、支出金額、資産、負債等を明らかにできない場合は、「(1)の方法により計算することが困難と認められる場合」に当たることに留意する。

第1節　組合　　335

図表5・1・2

税法の規定の適用		任意組合			匿名組合
		ネットネット法	グロスネット法	グロスグロス法（注）	ネットネット法
法人税法	受取配当金等の益金不算入	×	○	○	×
	所得税額の控除	×	○	○	×
	引当金繰入	×	×	○	×
	準備積立金	×	×	○	×
	寄付金の損金不算入	○	○	○	×
	交際費等の損金不算入	○	○	○	×
所得税法	非課税所得	（×）	（○）	○	×
	引当金繰入れ	（×）	（×）	○	×
	準備金積立	（×）	（×）	○	×
	配当控除	（×）	（○）	○	×
	源泉徴収税額の控除	（×）	（○）	○	×

（注）　所得税法においては、グロスグロス法が原則となる。

　所得区分については、所得税基本通達36・37共－20より、一般的には不動産所得となる（ただし、金融商品としての性格が強く、利子所得と同等の場合には雑所得となる場合もある）であろう。

［3］組合事業等による損失がある場合の取扱い

　第4章第4節に述べる組合事業の損失の取り込み規制は、法人組合員においては匿名組合、任意組合、信託において同等に定められている（措法67の12）。一方個人組合員においては、措法41条の4の2において任意組合、LPS、外国におけるこれらに類する契約を対象とし、組合事業から生じる不動産所得が損失である場合には、不動産所得内での通算およびその他の所得との損益通算の規定の適用上、その損失を生じなかったものとみなすこととすることが定められている。

　匿名組合については、その利益分配が原則として雑所得となるため対象とする必要が乏しく、また有限責任事業組合については、その趣旨においてすべて

の組合員が実質的関与を行っている前提により、本特例の対象となる組合契約の範囲に含まないとしている（国税庁税解釈より）。ただし組合員の共同事業性の要件を満たさない有限責任事業組合については、有限責任事業組合契約法上、有限責任事業組合契約は無効となり民法上の組合として扱われ、本特例の対象となる組合契約に該当することになる。

[4] 個人組合員の任意組合持分の譲渡

　任意組合の組合員が個人である場合、組合財産が不動産であれば、その部分の任意組合出資持分は不動産の共有にあたる（民法668）ため、譲渡にかかる所得は、不動産（土地建物）そのものの譲渡と考えるのが一般的である。したがって、個人の申告所得税では分離課税の譲渡所得にあたる（裁決事例（平成28年3月7日裁決））。実務上は組合財産に現預金等土地建物以外の資産負債も含まれるが、その他の部分からは譲渡損益が生じないものと処理しても問題が生じないことも多いだろう。

　一方、任意組合持分は消費税法基本通達6－2－1(2)ロでは、非課税の対象となる有価証券等に含めている。いったん、組合を脱退して、不動産の共有持分として譲渡した場合には、その部分は消費税においても不動産の譲渡とされるのではないかと思われる。

　なお、上記 [3] に述べる組合損失の取り込み規定により「なかったもの」とされた損失が、出資持分の譲渡所得の計算にどのように影響するかという点についても留意が必要である。令和5年3月15日の税のしるべに掲載された令和4年2月1日付の非公開裁決事例においては、組合持分の譲渡が共有持分の譲渡であることを前提に、特定組合員が措置法41条の4の2の規定により、所得の計算上損失が「なかったもの」とされた損失について、組合持分の譲渡に関する譲渡所得計算上は、国外中古不動産における減価償却費の損益通算に関する取扱いとは異なり[2]、取得費控除の対象となる（取得費からは控除されるため、譲渡所得を増加させる）旨判断している。

2　有限責任事業組合

　有限責任事業組合とは、「有限責任事業組合契約に関する法律」に基づき、組合員全員が有限責任であるという点で、任意組合とは大きく異なる特色を有する。

　その他に、ヴィークル段階で課税されない（組合員に課税される）点や組合契約において、比較的自由に運営することが可能といった特徴があり、「日本版LLP」とも呼ばれている。業務執行に関する意思決定は、原則として総組合員の全員一致で行うこととなるため、組合運営をするためには少人数（社）になることが多い。

■有限責任事業組合に係る課税関係

［1］組合員の利益等の帰属

　組合員が営まれている組合事業に関わる利益等の課税については、組合事業に関わる資産や負債は自己の持分に応じて個々の組合員に帰属していることから、直接、組合員を納税義務者として課税する構成員課税とされている。

　組合事業に関わる利益や損失の分配については、組合契約にてその割合を定めた場合、それに従うことになる。ただし、これを無制限に認めた場合には、組合員間にて財の自由な移転を認めることとなるため、たとえば組合員間の資産移転・利益移転を目的としているなど特定の組合員の税負担軽減を目的とし、損益分配の割合に経済的な合理性がない場合には、その割合によらない場合があるとされている。

2　個人が、国外中古建物から生ずる不動産所得を有する場合に、国外不動産所得の損失の金額は、不動産所得の損益通算の規定の適用上、生じなかったものとみなす規定（「国外中古建物の不動産所得に係る損益通算等の特例」（措法41の4の3））。この場合、生じなかったものとみなされた減価償却費相当額は、将来譲渡した場合の取得費に加算できる（すなわち、譲渡所得から控除することができる）。

338　第5章　その他のヴィークルと信託

［2］ 有限責任事業組合に係る事業所得等の所得計算の特例

　組合員は有限責任であり「組合員は出資の価額を限度とし、債務を弁済する責任を負う」と規定されていることから、組合事業から生ずる不動産所得や事業所得、または山林所得を有する場合において、下記の「イ」による計算した金額が所得の損失としてある場合には、「ロ」によって計算した金額を超える部分の金額を、その年分の必要経費に算入できないこととされている。

　すなわち、組合員が計上する組合損失は出資の価額を上限とし、税法上も組合事業の事業所得などの損失額を調整出資金額の範囲内に限られることとなる。

イ．組合事業による不動産所得、事業所得、山林所得の損失の金額

　　組合員個人がその年分における総収入金額に算入すべき金額の合計額が、組合事業から生ずる必要経費に算入すべき合計額に満たない部分の金額に相当する金額

ロ．調整出資金額

　　組合の計算期間の終了日に属する年における、組合員個人の組合事業に関わる(イ)(ロ)に掲げる金額の合計額から(ハ)に掲げる金額を控除した金額

　(イ)　計算期間終了日が到来するまでに、個人が組合契約に基づいて出資した金銭や財産の価額で、会計帳簿に記載された出資の価額の合計額に相当する金額（有限責任事業組合契約法11、29②）

　(ロ)　その年の前年に計算期間終了の日が到来する計算期間以前の各計算期間において、組合事業から生ずる各種所得に係る収入金額に算入すべき合計額から、①配当所得、②不動産所得、事業所得、山林所得又は雑所得、③譲渡所得、④一時所得に掲げる合計額を控除した金額の合計額に相当する金額

　(ハ)　計算期間の終了日までに交付を受けた金銭その他の分配額のうち、当該個人が交付を受けた部分に相当する金額の合計額に相当する金額

3 投資事業有限責任組合

1 「中小企業等投資事業有限責任組合契約に関する法律」の成立

　わが国における投資事業組合（組合員たる投資家から資金を集め、投資先企業に対し、主として出資の形で資金を供給する組合。以下「ファンド」という）は、1980年代前半頃から、ベンチャーファンドを皮切りに組成されはじめた。当時、ヴィークルとしては主に民法上の任意組合が用いられていたが、投資家が無限責任を負うこととなるため、十分な資金を集めることができないという限界があった。

　そこで、平成10年にベンチャー企業のような未公開企業への投資を専門に行う組合型ファンドに有用な新たな組合契約の形態を創設する目的で「中小企業等投資事業有限責任組合契約に関する法律」（平成10年法律第90号）が制定された。中小企業等有限責任組合の投資対象は、その後、順次拡充され、平成14年に有限会社や匿名組合が、平成15年には、産業活力再生特別措置法の認定企業など一定の要件を満たす事業再生企業が追加された。

　投資事業組合の活動範囲はさらなる広がりを見せ、株式上場を維持しながら事業再生を行う場合に当該企業の公開株式を取得して経営再建を主導する類型（上場維持型事業再生）や経営再建を目指す企業の債権を銀行などから買い取り、DES（債務の株式化）を行い経営権を取得して経営再建を主導する類型（DES先行型事業再生）など、ファンド主導の多様な事業再生パターンやベンチャー企業支援のパターンが出現するようになった。これにともないファンドの投資対象は公開・未公開や規模の大小にかかわらず、広く企業の株式一般になり、また債権取得や融資機能まで求められるようになっていった。しかし、旧法においては、企業への資金供給は間接融資だけに偏っており、リスクの高いベンチャー企業や、経営革新や事業再生に取り組む企業に十分な資金が供給されておらず、さらに、出資先のベンチャー企業からの短期のつなぎ融資や、事業再編に取り組む中小企業の債権買取を行うことは認められていなかった。そのた

340　　第5章　その他のヴィークルと信託

め、多くのファンドは中小企業等投資事業有限責任組合を活用することができず、ケイマンSPC等を用いてのファンド組成を余儀なくされていた。

こうした状況を改善するため、平成16（2004）年4月30日付で「中小企業等投資事業有限責任組合契約に関する法律」を改正し、原則中小未公開企業に限られていた出資先の制限について、中小未公開企業だけでなく大企業や公開企業への出資のほか、金銭債権の取得や融資等を行うことも可能とした。これにともない、法律の名称も「投資事業有限責任組合契約に関する法律」（以下「LPS法」という）と改称された（平成16年4月30日施行、最終改正令和元年12月11日）。

2 「投資事業有限責任組合法」の成立

経済産業省のプレス発表（平成16年2月2日）による改正の主なポイントは、以下のとおりである。

① 「中小企業等投資事業有限責任組合法」を「投資事業有限責任組合法」に衣替えした

② ファンド法に基づいて組成される投資事業有限組合（以下「Limited Partnership（リミテッド・パートナーシップ）」を略し、「LPS」という）に融資機能などを追加した

　　イ．出資先企業や出資を予定している企業に対して、融資や債権取得ができるようになった

　　ロ．LPSが、出資先企業や出資を予定している企業の債権を取得、これを株式に転換（DES）することにより、事業再生を主導することができるようになった

③ LPSの投資対象を拡充した

　　イ．旧ファンド法の対象は、未公開の中小企業や産業活力再生法認定企業等一定の要件を満たす事業再生を行う企業に限定されていたが、これを改めて、中堅企業や大企業にも幅広く出資できるようにした。さらに、最終改正によりほとんどの証取法上の有価証券にも投資が可能となった

第1節　組合　341

ロ．LPSが、「成長資金が必要な中堅公開企業」や「事業再生に要する資金が必要な大企業」に対して、出資ができるようになった

これにより、匿名組合契約と併用もしくは匿名組合に代わる新たな投資スキームの組成が可能となった（**図表5・1・3〜5・1・5**参照）。

従来、**図表5・1・3**（TK—TK事例）のように不特定多数の投資家を募る不動産ファンドについては、①匿名組合出資者の破産による匿名組合契約解除の影響の軽減、②不動産特定共同事業法による業法規制の回避、③連結されてしまうことによるインパクトの軽減、④源泉税リスクの軽減等様々な理由により二層構造によるスキームが多く用いられてきた。

一方、有責組合やLPSによる事業は法的規制が強く（言い換えると法的安定性が高く）、共有財産について行う共同事業であるため投資助言・代理業の介入が不要である点において利用価値が生ずる可能性もある。

また、前述のようにほぼすべての有価証券（金商法上）に投資できるようになったため、TMKの優先出資や特定社債への投資により、導管性要件のうち機関投資家要件および国内募集要件の二つを満たすことができるため、**図表5・1・5**のように外国投資家のさらなる参入を促す新たなスキームが組織しやすくなった。

なお、従来はLPS法において、特に一般投資家が巻き込まれやすいケースについては、投資家の数や資格を制限し、原則、プロの投資家のみが参加できるように手当がされていたが、旧証券取引法の改正（平成16年12月1日施行）により、ファンドに投資する一般投資家保護のルール（公募の場合の開示義務）が導入されたため、LPS法での投資家保護規制は廃止された。金融商品取引法施行後は、投資事業有限責任組合の出資持分は原則「集団投資スキーム」として、規制対象となった。

図表5・1・3　TK-TK事例

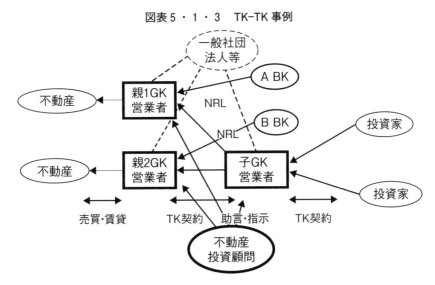

(出所)　さくら綜合事務所

図表5・1・4　TK-LPS事例

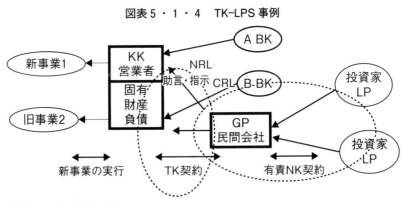

(出所)　さくら綜合事務所

図表5・1・5　LPSを利用したスキーム

(1) **既存スキーム**（がんばれ！中小企業ファンド（経済産業省））

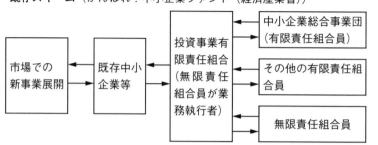

(2) **新スキーム**

〈前提〉
① 海外投資家はそれぞれ独立した法人等であり、国内にP.E.はない。
② 海外投資家および国内投資家はそれぞれ他の投資家と独立（資本関係なし）している。
③ LPSは「投資事業有限責任事業組合に関する法律」に基づき適法に組成されている。
④ TMKは「資産の流動化に関する法律」に基づき適法に組成されている。

〈パターン1〉

〈パターン2〉

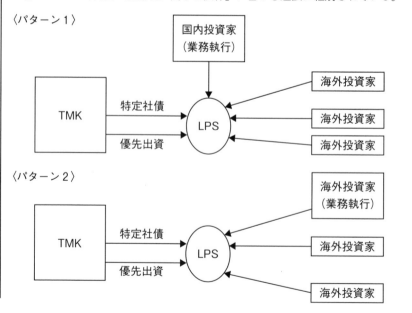

⟨パターン3⟩

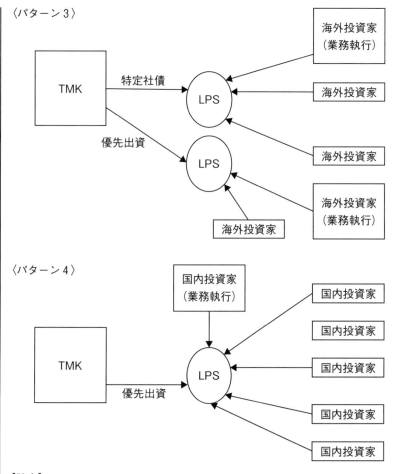

⟨パターン4⟩

【論点】
(1) パターン1〜3までにおいて、LPSは適格機関投資家であるため、損金算入要件の一つである特定社債が適格機関投資家向け発行という要件を満たすものと考える。
(2) パターン1〜3までにおいて、LPSは国内において、登記もされるため、損金算入要件の一つである特定社債・優先出資の国内募集という要件を満たすものと考える。
(3) パターン1〜3までにおいて、優先出資の配当の際、原則、源泉税が徴収されるがLPSからの配当について、
　① PE認定されることにより、20％の源泉税が徴収される。つまり、特定社

債の利子についての源泉税15％とLPSの配当に関しての20％となる。社債利子の源泉税15％はPEが申告等により還付を受けることができるため、結果として、LPS配当の源泉税20％が徴収される。ただし、この源泉も1号PEの場合は、源泉免除の規定により徴収されずに済む。また、PEであると認定された場合は、海外投資家が租税条約締結国に存在する場合であっても、租税条約の適用はないと思われる。

②　LPSはPEに認定されず、LPS配当に係る源泉徴収は必要なく、優先出資および特定社債の源泉のみでよいと思われる。

以上の二つの考え方があると思うが、個別に確認する必要がある。

(4)　租税条約締結国の海外投資家がいた場合には、社債の利子または優先出資の配当所得として、あるいは、LPSの事業ということで事業所得として、租税条約適用を考えていくべきであるかという問題も浮上している。

(5)　業務執行社員が国内法人（居住者）と外国法人（非居住者）であることについて、PEの認定に影響はないと思われる。

(6)　パターン4について、LPS一つが優先出資を持っている場合（特定出資は別の非同族会社1社が保有）、同族会社の判定は各組合員について判定していけばよいと思われる。

(※)　租税条約の規定により、所得税法および租税特別措置法に規定する税率以下の限度税率が適用される場合には、復興特別所得税は課税されない。

3 　金融商品取引法施行（平成19年9月30日）

［1］みなし有価証券化の経緯

　LPS法による投資家の出資持分は、金融商品取引法においては原則「集団投資スキーム持分」に該当し、第2種金融商品取引として規制対象となっている。規制対象となった経緯は図表5・1・6にまとめている。

［2］LPS法の具体的内容

　法改正により、拡充が図られた具体的な事業内容は以下のとおりである。

①　投資等資金の供給に関する事業

　イ．株式等の取得および保有

　　本改正により、投資対象を中小企業等に限定する制限を撤廃し、大企業の株式等の取得を可能にした。

　　また、1号は会社設立時、2号は会社設立後の株式等の取得について

346　　第5章　その他のヴィークルと信託

図表5・1・6

| 平成10年施行の「中小企業投資事業有限責任組合契約に関する法律」により、民法100年来の特則が設けられ、それまで無限責任であった組合員について、有限責任となった。 |

| 平成14年、15年と改正があり、中小企業者の匿名組合出資、人数制限が50人から100人へと改正が行われてきた。 |

| 平成16年4月30日より「中小企業」が削除され、会社の規模に関係なく、投資できるようになるとともに、金銭債権の取得、保有等も可能となり、投資対象が大幅に拡充することとなった。 |

| それまでは、中小企業のみであったため、投資家である組合員は適格機関投資家およびそれと同等の資格を有する者がメインであったが、投資対象拡充により、一般投資家の参入が考えられるため、投資家保護の規定を設けるようにした。 |

| 平成16年12月1日までは有責組合法のなかで人数制限（100人）、投資家規制（特定組合については適格機関投資家のみ）等の投資家保護規定が設けられているが、同日以後は証取法においてみなし有価証券として規定されるため削除される。 |

| 上記有責組合がみなし有価証券として規定されるときに金融庁側では、有責組合と類似する出資（投資）形態についてはすべて投資家保護規制をかけることを目標に、匿名組合契約についても、証券取引法上のみなし有価証券として規定にすることとなったと推定する。 |

定めている。

ロ．指定有価証券の取得

LPSが事業者（法人（外国法人を除く）および事業を行う個人）に資金を供給するにあたっては、①DESを実行したい、②倒産を防止するために緊急に資金供給を行いたい、といった事情から、出資以外の形態に

図表5・1・7　LPS法解釈通知

セキュリティトークンの投資対象への該当性について		
金商法におけるセキュリティトークン （電子記録移転有価証券表示権利等）	LPS法の投資対象を STで取り扱う場合の 金商法との対応関係	LPS法において投資対象事業と解釈できるセキュリティトークン （考え方）
• 金商法第2条第2項柱書前段 　有価証券に表示されるべき権利を表示する 　券面が発行されていない場合においても、当 　該権利を有価証券とみなす旨の規定。	⬅	(1) LPS法施行令第1条第1項第1号〜第11 号に掲げる有価証券に表示されるべき権利に 該当するセキュリティトークン ／ 令第1項第13号 で金商法第2条第2項 を引用して対象に明記 している
	⬅	(2) 株券、新株予約権証券、外国法人株券、受 益証券発行信託の受益証券等に表示されるべ き権利に該当するセキュリティトークン ／ LPS法の株式等には券 面に限定されるもので はなく、券面に表示され るべき権利も含まれる
• 金商法第2条第2項柱書後段 　同項各号に定められている権利は、証券 　又は証書に表示される権利以外の権利で 　あっても有価証券とみなされる旨の規定。	⬅	(3) 匿名組合契約の出資持分、信託受益権等に 該当するセキュリティトークン ／ LPS法の持分等には金 商法第2条第2項 により有価証券と見なさ れる権利も含まれる

金商法上の有価証券には該当しない資産 （※） について ／ ※ 企業組合の持分・金銭債権・工業所有権・著作権・約束手形 （金商法の有価証券を除く）・譲渡性預金証書等
・LPSがこれらの資産を取得・保有するに当たり、ブロックチェーン等の方法によりこれらの資産の移転に係る事務を処理 　しても、その行為は本来業務の範囲内での業務執行と解され、LPS法上、無効とされないことを明らかにした（LPSがこ 　れらの資産を取得・保有することが前提）。

（備考）資金決済法上の電子決済手段（いわゆるステーブルコイン等）及び暗号資産を取得・保有することは、法第3条第1項に掲げる事業のいずれにも該当しない。

（出所）　経済産業省ホームページ

よる資金供給のニーズは大きい。

　そこで、本改正により、本号に基づき有価証券であって事業者の資金調達に資するものについて、LPSがこれを取得することを可能とした。

　この有価証券には特定目的会社（TMK）や投資法人が発行する特定社債、優先出資証券、投資口についても含まれている。LPSは適格機関投資家（金商法2条に規定する定義に関する内閣府令10条）であり、かつ税務上の「機関投資家」（措令39の32の3、措規22の18の4①四）であるため、導管性要件の一つを満たすこととなる。

　なお、この有価証券の範囲に暗号資産やセキュリティトークンが含まれるかという点は定かではなかったが、経済産業省よりLPS法の解釈通知が公表された。これにより、金融商品取引法上の有価証券が、ブロックチェーンを利用して移転することのできる財産的価値に表示（いわゆるトークン化）された場合、このトークン化された有価証券（以下「セキュリティトークン」という）がLPSの投資対象に含まれることが明確化された。同時に、資金決済法上の電子決済手段および暗号資産を取得・保

348　　第5章　その他のヴィークルと信託

有することは、現行の LPS 法 3 条 1 項に掲げる事業のいずれにも該当しないことについても併せて整理がなされている[3]。

ハ．金銭債権の取得および保有ならびに金銭の新たな貸付け

上記でも述べたように、出資以外の形態による資金供給のニーズは大きい。

そこで、本改正により、第 5 号に基づき事業者に対する新たな金銭の貸付けを行うことを可能とするとともに、第 4 号に基づき一定の範囲内で金銭債権の取得および保有をなし得ることとした（その他金銭の新たな貸付けと出資法、利息制限法、貸金業法との関係については以下 [5] 参照）。

ニ．工業所有権および著作権の取得および保有

旧法では、中小企業等が保有する工業所有権および著作権の取得および保有に事業範囲が限定されていたが、新法ではすべての事業者が所有する工業所有権および著作権の取得および保有にまで事業範囲を拡充した。

ホ．　匿名組合の出資持分または信託受益権の取得および保有

投資営業者でない特定中小企業等（旧法における中小企業等と同義）を相手方とする匿名組合出資および特定中小企業者等の営む事業から生ずる収益または利益の分配を受けることを内容とする信託受益権については従前どおりである。また、投資事業を営む特定中小企業者等を相手方とする匿名組合出資については、本号の対象に含まれないとして第 9 号（投資組合等に対する出資）との関係を明確化した。

② コンサルティング業務（経営または技術の指導）

本改正により、投資対象として事業者の指定有価証券および事業者に対する金銭債権を追加したことにともない、有責組合がその指定有価証券ま

---

3 「投資事業有限責任組合契約に関する法律第 3 条第 1 項に規定される事業におけるセキュリティトークン等の取扱いについて」令和 5 年 4 月19日経済産業省

第 1 節　組合　　349

たは金銭債権を保有している事業者に対する経営または技術の指導についても組合が営むことのできる事業範囲に追加することとした。

③　他の投資組合向け出資等（ファンド・トゥ・ファンド）

ファンド・トゥ・ファンドを可能とするために、原則として有責組合の資金の100％（平成16年12月1日までは出資金額の50％を上限）を、投資事業を営む組合に出資できることとした。

④　事業に付随する事業

本改正により投資対象に指定有価証券および金銭債権が追加されたが、これらの指定有価証券または金銭債権には不動産等の担保が設定されていることもありうる。当該担保権の行使に際して、譲渡担保の実行や競売における自己競落により、有責組合が担保不動産を取得するケースが想定される。

かかる場合において不動産等の取得を禁止すると、本組合にリスクの高い担保融資、無担保債券の取得を強制することとなり、本組合の事業範囲を狭め、ひいては事業者に対する資金提供が十分に行われないこととなりかねない。

そこで、本組合の付随事業として、本組合が取得した指定有価証券または金銭債権に係る担保権を行使する範囲内に限って、担保目的物を取得および保有することを認めることとした。

⑤　外国法人への投資や特定投資組合向け出資等

本改正により、投資対象を中小企業等のみならず広く公開企業や大企業を含む事業者一般に拡大したことにともない、LPSの事業の遂行を妨げない範囲において行う外国法人が発行する株式等への出資についても、同様に対象を拡大している。また、投資組合等へのファンド・トゥ・ファンドについては原則として本組合の投資対象としたものの、そのうち投資家保護の観点から本組合の本来の業務内容とすることが相当でないもの（特定投資組合等への出資等）については、これを一律に禁止するものではなく、本組合の事業の遂行を妨げない限度において行うことができることとした。

⑥　第12号は余裕資金の運用

　本改正により、投資対象として指定有価証券が追加されたことにともない、特定指定有価証券に該当しない CP については第3号に基づき取得および保有が可能となったため、これについては余裕資金の運用対象から除外することとした。

［3］証取法改正の内容

　改正前と改正後の事業内容の範囲については大きく異なるが、不動産の現物での取得は事業範囲に含まれていない。これに対して、信託受益権の取得および保有は認められている。

　これを実務家の立場からいうと、旧改正証取法において、「匿名組合契約であって投資事業有限責任組合契約に類するものとして政令で定める」、「商法535条に規定する匿名組合契約のうち投資事業有限責任組合契約に関する法律第3条第1項各号に掲げる事業の全部又は一部を営むことを約するもの」と規定されており、現物不動産を取得する SPC に対する匿名組合出資を保有するファンドの組合の持分については旧証取法上、みなし有価証券とはならないこととなっていた。

　平成16年12月1日の証券取引法の改正について、ポイントを挙げると以下のようになる。

①　LPS の持分を、証取法の適用対象とする（ただし、「有価証券」ではなく、いわゆる「みなし有価証券」としての扱い）

②　LPS への出資を公募する場合（適格機関投資家以外の一般投資家を50名以上募集する場合）は有価証券届出書等の提出によりファンドの財務内容などの重要情報を開示するとともに、有価証券報告書による継続開示を行う

③　不公正な取引（故意に虚偽の情報を利用して投資家勧誘など）などを禁止。違反者は罰金、課徴金が課せられる

④　LPS の持分の売買、募集、媒介等を営業として行う場合は、証券業の登録を行う（ただし、業務執行者である無限責任組合員がその業務執行を行うファンドの持分について募集等を行う場合は不要）

第1節　組合　351

図表5・1・8

（※） この他、ファンドによる投資家に対する勧誘が、金融商品販売法の対象となり、ファンドが投資家を募る場合に、元本の欠損が生じるおそれがある旨など（投資リスク）を説明する義務が課せられる。

[4] **LPS法の組合員の人数について**

　LPS法施行当時においては、ファンド法の組合（任意組合）については源泉税が課税されることにはなっていなかった。しかし、平成17年度税制改正により一定の外国法人および非居住者については組合からの配当について20％の源泉税が課されることとなった[4]。また、匿名組合出資しているファンド法の組合についての人数の数え方であるが、LPSがパス・スルーのため、税務上その先の構成員で考えるとされていることが明らかとなった。つまり、あえて、平成17年度税制改正で、非居住者外国法人の事業譲渡類似の株式譲渡については、構成員単位ではなく、組合単位で保有比率を計算することが明文化されたのである[5]（**図表5・1・8**参照）。

　ただ、金融商品取引法上の公募か私募かに係る組合員の人数の考え方については、一つの組合においては1人と数えることとなるが、人数の制限について、投資家保護ルール等を潜脱するようなスキームについては構成員で判定するこ

4　ただし、外国投資家からの資金を呼び込むため、LPS投資については一定の緩和がなされており、LPSから生じる分配についてはPE帰属所得に該当しないものとみなす特例（措法67の16の3）や源泉税の免除特例等（措法41の21①⑤）がおかれている。
5　上記と同様の趣旨において、一定の要件を満たすファンドにおいては事業譲渡類似株式の該当可否につき組合員単位で判定して差し支えないとする特例が設けられている（措令39の32の2①、26の31③）。

ととなるであろう。

たとえば、A LPSに100人の組合員がいた場合においては、特に公募要件等、法律的に潜脱行為を行っていない場合、B投資事業者への匿名組合員の人数としては1名である。

［5］LPS法と関連法令

① 出資法

LPSが組合事業として金銭の新たな貸付けを行う場合、「金銭の貸付けを行う者」として、出資の受入れ、預り金および金利等の取締りに関する法律5条の規制に服することとなる。

② 利息制限法

LPSが組合事業として金銭の新たな貸付けを行う場合、当該貸付けに係る金銭消費貸借については、利息制限法の規定が適用される。

③ 貸金業法

貸金業の規制等に関する法律（貸金業法）は、「貸金業」（金銭の貸付けまたは金銭の貸借の媒介で業として行うもの）を営もうとする者に対して適用される。したがって、LPSが業として事業者に対して金銭の新たな貸付けを行う場合には、貸金業を営むものとして貸金業の規制を受けることとなり、貸金業法に基づく貸金業登録（貸金業法3）等が必要となる。

4 税務上の取扱い

［1］任意組合としての税務処理

LPSについては、民法上の任意組合と同様に税務通達（法基通14－1－1、14－1－1の2、14－1－2および所基通36・37共－19、20）が適用される。平成17年12月26日に改正された法人税基本通達14－1－1によって、LPSも「任意組合等」と明確に定義された(注)。

（注）　それまでは、平成10年9月17日付（平成10年9月14日企庁第2号）で中小企業庁計画部長より国税庁課税部長宛に照会し、同年10月21日付（課審4－19、課審3－40）で国税庁課税部長より中小企業計画部長宛に来た回答が根拠であった。

第1節　組合　353

[2] エンジェル税制について

"エンジェル税制"とは、正式名称を「特定中小会社が発行した株式に係る課税の特例」といい、個人投資家によるベンチャー企業への投資促進、ベンチャー企業の直接金融による資金調達の円滑化を図るために創設された制度である。個人投資家が一定の要件を満たすベンチャー企業(以下「特定中小会社」という)へ投資を行った場合に一定の優遇規定を受けることができる。

当規定を適用するには投資家要件および対象企業要件の両方を満たす必要があるが、数度の改正により対象企業の大幅な要件緩和が図られている。平成20年度税制改正において、2分の1課税は廃止されることとなったが、特定の株式への出資額を寄付金控除の対象とする新たな優遇規定が設けられた。さらに、令和5年度税制改正では自己資金による起業についても適用対象に含めるなど、さらなる拡大がなされている。

認定LPS等を通してベンチャー投資を行った場合には適用要件がより緩くなっており、適用を受けようとする投資家にとって、認定LPSを通すことによってより明確に税制優遇を受けることができ、また、ベンチャー企業にとっても、多少手続き(ベンチャー企業である旨の経産省への認定手続き等)が簡便になるメリットがある。

[3] 任意組合から組合員への給与

平成8年の盛岡地裁で「任意組合から組合員への労働の対価として支払った報酬は給与所得とした事例」がある(「税務訴訟資料」第242号、145頁)。

これは、りんご生産組合である任意組合から組合員が受けた収入について、管理者(組合員ではない)の指示を受けてりんご生産に継続的に労務を提供し、1日当たりの定額の日給を基本とする対価の支払いを受けたものであり、その労賃は組合全体の所得とは何らの関係もなく、何ら自己の計算と危険において独立的に営まれる業務という要素の入り込む余地はなく、単なる労働の対価としての意味を有するものであるため、給与所得にあたると認めるのが相当であるとされた事例である。

354　第5章　その他のヴィークルと信託

［4］LPS および匿名組合における投資運用業者の PE 判定参考事例集

　非居住者または外国法人に対する課税について、その課税標準を区分する恒久的施設とされる代理人の範囲から独立代理人が除かれることとされている。

　平成30年度税制改正[6]において、非居住者または外国法人に対する課税について、恒久的施設（PE）とされる代理人から除かれる独立代理人の範囲が見直された。

　これを受け、金融庁より、独立代理人の要件等の明確化を図るため、関係当局と協議し、国外ファンドと投資一任契約を締結し特定の投資活動を行う国内の投資運用業者が独立代理人に該当するかどうかの判定について、「参考事例集」が公表されている。この事例集は、LPS のケースとして作成されているが、匿名組合の場合にも参考になると考えられる。

　金融庁の参考事例集では、たとえば次のような【事例１】の場合には、投資運用業者Ｂ社はＡファンドの構成員の独立代理人と認められるという例示がなされている。

【事例１】
（事実関係）
Ａファンドの概要
　Ａファンドは、全世界の金融資本市場への投資を目的として、Ａ国の投資運用会社Ａ社によってＡ国において組成されたリミテッド・パートナーシップ（LPS）である。Ａ社は、Ａファンドのゼネラル・パートナー（GP）として、Ａファンドの業務執行を行っており、Ａファンドには、Ａ国内外の多数の投資家が

6　平成30年度税制改正により、独立代理人の範囲から、専らまたは主として一または二以上の自己と特殊の関係にある者（①一方の者が他方の法人の発行済株式等の50％を超える数または金額の株式等を直接または間接に保有する関係その他の一方の者が他方の者を直接または間接に支配する関係、または②二の法人が同一の者によってそれぞれの発行済株式等の50％を超える数または金額の株式等を直接または間接に保有される場合における当該二の法人の関係その他の二の者が同一の者によって直接または間接に支配される場合における当該二の者の関係（①の関係を除く）にある者。以下「特殊関係者」という）に代わって行動する者が除かれている。
　これは、租税条約上では一般的となっている独立代理人の規定に相当する規定を、国内法（所得税法、法人税法）においても導入したものである。

第1節　組合　　355

リミテッド・パートナー（LP）として参加している。Aファンドは日本において税法上法人とは取り扱われていない。

A社のAファンドに対する出資割合は約5％である。

運用委託の状況

A社は、日本の投資運用業者であるB社と投資一任契約を締結し、日本の金融資本市場でのAファンドの資金運用をB社に委託している。A社及びA社以外のAファンドの他の構成員は、B社の特殊関係者に該当しない。

投資一任契約の内容

A社は、B社との投資一任契約において、

・債券と株式の投資比率（アセット・アロケーション）を指定し、

・リスク量を制限し、かつ、

・B社に定期的な運用状況の報告を義務付けている

が、それ以外のことに関しては、B社に対して一切の指示を行っていない。

報　酬：

A社は、B社との投資一任契約に基づき、B社に対し、運用業務の対価として、日本での運用資産総額に連動した運用管理手数料（マネジメント・フィー）及び年間運用利益に連動した成功報酬（インセンティブ・フィー／パフォーマンス・フィー）を支払っている。

B社は、A社を主たる顧客としているが、A社以外（B社の特殊関係者でない）とも投資一任契約を締結しており、A社以外からも相当程度の収入を得ている。

しかし、次の【事例3】のような投資銘柄の選定や売買時期に関する指示は、代理人としての十分な裁量権を失わせるものであり、詳細な指示にあたることから、B社はA社から独立しているとはいえないと例示されている。

【事例3】

（事実関係）

投資一任契約の内容に関し、A社が投資銘柄の選定、売買時期についても指示できることを除き、事実関係は事例1と同様である。

投資一任契約の内容

A社は、B社との投資一任契約において、アセット・アロケーションの指定等のほか、投資銘柄の選定、売買時期についても指示ができることとされており、実際に指示を行っている。

356　　第5章　その他のヴィークルと信託

4 LPS を利用した不動産市場安定化ファンド

LPS は、不動産市場安定化ファンド（官民ファンド）においても利用されている。

リーマンショックに端を発した金融収縮で J-REIT のファイナンスリスク（特に投資法人債の償還リスク）が顕在化したことにより、多くの優良不動産を保有する J-REIT が返済資金調達のためにこれらを投げ売りし、適正な価格形成が行われない事態が危惧されたため、不動産市場安定化ファンドは J-REIT のファイナンスを安定させることを通じて価格形成機能を回復させることを目的とし、平成21年9月5日に組成された。

具体的には、不動産市場安定化ファンドが特定金銭信託を通じて J-REIT に貸付を行うのである（**図表5・1・9**参照）が、ここで、資金拠出を受ける J-REIT においては導管性要件を満たすことができるかが焦点となる。

この点について、不動産市場安定化ファンドが LPS の形態により組成されたことにより、不動産市場安定化ファンドから J-REIT が借入を行った場合でも、導管性要件のうち「機関投資家以外の者から借入れを行っていないこと」（措法67の15①二チ、措令39の32の3⑪）という要件を満たすことが可能となる。LPS は、租税特別措置法施行規則22条の19・1項および同22条の18の4・1項1号において、「機関投資家」として規定されているためである。

第1節　組合　357

図表5・1・9

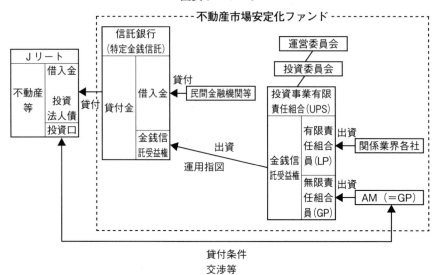

（出所）　国土交通省ホームページ

358　第5章　その他のヴィークルと信託

第2節

法定4ヴィークル

1 概要

　第1章等で紹介した特定目的会社のほか、投資法人、特定目的信託、特定投資信託の4種類のヴィークルを「法定4ヴィークル」という。

　これらのヴィークルについては、一定の要件を満たせば、配当の損金算入が可能となる。

　本節では、法定4ヴィークルのうち特に利用されている特定目的会社、投資法人について、その概要を紹介する。

2 特定目的会社

　特定目的会社とは一定要件（以下「導管性要件」という）を満たすことにより、配当を損金に算入し、ヴィークル段階での法人税課税を軽減することができる。配当せず留保した所得については原則どおり法人税が課税される。

　導管性要件は簡単にまとめると、①対象法人の要件、②対象事業年度の要件、③対象利益配当の額、④申告要件に分かれる。特定目的会社を用いたスキームの大部分は、機関投資家に対して特定社債を発行することにより**図表5・2・1**の①ロ(2)の要件を満たし、かつ、そのことにより同時に②ニの要件（同族会社非該当要件）をクリアする構成をとっている。なお、特定目的会社について

第2節　法定4ヴィークル　　359

はこの方法により非同族会社要件を回避することができるが、同様の規定は投資法人には設けられていないため、一定の同族会社等に該当することとなった場合においては、導管性要件を満たすことはできない。

図表5・2・1

①対象法人の要件 （措法67の14①一）	次に掲げるすべての要件を満たすこと イ．特定目的会社名簿に登録されているものであること ロ．次のいずれかに該当するものであること 　(1)　特定社債の発行価額の総額を1億円以上とし公募発行すること 　(2)　特定社債が機関投資家または特定債権流動化特定目的会社のみによって保有されることが見込まれていること（措令39の32の2②） 　(3)　発行した優先出資が50人以上に引き受けられたものであること 　(4)　発行した優先出資が機関投資家のみによって引き受けられたものであること ハ．資産流動化計画において発行する優先出資および基準特定出資の発行価額の総額のうちに国内において募集（基準特定出資にあっては、割当てまたは募集）される割合が募集ごとかつ種類ごとに100分の50を超える旨の記載または記録があること（措令39の32の2③） ニ．会計期間が1年を超えないものであること（措令39の32の2④）
②対象事業年度 （措法67の14①二）	次に掲げるすべての要件を満たすこと イ．SPC法195条1項に規定する資産の流動化に係る業務およびその附帯業務を資産流動化計画に従って行っていること ロ．SPC法195条1項に規定する他の業務を営んでいる事実がないこと ハ．SPC法200条1項に規定する特定資産を信託財産として信託していることまたは当該特定資産の管理および処分に係る業務を他の者に委託していること ニ．当該事業年度終了の時において法法2条10号に規定する同族会社のうち出資総数の過半、または、重要な議決権総数の過半が出資者の3人以下およびこれらと特殊の関係にある者（議決権を有するSPC法26条に規定する優先出資社員に限る）により保有されている特定目的会社に該当するもの（①

360　第5章　その他のヴィークルと信託

	ロの(1)または(2)に該当するものを除く）でないこと
	ホ．当該事業年度に係る利益の配当の支払額が、当該事業年度の配当可能利益の額の100分の90に相当する金額を超えていること（措令39の32の2⑥）。算式で示すと以下のとおり。
	$$\frac{利益の分配の額（注）}{税引前当期純利益－前期繰越損失－減損損失×70\%－特定社債控除額} > 90\%$$
	（注）資産の額から負債の額、資本金の額および資産の時価評価による純資産増加額を控除した金額を限度とする（SPC法141①）。
	ヘ．SPC法195条2項に規定する無限責任社員となっていないこと
	ト．特定資産以外を保有していないことおよび特定借入れを行っている場合にはその特定借入れが①ロ(2)に規定する機関投資家または特定債権流動化特定目的会社からのものであり、かつ、当該特定目的会社に対して特定出資をした者からのものでないこと（措令39の32の2⑧）
③損金算入対象となる利益配当額 （措法67の14①一）	対象利益配当の額 ①および②の要件を満たす特定目的会社が支払う利益配当の支払額で配当損金算入前・欠損金控除前の当該事業年度の所得の金額以下の金額（措令39の32の2①）であり、みなし配当の額を含む
④申告要件 （措法67の14⑥）	当該事業年度の確定申告書等に損金の額に算入される金額の損金算入に関する申告の記載およびその損金の額に算入される金額の計算に関する明細書（別表十（八））の添付があり、かつ、上記①ロおよびハに掲げる要件を満たしていることを明らかにする書類を保存していること

3 投資法人

1 制度

　投資法人とは、資産を主として特定資産に対する投資を目的として設立された法人であり、法人格を有しているものの、資産運用を超える権限を有していない。加えて、本店以外に営業所を設けたり使用人を雇用したりすることができず、資産の運用や資産の保管などの実務は外部の専門家に委託することが義

務づけられているため、資産の集合体としての単なる器であるといえる。しかし、投資法人における資産運用状況の監視機能としての投資主総会や役員会を設置して投資家ガバナンスを確保したり、投資者に株式会社の株主と同様の権利を付したりなど、投資信託制度にはない仕組みが施されている。

　投資法人制度においては、投資家が投資法人に投資主として出資し、投資法人から運用委託を受けた委託業者が、主として特定資産に対する投資として運用することとなる。

2　投資法人の税務

　投資法人においても、90％超配当要件等の条件を満たすことにより配当を損金に算入することができ、ヴィークル段階での法人税課税を軽減することができる。配当せず留保した所得については原則どおり法人税が課税される。

〈配当損金算入要件〉

　配当損金算入要件を簡単にまとめると、①対象法人の要件、②対象事業年度の要件、③対象利益配当の額、④申告要件に分かれる。

　なお、特定目的会社の相違点として、利益超過分配の制度があり、税会不一致による一時差異があっても90％超配当要件を維持するための調整措置をとることができる（**図表5・2・2**参照）。

図表5・2・2

| ①対象法人の要件
　（措法67の15①一） | 次に掲げるすべての要件を満たすこと
イ．投信法187条の登録を受けているものであること
ロ．次のいずれかに該当するものであること
　(1)　その設立に際して発行（当該発行に係る金商法2条3項に規定する有価証券の募集が、同項に規定する取得勧誘であって同項1号に掲げる場合に該当するものに限る）をした投資口の発行価額の総額が1億円以上であるもの
　(2)　当該事業年度終了の時において、その発行済み投資口が50人以上の者によって所有されているものまたは機関投資家[※1]のみによって所有されているもの
ハ．投信法67条1項に規定する規約において、投資口の発行価 |

362　第5章　その他のヴィークルと信託

	額の50%超に係る募集が国内において行われることが記載・記録されていること（措令39の32の3③） ニ．会計期間が1年を超えないものであること（措令39の32の3④）
②対象事業年度 　（措法67の15①二）	次に掲げるすべての要件を満たすこと イ．投信法63条の規定に違反している事実がないこと ロ．その資産の運用に係る業務を投信法198条1項に規定する資産運用会社に委託していること ハ．その資産の保管に係る業務を投信法208条1項に規定する資産保管会社に委託していること ニ．当該事業年度終了の時において法人税法2条10号に規定する同族会社のうち政令で定めるもの※2に該当していないこと（措令39の32の3⑤） ホ．当該事業年度に係る配当等の額の支払額が当該事業年度の配当可能利益の額の90%を超すこと（計算の詳細は以下の③損金算入対象となる利益配当額を参照） ヘ．他の法人（専ら海外不動産の取得等を行うことを目的とする一定の特別目的会社を除く）の発行済み株式または出資もしくは匿名組合契約等に基づく出資額（当該他の法人が有する自己の株式または出資を除く）の総数または総額の100分の50以上を有していないこと※3 ト．当該事業年度終了の時において有する有価証券、不動産等一定の特定資産の帳簿価額が総資産額の2分の1相当額を超えていること チ．機関投資家以外の者から借入れを行っていないこと（措令39の32の3⑪）
③損金算入対象となる利益配当額	以下の要件を満たす金銭の分配※4（投信法137条（出資等減少分配※5を除く））（法人税法24条の規定によるみなし配当の支払額（法人税法23条1項1号または2号に掲げる金額とみなされる金額）および配当見合いの合併交付金の配当額で、配当損金算入前・欠損金控除前の当期の所得の額以下の部分（措令39の32の3②） 　（1）利益超過分配がない場合（措法67の15①二ホ） $$\frac{配当等の額の支払額}{税務上の配当可能利益の額（注1）} > 90\%$$ 　（注1）「税務上の配当可能利益の額」とは、投資法人の計算に関する規則（以下「投資法人計算規則」という）51条1項の規定により同項の税引前当期純利益金額として表示された金額（次の①から③および⑥の各号に掲

第2節　法定4ヴィークル　　363

げる金額がある場合には、当該各号に定める金額を控除した金額とする。また、②、③または⑥の金額がある場合には、④、⑤または⑦の金額を加算した金額とする）をいう。

① 投資法人計算規則54条1項1号に掲げる前期繰越損失の額
　　当該前期繰越損失の額

② 投資法人計算規則78条3項の規定により買換特例圧縮積立金の積立額に細分された金額基礎となった不動産ごとに当該細分された金額に控除限度割合を乗じて計算した金額（買換特例圧縮積立金個別控除額）の合計額[※6]

③ 投資法人計算規則76条3項の一時差異等調整積立金の積立額に細分された金額

④ 買換特例圧縮積立金を取り崩した場合の買換特例圧縮積立金個別控除額
　　取崩額に対応する買換特例圧縮積立金個別控除額

⑤ 投資法人計算規則54条3項の規定により一時差異調整積立金の取崩額として表示された金額および金銭分配報告書において一時差異調整積立金の取崩額として表示された金額

⑥ 期末純資産控除項目の合計額から前期繰越利益等を控除した金額
　　当該繰越利益等超過純資産控除項目額[※6]

⑦ ⑥により控除をした事業年度後には、一定の繰越利益等超過純資産控除項目額に係る金額を加算する。

(2) 利益超過分配がある場合（措令39の32の3⑦）

$$\frac{金銭の分配の額}{配当可能額（注2）の金額} > 90\%$$

（注2）配当可能額＝税務上の配当可能利益の額＋利益超過分配金額－出資総額戻入金
（投資法人計算規則2条2項30号に規定する一時差異等調整引当額の戻入の額がある場合にはこれを含む）

④申告要件	確定申告書に損金の額に算入される金額の損金算入に関する申告の記載およびその損金の額に算入される金額の計算に関する明細書（別表十（九））の添付があり、かつ上記対象法人の要件に掲げる要件を満たしていることを明らかにする書類を保存していること（措法67の15⑤）

※1　金商法2条9項に規定する金融商品取引業者（同法28条1項に規定する第一種金融商品取引業のうち同条8項に規定する有価証券関連業に該当するものまたは投資運用業を行う者に限る）そ

の他の財務省令で定めるものをいう。

※2　平成20年度税制改正により、投資法人に係る課税の特例における支払配当等の損金算入要件について、同族会社に該当しないこととの判定を、3株主グループによる判定から1株主グループにより判定することとなった。

※3　匿名組合事業を通じて他の法人の株式または出資を有する場合には、当該投資法人の保有持分に対応する数または金額として政令で定めるところにより計算した株式・出資の数・金額を含む。

※4　米国REITでは一定の株式配当もここでいう配当に含むことが許容されており、2008年にその要件が緩和された（Rev.Proc.2008-68）。

※5　投信法137条の金銭の分配の額のうち、同条3項の規定により出資総額または同法135条（出資剰余金）の出資剰余金の額から控除される金額があるもの。

※6　買換え特例の規定による積立限度額（損金算入限度額）が判定式の分母から控除されるのではなく、同一事業年度における不動産売却損益のネット後の利益金額が判定式の分母から控除される限度額となる。したがって、不動産売却損益のネット後の利益金額を超えて買換特例圧縮積立金を積み立てると、配当原資である投信法136条に規定する利益の不足により、90％超配当要件を満たせない可能性があるため、留意が必要である。

4　特定投資信託

1　特定投資信託とは

　投資信託のうち、受益権の募集が主として国内において公募により行われるものなど一定のものは、当該信託に対しては法人税が課税されないこととなる。投資信託のうち、①主として国内において公募されたもの(注)、②証券投資信託、③外国投資信託は、集団投資信託に分類され（法法2二十九ロ、外国投資信託の定義については同二十六カッコ書）、法人税法12条1項および3項により、信託に生じた所得が受益者等に帰属するものとみなされず、かつ、法人課税信託のように受託者の所得ともみなされないためである。

　特定投資信託とは、投資信託のうち、①～③を除いた法人税が課せられるものをいい、法人課税信託である（法法2二十九の二柱書、措法68の3の3）。

（注）　投資法人法2条8項に規定する公募をいい、50人以上の者を相手方とする勧誘を意味する。

第2節　法定4ヴィークル　　365

2 配当損金算入要件

　特定投資信託においても、90％超配当要件等の条件を満たすことにより配当を損金に算入することができ、ヴィークル段階での法人税課税を軽減することができる。配当せず留保した所得については原則どおり法人税が課税される。

　配当損金算入要件は簡単にまとめると、①対象法人の要件、②対象事業年度の要件、③対象利益配当の額、④申告要件、に分かれる。その詳細は**図表5・2・3**のとおりとなる。

図表5・2・3

①対象法人の要件 　（措法68の3の3①一）	次に掲げるすべての要件を満たすこと イ．投信法4条1項または49条1項の規定による届出が行われていること ロ．その受託者（投信法2条1項に規定する委託者指図型投資信託にあっては、委託者。ハにおいて同じ）による受益権の募集が機関投資家私募により行われるものであって、投資信託約款にその旨記載があること ハ．投資信託約款においてその受託者により募集される受益権の発行価額の総額のうちに国内において募集される受益権の発行価額の占める割合が100分の50を超える旨の記載があるもの（措令39の35の3③） ニ．特定投資信託の事業年度が1年を超えないものであること（措令39の35の3④）
②対象事業年度 　（措法68の3の3①二）	次に掲げるすべての要件を満たすこと イ．当該事業年度終了の時において法法2条10号に規定する同族会社に該当していないこと ロ．当該事業年度に係る収益の分配の額の分配可能収益の額に占める割合として政令で定める割合が100分の90を超えていること（計算の詳細は以下の③） ハ．信託財産に同一の法人の発行済株式または出資の総数または総額の100分の50以上に相当する数または金額の株式が含まれていないこと（措令39の35の3⑧） ニ．当該事業年度終了の時において有する有価証券、不動産等一定の特定資産の帳簿価額が総資産額の2分の1相当額を超えていること ホ．特定投資信託に係る受託法人が当該特定投資信託に必要な

366　第5章　その他のヴィークルと信託

	資金の借入を行っている場合には、その借入が機関投資家からのものであること（措令39の35の3⑧）
③損金算入対象となる利益配当額 （措法68の3の3①ニ、ロ、措令39の35の3①、39の35の3⑤）	③　対象利益配当の額 以下の要件を満たす収益の分配の額（※1）で配当損金算入前・欠損金控除前の当期の所得の額以下の部分 $$\frac{収益の分配の額（※2）}{分配可能収益の額（※3）} > 90\%$$ （※1）収益の分配の額とは、当該事業年度に係る投資信託約款に基づき行われる収益の分配の額（※2）から超過分配額（当該総分配額が受託法人の当該事業年度終了の時における純資産価額から元本の額を控除した金額を上回る場合におけるその上回る部分の金額として財務省令で定める金額（※4）をいう）を控除した金額とする。 （※2）総分配額 （※3）分配可能収益の額 　　　　＝税引前当期純利益－期首欠損金－特別損失に細分された減損損失×80または70％＋超過分配額－超過分配額に充てられた金額として財務省令で定める金額（※5） （※4）投資信託財産の計算に関する規則53条3項の規定により同条1項4号に掲げる元本調整引当額として表示された金額（措規22の20の3①） （※5）投資信託財産の計算に関する規則54条3項の規定により同条1項4号に掲げる元本調整戻入額として表示された金額（措規22の20の3④）
④申告要件 （措法68の3の3⑤）	各計算期間において、特定信託確定申告書に損金の額に算入される金額の損金算入に関する申告の記載およびその損金の額に算入される金額の計算に関する明細書（別表十（十））の添付があり、かつ、上記①ロ、ハに掲げる要件を満たしていることを明らかにする書類を保存していること

第2節　法定4ヴィークル　　367

第3節

海外 SPC

　巨大多国籍企業の台頭や、情報技術の急速な普及による経済環境の激変にともない、国際税務をめぐる状況は大きく変貌を続けている。わが国の国際課税原則も、導入以来50年続いた総合主義から、OECD モデルに基づく帰属主義へと大改革が行われた。平成29年より施行されている。また世界規模の租税回避行為の横行と、これに対抗するための OECD/G20主導による BEPS（税源浸食と利益移転）への取組みとして、国際的に合意された「GloBE ルール」に基づくグローバル・ミニマム課税への対応として、令和5年度税制改正においては最低国際課税額に対する法人税が設けられることとなった。

　海外 SPC の組成には、こうした背景を理解し、わが国のみならず世界と各国の動きに注視し、今後の動きを予見しながらプランニングを行っていく必要がある。

1 タックス・ヘイブンの利用

1 タックス・ヘイブン税制の概要

　タックス・ヘイブン税制とは、軽課税国にペーパー・カンパニーを設立し、その法人に利益をプールすることによって、日本での課税を回避する税金対策を封じ込めようというものである。これは法人税だけでなく、適用を受けたという事例は聞かないが個人の所得税にも同様の規定がある。

　それぞれペーパー・カンパニーにプールした利益（課税対象金額）に対して

その会社からの剰余金の配当とみなして課税される。したがって、日本法人においては外国法人からの剰余金の配当として、また個人においては配当所得として課税される。

2 タックス・ヘイブン税制の要件

[1] 適用要件

タックス・ヘイブン税制の適用の対象となるのは、日本の法人および個人が日本の高い税金を回避するため、実際に海外進出するのではなく、ケイマン諸島やバハマなどの税率の低い国に独自には事業を行わないペーパー・カンパニーを設立し、そこに取引を経由することによって利益をプールして安い税金で済ませてしまおうと企図した場合である。

平成29年度税制改正により適用要件が大幅に変更されており、次の要件のすべてに該当する場合にタックス・ヘイブン税制の適用を受ける可能性がある。

① 外国関係会社

外国法人のうち、居住者および内国法人によって発行済み株式等の50%超を直接および間接に保有されている外国法人や、実質支配関係がある外国法人

② ケース1．特定外国関係会社（ペーパーカンパニー等）に該当する場合

租税負担割合（トリガー税率）30%[7]未満

ケース2．特定外国関係会社に関係しない場合

A．対象外国関係会社：租税負担割合20%未満

B．部分対象外関係会社：租税負担割合20%未満（ただし、合算課税は受動的所得（配当や利子等）のみ）

[2] 適用除外要件

たとえ軽課税国に子会社をつくったとしても、その子会社が事業目的で実際に事業を行っているような場合には、純然たる租税回避行為とは言いがたく（そ

---

7 令和6（2024）年4月1日以降開始事業年度より27%

第3節 海外SPC 369

の効果をねらったとしても）、通常の海外進出についてまでもタックス・ヘイブン税制の適用を受けることはない。

ゆえに、次の要件のすべてを満たしているときは、タックス・ヘイブン税制の適用は受けない。

① 物理的実体を備えている（実体基準）

　事務所・店舗・工場その他固定施設を本店所在地国に有している（事務所等は賃貸でも構わないが、単なる郵便物等の配達場所であったり、連絡場所であるというような場合には、固定施設とはいえない）。

② 外国法人が自ら管理支配を行っている（管理支配基準）

- 株主総会の開催の場所
- 取締役会の開催の場所
- 役員としての職務執行の場所
- 常勤役員および従業員数
- 会計帳簿の作成および保管の場所
- その他

　過去の事例において、取締役会の開催や常勤役員の存在などが問題とされ、取引締結の主導権を日本法人が握っているなどの要素も勘案されている。

③－1　非関連者取引基準

　主たる事業が卸売業、銀行、信託、証券、保険、水運または航空運送業については、第三者（資本関係や親族関係にない者）との取引割合が50％以上であるなどの要件をクリアしていること。

③－2　所在地国基準

　上記③－1の業種以外の事業を主として本店所在地国内で行っていること。なお、不動産業においては主として本店所在地国の不動産の売買・賃貸・仲介等を行っていることが必要であり、物品賃貸業の場合には主として本店所在地国において、使用される物品の貸付を行っている必要がある。

④ 主たる事業が次のものでないこと（事業基準）

370　　第5章　その他のヴィークルと信託

- 株式、出資、債券の保有
- 特許権等ノウハウ、著作権の提供
- 船舶、航空機の貸付

なお、平成21年度の税制改正において、外国子会社配当益金不算入制度が導入されたことにともない、特定外国子会社等が支払う剰余金の配当等の額は、課税対象金額の計算上、控除しないこととされ、特定外国子会社等が一定の要件を満たす子会社等から受ける剰余金の配当等の額は、課税対象金額の計算上、控除されることとなった。

また、平成22年度の税制改正において、事業基準に関し、適用除外とならない「株式等の保有を主たる事業として営む法人」の判定上、統括会社(注)が保有する被統括会社の株式等については「株式等」から除外することとされ、非関連者基準の判定上、卸売業を主たる事業として営む統括会社が被統括会社との間で行う取引については関連者取引に該当しないこととされた。さらに、特定外国子会社等のうち適用除外基準を満たす者であっても、一定の株式の配当・譲渡所得および債券の利子・譲渡所得等の「資産性所得」については、合算課税の対象となることとされた。

さらに、平成31年度の税制改正により、ペーパーカンパニーの範囲から以下のものが除かれることとなった。

- 持株会社である一定の外国会社
- 不動産保有に係る一定の外国関係会社
- 資産開発等プロジェクトに係る一定の外国関係会社

(注) 統括会社とは、その内国法人等により発行済株式の全部を直接または間接に保有されていること、2以上の被統括会社の事業を統括する業務を行っていることその他一定の要件を満たす特定外国子会社をいう。

2 海外SPCが受け取る貸付金利子に係る源泉所得税についての税務

オフショアSPCを利用した仕組みを組成する場合には、**図表5・3・1**の方

図表 5・3・1　一般 SPC の活用パターン

方　式	パターン図	
① オフショア SPC ダイレクト方式	オフショア SPC が直接、国内不動産投資をする場合	オフショア：SPC →（日本）不動産
② オフショア SPC 東京支店方式	オフショア SPC の東京支店をつくり、国内不動産投資をする場合	オフショア：SPC →（日本）東京支店 → 不動産
③ オフショア SPC 子会社方式	オフショア SPC の日本子会社をつくり、当該子会社が国内不動産投資をする場合	オフショア：SPC →（日本）SPC → 不動産

式の中から選択することになる。

　ここでは、主にオフショア（海外）SPC 東京支店方式の税務上の論点について解説することとする。

　証券化する資産が貸付債権である場合には、海外 SPC は貸付債権（以下「原債権」という）からの利子を受け取ることになるが、これは外国法人の発行する債権の利子のうち恒久的施設を通じて行う事業にかかるものであり、20％の源泉所得税が課せられる（所法161①八、178、179、212、213①）。

　しかし、SPC は日本国内に東京支店を有していることから、所轄税務署長から「外国法人に対する源泉徴収の免除証明書」（以下「源泉免除証明書」という）の交付を受け、これをその利子の支払者に提出していれば、貸付金の利子に課せられる源泉所得税の課税は免除される。

　ここで第一に問題となるのは、源泉免除証明書の提出先である。

　本来、海外 SPC 東京支店は利子所得の支払者である原債務者に対して源泉

免除証明書を提出すべきところであるが、実務上その取扱いができない場合がありうる。

それは、原債務者に通知なく原債権を原債権者から SPC に譲渡している（サイレント方式）場合であり、海外 SPC 東京支店が原債務者に証明書を提出することができない。

このような場合、原債権者が貸付元利金回収事務を代行し、海外 SPC 東京支店に対して回収された貸付元利金の送金を行っていることに着目し、海外SPC 東京支店は原債務者に源泉免除証明書を提出することの代替的方法として原債権者に対し源泉免除証明書を提出することが便宜にかなっており、かつ安全と考えられる。

3 海外 SPC が支払う社債利子についての税務

海外 SPC 東京支店が本店の発行する社債を支払った場合の取扱いは、その所得が PE 帰属所得であるか否かにより異なる。

PE 帰属所得とは、外国法人の PE が本店等から分離・独立した企業であると擬制した場合に当該 PE に帰せられるべき所得とされ、上記平成29年の税制改正の適用後は、PE 帰属所得は従来の国内事業所得に代えて国内源泉所得の一つとして位置付けられることとなる。国内源泉所得とされる国内資産譲渡所得の範囲については、国内不動産、国内不動産関連株式および事業譲渡類似株式の譲渡所得その他の譲渡所得で、国内に PE を有しない外国法人において課税対象となる資産の譲渡所得と同様のものに限ることとする。国内に PE を有する外国法人の PE 帰属所得以外の国内源泉所得については、PE 帰属所得とは分離して課税されることとなり、国内に PE を有しない外国法人における国内源泉所得と同様の課税の取扱いが行われることとなる。

また、本店等で行う事業と PE で行う事業に共通する費用を合理的な基準でPE に配賦した場合には、PE における費用として認められることとなる（ただし、当該費用の PE への配賦にあたっては、配賦の算定に関する書類の保存が損金算

第 3 節　海外 SPC　373

入の要件となる）。

　ゆえに、海外 SPC 東京支店の法人税法の課税所得の計算については、海外
SPC 東京支店に直接帰属する損益のほか、SPC 本店で発生する費用について
も、合理的な基準を用いて日本国内における業務に配分されるものについては、
海外 SPC 東京支店の課税所得の金額の計算上、全額損金に算入することがで
きる。

　また、外国法人の PE が本店等から分離・独立した企業であると擬制した場
合に帰せられるべき資本（以下「PE 帰属資本」という）は課税の取扱上、当該
PE に配賦されることとなる。一方、外国法人の PE の自己資本相当額が PE
帰属資本の額に満たない場合には、外国法人の PE における支払利子総額（外
国法人の PE から本店等への内部支払利子および本店等から外国法人の PE に費用配
賦された利子を含む）のうち、その満たない部分に対応する金額については、PE
帰属所得の計算上、損金の額に算入されないこととなる（なお、PE 帰属資本の
額は、「資本配賦アプローチ」と「過少資本アプローチ」のいずれかの方法によって
計算した算出することになる）。

　よって、SPC 本店が発行する社債の支払利子の実額については、①その調
達資金がすべて海外 SPC 東京支店での事業に使用されていることが明らかで
あり、②過大支払利子税制の適用がなく、③上記の支払利子控除制限に該当し
ない場合には、海外 SPC 東京支店の課税所得の計算上、全額損金算入が可能
である。

4　海外 SPC と過少資本税制

　国内において事業を行う外国法人が国外支配株主等に対して負債の利子（国
内で行う事業に係るものに限る）を支払う場合において、当該事業年度における
当該外国法人の国外支払株主等に対する負債のうち、国内事業にかかわる資産
額の割合を乗じた金額の 3 倍を超える場合、当該外国法人の国外支配株主等に
対する負債の利子のうち、その超える部分に対応する額は、課税所得の金額の

374　　第 5 章　その他のヴィークルと信託

計算上損金の額に算入しないこととされる（措法66の5①）。

　国外支配株主等に対する負債の利子として海外SPCで発行する社債利子が考えられるが、過少資本税制が問題となるのは、あくまでも海外SPCで発行する社債利子を外国投資家が受け取る場合であって、日本国内の投資家が海外SPCで発行する社債利子を受け取っても過少資本税制の問題とならない。

　なお、オフショアSPCの株式はチャリタブル・トラストにより保有されるのが通常であり、その場合、下記の国外支配株主の要件に該当することはないであろうから、過少資本税制の適用はないと考えられる。

① 　当該外国法人の発行済株式総数の50％以上を直接または間接に保有する非居住者または外国法人
② 　同一者が当該外国法人と他の外国法人の各々の発行済株式総数の50％以上を直接または間接に保有する場合の他の外国法人
③ 　事業活動における取引・資金・人事などを通して当該外国法人の事業方針を実質的に決定できる非居住者または外国法人

　なお、国際課税原則の見直しによる、PEへの資本の配賦に基づくPEの支払利子控除制限制度の導入にともない、PEにおいて損金算入される支払利子を算定する上で、過少資本税制は適用されないこととなった。

5 海外SPCと過大支払利子税制

1 制度の概要

　法人の所得の計算上、原則として支払利子は損金に算入されるため、内国法人が外国法人へ過大に利子を支払い、これを損金計上することで内国法人の税負担を圧縮することができる。平成24年に創設された過大支払利子税制は、所得金額に比して過大な利子を支払うことを通じた租税回避を防止するため、対象純支払利子等の額のうち調整所得金額の一定割合（現行法制下では20％）を超える部分の金額につき当期の損金の額に算入しないこととする制度である。

　対象純支払利子等とは、対象支払利子等の額の合計額からこれに対応する受

第3節　海外SPC　　375

図表5・3・2

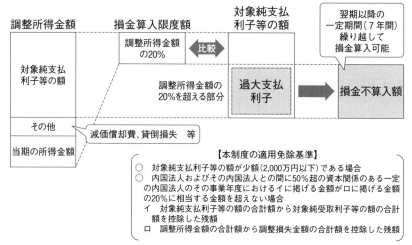

（出所） 財務省ホームページ

取利子等の額の合計額を控除した残額をいう。対象支払利子等の額とは、支払利子等の額のうち対象外支払利子等の額（その支払利子等を受ける者の日本における課税対象所得に含まれる支払利子等の額等）以外の金額である。なお、対象支払利子等の額は、創設当初では資本関係等のある国外関連者への支払利子に限られていたが、その後の改正によりその範囲は広がっており、現行制度下では国外の第三者へ対する利子も含まれる点に留意が必要である。

2 他制度との適用調整等

前項の過少資本税制と本項の過大支払利子税制についてはどちらも適用対象となるケースが想定される。その場合は両制度の関係において、損金不算入額のいずれか大きいほうの制度が適用されることになっている（措法66の5④、66の5の2⑥）。

なお、国際課税原則の見直しにより、PEから本店等に対する内部支払利子は、PEに対する過大支払利子税制の対象となる対象純支払利子等に含めるこ

ととなる。また、本店等からPEに費用配賦された利子のうち該当するものについても対象純支払利子等に含まれる。

CoffeeBreak **空中権を利用した証券化**

　特例容積率適用区域制度の導入により、より広範囲での大規模な容積率の譲渡が可能になった。この制度導入により容積率を取得して利用価値が上がった土地を活用して増加したキャッシュ・フローを分配原資とする不動産証券化が行われている。
　容積率の移転制度はアメリカのTDR（Transferable Development Rights）を模したものであり、ニューヨークに超高層ビルが建築されているのはこの制度を利用したものである。日本における容積率の売買は、都市計画で指定した区域内で特定行政庁が指定した特例容積率の範囲内で行われる。
　たとえば、容積率を購入した土地は増えた容積率の分だけ建物の床面積を増やすことが可能になり、増床による増加賃料収入を投資家への分配に充てることになる。これに対し、容積率を譲渡した土地は、容積率移転後には大きな建物を建てることができなくなるため、将来にわたり価値が低いままになってしまうことになる。

第4節

信託

　匿名組合の会計処理は基本的には、匿名組合の資産負債・損益は営業者とそれらの一部と考えて経理するが、損益のパススルーとなる任意組合や信託の処理とはまったく異なっている[8]。

　以下、匿名組合の場合における取扱いとの比較も念頭に、信託の会計処理、

図表5・4・1

執行事業者と事業参加者の関係	団体または企業の運営形式	財産の帰属（元本受益権）		果実の帰属（収益受益権）
委　任	委任契約のみ・共有等・損益共通契約	事業参加者執行事業者		事業参加者
	任意組合（合有）	事業参加者[注1]		損益配分により事業参加者
	会社等法人	会社等法人		利益処分による配当
信　託	信託	形式（登記）執行事業者	所有権事業参加者	事業参加者
	匿名組合[注2]	所有権執行事業者	実質事業参加者	損益配分により事業参加者

（注1）　登記は執行事業者単独とすることもある。
（注2）　匿名組合への出資を信託行為と考えない説が多数である。

8　そもそも匿名組合の出資の性格として、金銭信託類似のものとか信託行為であるとかいう学説が存在することは前にも検討した。その学説と同様の視点にたった場合には、前述した匿名組合の会計処理はまったく異なるものとなる。

378　　第5章　その他のヴィークルと信託

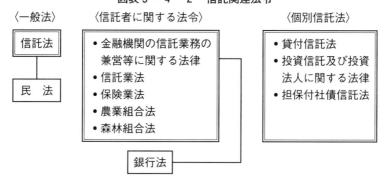

税務について論点を確認する。

1 信託の仕組み

　信託の受益権は、金融商品取引法においては、原則として信託一般の受益権のすべてが有価証券として取り扱われているが、信託とは信託法2条に規定されており、信託を業として行う者についてさらに信託業法があり、兼営法その他の業者規制がある。信託に関連する法律は**図表5・4・2**のように幅広い。

　現在信託を業とするのは大部分が信託銀行であるが、本来信託は自然人間でも契約が成立すればいつでもできる。（後掲の）**図表5・4・3**や**図表5・4・8**のように、実際に不動産開発を相対で行った例（民事信託）もある。

　その他、信託に係る法令としては次のようなものもある。

①　取引規制等……外国為替及び外国貿易法、独占禁止法、金融商品取引法
②　信託の利用に関するもの……厚生年金保険法、国有財産法、地方自治法、賃金の支払の確保等に関する法律、勤労者財産形成促進法、農地法
③　公示に関するもの……不動産登記法、社債、株式等の振替に関する法律
④　税法……所得税法、法人税法、租税特別措置法、相続税法、地方税法、登録免許税法、印紙税法

図表5・4・3 民事信託の例——権利者法人信託方式

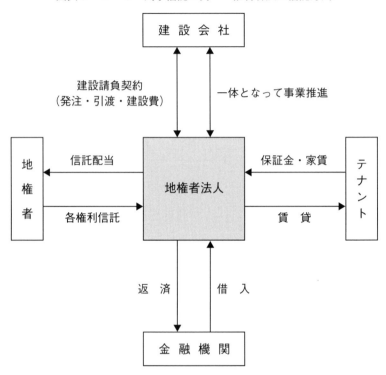

- 地権者は、各権利を地権者が設立した地権者法人に信託する。
- 地権者は、その権利割合に応じた受益権を持つ受益者となる。
- 信託期間中は、この受益権に従って信託配当を受ける。
- 信託期間中、ビルの建設・管理・運営はすべて地権者法人が行う。
- 信託期間中、地権者の財産は信託法により保護される。
- 信託によりすべての権利は一時的に地権者法人に移るが、信託期間が終了したときは、土地・建物ともに所有権は地権者に戻る。
- 事業の中途で相続などで地権者が変わっても契約内容は引き継がれ、事業は確実に遂行される。
- 地権者に破産者が出ても信託財産には及ばず、共同事業に影響しない。
- 会社の権限は、内容が登記されるため、会社は権限以外のことはできない。
- 一方、地権者法人は、担保能力と権限を持った事業主体であり、テナントや金融機関などの対外折衝がスムーズにできる。
- 地権者は地権者法人に対し株主総会を通して意見が反映できる。

⑤　その他……会社更生法、宅地建物取引業法、預金保険法、預金等に係る不当契約の取締に関する法律、非訟事件手続法

2　投資家の二重性

　会計とは、資産と預けた者（投資家）に対して預けられた者がその状況を説明することを起源としている。

　共同投資事業の会計を考えるときに共通することであるが、共同投資事業の執行事業者が株式会社であるときには（実際ほとんどの場合がそうである）、執行事業者の株主、社債権等の投資家がおり、かつ共同投資事業の投資家が別にいる。つまり、執行事業者を中心に別種の投資家が二重に存在することになる。

　前者は執行事業者の会社全体としてのパフォーマンスに着目して投資した者であるが、後者は執行事業者である会社全体というより、共同投資プロジェクトそのものに魅力を感じて投資した者であり、投資家が期待する収益の源泉は異なることになる。そこで、これらの投資家の収益の源泉およびそれを担保する資産は勘定を明瞭に区分する必要性がある。

3　執行事業者の倒産

　以上述べたことが最も端的に表われるのが執行事業者（営業者）の倒産時である。倒産時には、破産法や会社更生法等に従って原則として次の順序で配分される。

①　担保権者
②　租税等債権
③　労働債権等
④　一般債権等
⑤　株主配当

通常、投資家の執行事業者に対して有する債権は一般債権であるため、配当

第4節　信託　381

順位は下位である。しかし、投資したプロジェクトそのものが不良であった場合、そのリスクを覚悟した共同投資事業の投資家が優先弁済されて株主が犠牲になるのもおかしな結果ともいえる。

4 信託財産の分別管理

以上のような要請は、信託者から財産を預かって運用する信託についても当てはまる。信託業法の改正により、金融機関以外の信託業者も現われていることから、執行事業者（信託の受託者）の倒産は、信託業者が金融機関しかいなかった信託業法改正前に比較して、起きる可能性が高まっていると思われる。

実際に、平成17年5月に金融機関以外の会社としては戦後初となる信託業者となった、ジャパン・デジタル・コンテンツ信託株式会社は、従業員による不正支出や循環取引等の不祥事に端を発して、平成21年9月15日付で信託免許の取消し処分を受けており、倒産ではないものの、投資家被害は避けられないものと思われる。

信託法制定時（大正10年当時）には不健全業者による投資家被害や詐欺まがいの手口による被害があった。

そこで、信託法では、次のような分別管理の原則を定めている。

①　事業参加者たる委託者の信託財産と受託者の固有財産とを区別すること

②　信託契約ごとに区別して運用すること

そこで、信託財産は受託者である信託銀行等の固有の資産負債とは区分されて経理されているが、現行の銀行統一経理基準では銀行の決算上は信託財産と銀行との債権債務ネットで「信託勘定借」として貸方計上するだけで信託財産は銀行勘定のオフバランスとなっており、その内容は通常、公認会計士の会計監査の対象ではない。

また、信託財産と信託銀行の固有勘定との関係に関して、銀行との貸借取引の範囲については、①銀行勘定の信託勘定からの余裕資金運用のための貸付け、②信託勘定同士の貸借はあるが、③信託勘定から自行預金への運用や、④信託

382　第5章　その他のヴィークルと信託

勘定の銀行勘定からの借入は生じない。

　その意味では、銀行対信託勘定の関係では、銀行から見た「債務」しか生じない。

　この点について、信託報酬の未払分があるのではないかという疑問も生じるが、信託勘定の中身を現金主義で計算する結果、未払いまたは未収の信託報酬は認識されないため、期末残高としては、銀行から見た「債務」しか存在しないことになる。信託財産と銀行の固有勘定について厳しい分別管理が行われており、決算上も銀行の固有勘定とのトンネル部分である「信託勘定」と信託報酬の２点について関連性があるだけで、信託財産は銀行B/S上とはまったく別に「事業の状況」の中の「信託財産残高表」に有価証券報告書上記載されることになる。

　（※）　分別管理の意義と効果

信託法34条　受託者は、信託財産に属する財産と固有財産及び他の信託の信託財産に属する財産とを、次の各号に掲げる財産の区分に応じ、当該各号に定める方法により、分別して管理しなければならない。ただし、分別して管理する方法について、信託行為に別段の定めがあるときは、その定めるところによる。
　　一　第14条の信託の登記又は登録をすることができる財産（第３号に掲げるものを除く。）　当該信託の登記又は登録
　　二　第14条の信託の登記又は登録をすることができない財産（次号に掲げるものを除く。）　次のイ又はロに掲げる財産の区分に応じ、当該イ又はロに定める方法
　　　イ　動産（金銭を除く。）　信託財産に属する財産と固有財産及び他の信託の信託財産に属する財産とを外形上区別することができる状態で保管する方法
　　　ロ　金銭その他のイに掲げる財産以外の財産　その計算を明らかにする方法
　　三　法務省令で定める財産　当該財産を適切に分別して管理する方法として法務省令で定めるもの
　2　前項ただし書の規定にかかわらず、同項第１号に掲げる財産について第14条の信託の登記又は登録をする義務は、これを免除することができない。

【信託財産の独立性の内容】
強制執行・競売の制限（信託法23）／相殺の制限（同法22）／混同の制限（同法20）／信託財産破産（破産法10章の２）

第４節　信託　　383

5 信託の会計

　以上のような信託に関連する会計には、次の3種類がある。これは、信託に関連する利害関係者の本質的要請（アカウンタビリティ）からくるものである。

① 固有勘定の会計
② 受益者（委託者）会計
③ 受託者会計

　①、②は、それぞれ信託銀行等の受託者と信託を行っている受益者（委託者）の会計を指す。ここで問題としているのは③であり、これが受託者から受益者（委託者）への信託の業績成果報告となっており、委託者は原則としてこれに依拠して信託の配当等を自己の会計に組み入れることとなる。

　かつて、これらは企業会計原則等一般的な企業会計の原則の適用範囲外と解されており、その結果、原則として現金主義会計が採用されていた。

　しかし、平成18年12月に84年ぶりに改正・公布された新信託法においては、その13条において会計の原則が定められており、「信託の会計は、一般に公正妥当と認められる会計の慣行に従うものとする」とされ、平成19年7月4日には信託計算規則が公布された。

　また、平成19年8月2日には、企業会計基準委員会より、実務対応報告第23号「信託の会計処理に関する実務上の取扱い」（以下「実務対応報告第23号」という）が公表された。

1 受託者との計算の分離（off balance）

　まず、分別管理原則から固有勘定（銀行勘定）と信託勘定を分離しなければならない。銀行決算における信託勘定の具体的分離処理は、銀行統一経理基準を根拠とする。信託財産を銀行の資産として運用する場合には、受託者としては、信託財産残高表に「銀行勘定貸」（資産）として表示し、銀行としては銀行B/Sに「信託勘定借」（負債）として表示している。

384　　第5章　その他のヴィークルと信託

2 受益者（委託者）会計

受益者（委託者）会計に関係する会計基準等は、従来より、

- 企業会計基準第10号「金融商品に関する会計基準」
- 日本公認会計士協会会計制度委員会報告第14号「金融商品会計に関する実務指針」
- 日本公認会計士協会会計制度委員会報告第15号「特別目的会社を活用した不動産の流動化に係る譲渡人の会計処理に関する実務指針」
- 「土地の信託に係る監査上の留意点について」（昭和60年3月5日、日本公認会計士協会審理室情報 No. 6）

などが存在していたが、実務対応報告第23号においては、新信託法を受けて従来の信託の基本的な会計処理を整理するとともに、新信託法により創設された新たな類型の信託等について必要と考えられる会計処理が提示されることとなった。

① これまでの信託の一般的な分類による基本的な委託者および受益者の会計処理

信託行為によって信託財産とする財産の種類	委託者兼当初受益者	
	単数（合同運用を除く）	複数（合同運用を含む）
金銭の信託	Q 1	Q 2
金銭以外の信託	Q 3	Q 4

〔Q1〕 委託者兼当初受益者が単数である金銭の信託

　委託者兼当初受益者が単数である金銭の信託は、一般に運用を目的とするものと考えられており、その信託財産である金融資産および金融負債の期末時の会計処理については、「金融商品に関する会計基準」および「金融商品会計に関する実務指針」により付すべき評価額を合計した額をもって貸借対照表価額とし、その評価差額は当期の損益として処理することとなる。

〔Q2〕 委託者兼当初受益者が複数である金銭の信託

　合同運用の金銭の信託を含む委託者兼当初受益者が複数である金銭の信

託については、個別財務諸表上、有価証券としてまたは有価証券に準じて会計処理を行うこととなる。

また、当該金銭の信託の中には、連結財務諸表上、財産管理のための仕組みとみるより、むしろ子会社および関連会社とみるほうが適切な会計処理ができる場合がある。また、新信託法においては、受益者集会の制度など受益者が2人以上ある信託における受益者の意思決定の方法が明示された。このため、当該金銭の信託については、受益者の連結財務諸表上、子会社および関連会社に該当する場合があり得る。

〔Q3〕 委託者兼当初受益者が単数である金銭以外の信託

委託者兼当初受益者が単数である金銭以外の信託の受益者は、原則として、信託財産を直接保有する場合と同様の会計処理を行うが、受益権が質的に異なるものに分割されている場合や受益者が多数となる場合には、受益者の個別財務諸表上、受益権を当該信託からの有価証券の購入等とみなして処理する。

なお、当該信託が、「連結財務諸表制度における子会社及び関連会社の範囲の見直しに係る具体的な取扱い」三で示す特別目的会社にあたることから子会社には該当しないものと推定されている場合には、企業会計基準適用指針第15号「一定の特別目的会社に係る開示に関する適用指針」に基づき、開示対象特別目的会社の開示が必要となる。ここで、参考までに開示例を掲げておく。

〈参考（開示例）〉

当社では、資金調達先の多様化を図り、安定的に資金を調達することを目的として、長期金銭債権（リース債権、割賦債権及び営業貸付金）の流動化を実施しております。当該流動化にあたり特別目的会社を利用しておりますが、これには特例有限会社や株式会社、資産流動化法上の特定目的会社、信託があります。当該流動化において、当社は、前述した長期金銭債権を特別目的会社に譲渡し、譲渡した資産を裏付けとして特別目的会社が社債の発行や借入によって調達した資金を売却代金として受領します。また、会計上、信託を特別目的会社とする流動

386　第5章　その他のヴィークルと信託

化においては、当社が、前述した長期金銭債権を信託したことによって有する信託受益権のうち優先部分を売却して代金を受領します。

さらに、当社は、いくつかの特別目的会社に対し回収サービス業務を行い、また、譲渡資産の残存部分を留保しています。このため、当該譲渡資産が見込みより回収不足となった劣後的な残存部分については、令和XX年3月末現在、適切な評価減などにより、将来における損失負担の可能性を会計処理に反映しております。

流動化の結果、令和XX年3月末において、取引残高のある特別目的会社は○社（信託を含む。）あり、当該特別目的会社の直近の決算日における資産総額（単純合算）はX,XXX百万円、負債総額（単純合算）はX,XXX百万円です。なお、当社は特別目的会社の議決権のある株式等を原則として有しておらず（ただし、一部についてはXX％からXX％を有しています。）、また、役員や従業員の派遣もありません。

当期における特別目的会社との取引金額等は、次のとおりです。

（単位：百万円）

	主な取引の金額又は期末残高	主な損益	
		（項目）	（金額）
譲渡資産（注1）：			
リース債権	X,XXX	売却益	XXX
割賦債権	X,XXX	売却益	XXX
営業貸付金	X,XXX	売却益	XXX
譲渡資産に係る残存部分（注2）	X,XXX	分配益	XXX
回収サービス業務（注3）	XXX	回収サービス業務収益	XX

（注1）　譲渡資産に係る取引の金額は、譲渡時点の帳簿価額によって記載しております。また、譲渡資産に係る売却益は、営業外収益に計上されております。

（注2）　譲渡資産に係る残存部分の取引の金額は、当期における資産の譲渡によって生じたもので、譲渡時点の帳簿価額によって記載しております。令和XX年3月末現在、譲渡資産に係る残存部分の残高は、X,XXX百万円であります。また、当該残存部分に係る分配益は、営業外収益に計上されております。

（注3）　回収サービス業務収益は、通常得べかりし収益を下回るため、下回る部分の金額は、回収サービス業務負債として固定負債「その他」に計上しております。回収サービス業務収益は、営業外収益に計上されております。

以上

〔Q4〕 委託者兼当初受益者が複数である金銭以外の信託

委託者兼当初受益者が複数である金銭以外の信託を設定した場合、各委託者兼当初受益者は、共同で現物出資により会社を設立するときにおける移転元の企業の会計処理（企業会計基準第7号「事業分離等に関する会計基準」第31項）に準じて行う。

② 新信託法による新たな類型の信託等について必要と考えられる委託者および受益者の会計処理

〔Q5〕 事業の信託

いわゆる事業の信託の会計処理については、基本的にこれまでの信託と相違はないと考えられる。このため、委託者兼当初受益者が単数である場合には、Q3に準じて処理し、委託者兼当初受益者が複数である場合には、Q4に準じて処理する。

〔Q6〕 目的信託

受益者の定めのない信託（いわゆる目的信託）については、委託者がいつでも信託を終了できるなど、通常の信託とは異なるため、原則として委託者の財産として処理することが適当と考えられる。

〔Q7〕 自己信託

いわゆる自己信託については、基本的には他者に信託した通常の信託と相違はないと考えられる。このため、自己信託が金銭の信託として行われる場合にはQ1に準じて、金銭以外の信託として行われる場合にはQ3に準じて会計処理を行うこととなる。

3 受託者会計

［1］概要

受託者会計については、従来は「信託会計慣行」という信託銀行が慣行的に行っていた会計方法によって行われており、これはほとんど現金主義会計（銀行統一経理基準の対象外）と同義のもので、例外的に金銭以外の受託者の場合、次のような経理をすることがあるのみであった。

388 第5章 その他のヴィークルと信託

- 金銭以外の受託……委託者の簿価・額面金額・固定資産税評価額等で計上
- 資金運用により取得した資産……取得価額
- 未払利息……発生主義

　一方、信託計算規則においては会社計算規則に近い定めがおかれており、実務対応報告第23号においても「（Q8）受託者の会計処理」として、「新信託法において、信託の会計は、一般に公正妥当と認められる会計の慣行に従うものとするとされており、今後も信託行為の定め等に基づいて行うことが考えられるが、新信託法に基づく限定責任信託や受益者が多数となる信託の会計処理は、原則として、一般に公正妥当と認められる企業会計の基準に基づいて行うこととなる」とされている。

［2］信託計算規則の具体的内容

　いわゆる受託者会計に関する規定である信託計算規則は、「第1章　総則」、「第2章　信託帳簿及び財産状況開示資料の作成」、「第3章　限定責任信託の計算」、「第4章　受益証券発行限定責任信託の会計監査」の4章立てとなっている。このうち「第3章　限定責任信託の計算」に関しては、全33条のうち、第6～29条まで多くの規定を設けている。主な内容は次のとおり。

① 「第1章　総則」第1～3条

　　第3条において、一般に公正妥当と認められる会計の基準その他の会計の慣行をしん酌しなければならないとされる。

② 「第2章　信託帳簿及び財産状況開示資料の作成」第4～5条

　　第4条、第5条において、信託帳簿行為の趣旨をしん酌し、「信託帳簿」を作成し、これに基づいて信託財産に属する財産および信託財産責任負担債務の概況を明らかにする「財産状況開示資料」を作成しなければならないとされる。

③ 「第3章　限定責任信託の計算」第6～29条

　　第3章は、次のような骨格になっている。

第4節　信託　　389

```
第1節　会計帳簿
　　第1款　総則（第6条）
　　第2款　資産及び負債（第7～9条）
　　第3款　金銭以外の当初拠出財産等の評価（第10～11条）
第2節　計算関係書類等
　　第1款　総則（第12～17条）
　　第2款　計算書類等（第18～22条）
　　第3款　信託概況報告（第23条）
第3節　給付可能額の算定方法（第24条）
第4節　清算中の信託の特例（第25～29条）
```

　信託法222条2項の規定により、受託者は限定責任信託の会計帳簿を作成しなければならないとして、①書面または電磁的記録をもって作成すべきこと、②資産、負債およびのれんの評価方法、③金銭以外の当初拠出財産（信託行為において信託財産に属すべきものと定められた財産をいう）等の評価方法等を定めている。この点に関し、信託計算規則6～11条では、資産、負債等の評価の方法について会社計算規則と似た文言が続き、取得原価のほか、信託事務年度の末日における時価または適正な価格を付すことができるなど、かなり柔軟な規定となっているところに特徴がある。

　一方、信託法222条3項の規定により、限定責任信託の効力発生日における貸借対照表、同条4項では毎年一定の時期に限定責任信託の貸借対照表および損益計算書ならびにこれらの附属明細書その他の法務省令で定める限定責任信託の信託概況報告等の書面または電磁的記録を、それぞれ作成しなければならないとされる。この点に関し、信託計算規則12～23条で、これらの書面または電磁的記録の作成時期・対象・作成方法・表示方法等について定めている。

　また、信託法225条は、限定責任信託における受益者に対する信託財産に係る給付は、その給付可能額を超えてすることはできないと定めている。この点に関し信託計算規則24条で、その給付可能額の算定方法について定

めている。具体的な給付可能額の算定方法は次のとおり。

④　給付可能額の算定方法

　　信託財産に係る給付の日の属する信託事務年度の前事業年度の末日における純資産額（自己受益権は資産として計上されていないものとする）から次に掲げる額の合計額を控除する方法とする。

　　イ．100万円（信託行為において、信託留保金の額を定め、またはこれを算定する方法を定めた場合において、当該信託留保金の額または当該方法により算定された信託留保金の額が100万円を、超えるときにあっては、当該信託留保金の額）

　　ロ．信託財産に係る給付の日の属する信託事業年度の前信託事務年度の末日後に信託財産に係る給付をした場合における給付をした信託財産に属する財産の帳簿価額の総額

⑤　「第4章　受益証券発行限定責任信託の会計監査」第30〜33条

　　信託法252条1項により、受益証券発行限定責任信託の会計監査人は同法222条4項の書類または電磁的記録を監査し、法務省令で定めるところにより、会計監査報告を作成しなければならないとしている。これを踏まえ、信託計算規則第4章において、会計監査人が会計監査報告を作成するにあたって努めるべき事項について定められている。

6　信託の税務

1　信託に関する税務の原則

　信託に係る税制には二つの考え方がある。一つは「信託実体理論」といわれるもので、信託財産は課税客体として課税する考え方である。

　もう一つは「信託導管理論」といわれるもので、信託を受益者に信託の収益を分配するための手段または導管体とみる考え方である。

　わが国の税制では、所有の帰属に関して形式と実質が異なる場合には、実質に従って課税するという「実質所得者課税の原則」が採用されているが、ここ

第4節　信託　　391

でいう実質所得者とは、信託の場合、財産の法律上の帰属者である受託者を指すという考え（法的帰属説）がある（所法12、法法11）。一方、わが国の信託税制は「信託導管理論」を基本的な考えとしているといえ、「信託課税の原則」といわれる（所法13、法法12）。

法人税法11条（実質所得者課税の原則）　資産又は事業から生ずる収益の法律上帰属するとみられる者が単なる名義人であって、その収益を享受せず、その者以外の法人がその収益を享受する場合には、その収益は、これを享受する法人に帰属するものとして、この法律の規定を適用する。

所得税法12条（実質所得者課税の原則）　資産又は事業から生ずる収益の法律上帰属するとみられる者が単なる名義人であって、その収益を享受せず、その者以外の者がその収益を享受する場合には、その収益は、これを享受する者に帰属するものとして、この法律の規定を適用する。

法人税法12条（信託財産に属する資産及び負債並びに信託財産に帰せられる収益及び費用の帰属）　信託の受益者（受益者としての権利を現に有するものに限る。）は当該信託の信託財産に属する資産及び負債を有するものとみなし、かつ、当該信託財産に帰せられる収益及び費用は当該受益者の収益及び費用とみなして、この法律の規定を適用する。ただし、集団投資信託、退職年金等信託、特定公益信託等又は法人課税信託の信託財産に属する資産及び負債並びに当該信託財産に帰せられる収益及び費用については、この限りでない。
2　信託の変更をする権限（軽微な変更をする権限として政令で定めるものを除く。）を現に有し、かつ、当該信託の信託財産の給付を受けることとされている者（受益者を除く。）は、前項に規定する受益者とみなして、同項の規定を適用する。
3　法人が受託者となる集団投資信託、退職年金等信託又は特定公益信託等の信託財産に属する資産及び負債並びに当該信託財産に帰せられる収益及び費用は、当該法人の各事業年度の所得の金額の計算上、当該法人の資産及び負債並びに収益及び費用でないものとみなして、この法律の規定を適用する。
4　この条において、次の各号に掲げる用語の意義は、当該各号に定めるところによる。
　一　退職年金等信託　第84条第1項（退職年金等積立金の額の計算）に規定する確定給付年金資産管理運用契約、確定給付年金基金資産運用契約、確定拠出年金資産管理契約、勤労者財産形成給付契約若しくは勤労者財産形成基金給付契約、国民年金基金若しくは国民年金基金連合会の締結した国民年金法

（昭和34年法律第141号）第128条第3項（基金の業務）若しくは第137条の15第4項（連合会の業務）に規定する契約又はこれらに類する退職年金に関する契約で政令で定めるものに係る信託をいう。

二　特定公益信託等　第37条第6項（寄附金の損金不算入）に規定する特定公益信託及び社債等の振替に関する法律（平成13年法律第75号）第2条第11項（定義）に規定する加入者保護信託をいう。

5　受益者が2以上ある場合における第1項の規定の適用、第2項に規定する信託財産の給付を受けることとされている者に該当するかどうかの判定その他第1項から第3項までの規定の適用に関し必要な事項は、政令で定める。

2　税法における信託の分類

　新信託法の成立・公布により、「自己信託」、「目的信託」、「受益証券発行信託」等の新たな信託の類型が創設されるにともない、税法においても新信託法に対応し、平成19年度税制改正により条文体系が大きく整備された。法人税法12条、所得税法13条および消費税法14条(注1)は、改正前とほぼ構造は同一であるが、課税方法による信託の分類としては、改正前の「本文信託」と「但書信託」という分類から「受益者等課税信託」、「集団投資信託等(注2)」および「法人課税信託」という分類へと整備されている。

　なお、課税方法による分類について、改正前と改正後を対比すると、**図表5・4・4**のようになる。また、信託の種類別に適用される税法をとりまとめると、**図表5・4・5**のようになるので、参照されたい。

（注1）　実質所得者課税の原則

　　　　税法上、実質課税の原則の意義については、従来から①法律的帰属説と②経済的帰属説という正反対の解釈がある。

　　　　信託契約について①、②どちらを採用しているかは、税法の立法者の立場からすれば、平成12年改正で設けられた旧法人税法7条の2《特定信託の受託者である内国法人の特定信託に係る所得の課税》により、法律的帰属説を採用していることが明らかになった。この規定は、受託者に特定信託（「但書き信託」の一部）の所得を帰属させる規定であったが、経済的帰属説が採用されているのであれば受益者に帰属する所得について課税しないという条項がなかったため、特定信託では受託者と受益者の両方に法人税課税が発生し

第4節　信託　393

図表5・4・4　課税方法による分類

課税方法	信託の種類	条文上の分類	旧分類
受益者段階課税（発生時課税）	(A)　不動産・動産の管理等の一般的な信託	受益者等課税信託	本文信託
受領時課税（受領時課税）	(B)　合同運用信託	集団投資信託	但書信託
	(C)　一定の投資信託（証券投資信託、国内公募等投資信託）		
	(D)　外国投資信託		
	(E)　特定受益証券発行信託		
	(F)　退職年金等信託、特定公益信託等	同左	
信託段階法人課税	(G)　特定受益証券発行信託に該当しない受益証券発行信託	法人課税信託	
	(H)　受益者等が存在しない信託（目的信託等）		
	(I)　法人が委託者となる信託のうち一定のもの（事業信託・永年信託・関係者間変則信託）		
	(J)　投資信託（受領時課税される投資信託以外、不動産投信等）		特定信託
	(K)　特定目的信託		

てしまうこととなり、この点から法律的帰属説を採用していることが確認されたのである。

（注2）　退職年金等信託、特定公益信託等を含む。

① 受益者等課税信託

　　信託財産の受益者（受益者としての権利を現に有するものに限る）はその信託財産に属する資産および負債を有するものとみなし、かつ、その信託財産に帰せられる収益および費用は当該受益者の収益および費用とみなして、法人税法等を適用する（法法12①、所法13①）。

図表 5・4・5　信託の分類と課税

引受財産	交付財産	運用方法	管理方法	事例	収益分配の所得区分	受益権譲渡の取扱い	備考
金銭（金銭の信託）	金銭（金銭信託）	指定（種類の指定）	合同運用	貸付信託 合同運用指定金銭信託	利子所得	非課税	所法23①、措法37の15① 譲渡は実際には信託銀行への譲渡に限定
				委託者非指図型公社債等運用	公募： 　利子所得 私募： 　配当所得	原則申告分離 国税　15% 地方税　5%	所法23①、措法3①、所法24①、措法8の2①、37の15①
				委託者非指図型その他投信不動産投信等	配当所得	原則申告分離 国税　15% 地方税　5%	所法24① 措法37の10① 地法71の49
			単独運用	指定単	受益者課税	原則申告分離 国税　15% 地方税　5%	所法13、23①、消法14
		特定（株式の銘柄・数量等）	単独運用	証券投資信託 ①公社債投信	利子所得	原則申告分離 国税　15% 地方税　5%	所法23①、措法3①、37の15①
				証券投資信託 ②株式投信	配当所得	原則申告分離 国税　15% 地方税　5%	所法24① 措法37の10① 地法71の49
				委託者指図型その他投信・公社債等運用	公募： 　利子所得 私募： 　配当所得	原則申告分離 国税　15% 地方税　5%	所法23①、措法3①、所法24①、措法8の2①、37の15①
				委託者指図型その他投信・不動産投信等	配当所得	原則申告分離 国税　15% 地方税　5%	所法24① 措法37の10① 地法71の49
				特定金融信託	実質所得	実質所得	
金銭（金銭信託以外の金銭の信託）	金銭以外（現状有姿）	指定特定	単独運用合同運用	ファンドトラスト従業員持株信託	実質所得（配当所得）	実質所得	所法13、23①、国税庁回答 解約時には信託財産を売却するが、その分配金は有価証券譲渡所得（措法37の10）
			単独運用	金外持金	実質所得	実質所得	所法13、23①
特定資産		指定	単独運用	特定目的信託（管理処分信託）	配当所得（総合課税）	原則申告分離 国税　15% 地方税　5%	所法24①、措法9、措法37の10① 地法71の49
有価証券	有価証券	特定	単独運用	有価証券管理信託	実質所得	実質所得	所法13、23①
不動産		特定	単独運用		実質所得	実質所得	所法13、23①
金銭債権		特定	単独運用	生命保険信託・貸付債権信託・住宅ローン債権信託・特定債権信託	実質所得	実質所得	所法13、23①

第4節　信託　　395

改正前は、信託財産に帰せられる「収入および支出」について、原則として受益者が信託財産を有するものとみなして法人税法を適用する旨規定されており、収入支出に関しない他の規定上はどうなるのか必ずしも明らかではなかった。

しかし、改正後は、「信託財産に属する資産及び負債、信託財産に帰せられる収益及び費用」について、受益者のものとみなすことが明記されたため、同族会社の判定等の株主数の判定等に疑義が少なくなった（同族会社の判定については後述）。

② 受益者概念の変更

受益者等課税信託の資産・負債および収益・費用の帰属先となる「受益者」の概念を受益者としての権利を現に有する者に限定する一方、信託の変更権限を現に有し、かつ、信託財産の給付を受けることとされている者も含まれることになった（みなし受益者。法法12②）。

目的信託（受益者の定めのない信託。信託法258）について、委託者がこの条件に該当する場合には受益者等課税信託となり、遺言によって設定された場合等委託者が上の受益者の概念に該当しない場合には、法人税法上も受益者がいなくなる結果、法人課税信託に該当することになる点に注意が必要である。

③ 集団投資信託等

集団投資信託（特定受益証券発行信託、合同運用信託、証券投資信託、国内公募等投資信託、外国投資信託）および退職年金等信託、特定公益信託等については、信託収益を現実に受領したときに受益者に課税する。

なお、税法上の「集団投資信託」という用語については、一般的に用いられている「集団投資スキーム」という用語と区別するよう留意する必要がある。集団投資スキームには、特定目的信託等、税法上、法人課税信託に分類されているヴィークルも含まれており、両者を混同して用いないよう留意しなければならない。

④ 法人課税信託

396 第5章 その他のヴィークルと信託

法人課税信託とされる信託については、信託段階において受託者を納税義務者として法人税を課税する。受託者は、受託者固有の財産と信託財産を分別する必要がある。

　具体的には、特定受益証券発行信託に該当しない受益証券発行信託、受益者等が存在しない信託（目的信託等）、法人が委託者となる信託のうち一定のもの、投資信託のうち、受領時課税される投資信託以外のもの、および特定目的信託である。

3　信託税制各論（法人税法関係）

[1]　受益者等課税信託に係る各論（図表5・4・4(A)関係）

① 　土地信託通達（平成10年3月13日付課審5-1、昭和61年7月9日付直審5-6他）の取扱いについて

　土地信託通達は、19年改正前の本文信託の受益者段階課税（発生時課税）に鑑み、一定の場合には信託財産は受益者に帰属する旨の取扱いを規定した通達である。

　平成19年度税制改正により、信託財産の受益者（受益者としての権利を現に有するものに限る）は、その信託財産に属する資産および負債を有するものとみなし、かつ、その信託財産に帰せられる収益および費用はその受益者の収益および費用とみなして、法人税法等を適用すること（法法12①、所法13①）が明記されたことにともない、新信託法の施行日をもって土地信託通達は廃止されることとなった（平成19年6月22日、国税庁発表）。

　ただし、新信託法の施行日前に信託の効力を生じた信託については、旧制度が適用されるとともに、土地信託通達についても従前どおりとなる。

イ．土地信託通達の概要

　通常の不動産信託は、土地信託通達の適用を受けられるように組成されている。その条件を満たす信託受益権であるかぎり、土地信託受益権は法律上の有価証券と認定されないため流通性に乏しいといえる。なお、土地信託通達における「土地信託」の要件は、以下のとおりである。

第4節　信託　　397

a．土地等または土地等およびその上にある建物等を信託財産とし、その管理、運用または処分を主たる目的とする信託であること

b．委託者を受益者とする信託であること

c．信託受益権が一定の場合を除き、その信託期間を通じて分割されないこと

d．信託の受益権の内容が、収益受益権と元本受益権に区分されないこと

e．受託者を信託銀行とする信託であること

その後、平成10年に追加された土地信託（個別）通達において、委託者を受益者とする土地信託通達について当初の受益権を分割した場合においても、その受益権の分割・譲渡の態様からみて、受益者が信託財産を所有している実態にあるものの信託財産の移動および受益権の譲渡については、受益者がその財産を所有しているものとして税法の規定を適用することが明らかにされた。

そこで、その受益権の分割・譲渡の態様からみて、受益者が信託財産を所有している実態にあるものとは、信託財産である不動産と受益者の結びつきの希薄化を避けたい税務当局の考えとして下記の要件がある。

- 分割口数は50口以下
- 分割後の1口当たりの最低金額は1,000万円等

ロ．土地信託通達に係る論点

土地信託通達に係る論点としては、主に次のものがある。

a．民事信託の取扱い

平成13年11月15日の文書回答事例（**図表5・4・8参照**）によれば、受託者が信託銀行となる営業信託ではない民事信託の事例について、信託業法や普通銀行等の貯蓄銀行業務または信託業務の兼営等に関する法律の適用はないものの、次のことから、商品化されている土地信託の場合と同様に、委託者（＝受益者）のために、信託目的に従って

適切に管理・運用されるものであれば、土地信託通達の取扱いに準じて取り扱われるものと考えてよい旨、回答されている。

b．不動産の管理処分を目的とした金銭の信託（土地信託通達共通1－1）

前記①イの土地信託の定義から外れる信託受益権の中で比較的よく用いられているものに、土地等の信託と建物等の建築のための金銭の信託とを併用する包括信託というものがある。これは厳密にいうと、不動産のみを信託して設定したものではないため、土地信託の要件を満たしていないが、本文信託として受益権の実質が不動産を所有している経済効果と異ならない場合、土地信託同様の取扱いがなされるものと考えられる。

② 信託損失に係る適正化措置

平成17年度改正で任意組合（法人税については匿名組合を含む）について、組合損失の法人組合員側での損金計上が規制され、個人組合員は不動産所得の損失はなかったものとみなされることになったが、この取扱いは受益者等課税信託にも適用されることとなっている（措法41の4の2、67の12）。

すなわち、法人税法上、受益者段階課税される信託の受益者等の信託損失のうち、信託金額を超える部分の金額（一定の場合は信託損失の全額）は、損金の額に算入できない。所得税法上は、受益者段階課税される信託の受益者等の当該信託に係る不動産所得の損失については、その損失は生じなかったものとみなされる。

原則として、信託法施行日以後に効力を生ずる信託および信託法施行日以後に信託の受益者たる地位の承継を受ける者のその承継に係る信託について適用される。

③ 同族会社の判定について（主として投資法人）

投資法人等（たとえば上場J-REIT）において、信託銀行等が主な出資者となっている場合、同族会社の判定につき論点がある。

投資法人等の導管性要件であるが、原則として、同族会社に該当すると

第4節　信託　399

その年については満たさないということになる。しかし、たとえば上場している J-REIT の株主につき、信託銀行が主となる場合、上位株主が少数の信託銀行等で占められており、同族会社要件に該当して導管性要件を満たさなくなることが考えられる。

この点につき、日本と似たような REIT 制度をもっている米国の場合、一定の信託につきルック・スルー・ルールを適用するということが法令上明記されており（注）、同族会社要件における人数カウントについては、実質受益者で検討されるということになっている。

（注）　IRC Section 542(a)(2)、856(h)(3)(A)

しかし、日本の税制下で支配的と考えられる法律的帰属説（(2)の注 1 を参照）で考えた場合、実質受益者は見られないので、同族会社要件に該当する可能性があるといえる。そこで、投資法人においては同族会社の定義を上位 3 グループではなく上位 1 グループとして要件を緩和している。

受益者等課税信託においては信託の資産負債が受益者に帰属するためルック・スルーできると考えられるが、法人課税信託等においては同族要件に留意しなければならないものと考えられる。

④　信託財産帰属額の総額法による計算

受益者等課税信託の受益者等である法人は、当該受益者等課税信託の信託財産から生ずる利益または損失を当該法人の収益または費用とするのではなく、当該法人にかかる当該信託財産に属する資産および負債ならびに当該信託財産に帰せられる収益および費用を、当該法人のこれらの金額として、各事業年度の所得の金額の計算を行う（法基通14-4-3）。つまり、純額法による計算ではなく、総額法により計算を行うことが示されている。

したがって、当該信託財産から受ける収益分配等につき、受取配当等の益金不算入等の規定の適用を受けることができると考えられる。

⑤　信託財産に属する資産の譲渡等に係る証明書類の添付

受益者等課税信託の受益者等である法人が、その信託財産に属する資産の譲渡につき、措法に規定する収用等・買換え等にかかる課税の特例を受

ける場合においては、措法施行規則に定める証明書類を法人税申告書（修正申告書を除く）に添付する必要がある。その証明書類の添付にあたっては、それらの書類が、当該法人の有する信託財産に属する資産の譲渡に係るものである旨、受託者の証明を受けるものとする（措法関係通達62の3⑹−13、64〜66（共）−2）。

[2] 集団投資信託等に係る各論（図表5・4・4(B)〜(F)関係）

① 合同運用信託について（図表5・4・4(B)関係）

合同運用信託については、受益者が収益を受領した段階で課税がなされる。合同運用信託とは、法人税法上は、信託会社が引き受けた金銭信託で、共同しない多数の委託者の信託財産を合同して運用するものをいう（法法2二十六）。

委託者が実質的に多数でない信託は除かれるが、その、委託者が実質的に多数でない、となる要件は以下のとおりである。

当該信託の委託者の全部が、委託者の1人（判定対象委託者という）および次に掲げるものである場合は、「委託者が実質的に多数でない信託」に該当する（法令14の2より）。

イ．判定対象委託者の親族等

ロ．判定対象委託者の使用人

ハ．判定対象委託者から受ける金銭等で生計を維持しているもの等

ニ．判定対象委託者と支配または被支配の関係にある法人等

したがって、たとえば家族信託の多くは、税法上、合同運用信託から除かれることが条文上明らかになっているといえる。

なお、法法2条26号にいう「多数」が、具体的に何人から「多数」に該当するかについては明確にされていない。

② 一定の投資信託について（図表5・4・4(C)関係）

法人税法2条29号に掲げる一定の投資信託とは、

イ．証券投資信託

ロ．国内公募等投資信託(注1)

である。

これらについては、受益者が収益を受領した段階で課税がなされる。ただし、イ、ロ以外の投資信託については法人課税信託となる。

③　外国投資信託について（**図表5・4・4**(D)関係）

外国投資信託とは、外国において外国の法令に基づいて設定された信託で、投資信託に類するものを指す。これについても、受益者が収益を受領した段階で課税がなされる。

④　特定受益証券発行信託について（**図表5・4・4**(E)関係）

イ．特定受益証券発行信託の要件(注2)

特定受益証券発行信託とは、以下の要件（a～e）を満たす受益証券発行信託（信託法185③）をいう（法法2二十九ハ）。特定受益証券発行信託の信託財産に帰せられる収入および支出については、受託者段階で課税せず、受益者が受ける収益の分配について所得税または法人税を課税することとなる（法法12①但書および③）(注3)。

a．承認受託者（信託事務の実施につき一定の要件(注4)に該当するものであることについて税務署長の承認を受けた法人）が引き受けたものであること

b．信託行為に、各計算期間終了時において、信託に係る未分配利益の額が信託の元本総額の1,000分の25相当額を超えない旨の定めがあること（利益留保割合が2.5％以下）

c．各計算期間開始時においてbの要件を満たしていること

d．計算期間が1年を超えないこと

e．受益者が存しない信託に該当したことがないこと

ロ．特定受益証券発行信託の収益の分配等

a．個人受益者が受ける収益の分配は配当所得として、その受益証券の譲渡による所得は株式等に係る譲渡所得等として、所得税を課税する。また、特定受益証券発行信託の収益の分配については、配当控除に関する規定は適用されない（所法24、92）

402　　第5章　その他のヴィークルと信託

b．特定受益証券発行信託の法人受益者が受ける収益の分配については、受取配当等の益金不算入に関する規定は適用されない（法法23）

ハ．特定受益証券発行信託の信託財産につき納付した所得税（外国所得税を含む）の額について

その収益の分配に係る源泉徴収税額から控除される点は従来の合同運用信託や発行時公募投信と同様に、二重課税の調整がヴィークル段階で図られる（所法176）。

⑤　退職年金等信託、特定公益信託等について（**図表5・4・4**(F)関係）

退職年金等信託、特定公益信託等については、受益者が収益を受領した段階で課税がなされる。

（注1）　ロにつき、「国内発行時公募」とされていたが、「発行時」が平成19年度税制改正により削除されている。

（注2）　要件のaの受託者法人の承認要件であるが、スキームごとでなく、受託者として承認を受ければ、その後は要件を満たすと考えられる。この受益権は金融商品取引法2条のいわゆる一項有価証券に該当するため、金商法および信託業法の規制を通常受ける。

（注3）　要件を満たさない場合には信託段階法人課税となる。

（注4）　一定の要件とは、次のものをいう（法令14の4①）。

　　　　　⑴　次のいずれかの法人に該当すること

　　　　　　　①　信託会社（管理型信託会社を除く）

　　　　　　　②　兼営法に規程する信託業務を営む金融機関

　　　　　　　③　資本金等の額が5,000万円以上である法人（会社設立後1年未満のものを除く）

　　　　　⑵　引受けを行う信託に係る帳簿書類等の作成および保存が確実に行われると見込まれること

　　　　　⑶　帳簿書類に取引の全部または一部の隠蔽・仮装をして記載した事実がないこと

　　　　　⑷　業務・経理状況につき、有価証券報告書に記載する方法等により開示を行いまたは計算書類等の閲覧請求を容認すること

　　　　　⑸　清算中でないこと

［3］法人課税信託に係る各論（図表5・4・4(G)〜(K)関係）

①　特定受益証券発行信託に該当しない受益証券発行信託の課税について

（**図表5・4・4**(G)関係）

　前述の［**2**］④特定受益証券発行信託の要件に該当しない、または該当しないこととなった受益証券発行信託については、法人課税信託として、その受託者に対し、信託財産から生ずる所得について、法人税を課税する。

② 受益者が存在しない信託（目的信託等）の課税について（**図表5・4・4**(H)関係）

　受益者等が存在しない信託には、遺言により設定された目的信託や、受益者等が不特定または不存在の信託が該当する（法法2二十九の二ロ）。

　受益者等が存在しない信託等について、受益者等が存在することとなった場合には、当該信託にかかる受託法人の解散があったものとされる（法法4の3八）が、受益者の受益権の取得による受贈益については、所得税または法人税は課税されず（法法64の3②、③）、直前簿価により承継されたものとして課税が繰り延べられる。これは法人課税信託の受託者の変更の場合も同様である（法令131の3③）。

③ 法人が委託者となる信託のうち一定のものの課税について（**図表5・4・4**(I)関係）

　法人が委託者となる信託のうち、租税回避行為に利用されるおそれのあるものについては、法人課税信託に分類されることとなった。

　イ．重要な事業の信託設定（注1）に関する課税

　　法人が本来行っている事業が信託され、受益権がその法人の株主に交付された場合、事業収益に対する法人税が課税できなくなることから、「事業の全部または一部」（譲渡の場合に会社法上株主総会特別決議が必要なもの）について信託を設定し、かつ、その受益権の過半を当該法人の株主が取得することが見込まれる場合（不動産の信託などその信託財産に属する金銭以外の資産の種類がおおむね同一である場合等を除く）には、法人税を課税することとした（法法2二十九の二ハ(1)）（注2）。

　　なお、法人税法2条29号の2ハの要件にあてはまらない事業信託については、受益者等課税信託となる。

404　第5章　その他のヴィークルと信託

ロ．長期の自己信託等の課税(注3)

　　自己信託で、その信託期間が20年を超える（信託財産に属する主たる資
産の耐用年数が20年を超える減価償却資産とされている場合等（土地や金銭
債権）を除く）こととなっているものについては、法人税を課税する（法
法２二十九の二ハ(2)）。

ハ．損益の分配の操作が可能である自己信託等の課税について

　　受益権を子会社等の特殊関係者が保有する自己信託等で、損益の分配
割合が変更可能である場合には、法人税を課税する（法法２二十九の二
ハ(3)）。自己信託等で、受益権を子会社等に取得させ、損益の分配を操
作することにより、事業の利益を子会社等に付け替えて法人税を回避す
ることを防止するためである。

(注１)　事業信託は、財産だけでなく借入金等の負債の信託も認め、機械や
土地・建物等資産だけではなく、負債を含めた事業を信託することを
いうことが多い。平成19年度税制改正前から、債務の信託は財産を譲
り受けた後、信託勘定で債務を負担する方法によりすでに負債の信託
は行われているが、平成19年度税制改正で、以下のような規定を設け、
新たな信託の類型が認められた。
〈新たな規定〉
　①　受託者が信託目的達成のために必要な一切の行為をする権限を
　　有することの明確化（信託法26）
　②　信託の設定段階から委託者の債務を受託者が信託財産によって
　　履行する責任を負う債務とすることができることの明確化（信託
　　法21①三）
〈新たな類型〉
　①　限定責任信託（受託者の責任を信託財産の範囲に限る制度）（信
　　託法216）
　②　受益証券発行信託（信託受益権の証券化を一般法レベルで認め
　　る制度）（信託法185）

(注２)　事業信託に、特別決議要件を満たす重要な営業用資産の譲渡として
組み込まれた不動産が入り得るのかということであるが、入り得ない
ものと考えられる。まず、受益権の過半を委託者の株主等が取得する
ことが挙げられており、また委託者が受益権を取得する場合にはこの
要件を満たさず、法人課税信託とはならないとされているためである。

（注3）　自己信託（信託法3三）とは、信託の委託者が受託者となれる信託
方式をいう。
　　　　自己信託は原則、公正証書を作成し、信託した日付などを確定させ
ることなどが義務付けられた。

④　「その他投信」の課税について（**図表5・4・4(J)**関係）

　　上記 **[2]** ②の証券投資信託に該当しないものを、ここでは「その他投
信」と呼ぶ。つまり、有価証券が主たる運用対象ではないということにな
るので、たとえば不動産投信がこれに該当するものと想定する。

　　現在多くの銘柄が上場されている J-REIT は投資法人であるが、これを
法人型というのに対し、契約型と呼ぶこともある。しかし、この契約型不
動産投信は、現在までのところ実行例はないと思われる。

　　この「その他投信」の取扱いは、法人税法上、法人課税信託として信託
段階課税であるが、租税特別措置法により配当損金算入要件についての定
めがある。

⑤　特定目的信託（**図表5・4・4(K)**関係）

　　平成12年に SPC 法が改正された際に創設された制度であり、法人税法
においても平成12年度税制改正の際に当時の特定信託の一つとしてつくら
れた。SPC 法の特定目的会社の規定と同様に一定の要件を満たす場合に
は、支払う利益の分配の額を損金の額に算入できる旨の規定が設けられて
いる。ただし、特定信託はヴィークルとして活用されていないのが現状で
ある。

［4］元本の払戻しについて

①　受益者等課税信託の場合

　　受益者等課税信託の元本払戻しについては、税法上、信託財産の受益者
はその信託財産に属する資産および負債を有するものとみなされる（法法
12①、所法13①）のであるから、原則として、受益者にその持分を分配す
る限りでは、課税関係は生じない。

406　　第5章　その他のヴィークルと信託

② 集団投資信託等の場合

　集団投資信託に分類される、追加型証券投信において、期中収益分配後の基準価額が元本を下回る場合に収益調整金勘定から払込み元本の一部を払い戻すことがある。この元本の払戻しについては、所得税法上9条1項11号（所令114③）で非課税とされ、法人税法上も法令119条の3第19項で取得価額から控除とされている。

　追加型証券投信以外の集団投資信託の元本の払戻しについては、法人税法施行令119条の8の4において、その分割または併合時について、取得価額から分割純資産対応帳簿価額を控除する旨の規定があり、また所得税法施行令114条4項では投資信託および特定受益証券発行信託につき、一部解約による場合には取得価額が変わらない旨規定がある。分割、併合、解約等以外のケースでの払戻しは想定されていないため、税法では特に規定されていない。税法で手当てされていない払戻しは、利益の前払いとして取り扱われることになると考えられる。

③ 法人課税信託の場合

　法人課税信託の元本の払戻しについては、受益権を株式または出資とみなし、受益者は株主等に含まれるものとなっている（法法4の3六）。

　収益分配は資本剰余金の減少にともなわない剰余金の配当(a)と、元本の払戻しは資本剰余金の減少にともなう剰余金の配当(b)とみなす（同条十）ため、(a)は法人の利益剰余金の分配として配当等（法法23①）の益金不算入の対象となり、(b)は減資として法人同様にプロラタ計算により、元本の払戻し部分と利益の配当部分とに分離計算されることになる。

　さらに、法人税法61条の2第15項および16項、同施行令14条の6では、法人課税信託の信託勘定の併合または分割に対する組織再編規定の適用についても整理している。

第4節　信託　407

4 集団投資信託と法人課税信託の課税（まとめ）

[1] 信託の課税と投資家の課税関係

　信託を器とする金融商品について、集団投資信託と法人課税信託それぞれにより組成されたものに区分した場合、投資家における課税関係は**図表5・4・6**のとおりである。

[2] 新たな資産流動化の器としての特定受益証券発行信託

　資産のデジタル化の潮流により、各種の不動産投資持分について、分散型台帳技術を用いてオンライン上で取引が完結するスキームへの期待が高まっている（第9章を参照のこと）。

　上述の **3** [2] 集団投資信託のうち、④特定受益証券発行信託（受益証券不発行のもの）は、信託原簿の書き換えのみで第三者対抗要件を具備できるという法的性質から、セキュリティ・トークンとして活用可能なヴィークルとして注目を浴び、すでにいくつかの公募スキームの組成実績がある。匿名組合型のスキームをトークン化した場合との比較を**図表5・4・7**にまとめているため、参照されたい。

5 その他税制各論（法人税法関係以外）

　① 不動産取得税（地法73の7 四、五）

　　　次に該当する不動産の取得に対しては、不動産取得税を課税することができない。

　　イ．信託の効力が生じたときから引き続き委託者のみが信託財産の元本の受益者である信託により受託者から当該受益者（当該信託の効力が生じた時から引き続き委託者である者に限る）に信託財産を移す場合における不動産の取得（地法73の7 四）

　　ロ．信託の受託者の変更があった場合における新たな受託者による不動産の取得（地法73の7 五）

　　　つまり、委託者および受益者を変更しない限り、信託を委託者に戻した際は、不動産取得税はかからないということになる。

図表5・4・6　主な但書信託の課税

税法上の区分	器に対する課税			投資家の課税		
	ヴィークル	募集方法	ヴィークルの課税	証券の種類	投資家段階利子・配当	譲渡益
集団投資信託	合同運用信託	すべて	非課税（法法12③）	すべて	利子所得・申告分離20%*（所法23、182①、措法3、地法23①14、71の6）	申告分離20%*（注3）（措法37の10、地法71の49）
投資信託	証券投資信託	すべて	非課税（法法12③）	公募証券投信（公社債投信除く）	配当所得・申告分離20%*（所法24、地法23①15）	申告分離20%*（措法37の11、地法71の49）
				公社債投信	利子所得・申告分離20%*（所法23、措法3、地法23①14、71の6）	申告分離20%*（措法37の11、地法71の49）
				私募株式投信	配当所得・総合課税（源泉20%）（所法24、182）	申告分離20%*（措法37の10、地法71の49）
	国内公募等投資信託	公募	非課税（法法12③）	公募公社債等運用	利子所得・申告分離20%*（所法23、措法3、地法23①14、71の6）	申告分離20%*（措法37の11、地法71の49）
				その他の投信	配当所得・申告分離20%*（所法24、措法9の3、地法附則5の3）	申告分離20%*（措法37の10、地法71の49）
	外国投資信託　証券投資信託に類するもの	すべて	非課税（法法12③）	外国公募証券投信（公社債投信除く）	配当所得・申告分離20%*（所法24、地法23①15）	申告分離20%*
				外国公社債投信	利子所得・申告分離20%*（注2）（所法23、措法3、地法23①14、71の6）	申告分離20%*（措法37の11、地法71の49）
				外国私募株式投信	配当所得・総合課税（源泉20%）（注1）（所法24、182）	申告分離20%*（措法37の10、地法71の49）
	証券投資信託以外の投資信託に類するもの	発行公募		外国公募公社債等運用	利子所得・申告分離20%*（注2）（所法23、措法3、地法23①14、71の6）	申告分離20%*（措法37の11、地法71の49）
		プロ私募		外国私募公社債等運用	配当所得・源泉分離20%*（注2）（所法24、措法8の3、地法23①14、71の6）	申告分離20%*（措法37の10、地法71の49）
		少人数私募		外国その他の投信	配当所得・総合課税（源泉20%）（注1）（所法24、182）	申告分離20%*（措法37の10、37の11、地法71の49）

第4節　信託　　409

法人課税信託						
	特定受益証券発行信託	一般	非課税（法法12③）	特定受益証券発行信託	配当所得・総合課税（源泉20%）（所法24、182②）	申告分離20%*（措法37の10、地法71の49）
		上場・公募			配当所得・申告分離（源泉20%）*（所法24①、措法8の4①四、8の5①五）	申告分離20%*（措法37の11、地法71の49）
	受益証券発行信託	すべて	課税（受託者の固有財産と区別）（法法4の6）	受益証券発行信託のうち一定のもの	配当所得・総合課税（源泉20%）（所法24、182②）	申告分離20%*（措法37の10、地法71の49）
	特定投資信託	プロ私募	課税（配当損金算入特例あり）（法法4の6、措法68の3の3）	私募公社債等運用	配当所得・申告分離20%*（所法24、措法8の2、地法23①14、71の6）	申告分離20%*（措法37の10、地法71の49）
		少人数私募	課税（受託者の固有財産と区別）（法法4の6）	その他の投信（私募）	配当所得・総合課税（源泉20%）（注1）（所法24、182）	申告分離20%*（措法37の10、37の11、地法71の49）
	特定目的信託	発行公募またはプロ私募	課税（配当損金算入特例あり）（法法4の6、措法68の3の2）	社債的受益権	配当所得・申告分離20%*（所法24、措法8の4①五、地法23①14、71の6）	申告分離20%*（措法37の11、地法71の49）
		少人数私募	課税（受託者の固有財産と区別）（法法4の6）	その他受益証券	配当所得・総合課税（源泉20%）（注1）（所法24、182②）	申告分離20%*（措法37の10、地法71の49）

*所得税15%・住民税5％
（注1）日本国内の支払取扱者を経由しない場合は源泉徴収されない
（注2）日本国内の支払取扱者を経由しない場合は源泉徴収されず総合課税
（注3）貸付信託の譲渡益は所得税法上非課税（措法37の15）

（※）平成25年1月1日から令和19年12月31日までの間は2.1%の復興特別所得税が加算される。

図表5・4・7　トークン化（注1）した匿名組合型／特定受益証券発行信託型不動産投資スキーム比較

	匿名組合型				信託型				
	不特法持分（注3）（TKスキームによるもの）		私募GKTK	公募GKTK（注3）	信託受益権	受益証券発行信託			
						受益証券発行		受益証券不発行	
	特例事業以外（注2）	特例事業				特定受益証券発行信託	左記以外	特定受益証券発行信託	左記以外
管轄	国交省	国交省金融庁	金融庁						
業規制	不特法・不特法電子取引業務GL	不特法金商法	金商法						
金商法上の区分	電子記録移転有価証券表示権利等（電子記録移転権利）（注3）				電子記録移転有価証券表示権利等（トークン化有価証券）（注4）				
主な業界団体	不動産証券化協会	不動産証券化協会・STO協会（注3）		不動産証券化協会STO協会	不動産証券化協会・日証協				
不動産	現物不動産のみ		信託不動産のみ		信託不動産（受益権そのものを流動化）	不動産信託受益権が多い			
原則的所得区分（分配金）	原則として雑（所基通36・37共—21）				賃料は不動産所得（発生時課税）	配当（受領時課税）（所法24①、措法8の5①—他）			
原則的所得区分（持分譲渡）	譲渡所得（一般）				譲渡所得（不動産等）	譲渡所得（株式等）			
特定口座受入	不可				不可	要件を満たせば可			
持分譲渡の効力要件	契約上の地位移転には、契約の相手方（営業者）の承諾が必要（民法539の2）（注7）				当事者間の意思表示	受益証券の交付		当事者間の意思表示	
持分譲渡の効力の法的安定性	電子的取引での完結可能（注6）				電子的取引での完結は困難（注5）			電子的取引での完結可能（注6）	
持分譲渡の第三者対抗要件	確定日付のある証書による通知又は承諾（注5）				受託者の確定日付ある承諾	受益権原簿の記録			
ヴィークルに対する法人課税の有無	匿名組合○				信託○（受益者等課税信託）	信託◎（集団投資信託）	信託▲（法人課税信託）	信託◎（集団投資信託）	信託▲（法人課税信託）

▲ヴィークル自体に課税（導管性なし）

○導管性あり。ただし、投資家における所得区分は総合課税となりやや不利

◎ヴィークル自体に課税なし。一定の公募等要件を満たす場合、投資家における所得区分は上場株式等の優遇あり

（注1）　トークン化：電子情報処理組織を用いる方法で移転することができる財産的価値（電子機器その他の物に電子的方法により記録されるものに限る）として表示すること（金商法2③）

（注2）　令和6（2024）年4月1日施行の金商法上二項有価証券となる法改正がされた

（注3）　私募の場合には、募集対象となる投資家を制限する等、一定の除外要件を満たすもの（一般に「適用除外電子記録移転権利」等という）が用いられる場合や自己募集の場合がある（その場合には2種業協会でよく、適格機関投資家特例業務の場合には投資運用業の登録を要しない（金商法63①））

（注4）　原資産が一項有価証券となるトークン（日証協）

（注5）　トークンの移転とは別に対抗要件具備が行われる可能性があるが、産活法による特例措置（同法11の2）がある

（注6）　相続・差押・倒産の場合にはトークンの移転によらない権利移転が生ずる可能性がある

（注7）　営業者の承認が効力要件となる（民法539の2）のでトークンの移転によらない権利移転はできない。なお、特定共同事業法施行規則11条2項13号でも営業者の同意を得なければ譲渡できない旨の規定が求められている。

② 住民税・事業税の整備（地法24の2、72の2の2等）

　住民税、事業税につき行われた信託税制の整備のうち、主なものは、以下のとおりである。法人課税信託は信託勘定ごとに別法人とみなされ、地方税の支店調整の問題がなくなった。

イ．住民税

　　a．人格のない社団等、個人等が法人課税信託の引受けを行う場合に法人税割額によって課するものとする（地法24等）

　　b．法人課税信託の受託者について、信託資産等および固有資産等ごとに、受託者をそれぞれ別の者とみなして住民税の所得割、法人税割等に関する規定を適用する（地法24の2等）

　　c．法人課税信託の受託者に係る法人税等の均等割について、固有法人の申告納付とあわせて行う（地法24の2等）

　　d．信託財産について生ずる所得については、信託の受益者（受益者として現に権利を有するものに限る）が当該信託の信託財産に属する資産および負債を有するものとみなして、住民税の規定を適用する（集団投資信託等および法人課税信託は除く。地法24の3等）

ロ．事業税

　　a．人格のない社団等、個人等が法人課税信託の引受けを行う場合に事業税の所得割を課することとするほか、特定信託を法人課税信託に統合し、特定信託所得割を廃止する（地法72の2の2等）

　　b．法人課税信託の受託者について、信託資産等および固有資産等ごとに、受託者をそれぞれ別の者とみなして事業税に関する規定を適用する（地法24の2）

　　c．信託財産について生ずる所得については、信託の受益者（受益者として現に権利を有するものに限る）が当該信託の信託財産に属する資産および負債を有するものとみなして、事業税の規定を適用する（集団投資信託等および法人課税信託は除く。地法72の3等）

③　消費税の取扱い

　　信託の受益者（受益者としての権利を有するものに限る）は、当該信託の信託財産に属する資産を有するものとみなし、かつ、当該信託財産にかかる資産等取引（資産の譲渡等）は当該受益者の資産等取引とみなすこととして消費税の規定の適用がなされる。

　　消費税法上も、本文信託については、受益者がその財産を所有しているものとみなして、信託財産の譲渡および信託財産からもたらされる収支については受益者の消費税の計算に含めることとなる。

　　また、消費税法施行令2条1項3号により、特定受益証券発行信託または法人課税信託の委託者がその有する資産（金銭以外の資産）の信託をした場合における当該資産の移転は、資産の譲渡等に類する行為とされる(注)。

(注)　なお、信託銀行の実務上は、従来より、但書信託の場合の課税売上割合は、信託勘定ごとに個別に計算し、信託の分配計算は消費税を税抜きし、消費税の効果を分配額に算入している。

6　不動産の信託受益権を優先劣後に分けた場合

　不動産の信託受益権を優先部分と劣後部分に切り分け、SPC等に優先部分のみまたは劣後部分のみを譲渡するケースがある。このような優先・劣後に切り分けた信託受益権は、受益者等課税信託や公認会計士協会の審理室情報No. 6「土地の信託に係る監査上の留意点について（昭和60年3月5日）」の前提とするものではないと考えられる。

　さらに、このような信託受益権はその他の現物資産同様に、原則として所有権の移転に基づくリスク・経済価値アプローチを採用することが妥当と考えられ、「特別目的会社を活用した不動産の流動化に係る譲渡人の会計処理に関する実務指針」（会計制度委員会報告第15号）はそれに従っている。問題は、このように切り分けた信託受益権が税務上はそのように取り扱われるかであるが、それには、特定目的信託との類似性についての検討も必要となろう。

第4節　信託　413

7 法定調書

［1］信託に関する受益者別（委託者別）調書

　原則としてすべての受託者が、信託設定時、受益者等を変更した時、信託の終了時等に信託に関する受益者別（委託者別）調書を提出する義務がある。

　また、信託の計算書について信託財産に属する資産および負債の明細や受益者指定権等を有する者に関する事項等を記載するなどの整備が行われ、平成19年10月1日以後に調書を提出すべき事項が生じた調書について適用されている。信託の計算書については、信託会社にあっては信託法施行日以後に開始する事業年度に係る計算書、信託会社以外の受託者にあっては平成21年1月1日以後に提出する計算書について適用されている。

［2］信託受益権の譲渡の対価の支払調書

　国内において信託受益権の譲渡の対価の支払をする法人、信託受益権販売業者は、信託受益権の譲渡の対価の支払調書を翌年1月31日までに提出しなければならない（所法225①十二）。運用対象として信託受益権を取得するスキームでは、SPCに提出義務が生じるため手続きの遺漏に留意が必要である。

図表5・4・8

取引等の税務上の取扱い等に関する事前照会

（タイトル） 市街地再開発事業による施設建築物及びその敷地を民事信託により信託した場合の税務上の取扱い	

照会

事前照会者	① （フリガナ） 氏名・名称	（ミツイフドウサンカブシキカイシャ） 三井不動産株式会社
	② （フリガナ） 総代または法人の代表者	（　　　　　　イワサヒロミチ） 代表取締役社長　岩沙弘道
照会の内容	③　照会の趣旨（法令解釈・適用上の疑義の要約及び事前照会者の求める見解の内容	別紙のとおり
	④　個別の取引等の事前関係	別紙のとおり
	⑤　④の事実関係に対して事前照会者の求める見解となることの理由	別紙のとおり
	⑥　関連する法令条項等	昭和61年7月9日付「土地信託に関する所得税、法人税ならびに相続税及び贈与税の取扱について」（法令解釈通達）
	⑦　添付書類	照会の趣旨及びその理由等の照会事項に関する参考資料

回答

⑧回答年月日	平成13年11月15日	⑨回答者	国税庁課税部長
⑩ 回答内容	ご照会の件については、貴見のとおりで差し支えありません。 　ただし、ご照会に係る事実関係が異なる場合又は新たな事実が生じた場合には、この回答内容と異なる課税関係が生じることがあることを申し添えます。		

（別紙）

市街地再開発事業による施設建築物及びその敷地を
民事信託により信託した場合の税務上の取扱いについて

1　本件信託の概要

　　Ａ地区第一種市街地再開発事業においては、オフィス棟、及び住宅・商業棟を建築中ですが、地権者のうちオフィス棟の一部に係る共有持分を権利変換後の資産（従前資産に対応する権利床と優先分譲床からなります。）として取得する110名は、当該共有持分に係る権利（敷地の共有持分の所有権並びに施設建築物の共有持分を取得する権利）を信託財産として、当該地権者がその持分に応じて出資する株式会社Ｂに対し、当該地権者を委託者兼受益者として信託しております（別添1「概念図」及び別添2「信託契約の内容」参照）。

　　これにより、当該事業により施設建築物が完成したときには、信託の受託者である株式会社Ｂが共有持分に係る権利を有する各地権者に代わって施設建築物を取得し、一体的に管理・運用（賃貸）することになります。

　　なお、受託者である株式会社Ｂは、本件以外の信託を引き受けることはなく、また、信託報酬も受けないため、営業としてこの信託を引き受けるものではありません。すなわち、本件は、いわゆる民事信託方式を採用しているものですが、この信託の目的や民事信託方式を採用する理由は、下記「1　信託の目的及び民事信託方式を採用する理由」のとおりです。

2　照会事項

　　ところで、信託に係る税務上の取扱いについては、所得税法第13条、法人税法第12条、消費税法第14条などの規定により、信託財産に帰せられる収入及び支出については、受益者が特定している場合は、その受益者がその信託財産を有するものとみなして所得税法等の規定を適用することとされています。

　　さらに、信託業務を営む銀行（以下「信託銀行」といいます。）により商品化されている土地信託については、昭和61年7月9日付「土地信託に関する所得税、法人税並びに相続税及び贈与税の取扱いについて」（法令解釈通達）（以下「土地信託通達」といいます。）により、一定の要件の下で、信託財産に帰せられる収入の所得区分、租税特別措置法の適用及び信託受益権の譲渡等に関する取扱いが明確にされていますが、その対象となる土地信託は下記「2　土地信託通達における『土地信託』の要件」のとおり5つの要件を満たすものに限られています。

　　本再開発事業において採用している民事信託方式による信託は、土地信託通達に定められた「受託者を信託銀行とする信託であること（下記2の）」の要件を満たさないため、同通達にいう「土地信託」には該当しないこととなりま

416　第5章　その他のヴィークルと信託

す。

　しかし、それ以外のからの要件を満たしているものであることなど、下記「3
土地信託通達に準じて取り扱われる理由」のとおり、「土地信託」と同様に信
託財産である土地建物等を受益者である地権者が直接所有している実態にある
ものと考えられることから、土地信託通達の取扱いに準じて取り扱われるもの
と考えてよろしいか、ご照会申し上げます。

記

1　信託の目的及び民事信託方式を採用する理由

　　この信託は、多数の地権者の共有となる土地建物について、多数の地権者の
個別事情（相続、破産等）が生じた場合にも、安定した施設運営を行うこと、
②地権者個々の共有財産を共同して信託することで所有権が一本化され、担保
性の向上により資金調達を可能とすることを目的として、受託者名で当該信託
財産の管理・運用（賃貸）を一体的に行うためのものです。

　　しかし、このような信託は地権者数が多いため信託銀行を受託者とする営業
信託にはなじまない等の理由により、受託者を地権者が出資する法人とし、営
業信託によらない民事信託方式を採用することとしたものです。

2　土地信託通達における「土地信託」の要件

①　土地等又は土地等及びその上にある建物等を信託財産とし、その管理、運
　　用又は処分を主たる目的とする信託であること。

②　委託者を受益者とする信託であること。

③　信託受益権が、次のいずれかの場合を除き、その信託期間を通じて分割さ
　　れないものであること。

　　ⅰ　2以上の者が共同して信託を設定するため、信託設定時においてその委
　　　託者の数に相当する口数の範囲で分割が行なわれる場合

　　ⅱ　受益者について相続が開始したことにより相続人の数に相当する口数の
　　　範囲で分割が行なわれる場合

④　信託受益権の内容が、収益受益権と元本受益権に区分されることのないこ
　　と。

⑤　受託者を信託銀行とする信託であること。

3　土地信託通達に準じて取り扱われる理由

（1）本件信託は、受託者が信託銀行となる営業信託ではないため信託業法や普
　　通銀行等の貯蓄銀行業務又は信託業務の兼営等に関する法律の適用はないも
　　の、次のことから、商品化されている土地信託の場合と同様に、委託者（＝
　　受益者）のために、信託目的に従って適切に管理・運用されるものです。

①　受託者は、委託者（＝受益者）である共有者全員の意思が反映されるよ

第4節　信託　417

う、委託者がその共有持分に応じて出資している法人であり、特定の受益者の利益のために管理・運用されるものではないこと。
② 信託期間満了時には、信託された不動産が、現状有姿のまま、受益者に交付されること。
③ 信託法第35条の規定により信託報酬を授受しないこととしているため、受託者に利益が留保されることがなく、これにより、信託財産に帰属する収益は、各地権者が信託財産について有していた共有持分に応じて受益者となった各地権者に分配されること。
(2) 土地信託通達にいう「土地信託」の要件のうち「受託者が信託銀行であること」の要件を除き、他の要件(上記2の①から④の要件)は満たすものです。

別添1

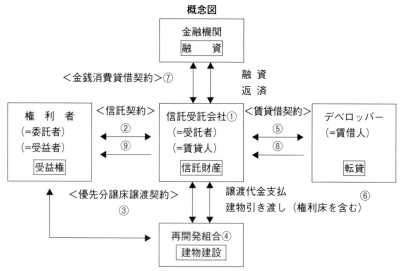

〈権利変換時〉
① オフィス棟の一部(権利床又は優先分譲床)を共有で所有することとなる権利者全員は、その共有持分に応じ信託受託会社に出資を行う(信託受託会社は全委託者が株主であり、床割合と出資割合は原則一致)。
② 権利者は、信託契約に基づき、権利変換と同時に各々が所有する下記の権利を信託受託会社に信託する。
ア．施設建築物の敷地となる敷地所有権の共有持分(信託登記を行う。)
イ．施設建築物の区分所有権の共有持分を取得する権利

③ 信託受託会社は、再開発組合との間で優先分譲床譲渡契約を締結する。
〈建築工事中〉
④ 再開発組合は、施設建築物を建設する。
⑤ 信託受託会社は、ディベロッパーとの間で竣工後の施設建築物の賃貸借契約を締結する。
〈竣工時〉
⑥ 信託受託会社は、再開発組合から床（施設建築物の区分所有権の共有持分）を信託財産として取得する。
⑦ 信託受託会社は、上記優先分譲床の譲渡代金に充当するために、信託財産を担保として金融機関から資金（借入金）を調達する。
〈稼動〉
⑧ 信託受託会社は、取得した優先分譲床および権利床をディベロッパーに賃貸借契約に基づき一括賃貸し、賃貸料を収受する。
⑨ 信託受託会社は、金融機関への借入金の元本返済、利息の支払いを行い、公租公課の納税、賃貸運営に係る諸費用等を差し引いた金銭を、権利者（受益者）へ配当として支払う。

別添2

信託契約の内容

○○○○（以下、「委託者」という）と株式会社B（以下、「受託者」という）は、以下の通り信託契約を締結した。

第1条（信託の目的及び信託物件）
委託者は以下の目的により、下記物件を受託者に信託し、受託者はこれを引き受けた。
〈信託目的〉
A地区市街地再開発組合（以下、「組合」という）にて事業計画書に従い建築される施設建築物のうち、別添権利変換計画に基づいた後記記載の敷地所有権付区分所有建物の共有持分を取得し、その引渡を受け、他の共有持分と併せ区分所有建物一体として、管理運用すること。
〈信託物件〉
上記事業計画書に従い建築される施設建築物のうち、別添権利変換計画に基づいた後記記載の敷地所有権の共有持分及び将来の同敷地に建築される区分所有建物の共有持分を取得する組合員の権利並びに取得した敷地所有権付区分所有建物（以下「信託不動産」といい、単に「土地」という場合は敷地、単に「建物」という場合は区分所有建物をいう）の共有持分。

第2条 (信託の公示)

　　受託者及び委託者は、権利変換期日後直ちに土地につき信託登記をなし、施設建築物竣工後は直ちに受託者の所有権保存登記及び信託の登記を行う。その費用は信託財産から支弁し、もしくは委託者が負担する。

第3条 (組合員の変更と届出)

　　委託者及び受託者は、信託を原因として組合員の変更があった旨、直ちに組合に届け出るものとする。

②　受託者は組合員として、権利変換計画の変更の同意を含め一切の組合員の権利を行使するものとする。

第4条 (必要資金の借入及び担保提供)

　　受託者は、信託目的を遂行するため必要な資金及び委託者が上記再開発事業において必要とする資金を信託財産及び受益者の負担において借り入れることができる。

②　受託者は、前項の借入金の担保として、信託不動産に抵当権または根抵当権を設定できるものとする。

第5条 (金銭信託)

　　委託者および受益者は、前条の資金及び借入金返済に充当させるため、受託者の同意を得てこの信託に金銭を追加することができる。

②　受託者は、委託者または受益者から前項により受託した金銭については建物建築代金の支払い、ならびに建物建築のための借入金および信託事務処理のための借入金の返済に充当するものとする。

第6条 (瑕疵担保責任)

　　委託者は、信託期間中または信託終了後、信託不動産の瑕疵及び瑕疵があることを原因として生じた損害等につき、その責を負う。

②　受託者は、信託期間中または信託終了後、信託不動産につき発見された瑕疵及び瑕疵があることを原因として委託者または受益者に生じた損害等につき、善良なる管理者の注意をもって管理した限り、その責を負わない。

第7条 (信託不動産の管理・運用方法)

　　受託者は、次の方法により信託不動産を管理・運用するものとする。

　1. 土地は、施設建築物の建築及び建物所有のための敷地として管理するほか、受託者が相当と認めたときは、その一部を駐車場その他の目的で賃貸または無償使用させることができる。賃貸料その他の条件については受託者が定める。

　2. 建物の全部または一部を受託者が適当と認める者 (受益者を含む) に賃貸する。賃貸料その他の賃貸条件については受託者が定める。

　3. 受託者は信託不動産につき、受託者が相当と認める方法・時期及び範囲において修繕保存または改良を行う。

4．受託者は、建物につき、受託者が相当と認める損害保険を附する。受託者は、借入金その他の債務の担保として、保険金請求権に質権または根質権を設定することができるものとする。

5．受託者は、信託不動産の修繕・保存または改良等の管理業務を、受託者の選任する第三者に委託できる。

6．受託者または前項の管理事務の受任者は、管理事務を遂行するため必要があるときは、信託不動産の一部を無償使用することができる。

第8条（受託者の善管注意義務）

受託者は、信託不動産の管理・運用その他信託事務について善良なる管理者の注意をもって処理する。

第9条（信託の元本）

本契約においては、信託不動産、信託不動産に関して取得した権利金・補償金その他信託不動産の代償として取得した財産並びに第4条の借入金債務及び信託不動産の賃貸に関して取得した敷金入居保証金の返還債務、その他これらの資産及び債務に準ずるものは元本とする。

第10条（信託の収益）

本契約においては、信託不動産より生じる賃貸料、信託財産に属する金銭の運用により生ずる利益、その他これらに準ずるものは収益とする。

第11条（当初受益者）

この信託の元本及び収益の当初の受益者は委託者とする。

第12条（受益権証書）

受託者は、この信託契約に基づく元本及び収益の受益権を証するため受益権証書を作成し、これを元本及び収益の受益者に交付する。

第13条（受益権の譲渡・承継・質入）

受益権は、受託者の事前の書面による承諾を得た場合に限り、これを譲渡または質入れすることができるものとする。

②　受益権の譲渡または承継により受益者が変更になった場合、受益者変更の手続きに要する費用は、受益者の負担とする。

③　受益権の譲渡または承継を受けた者は、その受益権の持分割合に応じて、受益者の権利及び義務を承継する。

第14条（金銭の運用方法）

信託財産に属する金銭は、これを貸付その他受託者が適当と認める方法により運用することができる。

②　前項の運用により取得した信託財産については、受託者が必要と認める場合のほか、信託の登記・登録または信託財産の表示記載を省略する。

第15条（敷金及び入居保証金の運用方法）

受託者が、信託不動産の賃貸により賃借人から受入れた敷金及び入居保証金

は受託者の判断により、前条に定める運用方法によるほか、第4条にかかわる借入金、他の入居保証金もしくは敷金の返済に充当することができるものとする。

② 前項に定める処理の結果につき、受託者はこれを受益者に報告する。

第16条（公租公課等諸費用の支払い）

信託財産に関する公租公課及び登記費用、組合定款第9条2の賦課金・事業費負担金、借入金・敷金及び入居保証金の返済金及び利息、信託不動産の修繕・保存・改良費用、その他信託事務の処理に必要な諸費用は、受益者の負担とし、受託者は信託財産から支弁し、または支払の都度受益者に請求することができる。

② 受託者が、前項の諸費用に関し立替支払いをしたときは、受託者は、当該立替金及びこれに対する所定の利息を受益者に請求し、または信託財産より支弁を受けることができるものとする。

第17条（信託財産の換価による諸費用等の充当）

信託財産に属する金銭が、借入金の返済及び利息、信託事務処理のため受託者が過失無くして受けた損害その他信託事務処理のための諸費用並びにそれらの立替金の支払をするのに足りない場合で、受益者からその支払を受けることができないときは、受託者は一般に相当と認められる方法・価格をもって信託財産の一部または全部を売却し、その支払いに充当することができるものとする。

第18条（信託の計算及び収益の交付）

信託財産に関する計算期日は、毎月末日及び信託終了のときとし、受託者は当該期の収支計算書を作成して受益者に報告する。

② 前項の収支計算の結果生じた収益は、各計算期日の翌営業日以降、受託者の定める信託配当取扱規則により金銭をもって交付する。

第19条（修繕積立金）

受託者は、信託不動産の修繕・保存・改良の費用の一部または全部に充当するため受託者が別に定めるところにより、毎計算期に信託財産から修繕積立金を引き当て、積立てることができる。

② 前項の修繕積立金は、受託者が信託財産の修繕・保存・改良を必要と認めた場合にはこれを取り崩し、その費用に充当することができる。この場合、受託者は受益者に報告するものとする。

第20条（信託事務費）

信託事務費については、受託者は、別に定めるところに従い各計算期日及び信託終了のときに信託財産の中から受け入れ、または受益者に請求できるものとする。

第21条（信託期間）

　　この信託契約の期間は、第4条第1項の借入金債務のすべてを弁済し、かつ本信託の目的を達成するまでとする。

第22条（信託契約の解除禁止）

　　この信託契約は、解除することができない。

第23条（信託の終了及び元本の交付等）

　　本契約は、信託期間満了のとき、または天災その他により信託不動産が滅失したときに終了する。

②　信託が終了したときは、受託者は最終計算に関し受益者の承認を得るものとする。この場合、最終計算前の収支決算は記載を省略することができる。

③　信託の元本は、前項の承認を得た後、信託終了日の翌営業日以降、受益者に受益権証書と引換に、次の方法をもって交付する。

　1．信託不動産については、信託の登記の抹消並びに受益者への所有権（持分割合による受益権を有する受益者に対しては、その持分割合による所有権の共有持分）移転の登記を終了し現状有姿のままこれを受益者に引き渡す。この場合、建物につき存在する賃貸借契約で受託者に対抗できるものは、受益者がこれを承継する。

　2．信託不動産以外の資産は金銭をもって交付する。但し、受託者が相当と認めたときは、その全部または一部を現状有姿のまま交付することができるものとする。

　3．敷金及び入居保証金の返還債務、借入金債務、その他の債務については、次の通り取扱うものとする。

　　イ．敷金及び入居保証金の返還債務は、賃借人の同意を得て受益者が承継し、受託者はその責を免れるものとする。

　　ロ．借入金債務その他の債務が残存するときは、債務の期限の如何に拘らずその債務の弁済に充当するための資金として、受託者は受託財産に属する金銭よりその資金を支弁して留保し、更に不足あるときは受益者がその資金を受託者に預託するものとする。

　　　　但し、債権者の同意を得て、受益者が借入金債務その他の債務を承継し、受託者の責を免れしめることを妨げないものとする。

④　受託者は、やむを得ない事情により前項各号により信託の元本を交付できないと認めたときは、一般に相当と認められる方法価額をもって信託財産の一部または全部を売却し、その売却代金をもって前項第3号の債務を精算しまたはその弁済に充当するための資金を支弁して留保し、その残額を受益者に交付する。

⑤　信託終了に関する費用及び信託終了後に支払を要する費用は、すべて受益者の負担とし、受託者は受益者に請求し、または信託財産から支弁できるものと

第4節　信託　　423

する。この場合には、第16条第2項及び第17条を準用する。

第24条（印鑑の届出）

（省略）

第25条（届出事項）

（省略）

第26条（契約に定めのない事項）

（省略）

第27条（合意管轄）

（省略）

第28条（信託契約書）

（省略）

（出所）　国税庁ホームページ

CoffeeBreak ☕ 匿名組合契約と信託との類似性に関する一つの議論

Q：商法上の匿名組合についておたずねします。その契約内容をみると、匿名組合員の出資割合と損益分配割合が100％になっていて、営業者報酬は営業者の努力に応じた報酬が規定されていますが、このような匿名組合は、信託として認定されてしまうことはないのでしょうか？

A：ご質問にお答えします。ポイントは、匿名組合財産の営業者への帰属に関する議論である信託の認定の問題と、匿名組合の出資割合や損益分配の問題を同一の次元で議論できるかどうかという点です。

　ご承知のように、匿名組合契約は他人の営業への出資と利益分配とが契約成立の要件となっております。他人の営業への出資とは、出資者から営業者への出資を意味し、事業参加の意思は出資者に求められていますので、営業者が投下した財産や労務を自ら評価して、その部分を出資に準じて取ったとしても、それはむしろ当事者間の利益分配に関する約定の問題になります。ただし、損益に連動した報酬の支払いにすぎないため、報酬と呼ぶか、分配金と呼ぶかは単なる言葉の問題といえるでしょう。

　また、営業者の出資割合が0で、利益分配がないという過去の事例をみると、私どもの知る限り信託として認定されたことはありません。すなわち、営業者は、営業者報酬その他に基づき適正な対価を受領することで、税務上寄付または贈与の問題は生じないと考えられます。

第**6**章

SPC の資産評価

第 1 節

SPC の資産評価

　資産流動化は、資産が原所有者の手から離れ、それが証券等に姿を変えて市場で流通されることとなるので、その市場価値、すなわちその基礎となる資産の評価方法・手続きは、最も重要なものの一つとなる。

1 一般の SPC の資産評価

　SPC（Special Purpose Company）とは、これまでに述べたとおり特別目的会社を指し、会社の形態等は問わず、資産だけを裏付けにした ABS を発行し、資産の流動化・証券化を図ることを目的として設立される。この一般の SPC の形態とは、会社・各種組合・信託等幅広く、海外 SPC（ケイマン SPC 他）としても多く活用されているものである。

　SPC が保有する流動化目的である資産そのものについての評価方法は、債権・不動産それぞれについて、次節に述べるような評価方法に関する取扱いがある。またこうした資産を含有する SPC の持分・証券としての評価は、株式会社・組合・信託等、その法的形態やスキームに応じて行う必要がある。

　また「時価」とは、第三者間の取引における適正価額としての時価をいうことが多いが、これに限らず、「時価の算定に関する会計基準1」における開示情報としての時価、あるいは税務リスクを回避するための税務上の時価を算定する必要がある場合もあり、その目的により評価方法を検討することとなる。

第 1 節　SPC の資産評価　429

2 SPC 法に基づく特定目的会社の資産評価

　特定目的会社（TMK）が、資産の流動化につき発行する「資産対応証券」に対応する特定資産については、平成10年に施行された「特定会社による資産の流動化に関する法律」（旧 SPC 法）に基づき設立された特定目的会社（以下「TMK」という）では、①指名金銭債権、②不動産、③①および②を信託する信託の受益権に限定していたが、その後平成12年に同法を改正した「資産の流動化に関する法律」においては、２条１項で特定資産を「資産の流動化に係る業務として、特定目的会社が取得した資産又は受託信託会社等が取得した資産」と定義しており、原則として財産権一般となっている。また平成23年に改正された「資産の流動化に関する法律」（SPC 法）においても、特定資産の定義は同様であったが、他業禁止などの観点から任意組合および匿名組合の出資や持分一定割合以上の株式等などの取得に制限があった（旧 SPC 法151）。

　SPC 法に基づく TMK は資産の流動化に係る業務を行うときは、資産流動化計画を作成し、あらかじめ内閣総理大臣に届け出なければならず（旧 SPC 法３、SPC 法４）、その資産流動化計画には特定資産の価格を記載することになっていた（旧 SPC 法５①三、同法施行規則16①四）。

　特定資産の価格の開示は、他の投資商品と同様に、発行証券の投資価値を判断する資料としてその裏づけとなる資産の価格の情報を開示することであるが、この特定資産の評価にあたっては、十分な調査や手続きをとる必要がある。ここでは、次節で述べるデュー・ディリジェンスによる評価手続がその中心的

1　国際会計基準審議会（IASB）および米国財務会計基準審議会（FASB）においては、公正価値測定に関する詳細なガイダンスがほぼ同内容で定められている一方、わが国では、企業会計基準第10号「金融商品に関する会計基準」などにおいて公正価値に相当する時価（公正な評価額）の算定が求められているのみであった。これへの対応として、企業会計基準第30号「時価の算定に関する会計基準」、企業会計基準適用指針第31号「時価の算定に関する会計基準の適用指針」が公表され、公正価値に関するガイダンスが定められることとなった（時価算定会計基準第23項）。

430　　第６章　SPC の資産評価

役割を果たすことになる。

3 会計上の資産評価と不動産鑑定評価の関係

　日本の会計上、賃貸等不動産は以下の各種規則等により毎期時価評価の開示が必要とされる場合があるが、その法令等の根拠は以下のとおりとなっている。なお、②〜④は証券化対象不動産に関わるものであり、②および③は、財務諸表等の用語、様式及び作成方法に関する規則（以下「財務諸表等規則」という）および会社計算規則で「別記事業」とされる場面である（財務諸表等規則２、会社計算規則118）。

　別記事業とは、当該事業の所管官庁に提出する財務諸表の用語、様式および作成方法について、特に法令の定めがある場合または当該事業の所管官庁が財務諸表等規則に準じて制定した財務諸表準則がある場合、当該事業を営む株式会社または指定法人が法の規定により提出する財務諸表の用語、様式および作成方法については、財務諸表等規則等の規定にかかわらず、その法令または準則の定めによるものとされる事業をいい、建設業、金融・信託業、民間鉄道業、資産流動化業、投資業（投資法人の行う業務に限る）等がある。

①　会計監査人設置会社、有価証券報告書提出会社

　　会計監査人設置会社とは、会計監査人を置く株式会社または会社法の規定により会計監査人の設置義務を有する株式会社をいう。有価証券報告書提出会社とは、金融商品取引法の規定により有価証券報告書の提出義務を有する会社をいう。会計監査人設置会社は会社計算規則110条、有価証券報告書提出会社は財務諸表等規則８条の30を根拠として、「賃貸等不動産の時価等の開示に関する会計基準の適用指針」に基づく貸借対照表の注記その他の企業会計基準を厳格に適用することが求められることが多い。

　以下の②〜④は証券化対象不動産に関わるものであり、うち②、③は財務諸表等規則および会社計算規則で「別記事業」とされるものである。上記の会計監査人設置会社、有価証券報告書提出会社と取扱いが異なる点がある。

第１節　SPC の資産評価　　431

② 投資法人

　投資法人とは、投資信託および投資法人に関する法律に基づき、投資家から資金を集め、特定の資産への投資・運用を目的として設立される法人をいい、上場している J-REIT で用いられるほか、私募 REIT の器としても活用されており、共同住宅、商業ビル、物流施設のほか、インフラ REIT として再生可能エネルギー施設に投資するものもある。「賃貸等不動産の時価等の開示に関する会計基準の適用指針」に基づく貸借対照表の注記だけでなく、投資法人の計算に関する規則73条の７、投資信託財産の計算に関する規則58条の10を根拠として、資産運用報告書にも保有資産の時価開示がある。

③ 特定目的会社

　特定目的会社とは、資産の流動化に関する法律に基づき設立される社団法人をいい、SPC の一種である。特定目的会社の計算に関する規則57の３に基づき、「賃貸等不動産の時価等の開示に関する会計基準の適用指針」に基づく貸借対照表の注記として、賃貸等不動産の状況に関する事項、賃貸等不動産の時価に関する事項を記載することになっている（重要性の乏しいものを除く）。

④ GK-TK スキーム

　合同会社を営業者として匿名組合契約により資金調達する場合で、営業者である法人の会計についてである。株式会社の場合には会社計算規則の適用があり、会社計算規則110条に基づき、貸借対照表の注記として、賃貸等不動産の状況に関する事項、賃貸等不動産の時価に関する事項を記載することになっている（重要性の乏しいものを除く）。しかし、GK-TK スキームにおいて、合同会社の計算書類にこれらの注記がないことが多く、疑問に思う方も多いかもしれない。これは会社計算規則98条２項５号に基づき、合同会社の個別注記表に賃貸等不動産の注記は不要とされているためである。

　なお、GK-TK スキームにおいて、匿名組合の組合員に対する報告が営

業者である合同会社の会計とは別に存在する。その報告内容は匿名組合契約によって決まるものであり、会計基準と異なる報告でも構わないが、匿名組合契約上、公正妥当基準による報告または特に指定がある場合には「賃貸等不動産の時価評価に関する会計基準」がその中に含まれることも考えられる。

1 証券化対象不動産の継続評価の実施に関する留意点

本件留意点の対象となるのは、②投資法人、③特定目的会社、④ GK-TK スキームである。対象不動産について、過去に不動産鑑定評価基準に則った鑑定評価を行ったことがある不動産鑑定士が行う不動産の再評価であって、定期的（1年ごとまたは半年ごと）に鑑定評価を行うことを継続評価という。「不動産鑑定基準に則った鑑定評価」とは、日本の不動産鑑定評価基準に完全に則って行った価格調査をいい、一部でも不動産鑑定評価基準に則っていない部分を有する場合には「不動産鑑定評価基準に則っていない成果報告書」となり、そのタイトルは調査報告書、意見書など様々であるが、「鑑定」、「評価」の文言を用いることはできない。

（不動産鑑定評価基準各論第3章に定める）証券化対象不動産の価格調査は不動産鑑定評価基準に則って行う必要があるが、成果報告書の精度を保つことが可能であり、投資家をはじめとする成果報告書の利用者の利益を害する恐れがないと考えられる場合は、不動産鑑定評価基準に則らないことに合理的な理由があると認められ、不動産鑑定評価基準に則らない価格調査を行うことができる。証券化対象不動産の継続評価では、以下のすべての要件を満たす場合に不動産鑑定評価基準に則らない価格調査を行うことができる。

〈要件〉

- 対象不動産について鑑定評価基準に則った鑑定評価を行った不動産鑑定士が継続評価をすること。
- 鑑定評価基準に則った鑑定評価の価格時点と比較して、対象不動産の個別的要因に加え、一般的要因、地域要因に重要な変化がないこと。

第1節　SPCの資産評価　　433

• 少なくとも収益還元法を鑑定評価基準に則って適用すること（原価法等は省略可）。

ただし、対象不動産が更地である場合や建物取壊し予定であるなど、他の鑑定評価手法が重視される場合はこの限りではない。少なくとも重視される他の鑑定評価手法を適用する。

証券化対象不動産の継続評価のほか、証券化対象不動産で不動産鑑定評価基準に則っていない価格調査を行える場合として、開発型証券化に関連する場合で、未竣工建物等鑑定評価の要件を満たさないが、建物竣工後に取得する計画のため、建物竣工を前提として価格調査を行う場合が考えられる。

2 不動産鑑定評価基準に則らない価格調査を行える場合

証券化対象不動産の継続評価では、要件を満たせば不動産鑑定評価基準に則らない価格調査を行える旨の説明をした。

では、①会計監査人設置会社、有価証券報告書提出会社では不動産鑑定評価基準に則らない価格調査を行えないのかというとそんなことはない。以下の①〜⑤の条件のうち一つを満たせば、不動産鑑定評価基準に則らない価格調査を行うことができる。会計監査人設置会社、有価証券報告書提出会社に限らず、投資法人、特定目的会社、GK-TK スキームでも同様である。

先に説明した証券化対象不動産の継続評価、未竣工建物等鑑定評価の要件を満たさないが、建物竣工を前提とした価格調査を行う場合は、いずれも⑤不動産鑑定評価基準に則らないことに合理的な理由がある場合に該当する。この場合、不動産鑑定評価基準に則らない部分以外は不動産鑑定評価基準に則るものとする。

① 調査価格等が依頼者の内部における使用にとどまる場合

② 公表・開示・提出される場合でも公表される第三者または開示・提出先の判断に大きな影響を与えないと判断される場合

③ 調査価格等が公表されない場合ですべての開示・提出先の承諾が得られた場合

④　不動産鑑定評価基準に則ることができない場合

⑤　不動産鑑定評価基準に則らないことに合理的な理由がある場合

3　財務諸表のための価格調査

　財務諸表のための価格調査においては、原則的時価算定（原則として不動産鑑定評価）のほか、みなし時価算定によることができる場合がある。みなし時価算定とは、鑑定評価手法を選択的に適用し、または一定の評価額や適切に市場価格を反映していると考えられる指標等に基づき、価格を求める価格調査をいう。

［1］固定資産に計上された不動産の減損

　減損の兆候把握、減損損失の認識の判定、減損損失の測定（帳簿価格と比較するため、割引前将来キャッシュフロー総額を求める）をする場面では、対象不動産の重要性の有無に関わらず、原則的時価算定とみなし時価算定を選択適用することができる。一方、減損損失の測定（帳簿価格との比較のため、現在の正味売却価額を求める）をする場面では重要性がある不動産については原則的時価算定（原則として不動産鑑定評価）でなければならない。ただし、重要性の乏しい不動産についてはこの限りではなく、原則的時価算定とみなし時価算定を選択適用することができる。

［2］棚卸資産に計上された不動産の評価

　販売用不動産における評価基準として低価法を採用した場合、帳簿価格と正味売却価額を比較する必要があるが、重要性を有する不動産について正味売却価額を求める場合は原則的時価算定でなければならない。一方、重要性が乏しい不動産については、原則的時価算定とみなし時価算定を選択適用することができる。

　ただし、大規模分譲地内複数画地（ex. 区画割した分譲戸建用地）では代表画地、一棟区分所有建物内複数専有部分（ex. 分譲マンション）では代表専有部分を原則的時価算定とすることで足り、代表画地以外、代表専有部分以外は原則的時価算定とみなし時価算定を選択適用することができる。

第 1 節　SPC の資産評価　　435

［3］ 賃貸等不動産の時価注記

賃貸等不動産については、賃貸等不動産の全体の総額が総資産における重要性が乏しい場合には、賃貸等等不動産の時価開示そのものを省略できる（賃貸不動産の時価等の開示に関する会計基準の適用指針23)。賃貸等不動産の総資産に占める重要性を判断する場合には、原則的時価算定とみなし時価算定の選択適用が可能であり、一定の評価額や適切に市場価格を反映していると考えられる指標に基づく価格等を用い、不動産鑑定評価基準に則らない価格調査による査定価格によることもできる。

賃貸等不動産の総額が重要性を有すると判断した場合には、個別の不動産の開示上の重要性を判断することとなる。つまり、賃貸等不動産の総額の重要性と個別の不動産の開示上の重要性の判断を分けて考える必要がある（賃貸不動産の時価等の開示に関する会計基準の適用指針33)。

なお、開示対象となる個別の賃貸等不動産に重要性がある場合については、原則的時価算定による評価額が必要であるが、開示対象でも重要性が乏しい不動産については、原則的時価算定とみなし時価算定の選択適用が可能であり、不動産鑑定評価基準に則らない価格調査によることもできる。

「価格等調査ガイドライン」の取扱いに関する実務指針（日本不動産鑑定士協会連合会）の中で、利用者の判断に大きな影響を及ぼすか否かについては、依頼目的、利用者の範囲、調査価格等の大きさ等を勘案することとなっている。そのうち調査価格等の大きさ等については以下の記述がある。

企業会計上重要性が乏しい不動産であることの判断とは、賃貸等不動産の時価等の開示に関する会計基準の適用指針23項に規定する賃貸等不動産の総額に重要性が乏しく注記が省略できるか否かの判断ではなく、同適用指針33項に規定する開示対象となる個別の賃貸等不動産の重要性についての判断であると思われる。

企業会計上重要性が乏しい不動産であること、または、依頼者が依頼目的を成し遂げるための「予備的な価格等調査」であること（たとえば、不動産取引であれば実際の取引に使用する以前の場面、再開発事業関係であれば従前・従後の

権利割合の決定に使用する以前の場面においては、依頼者を含む利用者が必要と認める場合、後日改めて「鑑定評価基準に則った鑑定評価」を行う余地があるなど、依頼者を含む利用者が別途精査する余地が存するため）等が必要である。

［4］企業結合等における不動産の評価

　固定資産に計上された不動産の減損、棚卸資産に計上された不動産の評価、賃貸等不動産の時価等の注記の分類に応じて評価することとなる。

4 財務諸表のための価格調査で、不動産鑑定評価書でなくても原則的時価算定とみなされる場合

　財務諸表のための価格調査においては、原則的時価算定は原則として、不動産鑑定評価基準に則った鑑定評価である。ただし、「原則として」という文言のとおり、不動産鑑定評価基準に則っていない価格調査であっても原則的時価算定に含まれることがある。原則的時価算定によって算出された価格は、不動産鑑定評価基準に則った鑑定評価であるか否かを問わず、企業会計基準等に規定する時価（公正な評価額）と考えられる。

　不動産鑑定評価書でなくても原則的時価算定に含まれる例としては、①建設仮勘定を含む価格調査、②未竣工建物等の価格調査、③不動産の再評価のための価格調査が挙げられる。不動産鑑定評価基準に則ることができない、または則らない部分以外は不動産鑑定評価基準に則って価格調査を行う必要がある。

① 　建設仮勘定を含む価格調査

　　建設仮勘定は不動産に該当せず、既施工部分（建物基礎など）の資産性の問題等から、未竣工建物の既施工部分の価値を加算した土地価格の算定は、不動産鑑定評価基準に則ることはできない。

② 　未竣工建物等の価格調査

　　棚卸資産の評価に関する会計基準に関連して、棚卸資産の完成後販売見込額を求める価格調査では工事完了後の状態を前提として価格調査を行うが、建築確認、開発許可など法令上の許認可を取得する前であるなど、未竣工建物等鑑定評価の要件を満たさない場合は不動産鑑定評価基準に則る

第 1 節　SPC の資産評価　　437

ことはできない。

③ 不動産の再評価のための価格調査

　相対的に説得力が高い鑑定評価手法を適用する再評価のほか、原則的時価算定により求められた価格に時点修正を行う方法が認められている。

イ．鑑定評価手法を適用した再評価

　(i)不動産鑑定評価を過去に行った不動産、(ii)不動産鑑定評価基準に則っていないが原則的時価算定として認められている価格調査を過去に行った不動産について、再度価格調査する場合である。

〈要件〉

- 過去に不動産鑑定評価基準に則った鑑定評価またはそれ以外の原則的時価算定を行ったことがある不動産の再評価であり、かつ過去に不動産鑑定士自ら実地調査を行ったことがあること。

- 直近の鑑定評価基準に則った鑑定評価の価格時点またはそれ以外の原則的時価算定を行った価格時点の調査と比較して、対象不動産の個別的要因に加え、一般的要因、地域要因に重要な変化がないこと。

- 再評価を繰り返すことは可能であるが、直近に原則的時価算定を行った時点から長期間経過（12か月以上36か月未満を目安とする）している場合は、再評価以外の原則的時価算定によるべきである。

- 直近に行った鑑定評価等で相対的に説得力が高いと認められた鑑定評価手法は少なくとも適用するものとする。たとえば賃貸用不動産、事業用不動産である場合には収益還元法を鑑定評価基準に則って適用する。

ロ．時点修正による評価

　再度価格調査を行わずに直近の鑑定評価基準に則った鑑定評価またはそれ以外の原則的時価算定に、時点修正を行うことにより価格（時価）を算定することもできる。再評価と異なり現地調査が不要であり、必ずしも鑑定評価手法の適用を前提としないが原則的時価算定に準じた算定と考えられている。

438　　第6章　SPCの資産評価

〈要件〉

- 原則として不動産鑑定士が自ら直近の原則的時価算定を行い、適切に算定されていること。
- 直近の原則的時価算定を行ったときから長期間経過（原則として12か月未満を目安とする。ただし、賃貸等不動産の時価等の開示に関する会計基準に記載のある賃貸等不動産の場合は12か月以上36か月未満）していないこと。

第 1 節　SPC の資産評価　　439

第 2 節

移転資産の
デュー・ディリジェンス

1 デュー・ディリジェンスについて

デュー・ディリジェンス（Due Diligence）とは、「当然行うべきことを相当の努力をはらってきちんと行うこと」という意味であり、「適正評価手続」といわれている。すなわち、売却資産に関するさまざまな情報を詳細に調査・分析して投資家に適切な情報を提供し、経済的に合理性のある適正価格を決定するまでの一連の手続きをいうものとされており、対象資産の調査、評価および価額の算定の過程までをも含むとされている。

資産流動化の流れの中で考えれば、その資産に対する売手・買手・仲介者のそれぞれの立場に立った調査、評価および価額の決定プロセスをいうことである。SPCおよびTMKによる資産流動化が進展するに従い、資産流動化にともなう移転資産の適正評価手続がより重要な位置を占めてきている。資産流動化においては、単に購入の時点での適正価額に留まらず、投資家への配当など出口戦略を含めたキャッシュフロー分析が重要な役割を果たす。つまり、証券化におけるデュー・ディリジェンスの目的は、投資家を含めた関係者に対する情報開示ということになる。

440 第6章 SPCの資産評価

2 デュー・ディリジェンス業務における各専門家の役割

　デュー・ディリジェンス業務における対象資産等は、SPC法でも「特定資産」として規定されているような債権、不動産等を含むとされるが、この場合に、これら資産の評価については、公認会計士、不動産鑑定士、弁護士等の専門家と銀行・証券会社等が関与して実施されることになるとされている。

　たとえば、資産評価の対象が貸付債権や売上債権であるとすれば、公認会計士による債務者の財政状態、収支状況等の調査により債務者に支払能力があるか否かの検討が行われることとなる。また、デフォルト状態（債務不履行の状態）あるいはデフォルトの可能性とその時期の見通しについての判断でも、銀行または証券会社等により行われた評価につき、債務者の財務諸表の分析、会計監査の手続きの活用により公認会計士の役割が期待されることになる。

　また、債権についてSPC等に対抗する権利が存在するときには、価格調査等に弁護士が関与することが必要な場合もある。たとえば事業用不動産について、テナントの財務諸表の分析に基づく賃料支払能力については公認会計士が判断するものの、賃借人に立退きを予定するときの賃貸借契約上の法律的な諸問題の解決については、弁護士の調査判断を要することとなる場合が考えられる。

　さらに、資産評価の対象が不動産の場合においては、不動産評価の専門家である不動産鑑定士が中心的役割を果たすこととなる。特に、SPC法では、TMKの優先出資申込証および特定社債申込証の用紙に「特定資産の価格につき調査した結果」を記載しなければならないが、さらに特定資産が不動産であるときは、「不動産鑑定士による鑑定評価を踏まえて調査したものに限られる」とされ、不動産鑑定士による鑑定が義務付けられている（旧SPC法38②九、110②十四、SPC法40①八、122十八）。

3 デュー・ディリジェンスに係る報告事項

　このような状況下で、日本公認会計士協会は「流動化目的」の債権の適正評価について意見書を報告し、その指針を表明している。

　また、社団法人日本不動産鑑定協会（現・公益社団法人日本不動産鑑定士協会連合会）からも、SPC法の施行にあわせ、平成10年9月および11月に「デュー・ディリジェンスに基づいて算定される不良債権担保不動産の適正評価手続きにおける不動産の鑑定評価に関する留意事項」が出され、「デフォルト状態にある場合」および「デフォルト状態にない場合」のそれぞれの場合における不良債権の担保不動産の適正評価についての留意事項が発表された。その後、平成18年に「担保不動産の鑑定評価（改訂版）」、平成29年に「担保不動産の鑑定評価に関する実務指針」が発表されている。

1 「流動化目的」の債権の適正評価について ——日本公認会計士協会

　平成10年10月に日本公認会計士協会から「『流動化目的』の債権の適正評価について」の報告書が公表された。この報告書は、デュー・ディリジェンス手続に係る実務上の指針を示すことも一つの目的としている。この報告書の中でも、債権評価方法の基本的な考え方は、流動化によってもたらされるキャッシュ・フローの割引現在価値によって測定するものであるとしており、債権の適正評価方法やその手続きを規定している。

　流動化目的の債権の適正な売買価値は、流動化目的の債権が主として投資対象として取得されることや、投資採算の測定が債権から得られる将来のキャッシュ・フローのみによるところから、キャッシュ・フローの割引現在価値に大きくスポットがあてられている。割引現在価値の算定にあたっては、将来キャッシュ・フローに対しての評価日から回収日までの時間の経過と回収の不確実性を考慮するのが適当であるとの立場から、評価日現在の市場金利水準に一定の

442　第6章　SPCの資産評価

信用スプレッドを加えた利率で割引を行うとしている。

　上記のように、正常債権の評価方法は債権キャッシュ・フロー割引法によることが規定されている。当該債権の契約条件に従って元利金の返済スケジュールを満期日まで見積もり、満期日までの債権からキャッシュ・フローを適切な割引率を用いて割引現在価値を計算するものである。割引率は、評価日現在の債権の満期日までの期間に対応する国債の利回り等、適切な指標に信用スプレッドを上乗せした利率を使用することになる。

　したがって、SPC に債権を譲渡する場合、債権売買価額は債権キャッシュ・フロー割引法によることとなるが、現状では、ローン債権等の譲渡についての評価額をローン債権元本相当額として、SPC に譲渡する方法によることとしている場合もあると考えられる。今後は、その時点ごとの市場金利情勢や複数種類の債権が存在する場合には、ポートフォリオ等の安全性を勘案した評価額で売買が行われる場合も出てくるのではないかと考えられるが、この場合でも、日本公認会計士協会のこの指針を基準とした評価方法を勘案しながら譲渡対価が検討されることとなるだろう。

　また、譲渡に係る税務上の譲渡対価の問題（低廉譲渡等）については、SPC が原債権保有者との関係では第三者であることから適正な時価になると推定される。

　この報告書では、債権の適正評価の方法を債権の回収可能性等を十分に考慮し、以下のように区分して行うこととしている。

① 　正常先債権の適正評価

　　→契約条件に従って元利金の返済スケジュールを満期日まで見積もる（債権キャッシュ・フロー割引法（以下「債権 CF 割引法」という））。

② 　正常先債権以外の債権の適正評価

　　→正常先債権以外の債権を流動化する場合の適正評価は、元利払いの履行状況、債務者の財務内容、担保の状況等を勘案したテストを行う。

　イ．元利払履行継続テスト

　　支払遅延や貸出条件の緩和が行われていないかのテスト。

→問題がなければ、ロのテストを行う。

→問題があれば、ハのテストを行う。

ロ. 将来履行懸念テスト

将来の元利金の返済履行を確実に行わなくなる原因となる事実が存在するかどうか、債務不履行になる可能性があるかないかのテスト。

→問題がなければ、**債権 CF 割引法により評価する。**

→問題があれば、ニの検討を行う。

ハ. 債務者テスト

債務の担保として提供されている資産以外を原資として元利金を返済する能力があるか否かのテスト。

→問題がなければ、ロのテストを行う。

→問題があれば、ニの検討を行う。

ニ. 再建計画の検討

再建計画をもっている場合は、その再建計画の合理性および実行可能性を検討する。

→再建計画があれば、**債権 CF 割引法により評価する。**

→再建計画がなければ、不動産収益還元評価法や複合評価法等により評価を行う。

報告書で提示している適正評価方法のフローチャートを示せば、**図表6・2・1**のようになる。

2 証券化対象不動産に関する鑑定評価

不動産証券化市場の進展により、収益性を重視した証券化不動産取引が増大する中で、このような市場に対応した不動産の鑑定評価手法の確立が求められ、これに対応すべく平成15年1月1日に不動産鑑定評価基準および同留意事項（以下「不動産鑑定評価基準等」という）が改正された。その後に市場関係者やエンジニアリング・レポート作成者との連携、鑑定評価書における説明責任や比較容易性等の強い要請に応えるべく、不動産鑑定評価基準等が平成19年7月

図表6・2・1 流動化目的の債権の適正評価方法のフローチャート

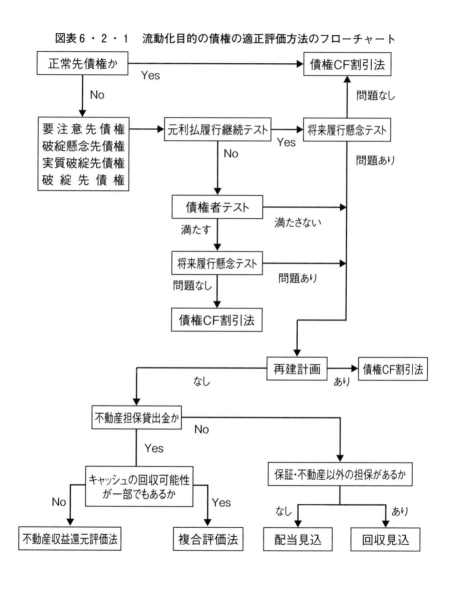

第2節 移転資産のデュー・ディリジェンス

１日に改正され、さらに、不動産鑑定評価基準は平成22年１月１日に改正された。直近では、昨今の不動産市場の国際化、ストック重視の社会への転換、証券化対象不動産の拡大等の多様な鑑定評価ニーズに適切に対応するために、平成26年11月１日に不動産鑑定評価基準等が改正されている。

これらの改正を経て、証券化対象不動産の鑑定評価にあたっての、基本的な方針は以下のとおりとなっている。

① 証券化対象不動産の鑑定評価においては、不動産鑑定士は、当該不動産の物的・法的な確認を確実かつ詳細に行うため、依頼者立ち会いのもと、実地調査を内覧も含めて行うとともに、対象不動産の管理者からの聴聞等により、権利関係、公法上の規制、アスベスト等の有害物質、耐震性および増改築等の履歴等に関する確認を行う。さらに、原則として依頼者に対しエンジニアリング・レポートの提出を求め、その内容を分析した上で、必要に応じ不動産鑑定士自らの調査を行う等の対応をし、エンジニアリング・レポートを活用するか否かの判断および根拠につき鑑定評価報告書に記載しなければならない。エンジニアリング・レポート等で調査すべき専門性の高い個別的要因は次のとおり。

- 公法上および私法上の規制、制約等（法令遵守状況調査を含む）
- 修繕計画
- 再調達価格
- 有害な物質（アスベスト等）に係る建物環境
- 土壌汚染
- 地震リスク
- 耐震性
- 地下埋設物

② 証券化対象不動産の収益価格を求めるにあたっては、DCF法を適用しなければならず、あわせて直接還元法により検証を行うことが適切である。また、DCF法の適用にあたっては、将来のキャッシュ・フローをどのように予測し、それをどのように現在価値に割り引くかが重要となることか

ら、収益および費用の将来予測、割引率、最終還元利回り等の、査定した項目に関する説明を明確に行い、さらに、従来は鑑定評価主体の判断に委ねられていた、収益・費用の各項目の分類についても明確に定義付けされ、これによりDCF法の試算の統一化がなされた。なお、鑑定評価書には、DCF法で査定した収益価格（直接還元法による検証を含む）と原価法および取引事例比較法等で求めた試算価格との関連について明確にしつつ鑑定評価額を決定することとなる。

（※）　直接還元法……一期間の純収益を還元利回りによって還元する方法
　　　　DCF法……連続する複数の期間に発生する純収益および復帰価格を、その発生時期に応じて現在価値に割引きそれぞれを合計する方法

③　証券化対象不動産の価格調査における価格の種類は以下のとおりである。

(1)　不動産の取得時または保有期間中

　　投資法人、投資信託または特定目的会社等の投資対象資産として、不動産の取得時または保有期間中の価格を鑑定評価により求める場合は以下のとおりとされている。実務上は正常価格が多い。ただし、後述のとおり、証券化対象不動産の継続評価等の場合で、不動産鑑定評価書ではなく、不動産鑑定評価基準に則っていない成果報告書により価格を求めている場合には、正常価格、特定価格等の価格の種類を用いることはできない。

・正常価格となる場合

　　所与とされているSPC等による運用方法、開発計画等による使用が、対象不動産の最有効使用と異ならず、正常価格と同一の市場概念の下において形成されるであろう市場価値と乖離しない場合には正常価格となる。

・特定価格となる場合

　　所与とされているSPC等による運用方法、開発計画等による使用が、対象不動産の最有効使用と異なる場合には、求める価格の種類は

第2節　移転資産のデュー・ディリジェンス　447

特定価格となる。所与とされる運用方法等による制約に基づいた投資
採算価値を表している。

- 不動産鑑定評価基準に則っていない成果報告書の場合

　　証券化対象不動産の継続評価等で不動産鑑定評価基準に則っていな
い成果報告書の場合、正常価格、特定価格、限定価格等の価格の種類
は用いない。例として、「調査価格」、「収益還元法による価格」等が
挙げられる。

- その他

　　限定価格の要件に該当する場合には価格の種類が限定価格となるこ
ともある。

(2)　証券化対象不動産を譲渡する場合

　　SPC 等による運用方法、開発計画等の制限が外れるので、価格の種
類は正常価格である。ただし、不動産鑑定評価基準に則っていない成果
報告書により価格を求めている場合には、価格の種類を正常価格とする
ことはできない。

④　不動産鑑定士が作成する成果報告書には、不動産鑑定評価基準に則った
成果報告書として不動産鑑定評価書、不動産鑑定評価基準に則っていない
成果報告書（則っていない部分が一部のみの場合を含む）があり、さらに不
動産鑑定評価基準に則っていない成果報告書は、価格を求めることが目的
のもの、価格を求めることを目的としていないものに分けられる。

　　証券化対象不動産の価格は鑑定評価（不動産鑑定評価基準に則った価格調
査）により求めることが原則であるが、鑑定評価ではなく、不動産鑑定評
価基準に則らない価格調査によることができる場合がある。不動産鑑定評
価基準に則らない価格調査には、①不動産鑑定評価基準に則ることができ
るが則らない場合、②不動産鑑定評価基準に則ることができない場合があ
る。

(1)　証券化対象不動産の継続評価

　　継続評価とは、過去に同一の不動産鑑定士が鑑定評価を行ったことが

ある不動産の再評価であって、定期的（1年ごとまたは半年ごと）に評価を行うことをいう。不動産鑑定評価基準各論第3章に定める証券化対象不動産の価格調査は、不動産鑑定評価基準に則って行う必要があるが、成果報告書の精度を保つことが可能であり、投資家をはじめとする成果報告書の利用者の利益を害するおそれがないと考えられる場合は、不動産鑑定評価基準に則らないことに合理的な理由があると認められ、不動産鑑定評価基準に則らない価格調査を行うことができるとされている。

　不動産鑑定評価基準に則らない価格調査を行うことができる要件は以下のとおりである。

- 対象不動産について鑑定評価基準に則った鑑定評価を行った不動産鑑定士が継続評価をすること。
- 鑑定評価基準に則った鑑定評価の価格時点と比較して、対象不動産の個別的要因に加え、一般的要因、地域要因に重要な変化がないこと。
- 少なくとも収益還元法を不動産鑑定評価基準に則って適用すること（原価法等は省略可）。ただし、証券化対象不動産が更地であるなど、必ずしも収益価格が重視されない場合には、直近に行われた鑑定評価で重視された鑑定評価手法を少なくとも適用する。また、鑑定評価時に適用した手法（原価法など）を省略する場合でも、手法以外の部分については、不動産鑑定評価基準に則る必要がある。

　対象不動産の個別的要因等に重要な変化がある場合には鑑定評価書でなければならない一方、要件を満たす継続評価の場合には不動産鑑定評価基準に則らない成果報告書も認められる。しかし、会計監査上、税務上において、その成果報告書を利用できるか否かについては、会計監査人や税理士の判断に委ねられることになるため、各専門家に確認する必要がある。特にSPCの保有する不動産（信託受益権を含む）の含み損が発生している場合、減損会計（固定資産の場合）、低価法（棚卸資産の場合）の適用に与える影響が大きいことから、不動産の価格は非常に重要である。

第2節　移転資産のデュー・ディリジェンス　　449

(2) 工事の完了を前提として行う価格調査

　建築にかかる工事（新築する場合のほか、増改築等を含む）が完了していない建物について、工事の完了を前提とした価格調査が求められる場合がある。不動産鑑定評価基準における未竣工建物等鑑定評価の要件を満たす場合には、鑑定評価（未竣工建物等鑑定評価）を行うこととなるが、設計図書等の物的確認のための詳細な資料、請負契約書等の権利の態様のための確認資料のほか、建築確認や開発許可等を取得していること等の要件が必要である。これらの未竣工建物等鑑定評価の要件を満たさない場合には、建物の既施工部分の進捗状況等より価格調査の対象となる部分を適切に確定する。また、不動産鑑定評価基準に則らない価格調査を行うにあたっては、実現性、合法性、不特定多数の投資家等の利益保護の観点から慎重に判断する必要がある。不動産鑑定評価基準に則ることができない部分以外は、不動産鑑定評価基準に則る必要がある。

〈参考〉不動産鑑定評価基準に則らない価格調査を行った場合の成果報告書の特徴

　不動産鑑定評価基準に則らない価格調査を行った場合の成果報告書は、不動産鑑定評価書とは以下のとおり形式面などが異なる。

- 成果報告書のタイトルには「鑑定」や「評価」という文言は用いない。
［例］○ 調査報告書　　× 鑑定意見書
- 鑑定評価を行った場合とは結果が異なる可能性がある旨、依頼目的以外での使用および記載されていない者への公表・開示・提出は想定していない旨を価格のすぐ下に記載する。
- 不動産鑑定評価基準に則らない価格調査を行える理由を明記する。
- 基本的事項、調査の手順について鑑定評価との相違点を記載する。
- 正常価格等の価格の種類は用いず、「調査価格」、「収益還元法による価格」等の表記にて価格を示す。

さらに、「証券化対象不動産の継続評価の実施に関する留意点」（国土交通省）

および平成26年11月1日から証券化対象不動産の鑑定評価に関する実務指針が示された。

　それによると、「不動産鑑定士が不動産に関する価格調査を行う場合の業務の目的と範囲等の確定及び成果報告書の記載事項に関するガイドライン」（以下「価格等調査ガイドライン」という）に従って、同一の証券化対象不動産（不動産鑑定評価基準各論第3章に定める証券化対象不動産をいう）を対象に、不動産鑑定士が継続調査（投資信託及び投資法人に関する法律（昭和26年法律第198号）129条2項に基づき、各営業期間に係る資産運用報告書に記載する当期末現在における不動産の価格を求めることを目的とする調査その他財務諸表の作成や企業会計上の要請、財務状況の把握等を目的に継続的に不動産の価格を把握することを目的とする調査をいう）として行う価格等調査（不動産の鑑定評価に関する法律（昭和38年法律第152号）3条1項の業務として行う不動産の価格を文書または電磁的記録に表示する調査をいう）の基本的考え方が詳細に示されている。

　それによると、適用範囲は、継続調査として行う証券化対象不動産を対象とした価格等調査で（価格等調査ガイドラインI. 4. ①または③に該当するものを除く）、価格等調査の実施の指針は、大まかにいうと以下のとおりである。

ａ．一定の要件を満たした場合、「内覧の実施」を省略することができる。
　　ここでいう一定の要件とは、内覧の実施を含めた実地調査を過去に自ら行ったことがあり、かつ当該不動産の個別的要因に重要な変化（①敷地の併合や分割、区画形質の変更をともなう造成工事、建物に係る増改築や大規模修繕工事等の実施の有無、②公法上もしくは司法上の規制・制約等（法令遵守状況を含む）、修繕計画、再調達価格、建物環境に係るアスベスト等の有害物質、土壌汚染、地震リスク、耐震性、地下埋設物等に係る重要な変化、③賃貸可能面積の過半を占める等の主たる借主の異動、借地契約内容の変更（少額の地代の改定など軽微なものは除く）の有無）がないと認められる場合をいう。

ｂ．不動産鑑定評価基準に則った鑑定評価が行われた時点と比較して、当該不動産の個別的要因ならびに当該不動産の用途や所在地に鑑みて公示価格その他地価に関する指標や取引価格、賃料、利回り等の一般的要因および

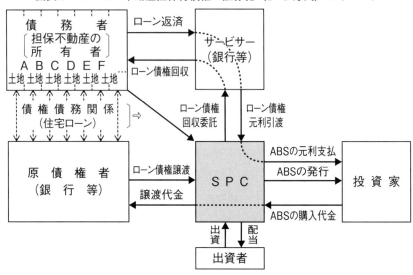

図表6・2・2　不動産担保付債権の証券化（SPC方式）のイメージ

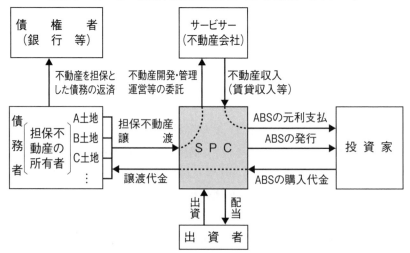

図表6・2・3　担保不動産の証券化（SPC方式）のイメージ

地域要因に重要な変化がないと認められる場合においては、鑑定評価手法のうち、少なくとも収益還元法は適用するものとし、同手法の適用にあたっては、不動産鑑定評価基準総論第7章第1節Ⅳ（収益還元法）および不動産鑑定評価基準各論第3章第4節（DCF法の適用等）に則るものとする。ただし、対象不動産が更地である場合（建物を取り壊す予定も含む）や、賃貸用不動産以外の不動産であって、必ずしも収益価格が重視されないものである場合には、直近に行われた不動産鑑定評価基準に則った鑑定評価における試算価格の調整において相対的に説得力があると認められた鑑定評価手法は少なくとも適用するものとし、当該鑑定評価手法の適用にあたっては、不動産鑑定評価基準総論第7章第1節（価格を求める鑑定評価の手法）および不動産鑑定評価基準各論第1章（価格に関する鑑定評価）に則るものとされた。

c．未竣工建物を含む不動産の竣工を前提として行う価格調査は、建物の既施工部分の進捗状況および付加された想定上の条件に応じて価格調査の対象となる部分を適切に確定するものとされた。また、竣工の実現性が高いと客観的に認められる建物等については、その竣工を前提として鑑定評価を行うことができることとなった。

d．aの内覧の省略や、bの一部の鑑定評価手法の省略、それぞれの判断根拠を成果報告書に記載しなければならない。また、(b)に基づき直近に行われた不動産鑑定評価規準に則った鑑定評価において適用された鑑定評価手法の一部を適用しない場合には、適用した鑑定評価手法を記載するものとされた。

4 債権および不動産の証券化における評価

SPC法の成立・改正により、特定目的会社（TMK）による債権・不動産等に対する証券化の促進が図られ、当初は流動化された債権・不動産の評価基準については、特に画一されたものがなかったが、前述のとおり、日本公認会計

士協会が債権そのものの売買価格を適正に評価する方法を策定し、また日本不動産鑑定協会は債権の担保となっている不動産の売買価格を適正に評価する方法を策定している。

国税庁も平成10年12月に両協会が策定した適正評価手続に基づいて算定される債権および不良債権担保不動産の取引価額は、それぞれの手法の計算の算定の基礎とした収支予測額および割引率が適正であれば税務上も認められる旨の回答をしている。

5 財務諸表のための価格調査に関する実務指針

近年において、賃料の減少にともなう減損の確認や、会計基準の変更に伴い、販売用不動産については、低価法が適用され、平成22年3月31日に終了する事業年度から賃貸等不動産について、時価を注記する必要が生じること（企業会計基準第20号）になるなど、不動産を適正に評価する必要性が高まってきた。

このため、「国土審議会土地政策分科会不動産鑑定評価部会の報告」（平成21年3月31日）を踏まえ、不動産鑑定士が行う価格等調査全般に係る手続き的なルールとして、「不動産鑑定士が不動産に関する価格等調査を行う場合の業務の目的と範囲等の確定及び成果報告書の記載事項に関するガイドライン」（以下「価格等調査ガイドライン」という）が定められ（平成21年8月28日、国土交通事務次官通知）、平成22年1月1日より施行されることとなった。その後、平成26年11月1日から改正ガイドラインが施行されている。

なお、価格等調査ガイドラインにおいても、あくまで、不動産鑑定評価基準に則った価格調査（鑑定評価）を原則としており、不動産鑑定評価基準に則らない価格調査を行える場合としては、①調査価格等が依頼者の内部における使用にとどまる場合、②公表・開示・提出される場合でも公表される第三者または開示・提出先の判断に大きな影響を与えないと判断される場合、③調査価格等が公表されない場合ですべての開示・提出先の承諾が得られた場合、④不動産鑑定評価基準に則ることができない場合、⑤不動産鑑定評価基準に則らない

454　第6章　SPCの資産評価

ことに合理的な理由がある場合が掲げられている。

　これらの点を踏まえ、公益社団法人日本不動産鑑定士協会連合会より平成26年11月1日「財務諸表のための価格調査に関する実務指針」が改正、施行されている。今後は条件によって、原則的時価算定（不動産鑑定評価を原則とするが、不動産鑑定評価基準に則ることができない場合、則らないことに合理的な理由がある場合は「不動産鑑定評価基準に則らない価格調査」も含まれる場合がある）を行う場合と、みなし時価算定（鑑定評価手法を選択的に適用し、または一定の評価額や適切に市場を反映していると考えられる指標等に基づき、企業会計基準等において求めることとされている不動産の価格を求める）を行う場合が出てくることとなる。

　表題のとおり、財務諸表の作成にあたって、不動産鑑定士が時価算定を行った資料を提供するための指針となるものであるが、不動産の鑑定評価に関する法律で定められた「鑑定評価基準に則った価格調査（鑑定評価）」と、会計で求めている「原則的時価算定」では、時価を求める手法は、必ずしも一致していないことに留意する必要がある。

　たとえば、「鑑定評価基準に則った価格調査（鑑定評価）」とは、時価を求める手法は鑑定評価基準のすべての内容に従うことをいうが、会計で求めている「原則的時価算定」では、時価を求める手法は、①鑑定評価基準に則った鑑定評価が基本であるが、②一部従わなくともよい場合（土壌汚染を考慮外とする想定上の条件の付加、再評価の場合の手法の省略等）もあるとなっているからである。さらに、賃貸等不動産会計基準では、不動産鑑定評価基準（国土交通省）による方法または類似の方法に基づいて算定するとなっている（企業会計基準適用指針第23号「賃貸等不動産の時価等の開示に関する会計基準の適用指針」11項）。ここでいう類似の方法とは、海外の評価基準を指しており、実務指針など日本不動産鑑定士協会連合会が示している財務諸表のための価格調査の基本的考え方の範囲と、ここでも一致していない。

　会計監査上は、直近の原則的時価算定を行った時から、一定の指標を用いて調整した金額をもって当期末の時価とみなすことができる（企業会計基準適用

第2節　移転資産のデュー・ディリジェンス　455

指針第23号「賃貸等不動産の時価等の開示に関する会計基準の適用指針」12項）。

　さらに、その変動が軽微であるときには、取得時の価額または直近の原則的な時価算定による価額をもって当期末の時価とみなすことができる（企業会計基準適用指針第23号「賃貸等不動産の時価等の開示に関する会計基準の適用指針」12項）。

　賃貸等不動産のうち重要性が乏しいものについては、一定の評価額や適切に市場価格を反映していると考えられる指標に基づく価額等を時価とみなすことができる（企業会計基準適用指針第23号「賃貸等不動産の時価等の開示に関する会計基準の適用指針」13項）。

　前記のとおり、会計上想定している時価のすべてをカバーできるわけではないが、財務諸表作成に当たって、不動産鑑定士が資料を提供する体制が整備されたといえる。ただし、ひと口に不動産鑑定士による時価算定といっても、すべてが不動産鑑定評価基準に完全に従ったものとは限らず、その手法によって分類することができる。

　不動産鑑定士による時価算定については、まず、不動産鑑定士の主観が入るか客観的な数字に基づいて算定するかによって分けられ、客観的なものは「みなし時価算定業務の一部」として分類され、たとえば、路線価や路線価の変動率にのみ基づいて評価額を算定する方法などが考えられる。

　不動産鑑定士が主観をもって算定したものについては、さらに、「原則的時価算定」と「みなし時価算定」に分けられる。どちらも基本的には不動産鑑定評価基準に則って評価することとなるが、「みなし時価算定」の大きな特徴として、依頼者から十分な資料が得られた場合や、過去に原則的時価算定を行った不動産の再評価を行う場合など、一定の場合には、現地調査を省略して、時価を算定することができるとされた。

　なお、前記の通知等は、あくまで、国土交通省や日本不動産鑑定士協会連合会が公表したものであることに注意が必要である。前記ガイドラインについては、主に、固定資産の減損、棚卸資産の評価、賃貸不動産の時価等の注記、企業結合等についての各会計基準に対応するためのものであることが明記されて

おり、それぞれの評価や監査にあたって、資料として不動産鑑定士による調査価格を不動産鑑定基準に基づく不動産鑑定評価書より安価に取得することが可能となった。しかし、前記の会計基準に関する監査においてでも、最終的に監査人が納得のいく資料が必要となり、必ずしも認められることが保証されたものではないため、実際の時価の確認にあたっては、不動産鑑定評価基準に基づく鑑定評価書でなくてよいか、十分に確認する必要がある。

　特に、SPCにおいては、不動産鑑定士から提出された不動産鑑定評価書等に記載の価格等を根拠に、会計上、固定資産の減損や棚卸資産の評価損を認識していくことになる。しかし、税務上は、固定資産の減損損失計上は、認められていないので、会計上、固定資産の減損損失を計上したとしても、税務上は減損損失分、別表加算されてしまう。

　一方、棚卸資産は会計上、評価損（会計上、低価法が強制適用＝評価損失が発生したら即計上）となる場合でも、税務上は、「棚卸資産の評価方法の届出」に低価法を選択して届出を提出していないと認められない。

　不動産価格下落局面において、SPCが棚卸資産の評価損（低価法）を計上しない場合、評価損を計上しない何らかの根拠として、不動産鑑定評価書等、第三者による不動産価格の時価評価が必要となる。根拠資料がないにもかかわらず、棚卸資産の評価損をSPCが計上しない場合、会計監査人が変わってしまうケースもある。

　税務上、低価法の届出を出していれば、低価法による棚卸資産の評価損が税務上認められるが、固定資産の減損損失計上の場合、会計上は認められるが、税務上は認められていないため、税務と会計で不一致が生じ、実務では問題となることが多い。

　たとえば、3月末決算のTMKが決算期をまたいで、5月に不動産を売却し、簿価の50％以上の売却損が出たとする。決算より2か月以内に簿価の50％以上の売却損が出たということは、直前期（3月決算）決算において、減損損失を決算に取り込んで計上しておかなければならない。にもかかわらず、減損損失を3月決算に盛り込まずに、翌期の決算のときに、物件の売却損失で計上し、

損失を認識したとする。すると今期の3月決算にともなう TMK は利益の90％以上を配当してしまうことになる。翌期には売却損で TMK 配当できない、あるいは TMK 配当した翌期に売却損が簿価の50％以上計上され、社債・ローン等の一部返済ができなくなることが見込まれるにもかかわらず、配当してしまうことになる。その場合、直前期の TMK 配当が妥当だったのか、TMK の取締役の責任が問われる可能性がある（平成21年度税制改正で、一定の手当てがされた）。

　決算期（3月）の2か月後に50％以上の売却損が出た場合、会計上、今期の決算（3月）に取り込んで TMK は減損損失を計上しなければならないため、今期は大幅な赤字が見込まれ配当できないか、配当できたとしても配当金額が大幅に減る。しかし、税務上は、減損損失の計上は認められていないため、税務上の所得は、減損損失計上前の所得に対して法人税、地方税がかかるため、多額の税金を納税しなければならなくなり、税務と会計が不一致となる（たとえば、平成20年8月決算の上場 REIT で、物件売却が決算期直後に決定したが、その価格で買い手が見つからなかった場合、8月の決算に後発事象として減損損失が盛り込まれ、会計上、減損損失を計上しなければならなくなった。つまり、監査法人からの指導により税務上の引当金ではない損失を計上しなければならなくなった。それに伴い、導管性要件を満たさなくなり、配当できずに多額の納税が発生した（ニューシティレジデンス投資法人の破綻））。

　一方、翌期は、5月に実際に物件を売却しているので、税務上、5月に譲渡損失が計上されるが、会計上は、前期に減損損失を計上しているため、損失は発生しない。

　不動産価格の下落局面においては、不動産証券化の資産の時価評価において、不動産鑑定士の果たす役割、鑑定評価の与える影響が、非常に大きいものとなっている。よって、税務や会計にも精通した不動産鑑定士のニーズがますます高くなっていくものと思料される。

6 「鑑定評価等概要」の記載事項等についての通達

　証券化対象不動産に係る鑑定評価等において、依頼者からの要請に応じ、鑑定評価書等の交付に併せて査定結果等を一覧にした鑑定評価等概要を提示するケースがあるが、その記載内容等について標準化されたものがなかった。そこで依頼者側の運用管理上の利便性を高めるために、鑑定評価等概要の記載項目、配列等の標準化を図るべく、平成24年5月22日に通達「証券化対象不動産に係る鑑定評価書等の交付に併せて提示する『鑑定評価等概要』の記載事項等について」が定められた（日本不動産鑑定士協会連合会）。

　その中で、鑑定評価等概要とは、「証券化対象不動産の鑑定評価等（鑑定評価だけでなく、継続評価に係る価格調査を含む）に係る依頼者からの要請を受けて、鑑定評価書等の交付にあわせて提示する、鑑定評価書等における査定結果等を一覧にした資料」と定義されている。記載項目として、①物件概要、②鑑定評価の基本的事項および鑑定評価額、③収益還元法による収益価格、④原価法による積算価格が挙げられ、記載順も①～④の順序に従うとされている。

7 ESGとSDGs

　2017年7月に、「ESG」（環境（Environment）、社会（Social）、ガバナンス（Governance）の略）と「SDGs」が時代のキーワードであることを示す三つの出来事があった。

1 その1——ESG投資が本格始動

　一つめは、世界最大の機関投資家（日本の公的年金約150兆円を運用する組織）である日本のGPIF（年金積立金管理運用独立行政法人）が、その運用資金の一部である1兆円（3％程度）で、第三者評価機関のESG評価に基づくESG投資を本格的に始めたことを2017年7月に発表したこと。ESGインデックスと

第2節　移転資産のデュー・ディリジェンス　459

いうものを導入し（SRI＝社会的責任投資に近い運用の考え）、株式投資の運用に使っていくというもの。まずは1兆円規模でスタートし、2017年末時点で世界のESG投資は約31兆ドルで2015年末の23兆ドルから34％増加とのこと。日本ではそのうち数％しか占めていない。2017年7月以降、日本のGPIF（年金積立金管理運用独立行政法人）がESGインデックス投資をやり始めたことによって、日本の世界シェアが高まっていくことが期待されるという論調がある。

そもそも「ESG」という言葉は、2006年、国際連合が設立した「PRI（Principles for Responsible Investment、責任投資原則）」の中で登場した。PRIに署名するには、世界の機関投資家が今後守るべき六つの原則を遵守する必要があり、その原則の一つには「我々はESGの課題を、投資分析と意思決定プロセスに組み込む」と書かれている。

アメリカで最大規模の機関投資家であるカリフォルニア州職員退職年金基金のカルパースや、ヨーロッパの年金基金など、世界の多数の機関投資家は2006年の設立時に署名した。そこからESG投資の動きは世界に広まっていった。

GPIFが採用しているESG評価は三つあるが、そのうちの一つ、MSCI（モルガン・スタンレー・キャピタル・インターナショナル）の「MSCIジャパンESGセレクト・リーダーズ指数」は、日本企業時価総額上位500社の親指数のうち、2019年6月時点ではESG評価が高い順にAAAからCCCまで7段階で評価している。AAA、AA、A、BBB、BBと評価されたのは、245社。

そのESG格付で2019年、最高位格付けのAAAを獲得したのは、国際石油開発帝石、住友化学、イビデン、積水化学工業、ダスキン、オムロン、KDDI、NTTドコモ、の8社である。

2017年に最低位のCCCに格付けされたのは、東京電力、東芝、SMC、三菱自動車、スズキなど。下から2番目のB評価には、ヤフージャパン、ディー・エヌ・エー、コーセー、ソニーフィナンシャル、スルガ銀行など有名企業がずらりと並ぶ。2017年にCCCおよびB評価を受けた企業は、2018年のMSCIジャパンESGセレクト・リーダーズ指数からは除外された。それはつまり、日本のGPIF（年金積立金管理運用独立行政法人）のESG投資対象から除外されたと

いうことを意味する。

　一般論として、機関投資家が保有する株式を市場に売却すれば、当然、株価は下落する方向に影響する。MSCIのような海外の評価会社のESG格付は2006年以前からなされていた。つまり、好むと好まざるとにかかわらず、日本企業は知らず知らずのうちに、世界の投資家から格付けされていたことになる。ただし日本のGPIFが2017年にESG格付を採用するまで、日本にESGを投資基準に採用する機関投資家はほぼいなかったので、金融市場も上場企業も、誰も、その存在すら知らなかった。企業価値は、これまで主に四半期毎の業績（短期的な業績）によって、評価される面が強かったが、今後は、短期的な業績に加え、ESGへの取組み、すなわち中長期的な成長戦略やリスクマネジメントも企業価値を上下させる一因になるかもしれない。

　ESG（環境・社会・企業統治）重視の取組みをめぐり、国際的な評価基準を受け入れる国内の不動産会社や不動産投資信託（REIT）が増えている。2011年は20社（J-REIT 5社、それ以外15社）だったのが、2019年の参加数は70社（J-REIT 44社、それ以外26社）。GRESBに参加したJ-REIT銘柄44社の国内市場に占める時価総額の91.5％（約14兆4,800億円分がGRESBに参加）。

　従来の不動産鑑定評価基準に基づいて評価するだけでなく、保有するビルや商業施設の消費エネルギー量などでも評価される。世界の投資家と目線をそろえることにより、日本に外国のマネーを呼び込みたい考えである。

　国際的な評価基準は「グローバル不動産サステナビリティ・ベンチマーク（GRESB）」。

　GRESB（https://www.gresb.com/nl-en/）は、不動産会社・ファンドの環境・社会・ガバナンス（ESG）配慮を測る年次のベンチマーク評価およびそれを運営する組織の名称であり、責任投資原則（PRI）を主導した欧州の主要年金基金グループを中心に2009年に創設されたもの。

　オランダの公務員年金の運用機関APGなどが提唱して09年に始まった。オランダのGRESB社が運用し、毎年1度、評価する仕組み。幅広い投資家が不動産投資のうえで参考にしている。

第2節　移転資産のデュー・ディリジェンス　　461

「GRESB リアルエステイト」には、「リアルエステイト評価」と「ディベロッパー評価」があり、主流となる賃貸用不動産の運用を焦点とした「リアルエステイト評価」とは別に、新規開発・大規模改修を主業とする参加者のため、2016年に「ディベロッパー評価」が独立した評価として始まった。2019年には、グローバルでは41社、日本では3社が「ディベロッパー評価」に参加（1,005社の内数）。

　ESG に関する社内規定の整備や責任者の配置、情報開示など経営体制と、ビルなど保有資産のエネルギー消費量や二酸化炭素（CO_2）排出量の測定・削減の取組みが問われる。最大139点の総合得点をもとに「1スター」から最も高い「5スター」まで5段階にランク付けされる。

　2019年は新たにタカラレーベン不動産投資法人や、グローバル・ワン不動産投資法人などが評価を受ける見通し。グローバル・ワンは3月に3つの物件で日本政策投資銀行（DBJ）のグリーンビルディングの認証を受けた。GRESBのスコアアップにもつながる。

　2018年9月には世界の903の不動産会社や REIT、私募ファンドが評価を受けた。参加者の不動産保有額は約3兆6,000億ドル（約395兆円）にのぼる。

　ESG を意識した投資は、株式や債券を中心に拡大してきた。投資を通じて、企業に環境やサプライチェーンにおける労働環境、企業統治などへの改善の取組みを促す。ESG 重視の流れが不動産やインフラの投資にも広がりつつある。

　国内では年金積立金管理運用独立行政法人（GPIF）が2017年に ESG 評価が高い企業への株式投資をはじめ、民間の運用会社にも浸透してきた。不動産会社、ファンド、インフラファンドも投資を呼び込むには ESG への対応が避けて通れないものとなっている。

　たとえば、世界各国に展開するスターバックスやマクドナルド等が、プラスティックのストローをやめると決めると、サプライヤーたちの行動が劇的に変わる。マクドナルドが、牛肉のトレーサビリティーを決定すると、畜産業等の生産者たちは、牧草等への農薬散布量が改善させたりする。あるいは、原料を

品質に見合う価格で購入するように改善され、環境保護や労働環境の改善など、生産者を支援したり、原料の安定調達を確保するため、生産地の多様化も進めたりする可能性がある。気候変動もあるので、未来のコーヒー豆や牛肉を担保するために、企業の持続的成長のためにも、環境に配慮した調達戦略の重要性が増している。

2 その2──TCFDの提言

　二つめの出来事は、2017年7月にドイツのハンブルクで開かれたG20サミットである。

　2016年に金融システムの安定化を図る国際的組織、金融安定理事会（FSB）によって設立された「気候変動関連財務情報開示タスクフォースTCFD（The FSB Task Force on Climate-related Financial Disclosures)」から、注目すべき最終提言が発表された。そのTCFDが提言の中で、投資家が②適切な投資判断を促すため、一貫性、比較可能性、信頼性、明確性を持つ、効率的な気候関連財務情報開示を企業に促すことを目的とすると明記した。企業に対して、どんな気候変動リスクがあり、それに対してどんな企業戦略を持っているか、情報開示を行う企業を支援すること、低炭素社会へのスムーズな移行によって金融市場の安定化を図ることといったような情報を開示するように求めた。これによって直ちに有価証券報告書に盛り込むように義務付けることにはならないと思うが、今後は、アニュアルレポートなどの報告書に、気候変動リスク、温暖化リスクというものを開示するという動きが進んでいくのではないかと思われる。

　2019年2月現在、日本の賛同企業・組織は56を超え、金融庁や日本証券取引所、環境省、経済産業省やGPIF（年金積立金管理運用独立行政法人）、日本政策投資銀行、三菱UFJフィナンシャル・グループ、三井住友フィナンシャルグループ、みずほフィナンシャルグループ、三井住友トラストホールディングス、りそなホールディングス、全国銀行協会、投資信託協会、日本投資顧問業協会、日本公認会計士協会等々が含まれている。企業は自ら進んで、気候関連問題の

第2節　移転資産のデュー・ディリジェンス　　463

財務的影響の分析・開示を進めていく必要がある。

3 その3——SDGs 達成への取組み支援

　三つめの出来事は、2017年7月17日〜19日まで、ニューヨークの国連本部で「持続可能な開発のためのハイレベル政治フォーラム（HLPF）」の閣僚会議が開催された。

　このフォーラムの目的は、各国が「持続可能な開発目標（SDGs）」の達成に向けた取組みや進捗状況を発表し、目標達成に向けた議論をした。この会合で、日本の岸田文雄外務大臣（当時）は約10億ドルを拠出して、世界の SDGs の取組みを支援していく方針を発表した。

　こうした動きにより経済動向の方向性に決定的な変更が生じ、投資した資金をどう回収するか、地球環境の持続性をどう保つか、「ESG」と「SDGs」は引き続き投資行動の重要なキーワードとなっている。

8 ESG 不動産の評価

1 国土交通省のアンケート調査結果（環境性、快適性、健康性に優れたオフィスビルに関する国内アンケート調査結果の概要）

　国土交通省は、環境、社会、企業統治に配慮した不動産（ESG 不動産）の評価についてのアンケート結果を平成31年4月26日公表した。アンケートはテナント入居者側、不動産投資家・ビルオーナー側の双方に行われた。

　調査結果概要によれば、ESG に配慮することにより、「不動産価値は高まる」または「不動産価値は高まっていない（あまり差がない）が、今後は高まる」という回答が、不動産投資家・ビルオーナー側で約8割、テナント入居者側で7割を占めた。

　ESG 不動産への投資を行う理由としては、「入居者や入居企業が ESG を重視して入居を選別しているから」という回答が3割を超え最も多く、「主要投資家（エクイティ資金供給者）が ESG に配慮した投資行動を重視し、またその

464　第6章　SPC の資産評価

ような投資活動を行っている企業へ投資を選別しているから」が2割程度で続いた。

入居時にESGに配慮する理由としては、テナント入居者側、不動産投資家・ビルオーナー側ともに「従業員の労働環境の改善（従業員の満足度向上）につながる（期待される）ため」が最も多く、「中長期的な光熱費負担等のコスト低減効果がある（期待される）ため」といった経済的メリットを上回った。また、テナント入居者側では「業務生産性が向上する（期待される）ため」「優秀な人材確保、長期雇用安定に寄与する（期待される）ため」が上位を占めている。

わが国におけるESG不動産への投資促進策としては、テナント入居者側、不動産投資家・ビルオーナー側ともに、「ESG不動産が事業収支の改善や不動産価値の向上につながることがわかる検証結果や好事例等の情報開示」「既存の認証制度と比較して、よりESG等の要素を「見える化（評価の透明性）」するような新たな認証制度の創設」が上位を占めた。また、不動産投資家・ビルオーナー側は、「ESG等の要素を、積極的に鑑定評価に反映させる仕組み」が2割弱を占めた。

2 ESG不動産の鑑定評価

不動産投資家・ビルオーナー側に「ESG等の要素を、積極的に鑑定評価に反映させる仕組み」に対するニーズがあることが確認できたが、不動産の鑑定評価においてどのように対応しているか述べていく。

ESGと言いながら、不動産についてはE（環境）の要素がその中心であり、S（社会）も関連性が考えられるが、G（企業統治）の要素はほぼないと思われる。環境性能を評価する手段としてはCASBEEなど第三者機関の認証を受けることとなる。CASBEEでは、建物の基本性能として健康性・快適性、利便性、安全性を評価する。環境性能を中心とした第三者認証の取得をどのように不動産価格に反映させるかという問題である。

不動産の鑑定評価で求める価格は基本的に正常価格である。正常価格とは、市場性を有する不動産について、現実の社会経済情勢の下で合理的と考えられ

第2節　移転資産のデュー・ディリジェンス　465

る条件を満たす市場で形成されるであろう市場価値を表示する適正な価格である。正常価格は「現実の社会情勢の下で」という言葉のとおり、「あるべき価格」すなわち不動産鑑定士が現実の社会経済情勢を一部取捨したり理想化した市場で成立する価格ではなく、「ある価格」すなわち現実の社会経済情勢の下での市場で成立する価格ある。ESG不動産の鑑定評価を行う場合においても「ある価格」を求めることになる。

　「ある価格」を求めるため、原価法においては、建物の再調達原価に第三者認証のためのコストを加算し、減価修正では第三者認証による影響の程度（減価額や経済的残存耐用年数への影響など）を考慮することとなる。また、ESGへの配慮のため設置した設備等が対象不動産に含まれるか否かにより再調達原価、減価修正額も変わってくる。収益還元法においては、第三者認証の取得による賃料アップの可能性あるいは取得がすでに賃料に反映されている可能性の検討、省エネ設備によるエネルギーコストの低減、各種設備の修繕費用の増加、市場参加者の属性や利回りへの影響などを検討する必要がある。ESGへの認知度が低く、ESGに配慮した不動産への需要や賃料等に優位性が認められない場合には、現実の市場に基づいた価格を求めることとなる。

CoffeeBreak ☕ **ESG投資と不動産評価（担い手としての、J-REITへの期待）**

　近年、ESG投融資残高は、世界で約3,900兆円、全投資の25％相当（GSIA調査2020年）、SDGs債（グリーンボンド、ソーシャルボンド、トランジションボンド等）は、約120兆円（CBI調査2021年）との報告があります。

　他方で、ホワイトウォッシュ（粉飾）の造語で、"グリーンウォッシュ"というESG投資関連活動において実態をともなわない環境活動に対して、各国で関連規制の動きなどESG投融資への監視の眼も厳しくなりつつあります。

　そのような状況下で、不動産は、ポジティブインパクト投資の有力な投資先だと思います。換言すれば、SDGsが標榜するサスティナブル投資の対象とし

466　第6章　SPCの資産評価

て不動産の ESG 要素に投融資することが社会課題解決に寄与する可能性があります。

最近、筆者は、上場不動産投資信託（以下「J-REIT」という）の ESG 関連活動が、SDGs 達成に寄与すると感じております。その理由として、不動産、金融関係法や受託者責任に担保された投資家保護の姿勢が挙げられます。

不動産セクターで、開発リスクを取らない不動産投資運用業は、ESG 投資と親和性が高い分野と思います。国土交通省の「不動産分野の社会的課題に対応する ESG 投資促進検討会」資料には、ESG 投資を通じた中期的価値として、気候変動、災害、超少子化・高齢化への対応、健康性、快適性の向上、地域社会・経済への寄与が取り上げられ、そのため「ESG や SDGs は、不動産の開発・運用・投資のあるべき姿を明確化し、認識の共有化や関係者間の対話を図るためのツール」と言及しております。世界的にも、関連活動として、気候変動関連の「TCFD」、自然関連の「TNFD」、社会課題解決の視点から「TSFD」も提唱されております。

2021年7月には、東証上場 J-REIT 市場に関して、「ESG の取り組み」要素に着目した"日経 ESG-REIT 指数"が登場しております。ただし、一定規模以上の銘柄を対象にした時価総額型で、個別銘柄対象ではありません。

このような ESG という特定要素を組み入れた指数が組成できる背景には、J-REIT の関係規則等に沿った情報開示（法定・適時・任意）の実践と国内外の機関投資家等に向けた IR 活動等での投資側の関心に呼応した運用も挙げられます。

従来、不動産オーナーは、自己勘定で保有する不動産の流動性には無関心でした。他人勘定で保有する不動産投資運用業の誕生で、不動産開発業は、運用不動産の供給も担うことになりました。

このような変化で、開発リスクを取れる不動産開発業者と運営リスク負担に限定され税制措置もありクレジットが高い上場 J-REIT の関係で、不動産開発業者が率先して ESG 投資適格不動産を開発し、J-REIT が取得保有、内部成長活動で、ESG 要素を当該不動産に加える流れが、ESG 投資を牽引、関連活動の競争を惹起する可能性があります。

その動きが、不動産全般において「ESG 投資適格不動産」と「ESG 投資不適格不動産」の区分が自然に浸透されて、「不動産評価」においても反映され

てゆくと考えられます。

　さらに、令和5年度税制改正によるNISA制度拡充が、国民のJ-REIT投資を促進し、ESG関連活動がその投資判断基準にもなることが期待されます。また、その反射的効果として、現在、機関投資家が規模ある投資をしている「私募REIT」の行動に波及すれば一層のESG活動効果が拡大すると思います。

　このように、J-REITが、ESG投資先とESG投資適格不動産の関係の中の役割になることを期待しております。

（都風）

〈出所〉
・ESG投資残高："Global Sustainable Investment Review2020" Global Sustainable Investment Alliance
・SDGs債残高："Sustainable Debt Global State of the Market 2021" Global Bonds Initiative
〈参考文献〉
・『土地総合研究 第29巻第4号（2021年秋号）』「特集：ESGと不動産」一般財団法人 土地総合研究所
・『不動産証券化ジャーナル Vol. 61、Vol. 62（2021年）』一般社団法人 不動産証券化協会
・「ESG投資の動向について」（資料）（第1回 不動産分野の社会的課題に対応するESG投資促進検討会（2021年））国土交通省
・金融庁委託調査：みずほ情報総研株式会社「ESG要素を中心とする非財務情報に係る諸外国の開示制度等に関する調査報告書」（2019年）
・「証券化対象不動産の鑑定評価に関する実務指針」公益社団法人日本不動産鑑定士協会連合会
・「財務諸表のための価格調査に関する実務指針」公益社団法人日本不動産鑑定士協会連合会

第3節

その他匿名組合出資・投資信託等の評価

1 信託・会社型投信の評価

　信託とは、財産権の移転その他の処分をなし、他人をして一定の目的に従い財産の管理または処分行為をなさしめることである。

　従来の日本の投資信託は「契約型」投信で、委託会社・受託会社（受託銀行）・受益者（投資家）の三者によって成立する委託者指図型投資信託のうち、主として有価証券に対する投資として運用する投資信託であったが、平成10年12月の法改正で「会社型」投信の組成が可能となった。「会社型」投信とは、株式や債権等の投資を目的とする法人を設立し、その法人が発行する投資口の募集により投資家から資金を集めて、投資法人から委託を受けた運用会社が有価証券等の運用を行う仕組みであり、ファンド（投資法人）と出資者（投資家）の二者間で構成される。投資口は株式会社の株式に相当するもので、投資家は投資主総会を通じてファンドの運営に参加できる投信である。

　しかし、会社投信は、契約型投信に比べると商品組成コストの負担が大きいことや手続きが煩雑であることから敬遠されてきたようである。

　平成12年11月に従来の「証券投資信託及び証券投資法人に関する法律」が改正され、「投資信託及び投資法人に関する法律」（以下「投信法」という）となった。これにより、従来、主として有価証券とされていた投資信託の運用対象（特定資産）の範囲が拡充され、不動産その他の資産についても運用が可能になり、

第3節　その他匿名組合出資・投資信託等の評価　　469

事業性が高い不動産を運用する道が開けたことから、不動産投資信託 (J-REIT)
が登場することとなった。

　不動産投資信託についての不動産鑑定評価については、日本不動産鑑定士協
会連合会から発表されていることは前述のとおりであるが、相続税法において
は財産評価通達213で不動産投資法人の投資証券および不動産投資信託の受益
証券（不動産投資信託証券）のうち上場されているものの評価方法が定められ
ており、上場株式の評価に準ずることとなっている。上場されていない不動産
投資信託証券については、純資産価値、配当利回り、キャッシュ・フロー等に
着目して個別にその価値測定を行うことになると考えられる。

2　匿名組合員の出資金評価

　匿名組合契約の詳細については第2章で述べたが、匿名組合契約とは、当事
者のうちの一方（出資者）が、相手方の営業のために出資をなし、その営業よ
り生ずる利益を分配することを約するという、商法に定められた特別な契約で
ある。実質的には、出資者（匿名組合員）と営業をなす相手方（営業者）との
共同形態であり、匿名組合員は営業成績に応じた利益（損失が発生した場合は
損失）の分配を受けるが、民法上の組合契約とは異なり、法律的に企業主体と
なるのは営業者だけであり、営業上の取引について責任を負わない。資産流動
化においては、流動化する債権や不動産等の資産を複数の投資家が形成した匿
名組合営業者に譲渡するという方式が多用されている。

　匿名組合事業に属する財産には、流動資産や負債も含まれているが、とりわ
け不動産がその内容の大部分を占めていることが多い。この場合、資産や負債
についての評価は、それが異常な利率や危険な債務者である場合を除いて、ほ
とんどが額面で評価することが可能であると考えられる。したがって、匿名組
合の出資金の評価に当たっては、不動産の評価の位置付けが非常に重要となっ
てくる。

　匿名組合事業に属する財産の主な構成要素である不動産の評価については、

鑑定評価の手法として次の三つの手法が考えられる。

① 取引事例比較法……売買事例と比較する方法であり、比較要素としては、利益・時価純資産額等が考えられる

② 純資産価値法……現在の純資産価値

③ 収益還元法（DCF法）……将来生ずるであろうキャッシュ・フローを現在の価値に割り引きし、それを合計する方法

前述のとおり、証券化においては、キャッシュ・フローを重視したDCF法が主流となっている。匿名組合の場合、契約によって収益の分配や契約終了時の清算方法を自由に定められるため、時価純資産額は現在の適正な時価とは必ずしも比例せず、取引事例との比較も契約の個別・特殊性が強いことから、内容を吟味しなければならない。なお、将来生ずるキャッシュ・フローの計算においては、清算時に生ずる分配金の現在価値を加算する必要が生ずる場合がある。匿名組合員の出資は営業者に属することになるため、匿名組合員は匿名組合事業に属する財産を直接有するのではなく、利益の分配を受けることができる利益分配請求権と出資金の返還請求権を有することになる。

匿名組合契約は営業者と匿名組合員との契約であり、営業者が死亡した場合、営業者または匿名組合員のどちらかが破産した場合には商法の規定により匿名組合契約が終了することになるが、匿名組合員につき相続が発生した場合には、その相続人が、その匿名組合員の権利および義務を承継取得することになる。この場合の匿名組合契約に基づく出資の価額は、匿名組合契約を解除した場合に返還を受けることができる価額と考える。

3 匿名組合の出資金の相続税評価額

匿名組合の出資金に関する直接的な評価規定はない。したがって、個別的に相続税評価に関する鑑定評価を行うことが最も望ましい。また、相続または贈与の直後に出資持分を売却した場合で、類似の出資持分の売買事例が存在する場合には、それに準じた価額が最も客観的な資料となろう。

これらの資料がいずれも得られない場合で、保有財産を売却して清算し、中途解約においても評価益を分配する匿名組合契約においては、営利を目的とする組合等の出資の評価に関する規定として財産評価基本通達196によって純資産価額評価をすべきかと思われる。一方で、匿名組合員の出資は、持分会社の立場に類似するという点をとらえて、同通達194を適用するという立場もありうる。この場合には、取引所の相場のない株式に準じて出資持分の取得者の出資割合や匿名組合の大きさによって配当還元価額または類似業種比準価額も考慮すべきことになる（同通達178、179）が、これらは、株式会社等出資割合によって議決権が与えられる法人を前提としているため、あくまで営業者と組合員との1対1の契約関係である匿名組合については、実務的にこれらの算定方式の適用は困難であり、また理論的にも妥当でないものと考えられる。

　そこで、この立場に立っても結果的には純資産価額を採用して（あるいは、最も重視して）評価することになると思われる。いずれの立場に立っても、純資産価額の算定上、原則として土地はいわゆる路線価評価によることになるが、評価会社の議決権総数の50％以下の持分の株主に適用される20％評価減（同通達185）の適用はない。

　また、消費税も営業者に負担させているように、匿名組合には法人税は課税されないので、「含み益相当分に対する法人税額等相当額の控除」（同通達186-2）もないことになり、法人税等相当額を控除することはできない。なお、協同組合に準じて同通達195を適用し、払込済出資金額で評価することは、同通達が組合員の福利厚生を目的とする団体を対象とする主旨から妥当でないものと考える。

　純資産価額を適用した場合、20％評価減や法人税額等相当額の控除はないので、任意組合の共有持分を評価した場合とほぼ同じ評価額となる。なお、追加払込義務に関しては、その限度額までは合名会社の無限責任社員とまったく同様であるので、その金額（通常「出資額を超えて生じた損失」）は債務として認識することになる。

　もっとも、債務として認識するためには、匿名組合の契約書上、追加出資義

務の範囲が明記されていなければならない。なお、組合員の死亡により契約が終了する場合には、返還を受ける出資金額が相続税の課税対象となることから、相続時の解約返還金額を評価額とすべきとの見解もあるが、保有財産を売却して清算し、中途解約時に評価益を分配する匿名組合契約においては、結果として純資産価額と同じになるのではないかと思われる。ただし、たとえば中途解約時には出資額をそのまま返還する約定の場合には、出資額が相続税評価額となろう（本節4参照）。

　財産評価基本通達において、匿名組合に係る出資の評価方法は明示されていないため、これまでも納税者と課税当局との間にその評価方法について見解の相違が生じてきた。

　当初「平成13年3月 国税庁課税部審理室・資産課税課・資産評価企画官」が発出した「資産税関係質疑応答事例集」では、以下の内容であった。

【照会要旨】
　商法第535条（匿名組合契約の定義）に規定する匿名組合契約により営業者に金銭を出資した法人（匿名組合員）の株式を、純資産価額方式で評価する場合、その権利（出資金）については、匿名組合員が匿名組合財産を匿名組合契約の損益の配分割合に応じて所有しているものとして、その匿名組合財産の相続税評価額により評価した金額と解してよいか。

【回答要旨】
　匿名組合員の有する財産は、利益配当請求権と匿名組合契約終了時における出資金返還請求権が一体となった債権的権利であり、その価額は出資金を含めた匿名組合契約に基づく営業者の全ての財産・債務を対象として、課税時期においてその匿名組合契約が終了したものとした場合に、匿名組合員が分配を受けることができる清算金の額に相当する金額による。

（理由）
⑴　匿名組合員が出資した金銭等は営業者（出資を受ける相手方）の財産に帰属することから、匿名組合員が匿名組合財産を損益の分担割合に応じて共有しているものとして評価するのは相当でない。
⑵　営業者に損失が生じた場合は、損失分担金が出資の金額から減じられた後の金額が組合員に返還されることになり、元本保証はないことから出資額で評価するのは相当でない。

【関係法令通達】

商法第535条、第536条、第538条

　また、国税不服審判所が「匿名組合契約に係る出資金の評価額は、課税時期において、その匿名組合契約が終了したものとした場合に匿名組合員が分配を受けることができる清算金の額に相当する金額と解するのが相当」と判断した事例がある（平成20年7月26日裁決　東裁（諸）平20第20号）。

　　請求人は請求人の父（贈与者）から平成13年中に当該会社の株式を贈与により取得し、その評価額は零円になることから申告義務がないとして贈与税の申告書を提出しなかった。これに対して原処分庁は、贈与税の決定処分および無申告加算税の賦課決定処分を行った。請求人は、当該株式の評価額について、以下のように主張している。「贈与当時の会計原則に従えば、本件会社の匿名組合契約に係る出資はマイナス評価になるため零円となり、投資未払金は債務としてそのまま計上することとなるため、本件会社は債務超過となり本件株式の評価額は零円となる。したがって、本件決定処分は課税の実質的根拠を欠き違法である。」
　　原処分庁は、純資産価額方式によって株式を評価する場合、匿名組合契約に係る出資については、課税時期において匿名組合契約が終了したものとした場合に分配を受けることができる清算金の額に相当する金額により評価するのが相当と主張した。
　　審判所は、匿名組合契約に係る出資者の権利について、営業者に対する利益配当請求権と匿名組合契約終了時における出資返還請求権が一体となった権利とし、評価通達に具体的な定めがないその評価方法については、以下のように判断した。
　　「匿名組合契約に係る出資という財産の価額は、契約により匿名組合員が損失を分担しない旨定めた場合を除き、出資金を含めた匿名組合契約に基づく営業者のすべての財産および債務を対象として、課税時期において、その匿名組合契約が終了したものとした場合に、匿名組合員が分配を受けることができる清算金の額に相当する金額と評価することが相当であり、その価額は、営業者の事業継続期間中の企業会計上の純資産価額と一致しないこととなるが、これは、企業会計上、事業継続期間中の各計算期間においてはリース物件の時価換算をしないことによる当然の結果である。したがって、課税時期における匿名組合契約に係る出資の価額を営業者の企業会計上の純資産価額と同視することはできない。」

　なお国税庁はその後、ホームページにて掲載されている質疑応答事例を平成26年11月に更新しており、匿名組合契約に係る権利の評価に関する照会について以下のとおり回答している。

474　　第6章　SPCの資産評価

【照会要旨】

　匿名組合契約により営業者に金銭を出資した法人（匿名組合員）の株式を、純資産価額方式で評価する場合、その権利（出資金）については、どのように評価するのでしょうか。

【回答要旨】

　匿名組合員の有する財産は、利益配当請求権と匿名組合契約終了時における出資金返還請求権が一体となった債権的権利であり、その価額は営業者が匿名組合契約に基づき管理している全ての財産・債務を対象として、課税時期においてその匿名組合契約が終了したものとした場合に、匿名組合員が分配を受けることができる清算金の額に相当する金額により評価します。

　清算金の額を算出するに当たっては、財産評価通達185の定めを準用して評価します。

　この場合、匿名組合には、法人税が課税されないことから、法人税等相当額を控除することはできません。

（理由）

　匿名組合員が出資した金銭等は営業者の財産に帰属することから、匿名組合員が匿名組合財産を損益の分担割合に応じて共有しているものとして評価することは相当ではありません。

　また、営業者に損失が生じた場合は、損失分担金が出資の金額から減じられた後の金額が組合員に返還されることになり、元本保証はないことから出資額で評価することは相当ではありません。

【関連法令通達】

　財産評価基本通達 5、185

　商法第535条、第536条、第538条

　この質疑応答事例の更新により、国税庁は「匿名組合契約に係る出資金の評価額は、課税時期において、その匿名組合契約が終了したものとした場合に匿名組合員が分配を受けることができる清算金の額とする。」という当初からの主張を、より明確化したものと考えられる。

4 相続税の小規模宅地等の評価減等の土地税制の適用

　任意組合では、事業に係る財産は各組合員に帰属するため、その組合が事業用の不動産を有している場合には、相続税の計算上、小規模宅地の評価減の特

図表6・3・1

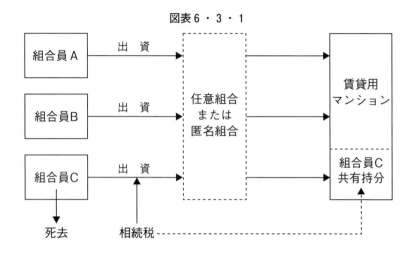

例の適用を受けることができると解されるが、匿名組合では財産は営業者に帰属するため、当該規定の適用はないと解されている。

　任意組合型あるいは匿名組合型のスキームで賃貸用マンションに投資を行う場合、その投資事業の中途で組合員に相続が発生した場合には、その組合持分について相続税が課せられる。

　任意組合の場合は、投資家が共有持分として賃貸用マンションを保有することになるので、組合持分の評価は不動産としての賃貸用マンションの共有持分の評価となる。そこで、事業用または賃貸用宅地等として小規模宅地の評価減の特例の適用が受けられると考えられる[2]。

　ところが、匿名組合の場合、形式的には賃貸用マンションの所有権者は匿名

---

[2] ただし、細分化されており実質的に金融商品と同様の持分であったり、課税上弊害があるとみなされる場合における適用については若干の疑義がある。相続税法において、財産評価の原則は「時価」によるべきものとなっており、財産評価通達に基づく評価がいわゆる総則6項（財産評価基本通達第1章総則6項。財産評価基本通達の定めによって評価することが著しく不適当と認められる財産の価額は、国税庁長官の指示により評価すると定めるもの）により通常の取引価額に引き直される判例も散見されるため、実際の持分評価においては契約内容や実態を充分に吟味する必要がある。

組合の営業者ということになり、組合持分の評価はあくまで匿名組合出資債権の評価に帰することとなり、小規模宅地等の評価減の特例の適用はないと解釈せざるをえないものと思われる。

5 個人投資家の出国時課税における評価

平成27年度税制改正において、株式などの金融資産を持つ居住者が国外転出（国内に住所および居所を有しないこととなること）する際には当該金融資産の決済があったものとみなす特例が創設され、当該金融資産の含み益に所得税（復興特別所得税を含む）が課税されることになった。

上記特例の要件は以下の二要件を満たす居住者に適用される[3]。

① 国外転出をする時における有価証券、匿名組合契約の出資持分、決済していないデリバティブ取引、信用取引もしくは発行日取引などの金融資産の評価額が1億円以上である者

② 国外転出の日前10年以内に、国内に住所または居所を有していた期間が5年超であるもの

含み益への課税は、対象資産についてその国外転出時の価額（すなわち時価）で譲渡したものとみなして計算した譲渡所得に対してなされる。

所得税法において、原則的な「譲渡の時における価額」の概念は所得税法施行令169条低額譲渡の規定にみられるものであり、これは資産の譲渡の時における相続税評価額ではなくいわゆる「適正価格」（通常取引されるであろう正常取引価格）をいうものと解されている[4]。しかし、この時価の算定は通常困難であり、実務上は前出国税庁の文書回答に基づき、財産評価基本通達185（純資産

---

3 なお、納税猶予期間（5年または10年）の満了日までに帰国をした場合で①の金融資産を引き続き有しているまたは決済をしていない場合は、帰国後4か月以内に更正の請求をすることにより課された税額を取り消すことができる。

4 『コンメンタール×所得税務釈義Digital』「注釈I 法第59条第1項（みなす譲渡）」（第一法規）

価額）の定めを準用して評価した清算金の額相当額によることが一般的である[5]。

5　非上場株式等を譲渡した場合の時価については、実務上、所得税基本通達59-6（株式等を贈与等した場合の「その時における価額」）を参照して計算することとなる。これによると、非上場株式等については一定の条件のもと財産評価基本通達178から189-7（取引相場のない株式の評価）の例により算定した価額とすることとされていることから、相続税法上の評価とおおむね同様に評価するものとなると考えられる。

第 **7** 章

SPC と会計基準

第 1 節

金融資産の認識の中止要件

1 国際会計基準／国際財務報告基準

　国際財務報告基準（IFRS）は、国際会計基準審議会（IASB）によって設定される会計基準の総称であり、国際会計基準（IAS）は IASB の前身である国際会計基準委員会（IASC）により設定された会計基準である。IAS は、IASB による新基準（IFRS）により廃止されるまでは有効である。

　金融資産の譲渡の認識については、2001年 4 月に IASB は IAS39号「金融商品：認識及び測定」を採用した。その考え方は「リスク・経済価値アプローチ」と「支配」の混合アプローチであり、「財務構成要素アプローチ」を採用していた当時の米国会計基準および日本現行会計基準とは異なる会計基準となっている。

　2010年10月に金融資産および負債の譲渡の認識の中止を IAS39号から IFRS 9 号にそのまま引き継がれている。

1 　金融資産の認識の中止（IFRS9 号）のアプローチ

　金融資産の認識の中止はリスク・経済価値アプローチと支配の移転の混合アプローチとなっている。日本の金融資産の認識の中止は未だ財務構成・アプローチであり、IFRS 9 号とは明確に異なる会計基準となっている。

　IFRS 9 号は譲渡金融資産について金融資産を財務構成には分けず、全体と

第 1 節　金融資産の認識の中止要件　　481

図表 7・1・1　金融資産の認識の中止

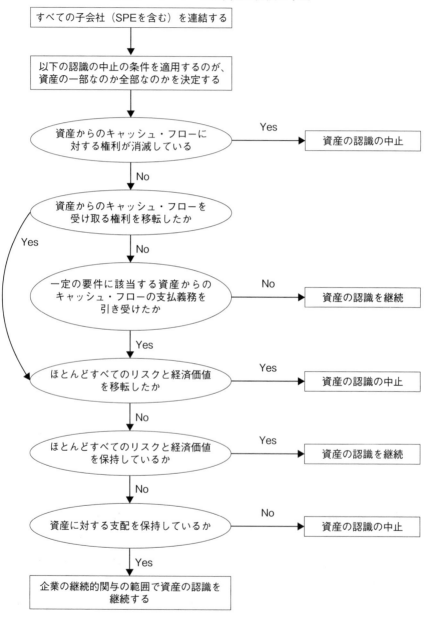

してリスク・経済価値が移転しているか否か判断し、次のステップとして支配が移転しているか否かを、さらに、継続的関与の範囲にて判断する。

2 金融資産の認識の中止

［1］連結財務諸表での判定

連結財務諸表においては、認識の中止をまずは IFRS10号「連結財務諸表」に従ってすべての子会社を連結してから認識の中止の判定を行う（IFRS 9 号 3.2.1）。

［2］対象資産の単位

認識の中止の対象資産を金融資産全体とするのか、金融資産の一部とするのかの判定を行い、以下の条件を満たす場合以外は原則として当該金融資産全体として判定する（IFRS 9 号3.2.2）。

> • その部分が金融資産からの具体的に特定されたキャッシュ・フローのみで構成されている。
> • その部分が金融資産からのキャッシュ・フローの完全に比例的な持分のみで構成されている。
> • その部分が金融資産からの具体的に特定された完全に比例的な持分のみで構成

［3］金融資産の認識の中止

金融資産の認識の中止は、以下の認識の中止のいずれかの要件を満たす場合に行わなければならない（IFRS 9 号3.2.3）。

• 当該金融資産からのキャッシュ・フローに対する契約上の権利が消滅した場合（例：貸付金が全額返済された場合）
• 金融資産を譲渡し（A）、一定の認識の中止の要件（B）を満たす場合
  （A）金融資産の譲渡
      • 金融資産のキャッシュ・フローを受け取る契約上の権利を移転する場合
      • 金融資産のキャッシュ・フローを受け取る契約上の権利を保持しているが、一定の条件を満たす取り決めにおいて 1 名以上の受取人に

第 1 節　金融資産の認識の中止要件　　483

当該キャッシュ・フローをパス・スルーで支払う契約上の義務を引き受けている場合

（B）一定の認識の中止の要件

　　ａ．企業が、当該金融資産の所有に係るリスクと経済価値のほとんどすべてを移転している場合には認識の中止を行う。

　　ｂ．企業が、当該金融資産の所有に係るリスクと経済価値のほとんどすべてを保持している場合には、当該金融資産の認識を継続しなければならない。

　　ｃ．上記ａでもｂでもない場合には当該金融資産に対する支配を保持しているかどうかを判定する。企業が支配を保持していない場合には認識の中止を行い、支配を保持している場合(注)には認識を継続しなければならない。

（注）　支配を保持しているか否かは譲受人が当該資産を売却する能力に依存する。譲受人が第三者に当該金融資産を追加的な制限を課す必要なしに自由に売却することができる場合には譲渡人である企業は支配を有していない。それ以外の場合には支配を継続している。

2　米国会計基準

1　概要

　金融資産のオフバランス化の会計問題について米国では、財務会計基準書（FAS）125号が1996年6月に、金融資産の譲渡に対する包括的基準として公表された。その後さらなる検討がされた結果、2000年10月にはFAS140号「金融資産の譲渡およびサービス業務ならびに負債の消滅に関する会計処理」（以下「FAS140」という）が、FAS125の一部追加および修正した会計基準として公表され、2001年3月31日以降に発生した取引について適用されてきた。

　しかし、2007年前後から発生したサブプライムローン問題を端に発した信用危機に対して、2008年5月30日、米国財務会計基準審議会（FASB）はFAS140

484　第7章　SPCと会計基準

に規定されている適格SPE(以下「QSPE」という)の概念を廃止することを決定し、2009年6月12日にFAS166号「金融資産の譲渡に関する会計処理—FAS140号の改定」(以下「FAS166」という)を公表した。

なお、米国会計基準の再構築(condification)により、FAS166はASC860となっている。IFRSが「リスク・経済価値アプローチ」と「支配」の混合アプローチなのに比して、FASは支配モデル(財務構成要素アプローチ)によっている。

2 金融資産の譲渡に関する会計処理——ASC860

[1] 金融資産の譲渡を売却処理するための要件

金融資産の譲渡について「法的隔離(倒産隔離)」の要件を明確化し、譲渡人および譲渡人の属する連結会社の力の及ばない範囲にあるべきとした。さらに、証券化に関する法的隔離の分析にあたり、譲渡に関連して行われたすべての契約を考慮する必要があるとしている。

なお、米国会計基準における認識の中止(譲渡)の基本的な要件は次のとおりとなる(ASC860-10-40-5)。

- 譲渡人(連結)からの法的な倒産隔離
- 譲受人に売却制限がない
- 譲渡人(連結)による支配がない

[2] 金融資産の部分売却要件

米国会計基準では、「参加持分」(participating interest)を定義し、譲渡要件を満たした場合に限り、「参加持分」を売却処理できると規定している(ASC860-20-40-1A)。「参加持分」とは以下の特徴を有する。

- デリバティブ金融商品または明確かつ密接な関連がないデリバティブが組み込まれている金融商品以外の個別の金融資産の所有者持分
- 資産から受領するキャッシュ・フローが、所有割合に応じて比例的に各持分に配分される
- 参加持分保有者は、譲渡人または他の参加持分保有者に対し遡及権を有さず、他の参加持分者に優先劣後しない

第1節 金融資産の認識の中止要件 485

- いかなる譲渡人も参加持分保有者も、参加持分を有する金融資産の全部を担保に差し入れたり、交換したりする権利を圧倒的には有しない

3 日本の会計基準

　金融商品に関する会計基準および評価の米国や国際会計基準の動向を受けて、日本の企業会計審議会は1999年1月22日に「金融商品に係る会計基準の設定に関する意見書」および金融商品に係る会計基準を公表した。また、企業会計基準委員会は2006年8月11日（最終改正2019年7月4日）に金融商品に関する会計基準（以下「金融商品会計基準」という）を公表した。

　金融商品会計基準によれば、金融資産を譲渡する場合には、譲渡後において譲渡人が譲渡資産や譲受者と一定の関係（たとえば、リコース権（遡及権）、買戻し特約等の保持や譲渡人による回収サービス業務の遂行）を有する場合があり、このような条件付きの金融資産の譲渡については、以下の二つのアプローチが考えられている（米国、国際会計基準とは異なる日本独自の定義としている）。

---

① 日本のリスク経済価値アプローチ
　　金融資産のリスクと経済価値のほとんどすべてが他に移転した場合に、当該金融資産の認識を停止する方法
② 日本の財務構成要素アプローチ
　　金融資産の構成する財務的要素に対する支配が他に移転した場合に、当該移転した財務構成要素の移転を認識し、留保される財務構成要素の存続を認識する方法

また、金融負債は、以下のいずれかの場合に消滅したと考える。

① 当該金融負債の契約上の義務を履行したとき

② 契約上の義務が消滅したとき

③ 契約上の第一次債務者からの地位から免責されたとき

　リスク経済価値アプローチでは、金融資産の経済価値とリスクが、将来のキャッシュフロー・回収コスト・貸倒れリスクなどすべてが一体のものと考えるため、債権の一部を分割して流動化を図る場合など、移転の基準をどの時点

とするかの判断が厳しくなる。

　結論として金融商品会計基準では、財務構成要素アプローチを採用しており、当該金融資産の契約上の権利を行使した場合に加えて、当該金融資産の契約上の権利に対する支配が他に移転した場合には、金融資産の認識の停止をしなければならないものとしている。

　また、この「当該金融資産の契約上の権利に対する支配が移転した」とは、以下のすべてを満たした場合をいう（金融商品会計基準9項）。

---

①　譲渡された金融資産に対する譲受者の契約上の権利が、譲渡人およびその債権者から法的に保全されていること
②　譲受者が譲渡された金融資産の契約上の権利を、直接または間接に通常の方法で享受できること
③　譲渡人が譲渡した金融資産を、当該金融資産の満期日以前に買い戻す権利および義務を実質的に有していないこと

　金融資産の譲受者が次の要件を満たす会社、信託または組合等のSPEの場合には、当該SPEが発行する証券の保有者を当該金融資産の譲受者とみなして②の要件を適用する。

- SPEが適正な価格で譲り受けた金融資産から生ずる収益を当該SPEが発行する証券の保有者に享受させることを目的として設立されていること
- SPEの事業が、上記の目的に従って適正に遂行されていると認められること

第1節　金融資産の認識の中止要件　　487

第 2 節

不動産の認識の中止要件

1　国際会計基準／国際財務報告基準

■不動産譲渡の会計基準（IFRS15）

　IASB と FASB は両基準をコンバージェンスするための MoU プロジェクトとして共通の収益認識基準を共同開発し、2014年 5 月に「顧客との契約から生じる収益」を公表した。

　IFRS の収益認識基準は IAS18号「収益」と IAS11号「工事契約」等を統合し、金融商品（IFRS 9 号）、「リース」（IFRS16号）等については対象外となるものの、非金融資産（不動産を含む有形固定資産および無形固定資産等）の売却も対象となる。

　IAS18号は収益認識時点が「リスクおよび経済価値の移転」としていたが、IFRS15号は「支配」の移転としている。

　IFRS15号の収益認識は以下のステップで認識される。

　1．顧客との契約を識別する
　2．契約における別個の履行義務を識別する
　3．取引価格を算定する
　4．取引価格を契約における別個の履行義務に配分する
　5．企業が別個の履行義務を充足時に（または充足するにつれて）収益を認識する

488　　第 7 章　SPC と会計基準

収益の認識時点は企業が個々の履行義務を充足した時であるが、それは、顧客が財またはサービスに対する支配を獲得した時となる。これまでのリスク経済価値の移転は、譲渡者側からリスク経済価値が移転しているかが検討課題となっていたが、新基準においては、買主側が支配を保有しているかが検討課題となっている。

財またはサービスの支配が移転しているか否かは別個の履行義務について個々に考慮しなければならないが、一時点で充足される履行義務の指標として以下を提供している。ただし、不動産の売却等については以下のすべてが充足されていたとしても、個々の履行義務について考慮し、不動産について使用を指図する能力を顧客が有していてかつ不動産からの便益を享受する能力を買主が有しているか（支配を獲得したか）を判断する必要がある。

- 企業が当該資産に対する支払を受ける現在の権利を有している
- 顧客に当該資産に対する法的所有権がある
- 企業が当該資産の物理的占有を移転した
- 顧客が当該資産の所有にともなう重要なリスクと経済価値を有している
- 顧客が当該資産を検収した

IFRS15号により IAS16号「有形固定資産の認識の中止の日」について、IFRS15号における履行義務が充足し、(買い手が) 支配を獲得した日と改定され、IAS40号「投資不動産の処分の日」についても同様に改定されている。

2 米国会計基準

かつて、米国会計基準では Accounting Standards Codification（ASC）Topic 360に不動産譲渡（認識中止）について独自の基準を設けていたが、2017年2月22日、非金融資産の認識中止に関する新たな会計基準であるサブ・トピック610-20（ASU2017-05）が公表され、ASC360にあった譲渡に関する部分は、セール・リースバックに係る部分を除き廃止され、これにより従来の不動産の譲渡

基準の多くが改正されたことになり、非金融資産譲渡について単一のモデルに統合された。

収益認識に関し、これまで米国基準と国際会計基準に差異があり、経済的に類似する取引について異なる処理が行われることがあったが、「顧客との契約から生じる収益」（Topic606）が公表され、米国基準と国際会計基準とで差異がかなり解消され、比較可能性が改善された。

連結財務諸表に関する基準は、国際会計基準ではすべての事業体に単一の会計基準が適用されるが、米国会計基準においては連結財務諸表についての規定であるTopic810の中に、特別にVIEに関して規定した810-10-15-13〜が設けられている。

（※）　コードは特段の記載がない限りは、Codification後の米国会計基準のコードである。

1　不動産を含む非金融資産譲渡（認識中止）に関する包括的会計基準の公表（ASU-SubTopic610-20）

FASBは2017年2月22日、ASU2017-05「その他の収益—非金融資産の認識中止からの損益（サブ・トピック610-20）：資産の認識中止のガイダンスの範囲と非金融資産の部分売却の会計処理の明確化」を公表した。サブ・トピック610-20は非金融資産、非金融資産のグループ、または「事業活動でないまたは非営利活動でない連結子会社の所有持分」を、顧客ではない者に譲渡する契約を締結する取引に適用される。

[1] 実質的な非金融資産

サブ・トピック610-20の対象には、「実質的な非金融資産」も含まれる。「実質的な非金融資産」とは、契約で相手に約束した資産の公正価値の実質的にすべてが非金融資産に集中している場合の、「契約で相手に約束した金融資産」である。

[2] 損益の認識

認識の中止のための基準を満たした場合、企業は「区分できる資産に配分さ

れた対価の金額」と「区分できる資産の帳簿価額」の差額の損益を認識する。

　企業が非支配持分と交換で、「区分できる非金融資産」または「区分できる実質的な非金融資産」を譲渡する場合、企業は相手から受領する非金融資産を非現金対価として検討し、非現金対価を規定するガイダンス（606-10-32-21〜24）に従って測定する。同様に、親会社が連結子会社の所有持分を譲渡することによって、「区分できる非金融資産」または「区分できる実質的な非金融資産」の支配を譲渡するが、以前の子会社の非支配持分を保持する場合、企業は保持する非支配持分を非現金対価として検討し、非現金対価を規定するガイダンス（606-10-32-21〜24）に従って測定する（**図表7・2・1〜7・2・3**参照）。

［3］適用時期

　サブ・トピック610-20はASU2014-09「顧客との契約から生じる収益（トピック606）」と同様に、公開事業企業には2017年12月16日以降開始する年度から適用される。2016年12月16日以降開始する事業年度と期中期間については、早期適用も認められている。

2 不動産のリースバック会計基準（ASU-Topic842-40）

　セール・アンド・リースバック取引については主にTopic842-40に規定されている。

　資産の譲渡が売却に該当するかどうかを判定するにあたっては、Topic606（顧客との契約から生じる収益）を適用することとされているため（842-40-25-1）、Topic606に従って、契約の存在、履行義務の充足時点についての検討が必要となる。

　① 資産の譲渡が売却に該当する場合

　　売り手（借り手）は、買い手（貸し手）が資産の支配を獲得した時点の取引価格を収益として認識し、譲渡した資産の認識を中止する。そして、当該リース取引をSub Topic842-20に従って処理する。

　　一方で、買い手（貸し手）は、購入を他の該当する基準に従って処理するとともに、リースをSub Topic842-30に従って処理する。

図表7・2・1　譲渡（認識中止）に関する他の会計基準との関係

```
                    ┌─────────┐
                    │  Start  │
                    └─────────┘
                         │
              顧客との取引か          Yes      ┌──────────────────┐
            （610-20-15-4(a)）─────────────────▶│   収益認識基準    │
                         │                     │    （ASC606）     │
                         │No                   └──────────────────┘
                         ▼
              事業譲渡の一部か         Yes      ┌──────────────────┐
            （610-20-15-4(b)）────────────────▶│   連結会計基準    │
                         │                     │  （ASC810-10）    │
                         │No                   └──────────────────┘
                         ▼
                  全部が
              金融資産の譲渡か          Yes     ┌──────────────────┐
            （610-20-15-4(c)）────────────────▶│ 金融資産譲渡基準  │
                         │                     │    （ASC860）     │
                         │No                   └──────────────────┘
                         ▼
              他の適用除外取引         Yes      ┌──────────────────┐
              （リース等）に該当するか ─────────▶│  該当基準を適用   │
            （610-20-15-4）                     └──────────────────┘
                         │
                         │No
                         ▼
              非金融資産または         Yes      ┌──────────────────┐
              実質的非金融資産か ──────────────▶│ 非金融資産譲渡基準│
            （610-20-15-5）                     │ （ASC610-20）適用 │
                         │                     └──────────────────┘
                         │No
                         ▼
              子会社持分に該当するか    Yes         子会社の保有資産の
            （610-20-15-6）──────────────────▶   すべてが非金融資産か
                         │                              │
                         │No                            │No
                         ▼                              ▼
            ┌──────────────────┐          ┌──────────────────┐
            │ 非金融資産会計基準│          │   連結会計基準    │
            │  （ASC610-20）    │          │  （ASC810-10）    │
            │      適用         │          └──────────────────┘
            └──────────────────┘
```

（※）譲渡に、認識中止の対象となる売主の資産ではない他の契約上の取決め（保証など）が含まれる場合、それらの契約は分離され、他のトピックまたはサブトピックに従って会計処理されます。

図表 7・2・2　非金融資産譲渡損益の認識

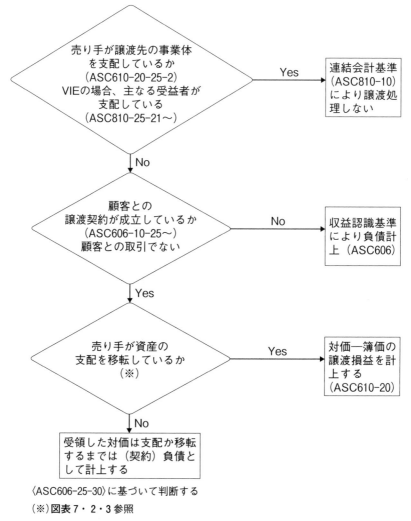

〈ASC606-25-30〉に基づいて判断する
(※)図表 7・2・3 参照

第 2 節　不動産の認識の中止要件

図表7・2・3　ASC606-10-25-30の示す支配の移転を示す事項

事項	買い手に支配移転しないことを示す状況	買い手に支配が移転していることを示す状況
対価の請求権 606-10-25-27　a	買い手に支払いを請求する権利がない	買い手に支払いを請求する権利がある
所有権等法律上の権利 606-10-25-30　b	単に買い手の支払不能を回避するためだけではなく、所有権を留保している	単に買い手の支払不能を回避するためだけのため、所有権を留保している
物理的専有 606-10-25-30　c	売り手が譲渡資産を物理的に占有している	再売買予約（注）がなく、買い手が譲渡資産を物理的に占有していること
重大なリスクと経済的価値 606-10-25-30　d	売り手が資産の使用方法を決めてそこから生ずる果実のすべてを享受している	資産の管理場所の指示権、市場価値の変動を受領する権利、資産の毀損等に対する責任が買い手にある
買い手の検収 606-10-25-30　e	売り手が未だ買い手の検収条件を満たしていない	買い手が正式に検収完了を売り手に通知している

（注）　買い手がトリガーを引くことになる非投機条項（antispeculation clause）や優先拒否権（a right of first refusal）は、元々廃止された EITF ABSTRACTS Issue No. 86-6 等で再売買予約に含めないで良いものとされていた。基準改訂後に明記されてはいないが、これらの点については NAREIT 等の資料によれば、従来通り扱っているものと考えられる。

②　資産の譲渡が売却に該当しない場合

　　売り手（借り手）は、譲渡した資産の認識を継続するとともに、譲渡対価を他の Topic に従って負債として処理する。

　　一方で、買い手（貸し手）は、譲渡された資産を認識せず、譲渡対価を他の Topic に従って債権として処理する。

　なお、譲渡対価が公正価値でない場合は、売却価額を公正価値で測定するために、売却価格の増加分をリース料の前払いとして処理し、売却価格の減少分は買い手（貸し手）による追加融資として処理することにより、売却価格を調

整することとされている。

3 リース会計基準

2016年2月25日、FASBは新たなリース会計基準（Topic842）を公表した。新たな基準は、IFRSとのコンバージェンスの一環であり、ほぼすべての企業に一定の影響を及ぼす可能性がある要素を含んでおり、特に借り手に対し大きな影響を与える可能性がある。

借り手は、ほぼすべてのリースを、使用権資産およびリース負債として貸借対照表上に認識する必要がある。また、新基準適用に際し、契約に組み込まれているリースを識別することが重要となる。一方、損益計算書に関しては、2分類のモデルを維持しており、リースをオペレーティング・リースまたはファイナンス・リースのいずれかに分類することを要求している。分類は、現行のリース会計に適用されているものとおおむね同様の要件に基づき行われるが、具体的な数値基準は存在しない。

貸し手による会計処理は、現行のモデルと類似しているが、借り手のモデルの変更および新たな収益認識基準と整合性を図るための変更が行われている。現行のセール・アンド・リースバック取引のガイダンス（不動産に適用されるガイダンスを含む）は、借り手と貸し手の両方に適用される新たなモデルによって置き換えられる。

新たなリース会計基準の開発により、IFRSとの一定のコンバージェンスを達成したものの、いくつかの点においては差異が生じている。IFRSとの間の差異のうち、重要なものは**図表7・2・4**のとおりである。

新リース会計基準は、12月決算の上場基準については2018年12月15日より後に開始する事業年度から適用された。

非上場企業については、2019年11月にFASBがリース会計基準の適用を1年延期したため、2020年12月15日より後に開始する事業年度から適用されることになった。

第2節　不動産の認識の中止要件　　495

図表7・2・4　米国リース

内容	米国会計基準 （ASU2016-02）	IFRS （IFRS 第16号）
範囲	有形固定資産のみ	有形固定資産の他、無形固定資産も対象とすることができる
例外処理	「短期リース」のみ	「短期リース」、「少額資産（5,000米ドル以下）のリース」が例外処理の対象
借り手の会計	リースの分類を行い、リースを「ファイナンス・リース」と「オペレーティング・リース」に分類する	リースの分類は行わない
	「オペレーティング・リース」についても、使用権資産とリース負債が認識されるが、リース費用を定額で認識し、リース負債の支払利息は認識されない。	リースの分類は行わないため、すべてのリースにおいて同一の処理がなされる。
貸し手の会計	リース取引を「オペレーティング・リース」と「直接金融リース」と「販売タイプリース」に分類する（新規のリースにレバレッジド・リースの分類はない）	リース取引を「ファイナンス・リース」と「オペレーティング・リース」に分類する
リースバック取引	リースバックがファイナンス・リースの場合、売却処理はできない	米国会計基準と同様の制限はない
	取引が売却の場合、取引損益の全額が認識される	取引が売却の場合でも、取引損益の全額は認識されない

> 優先交渉権と「譲渡人の継続的関与」について
>
> 　米国会計基準では譲渡人がコールオプションを有する場合と譲受人がプットオプションを有する場合はともにそれだけで「譲渡人の継続的関与」として借入、賃貸借、もしくは損益共通契約として金融処理すべきものとされる。ただし、優先交渉権（A Right of First Refusal）はオプション契約とはみなされないものとされる（ASC840-40-25-13）。
>
> 　優先交渉権（A Right of First Refusal）とは、米国の不動産取引で頻繁に現れる、通常（旧）不動産所有者またはテナントに与えられる優先交渉権を指している。この権利は、現在の所有者が不動産を売却しようとして、第三者から真摯な法律上の購入（賃借）申し入れ（譲渡人の受理により契約として発効する申込）（注）があった場合に、権利者が不動産所有者と第三者との契約締結前に、その購入（賃貸借）条件と同じ条件で購入（賃借）することもできるし拒否することもできる権利をいう。オプションとの違いは、不動産の現所有者が実際に売却手続に入り、または、第三者からの購入申し入れがあるまでは、権利者には何ら権利が発生しないことにある。つまり、交渉を開始する権利はオプションの場合には権利者にあるが、優先交渉権の場合には不動産所有者にある。
>
> 　米国会計基準では譲渡人（売り手）が不動産のコールオプションを買い、またはプットオプションを売っている場合に売買と認めないが、優先交渉権は常にオプションとはみなされず、これだけでは「譲渡人の継続的関与」があるとはされず、売買処理の障害とならないものとされているが、第三者の申し入れがない場合に買える契約は再購入オプションとされる。

（注）　日本では、譲受人が「買取証明」を出して撤回しても通常損害賠償の対象とはならない。つまり、契約までは法的拘束力がないのでここでいう「申し込み」は難しい。

CoffeeBreak 優先買取交渉権に関する考察

　上記のとおり、不動産の譲渡の認識基準が保守的であり、譲渡人が不動産のコールオプションを買い、またはプットオプションを売っている場合に売買と認めない米国会計基準でも、First Refusal Right は常にオプションとはみなされず、これだけでは売買処理の障害とならないものとされているが、第三者の

申し入れがない場合に買える契約は再購入オプションとされている。この権利は、一般的にはオプションや買戻特約と同視すべき権利ではないものと考えられる。

　ただし、「優先買取交渉権」が以下のようなものであった場合、上の First Refusal Right とは異なるものになる。

　①　信託受託者（現所有者）が、実際に売却交渉に入る前に権利者に交渉権が発生する。

　②　権利者の購入交渉する購入価格は、実際の申し出に基づかず、市場での売却活動を通じて得られるであろう価格と同等以上の条件である。

　この場合問題になるのは、実際の第三者の法律上の申込（売り手の受理により契約として発効する申込）という客観データなしに、交渉してよいかどうかである。これは、「市場での売却活動を通じて得られるであろう条件と同等以上」かどうかの判断の確からしさによる。

　この場合の購入条件には価格のみでなく、支払条件や回収可能性等も含まれる。第三者からの購入申込でも場合によっては最終的に成約まで至る確率の低い条件（支払能力のない者の申し出）や著しく買い手に有利な条件である場合もあり、必ず権利者に公正な条件を示しうるかは場合によることになろう。また、日本における不動産取引の慣行では仮に買い手が文書で売り手に「買付証明」を出し、後に取り消したとしても、通常「買付証明」発行時点で法的に売買契約が有効に成立したとは扱われず、多くの場合、事後取消しによる損害賠償は法的にも要求されない。したがって、わが国の不動産取引において第三者の法律上の申込（売り手の受理により契約として発効する申込）は売買契約そのものとなり、実際に売却しない限り、そのデータは入手できない（手付け金を徴求する方法もあるが、その場合には売り手は取消しにより、通常手付額の損害を賠償することになり、これも困難である）。また、通常の買入れ申込は市場取引データとしての客観性・妥当性は米国に比してかなり低いものになる。

　したがって、「市場での売却活動を通じて得られるであろう条件と同等以上」である判断が、第三者からの購入申し入れ同様十分客観的で信頼に足りる市場データの場合には、わが国においては実質的に First Refusal Right と異ならない性格のものと考えられる。したがって、「優先買取交渉権」を売り手が持っていたとしても、買戻し条件付き売買には該当しないのではないかと思われる。

3 日本の会計基準

　わが国においては、不動産の売却に関する包括的な会計基準が存在しないため、複数の個別の会計基準とともに、一般的な実現主義の原則が適用されると解されている。不動産の証券化に関係する特定の取引については、以下のような不動産売却に関する会計処理を行う具体的な実務指針、および論点整理等が公表されている。

　ただし、当該実務指針および論点整理等は、法人税法における一般に公正妥当と認められる会計処理の基準（法法22④）とは必ずしも整合性が取られているものではないことに留意しなければならない。

---

① 「関係会社間の取引に係る土地・設備等の売却益の計上についての監査上の取扱い」（1977年8月8日　日本公認会計士協会　監査委員会報告第27号）
② 「土地の信託に係る監査上の留意点について」（1985年3月5日　日本公認会計士協会　審理室情報 No. 6 ）
③ 「リース取引の会計処理及び開示に関する実務指針」（1994年1月18日　日本公認会計士協会　会計制度委員会）
④ 「特別目的会社を活用した不動産の流動化に係る譲渡人の会計処理に関する実務指針」（2000年7月31日　日本公認会計士協会　会計制度委員会報告第15号）
⑤ 「同 Q&A」（2001年5月25日　日本公認会計士協会　会計制度委員会）
⑥ 「民都へ売却した土地に係る留意事項」（2002年3月25日　日本公認会計士協会）
⑦ 「不動産の売却に係る会計処理に関する論点整理」（2004年2月13日　企業会計基準委員会）
⑧ 「「不動産の売却に係る会計処理に関する論点整理」に対する意見」（2004年5月13日　日本公認会計士協会）
⑨ 「特別目的会社を利用した取引に関する監査上の留意点についての Q&A」（2005年9月30日　日本公認会計士協会　監査・保証実務委員会）
⑩ 「リース取引に関する会計基準」および「リース取引に関する会計基準の適用指針」（2007年3月27日　企業会計基準委員会）
⑪ 実務対応報告第23号「信託の会計処理に関する実務上の取扱い」（2007年8月2日　企業会計基準委員会）

第2節　不動産の認識の中止要件　499

⑫ 「連結財務諸表における特別目的会社の取扱い等に関する論点整理」(2009年
2月6日 企業会計基準委員会)
⑬ 企業会計基準第29号「収益認識に関する会計基準」(2018年3月30日 企業
会計基準委員会)

　不動産の譲渡に関する会計基準について、ヴィークルが資産運用型ヴィーク
ルか資産流動化型ヴィークルかによって適用される基準が異なる。**図表7・
2・5**はヴィークルの種類により適用される会計基準となるが、図表に記載さ
れていない指針等はすべてのヴィークルに共通して適用される。

図表7・2・5

ヴィークルの種類	通常の会社	資産運用型	資産流動化型
不動産譲渡の会計基準	実現主義 委員会報告27号 (注1)	実現主義 委員会報告27号	実現主義 委員会報告27号 不動産流動化実務指針：5％ルール (注2)

(注1) 「関係会社間の取引に係る土地・設備等の売却益の計上についての監査上の取扱い」
(注2) 「特別目的会社を活用した不動産流動化に係る譲渡人の会計処理に関する実務指針」、「同 Q&A」

1 「関係会社間の取引に係る土地・設備等の売却益の計上についての監査上の取扱い」(監査委員会報告第27号)

　当該報告は、某上場会社の会社更生法適用申請事件において、不動産を時価
以上の価額で関係会社に売却することによる粉飾決算が行われたことに対応し
て定められたものだが、現在の監査実務上は、譲受人が関係会社に該当しない
場合であっても、上記報告書の記載事項が考慮されているものと考えられる。
また、資産運用型ヴィークルについても当然考慮しなければならない基準とな
る。メルクマールとなる判断基準は譲渡価額の客観的妥当性であり、それ以外
の判断基準も総合的に勘案して不動産の譲渡の認識を行う。

> **監査委員会報告第27号**
> 　次の諸観点により総合的に判断する。

① 譲渡価額に客観的な妥当性があること（主たる判断材料）
② 合理的な経営計画の一環として取引がなされていること
③ 買戻し条件付き売買または再売買予約付売買でないこと
④ 資産譲渡取引に関する法律的要件を備えていること
⑤ 譲受会社において、その資産の取得に合理性があり、かつ、その資産の運用につき、主体性があると認められること
⑥ 引渡しがなされていること、または、所有権移転の登記がなされていること
⑦ 代金回収条件が明確かつ妥当であり、回収可能な債権であること
⑧ 売り主が譲渡資産を引き続き使用しているときは、それに合理性が認められること

2 土地信託受益権売買についての「土地の信託に係る監査上の留意点について」（審理室情報 No. 6）

　土地信託受益権売買は、通常信託財産である土地を売買したのと同一の効果を生ずるものと考えられるが、信託として特殊な仕組みを媒介として行われるところから、受益権を売却して売却益を計上している場合には、監査上、特に次の点に留意して対処する必要があるとしている。

① 当該売買取引に買戻し条件または再売買の予約が付されていないかどうか
② 買戻し条件または再売買の予約が付されていない場合において、将来当該受益権の買戻しがないかどうか
③ 受益者が当該受益権に関わる信託財産を賃借している場合において、その取引は合理的かつ必然か

3 「不動産流動化実務指針」（会計制度委員会報告第 15 号）

　資産の消滅の認識は、主としてリスク・経済価値アプローチで行われていたが、証券・金融市場の発達による金融資産の流動化・証券化の進展にともない、金融資産を財務構成要素に分解して取引する機会が増加してきた。このような場合において、リスク・経済価値アプローチでは金融資産を財務構成要素に分解して支配の移転を認識することができず、取引の実質的な経済効果を譲渡人の財務諸表に反映させるためには、金融資産の譲渡に関わる消滅の認識は財務

構成要素アプローチによって行うことが求められると考えられた。

　それに対して、不動産を譲渡した際の譲渡人の会計処理については、リスク・経済価値アプローチによって行われるのが適当とされている。その理由は、不動産の譲渡に関しては、譲渡対象が不動産にかかる権利であること、リスクと経済価値が不動産の所有と一体化していること、金融商品に比べて時価の算定が容易でなく流通性も劣る等の特徴を有しているからである。不動産の譲渡に関する包括的な基準等ではないが、不動産の証券化に関わる特別目的会社への不動産の譲渡については、2000年7月31日（最終改正2014年11月4日）に公表された会計制度委員会報告第15号「特別目的会社を活用した不動産の流動化に係る譲渡人の会計処理に関する実務指針」（以下「不動産流動化実務指針」という）において、第3項で、「不動産の売却の認識は、不動産が法的に譲渡されていること、及び資金が譲渡人に流入していることを前提に、譲渡不動産のリスクと経済価値のほとんど全てが他の者に移転した場合に当該譲渡不動産の消滅を認識する方法、すなわち、リスク・経済価値アプローチによって判断することが妥当である」としている。

[1] 不動産の流動化の会計処理

　譲渡人が不動産の譲渡取引を売却取引として会計処理するためには、不動産が特別目的会社に適正な価額で譲渡されており、かつ、当該不動産にかかるリスクと経済価値のほとんどすべてが、譲受人である特別目的会社を通じて他の者に移転していると認められる必要がある（不動産流動化実務指針5項）。

　不動産流動化実務指針では、リスクと経済価値が他の者に移転していない可能性がある場合として、不動産譲渡後において譲渡人が当該不動産に継続的に関与している場合の具体例を挙げている（不動産流動化実務指針7項）。また、継続的関与がある場合でも、リスクと経済価値のほとんどすべてが他の者に移転していると認められる場合も示している（不動産流動化実務指針8、11項）。

　以下の継続的関与のある場合に、流動化した不動産の譲渡時の適正な価額によって除して算定したリスク負担割合がおおむね5％の範囲内であれば、売却取引として会計処理することが認められる、としている。

- 譲渡人が譲渡した不動産の管理業務を行っている場合（ただし通常の契約条件による管理業務の場合は、リスクと経済価値のほとんどすべてが移転していると認められる）
- 譲渡人が不動産を買戻し条件付きで譲渡している場合（実質的に金融取引と同様の効果とみなし、リスクと経済価値のほとんどすべてが移転しているとは認められず、売却処理ができない）
- 譲受人である特別目的会社が譲渡人に対して売戻しの権利を保有している場合
- 譲渡人が譲渡不動産からのキャッシュ・フローや譲渡不動産の残存価額を実質的に保証している場合（保証額がリスク負担の金額となる）
- 譲渡人が、譲渡不動産の対価の全部または一部として特別目的会社の発行する証券等（信託の受益権、組合の出資金、株式、会社の出資金、社債、劣後債等）を有しており、形式的には金融資産であるが、実質的には譲渡不動産の持分を保有している場合（当該持分の取得価額がリスク負担金額となる）
- 譲渡人が譲渡不動産の開発を行っている場合（譲渡人が負担すべき開発コスト額がリスク負担金額となる）
- 譲渡人が譲渡不動産の価格上昇の利益を直接または間接的に享受している場合（享受する権利を得るための対価がリスク負担の金額となる）
- 譲渡人が譲受人の不動産購入に関して、譲受人に融資または債務保証を行っている場合（融資額または保証額がリスク負担金額となる）
- 譲渡人がセール・アンド・リースバック取引により、継続的に譲渡不動産を使用している場合（ただしリースがオペレーティング・リースに該当し、適正な賃借料を支払う場合には、その限りにおいて、リスクと経済価値のほとんどすべてが移転していると認められ、適正賃料支払額はリスク負担金額には含めない）

また、これらに加えて次の場合についても検討することを要請している。

- 特殊性を有する不動産の流動化（譲渡人の用途等の特別な使用のため、市場性が乏しく転用が困難な不動産の譲渡、かつ何らかの経済的関与がある場合には、原則としてリスクと経済価値は移転していると認められず、売却処理ができない）
- 譲渡人の子会社に該当する特別目的会社を譲受人とする流動化の場合（譲渡人の子会社に該当する特別目的会社を譲受人とする場合は、売却処理できない）
- 譲渡人の子会社・関連会社による出資（譲渡人のリスクに加えてリスク負担割合を算定する）
- 譲渡人による特別目的会社発行証券の退職給付信託への拠出

第2節　不動産の認識の中止要件　503

不動産流動化実務指針では、流動化された不動産のリスクと経済価値のほとんどすべてが特別目的会社を通じて他の者に移転していることを売却の認識の要件としたが、流動化スキームの構成上重要でない一部のリスクが譲渡人に残ることが避けられない場合にまで、売却取引として会計処理することを妨げることは実務上適切でないとしている。この際、リスクと経済価値の移転についての判断にあたっては、リスク負担割合、すなわち流動化する不動産の譲渡時の適正な価額（時価）に対するリスク負担の金額の割合がおおむね５％の範囲内であれば、リスクと経済価値のほとんどすべてが他の者に移転しているものとして取り扱う。

なお、リスク負担とは、流動化する不動産がその価値のすべてを失った場合に生ずる損失とされている（不動産流動化実務指針13項）。

$$\text{リスク負担割合} \quad = \quad \frac{\text{リスク負担の金額}}{\text{流動化する不動産の譲渡時の適正な価格（時価）}}$$

以上のように、一定の要件を満たせば売却取引として会計処理することになるが、上記の内容をフローチャートにしたものが、**図表７・２・６**である。

なお、フローチャートの２段目に記載があるように、上記の判定については、不動産が法的に譲渡されていることおよび資金が譲渡人に流入していることを前提としている（不動産証券化実務指針３項）ため、会計上売却取引として処理するためには、実務的には会計税務意見書等の前提として、真正譲渡について法律意見書等を取得するなどの対応が必要となる。

［２］不動産信託受益権による流動化の会計処理

不動産流動化実務指針19項では、不動産信託受益権の譲渡についても、不動産を特別目的会社に譲渡することによる流動化の場合と同様に、リスク・経済価値アプローチに基づいて会計処理を行う、としており、この際、譲渡人（委託者）が譲渡した本件受益権に含まれている不動産のリスクと経済価値の状況に基づいて、売却取引として会計処理を行うべきか否かを判断することになる、としている。

また、信託受益権の分割方法により会計処理が以下のように異なってくる（図

504　　第７章　SPCと会計基準

図表7・2・6　特別目的会社を活用した不動産の流動化に係る実務指針

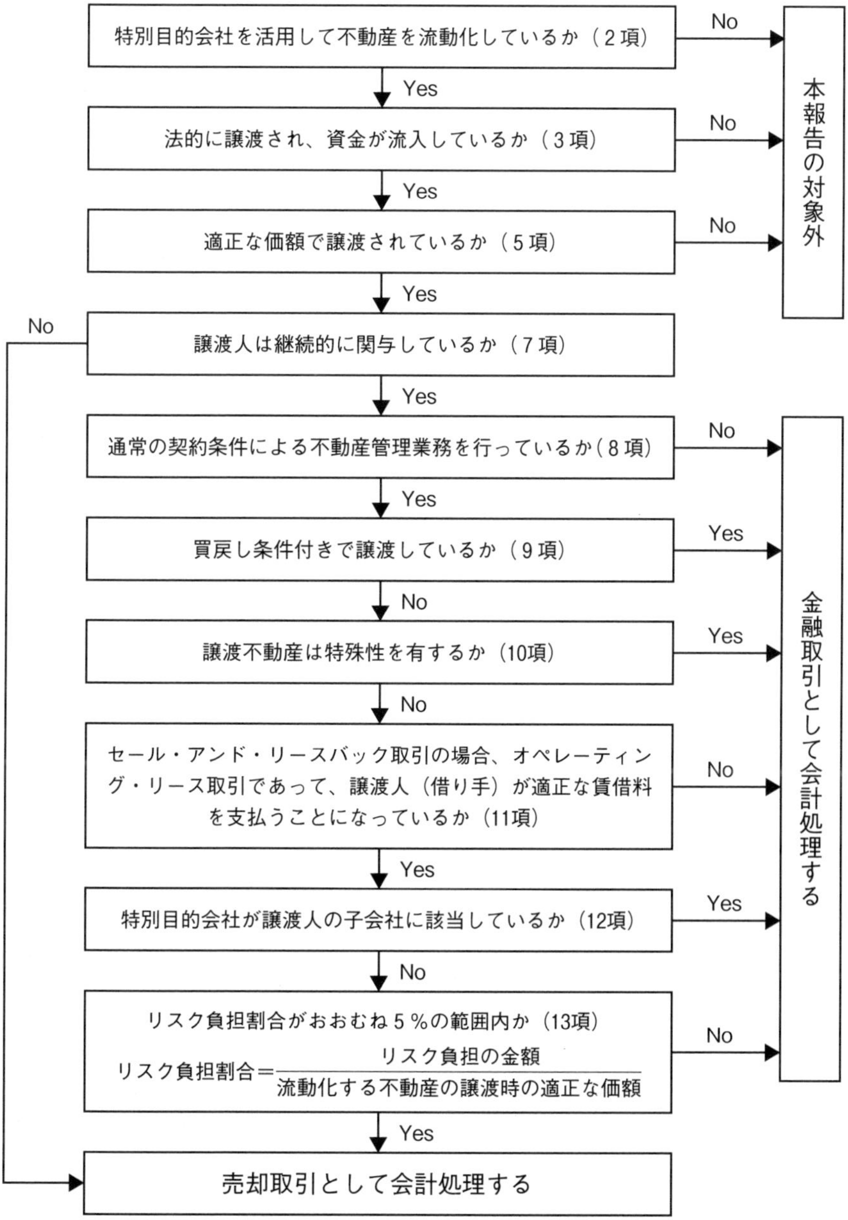

特別目的会社を活用して不動産を流動化しているか（2項） —No→ 本報告の対象外

↓ Yes

法的に譲渡され、資金が流入しているか（3項） —No→ 本報告の対象外

↓ Yes

適正な価額で譲渡されているか（5項） —No→ 本報告の対象外

↓ Yes

譲渡人は継続的に関与しているか（7項） —No→ 売却取引として会計処理する

↓ Yes

通常の契約条件による不動産管理業務を行っているか（8項） —No→ 金融取引として会計処理する

↓ Yes

買戻し条件付きで譲渡しているか（9項） —Yes→ 金融取引として会計処理する

↓ No

譲渡不動産は特殊性を有するか（10項） —Yes→ 金融取引として会計処理する

↓ No

セール・アンド・リースバック取引の場合、オペレーティング・リース取引であって、譲渡人（借り手）が適正な賃借料を支払うことになっているか（11項） —No→ 金融取引として会計処理する

↓ Yes

特別目的会社が譲渡人の子会社に該当しているか（12項） —Yes→ 金融取引として会計処理する

↓ No

リスク負担割合がおおむね5％の範囲内か（13項）

$$リスク負担割合＝\frac{リスク負担の金額}{流動化する不動産の譲渡時の適正な価額}$$

—No→ 金融取引として会計処理する

↓ Yes

売却取引として会計処理する

第2節　不動産の認識の中止要件　　505

図表7・2・7　優先信託受益権と劣後信託受益権を利用して不動産を流動化する事例

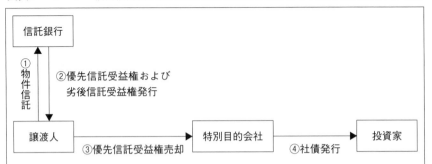

① 譲渡人が所有する簿価700、時価1,000の賃貸不動産（物件）を信託銀行に信託し、不動産管理処分信託契約を締結する。
② 信託銀行は、譲受人に優先信託受益件と劣後信託受益件を交付する。
③ 譲渡人は優先信託受益件を960（時価）で特別目的会社に売却する。なお、譲渡人は劣後信託受益権40（時価）を保有する。
④ 特別目的会社は物権購入資金の調達を目的として、投資家に社債960を発行する。

譲渡人は劣後信託受益権を保有しているため、リスク負担割合の計算については、分子であるリスクの負担額は当該劣後信託受益権の時価である40、分母である流動化する不動産の譲渡時の適正な時価については優先信託受益権と劣後信託受益権の合計の時価の1,000となる。

よって、リスク負担割合は、40／1,000＝4％≦5％となり、リスクと経済価値のほとんどすべてが移転しているものと判断され、当該優先信託受益権の譲渡は売却取引として会計処理することとなる。

表7・2・7参照）。

[3] 質的に単一な信託受益権に分割されている場合の会計処理（不動産流動化実務指針 20 項）

　質的に単一な不動産信託受益権に分割されている場合には、特別目的会社を通じて他の者が取得した信託受益権には対応するリスクと経済価値が移転していると考えられるので、その限りにおいては、リスク負担割合を算定して判断することなく、当該他の者に移転した部分について売却取引として会計処理を行う。

[4] 質的に異なる信託受益権に分割されている場合の会計処理(不動産流動化実務指針 21 項)

優先部分と劣後部分のように質的に異なる信託受益権に分割されている場合には、当該不動産全体に関するリスクと経済価値のほとんどすべてが譲受人である特別目的会社を通じて他の者に移転しているときに限り、売却取引として会計処理を行う。

この場合のリスク負担割合は、リスク負担の金額を譲渡人が保有する信託受益権の時価とし、流動化する不動産の譲渡時の適正な価額(時価)をすべての信託財産、すなわち信託受益権の全体の時価として算定する。

$$
リスク負担割合 = \frac{当該信託受益権に関わるリスク負担の金額}{流動化する不動産の譲渡時の適正な価格(時価)}
$$

なお、信託の委託者および受益者の会計処理については、2007年8月2日に企業会計基準委員会より公表された、実務対応報告第23号「信託の会計処理に関する実務上の取扱い」において、受益権が優先・劣後等のように質的に異なるものに分割されており、かつ、譲渡等により受益者が複数となる場合には、金融商品会計実務指針100項(2)において、個別財務諸表上、信託を一種の事業体とみなして、当該受益権を信託に対する金銭債権の取得または信託からの有価証券の購入とみなして取り扱うこととし、また、他から受益権を譲り受けた受益者が、受益権をさらに売却したときには、有価証券の売却とみなして売却処理を行うか判断することとなる、とされている(実務対応報告Q3のA3(2)①、Q3のA4(2))。

その他、不動産信託受益権の譲渡に関する取扱いについて、実務対応報告第23号においてまとめられているが、譲渡に関する基本的な考え方は不動産流動化実務指針などに基づいている。

4 「不動産流動化実務指針 Q&A」

不動産流動化実務指針に関して実務上特に留意すべき事項等として、日本公認会計士協会会計制度委員会から「特別目的会社を活用した不動産の流動化に

係る譲渡人の会計処理に関する実務指針についてのQ&A」（以下「不動産流動
化実務指針Q&A」という）が公表されている。

① 売却取引として会計処理することが認められる場合と具体的判断基準
（「不動産流動化実務指針Q&A」Q1）

　　リスクと経済価値の移転の判断にあたっては、リスク負担を流動化する
不動産がその価値をすべて失った場合に生ずる損失であるとして、リスク
負担割合によって判定し、リスク負担割合がおおむね5％の範囲内であれ
ば、リスクと経済価値のほとんどすべてが他の者に移転しているものとし
て取り扱う。

② 譲渡人が譲渡資産について開発コストも負担する場合のリスク負担割合
（「不動産流動化実務指針Q&A」Q2）

　　全体の開発コストのうち、譲渡人が負担すべき金額をリスク負担の金額
と考えるべきであり、リスク負担割合を合理的に見積もり可能な開発物件
の譲渡時の適正な価額（時価）に対する全体の開発コストのうち譲渡人が
負担すべき金額として算定する。

③ 追加出資等となるリスクがある場合の留意点（「不動産流動化実務指針Q
&A」Q3）

　　追加出資の可能性がある場合や他の名目でありながら実質的に追加負担
となるリスクに該当する場合には、当該追加出資や追加負担リスクを加味
してリスク負担割合を算定した上で不動産流動化実務指針の許容範囲内か
否かを判断する。

④ セール・アンド・リースバック取引となっている場合の留意点（「不動
産流動化実務指針Q&A」Q4）

　　当該リース取引がオペレーティング・リース取引であって、譲渡人（借
り手）が適正な賃借料を支払うこととなっているときは、その限りにおい
て売却処理が認められることとなっている。

⑤ 投資信託または投資法人等を活用した場合の留意点（「不動産流動化実務
指針Q&A」Q6）

508　　第7章　SPCと会計基準

投資信託または投資法人は特定目的会社に該当しないものと考えられるため、これらを活用した不動産の流動化については、不動産流動化実務指針は適用されないこととなる。また、会計処理については、当面、監査委員会報告第27号第2項に記載されているような留意事項に基づいて総合的に判断すべきものと考えられる。

5 「不動産の流動化の監査上の留意点」

特別目的会社を利用した取引が急拡大したことに加え、特別目的会社の利用目的が多様化するとともにスキームが複雑化しているため、監査上、判断に迷う事例も多く、また、企業の財務諸表に重要な影響を与えることも多いため、現行の会計基準等の下での特別目的会社を利用した取引に関する監査上の留意点を取りまとめ、2005年9月30日（最終改正2019年7月19日）日本公認会計士協会監査・保証実務委員会から「特別目的会社を利用した取引に関する監査上の留意点についてのQ&A」（以下「監査上の留意点Q&A」という）が公表されている。

① スキーム全体のリスクと経済価値の移転の判定 （「監査上の留意点Q&A」Q6）

不動産のリスクと経済価値のほとんどすべてが移転しているか否かについては、形式的ではなく実質的な判断が求められる。特にリースバックに加えて他の継続的関与がある場合、買戻し権（優先買取交渉権等含む）がある場合、不動産のリスクに見合ったリターンを要求している資金提供者が存在していないケース等については、慎重に検討する必要があるとしている。

② 適正な価額による譲渡（「監査上の留意点Q&A」Q7）

イ．適正な価額とは時価であり、公正な評価額をいう。譲渡人の継続的関与がある場合や、リースバック取引がある場合には特に留意しなければならない。

ロ．不動産の鑑定評価の利用にあたっては、監査基準委員会報告第14号「専

第2節 不動産の認識の中止要件 509

門家の業務の利用」に従い、不動産鑑定士の実施した評価業務について検証する。特に不動産鑑定士が採用した以下の方法、条件等を検証する必要がある。

- 使用した基礎資料の適切性
- 採用した方法および条件の適切性、合理性、条件の実現性(たとえば、不動産収益物件の場合に収益還元法を基礎とした評価額がまったく考慮されていない場合など、通常利用されるアプローチが利用されていない場合には、理由を確認する必要がある)
- 評価業務の結果と企業の事業内容、経営環境に関する監査人の理解および他の監査手続を通じて入手された情報との整合性

ハ．特別目的会社における取得時の評価として、土地・建物区分が鑑定評価の積算割合になっていない場合には特に配分方法が適正か否か留意しなければならない。

③ 譲渡人が買戻し権を保有する場合（「監査上の留意点 Q&A」Q8）

買戻し権が付された意図、経営計画との整合性、譲渡後の他の継続的関与の有無、買戻し権の内容を十分に検討し、不動産のリスクと経済価値を引き続き保有することを意図したものではないか十分検討する。

④ 譲渡人の出資金への配当が支払留保される場合（「監査上の留意点 Q&A」Q9）

配当金の支払保留は匿名組合事業の成果配分の過程で生じるものであり、不動産実務指針における譲渡した不動産にかかるリスク負担には該当しないため、匿名組合員における収益認識または未収金の回収可能性の問題として捉えるべきである。

⑤ 特別目的会社が数社により組成され各譲渡人が出資を行う場合の留意点（「監査上の留意点 Q&A」Q10）

不動産流動化実務指針13項では、リスク負担を流動化する不動産がその価値のすべてを失った場合に生ずる損失であるとしているため、一つの特別目的会社に対して複数の会社が不動産を譲渡し、同時にこれらの会社が

特別目的会社に対して出資を行う場合にも、リスク負担割合算定式の分母
は、自らが譲渡した不動産の時価となる。

⑥　特殊性を有する不動産（「監査上の留意点 Q&A」Q11）

　　市場性に乏しくそのまま他に転用することが困難であるかの判断につい
ては、

イ．第三者の利用可能性

ロ．同様の不動産の売買事例

ハ．リースバック取引に留意し、特殊性の判断においては、建築物の仕様
　　等に関する技術的知識、不動産の売買・開発・環境等の規制に関わる法
　　務知識、不動産の売買市場や賃貸市場に関わる知識等、専門的で幅広い
　　知識が要求されることから、必要ある場合には専門家の業務を利用する
　　こと

を検討する必要がある。

⑦　リースバック実施時における留意点（「監査上の留意点 Q&A」Q12〜15）

　　不動産の実務指針の各項目に照らすだけではなく、スキーム全体を以下
のことに留意して、慎重に検討しなければならない。

イ．長期間利用可能な不動産のリース取引など再リースがある場合に、
　　リース期間に契約更新後の賃借期間を含めるかについて、実質的な賃借
　　期間に基づき検討しているか

ロ．オペレーティング・リースの判定に利用する割引率について、借り手
　　が現在価値の算定のために用いる割引率は、貸し手の計算利子率を知り
　　得る場合は当該利率とし、知り得ない場合は借り手の追加借入に適用さ
　　れると合理的に見積もられる利率とされているが、不動産の流動化にお
　　いては、特別目的会社における計算利子率については、特別目的会社が
　　譲り受けた資産にかかる計算利子率の代替として、譲渡人以外の投資家
　　から行った資金調達の加重平均金利が、一般的に用いられる。一方、特
　　別目的会社における計算利子率を知り得ない場合には、譲渡人の追加借
　　入に適用されると合理的に見積もられる利率を適用することとなる。

第2節　不動産の認識の中止要件　511

ハ．不動産の実務指針における「適正な賃料」について、当該賃借料の水準がどのように決定されたかを理解し、たとえば、類似の不動産の賃借料の水準と比較するなどの検討も考慮する必要がある。実務的には不動産の取得の際の鑑定評価書に適正賃料について記載されていることが望ましい。

⑧ 契約上の権利に対する法的な保全（「監査上の留意点 Q&A」Q17）

金融商品の流動化では金融資産の契約上の権利に対する支配が他に移転するための要件の一つに、「譲渡された金融資産に対する譲受人の契約上の権利が譲渡人およびその債権者から法的に保全されていること」を挙げており、金融商品会計実務指針31項において当該要件について、以下の点を考慮して判定するとしている。

- 契約または状況により譲渡人は譲渡を取り消すことができるか否か
- 譲渡人が破産、会社更生法、民事再生法等の下におかれた場合、管財人が当該譲渡金融資産に対して返還請求権を行使できるか否か

なお、不動産の流動化においても不動産流動化実務指針３項で「不動産の売却の認識は、不動産が法的に譲渡されていること」としており、当該要件の判定にあたっては、上記事項が参考になるものと考えられる。

6 収益認識基準の公表

2018年３月30日付で企業会計基準委員会から公表されている。

企業の通常の営業活動により生じたアウトプットである固定資産の売却について、支配の移転による売却基準を定めているが、不動産の実務指針の対象となる不動産の譲渡に関する会計基準は除外されている。

7 リース公開草案

2023年５月２日、企業会計基準委員会は、企業会計基準公開草案第73号「リースに関する会計基準（案）」等（以下「本会計基準案等」という）を公表し、意見募集（2023年８月４日まで）を行った。

［1］基本的方針

① 借り手の会計処理

本会計基準案等では、借り手のリースの費用配分の方法について、リースがファイナンス・リースかオペレーティング・リースであるかに関わらず、すべてのリースを金融の提供と捉え使用権資産に係る減価償却費及びリース負債に係る利息相当額を計上する単一の会計処理モデルに拠ることとしている。また、IFRS 第16号のすべての定めを取り入れるのではなく、主要な定めの内容のみを取り入れている。

② 貸し手の会計処理

次の点を除き、基本的に、現行の企業会計基準第13号「リース会計基準」の定めを維持することとしている。

イ．企業会計基準第29号「収益認識に関する会計基準」（以下「収益認識会計基準」という）との整合性を図る点

ロ．リースの定義及びリースの識別

③ リースの定義

本会計基準案等では、リースの定義に関する定めについて、IFRS 第16号の定めと整合させて、借り手と貸し手の両方に適用することとしている。具体的には、「リース」について、原資産を使用する権利を一定期間にわたり対価と交換に移転する契約又は契約の一部分と定義している。

④ リースの識別

本会計基準案等では、リースの識別に関する定めについて、基本的にIFRS 第16号の定めと整合させて、借り手と貸し手の両方に適用することとしている。

リースの識別に関する定めは現行のリース会計基準では置かれていなかった定めであり、本会計基準案等の適用によってこれまで会計処理されていなかった契約にリースが含まれると判断される場合があると考えられる。

具体的には、主に次の定めが新たに置かれている（**図表7・2・8**参照）。

第2節　不動産の認識の中止要件　　513

図表7・2・8 リースの識別に関する定め

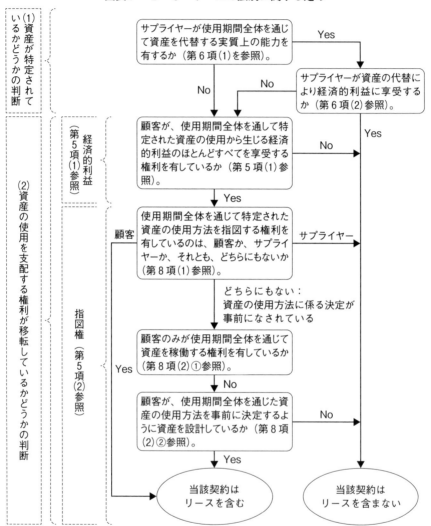

514 第7章 SPCと会計基準

イ．契約が特定された資産の使用を支配する権利を一定期間にわたり対価と交換に移転する場合、当該契約はリースを含む。

ロ．特定された資産の使用期間全体を通じて、次のａおよびｂのいずれも満たす場合、当該契約の一方の当事者（サプライヤー）から当該契約の他方の当事者（顧客）に、当該資産の使用を支配する権利が移転している。

ａ．顧客が、特定された資産の使用から生じる経済的利益のほとんどすべてを享受する権利を有している。

ｂ．顧客が、特定された資産の使用を指図する権利を有している。

ハ．借り手および貸し手は、リースを含む契約について、原則として、リースを構成する部分とリースを構成しない部分とに分けて会計処理を行う。

⑤　リース期間

　　本会計基準案等では、借り手のリース期間について、IFRS 第16号の定めと同様に、借り手が原資産を使用する権利を有する解約不能期間に、借り手が行使することが合理的に確実であるリースの延長オプションの対象期間及び借り手が行使しないことが合理的に確実であるリースの解約オプションの対象期間を加えて決定することとしている。

　　貸し手のリース期間について、現行のリース会計基準の定めを踏襲し、借り手が原資産を使用する権利を有する解約不能期間に、リースが置かれている状況からみて借り手が再リースする意思が明らかな場合の再リース期間を加えて決定することとしている。

⑥　借り手のリースの会計処理

イ．会計処理方法

　　借り手は、IFRS 第16号と同様に、リース開始日に使用権資産およびリース負債を計上する。

ａ．使用権資産は、リース開始日に算定されたリース負債の計上額に、リース開始日までに支払った借り手のリース料および付随費用を加算

第 2 節　不動産の認識の中止要件　　515

して算定する。

　　ｂ．リース負債は、原則として、リース開始日において未払である借り
　　　手のリース料からこれに含まれている利息相当額の合理的な見積額を
　　　控除し、現在価値により算定する。

　　　したがって、現行の貸し手の購入価額又は見積現金購入価額と比較を
　　行う現行の方法は踏襲せず、借り手のリース料の現在価値を基礎として
　　使用権資産の計上額を算定する。

　ロ．使用権資産の償却

　　　使用権資産の償却について、基本的に現行のリース会計基準における
　　リース資産の償却と同様の会計処理を行う。

　　ａ．契約上の諸条件に照らして原資産の所有権が借り手に移転すると認
　　　められるリースに係る使用権資産の減価償却費は、原資産を自ら所有
　　　していたと仮定した場合に適用する減価償却方法と同一の方法により
　　　算定し、この場合の耐用年数は、経済的使用可能予測期間とし、残存
　　　価額は合理的な見積額とする。

　　ｂ．契約上の諸条件に照らして原資産の所有権が借り手に移転すると認
　　　められるリース以外のリースに係る使用権資産の減価償却費は、定額
　　　法等の減価償却方法の中から企業の実態に応じたものを選択適用した
　　　方法により算定し、この場合、原則として、借り手のリース期間を耐
　　　用年数とし、残存価額をゼロとする。

　ハ．利息相当額の各期への配分

　　　リース開始日における借り手のリース料とリース負債の計上額との差
　　額は、利息相当額として取り扱い、当該利息相当額を借り手のリース期
　　間中の各期に配分する方法は利息法による。

　　　ただし、使用権資産総額に重要性が乏しいと認められる場合について
　　の簡便的な取扱いが定められている。

　ニ．短期リース

　　　借り手は、短期リース（リース開始日において、借り手のリース期間が

12か月以内であるリース）について、リース開始日に使用権資産及びリース負債を計上せず、借り手のリース料を借り手のリース期間にわたって原則として定額法により費用として計上することを認める。

　　ホ．少額リース

　　　一定の少額リースについて、借り手は、リース開始日に使用権資産及びリース負債を計上せず、借り手のリース料を借り手のリース期間にわたって原則として定額法により費用として計上することを認める。

⑦　借地権の設定に係る権利金等

　　本会計基準案等では、借地権の設定に係る権利金等は、使用権資産の取得価額に含め、原則として、借り手のリース期間を耐用年数とし、減価償却を行うこととしている。

　　ただし、旧借地権の設定に係る権利金等または普通借地権の設定に係る権利金等のうち、一定の権利金等については、減価償却を行わないものとして取り扱うことを認めている。

⑧　建設協力金等

　　建設協力金等の金額は原則として遡及適用し、使用権資産の取得原価に含めて減価償却を行うこととなる。ただし、経過措置として、改正リース会計基準の適用前に会計処理が行われている金額については、現行の会計処理を継続することを認めるほか、改正リース会計基準等適用時の長期前払家賃の帳簿価額を、適用初年度の期首の使用権資産に含めて処理する方法も認められる。

⑨　セール・アンド・リースバック取引

　　セール・アンド・リースバック取引について、本会計基準案等では、Topic842を参考に、リースバックにより、売り手である借り手が資産からもたらされる経済的利益のほとんどすべてを享受することができ、かつ、資産の使用に伴って生じるコストのほとんどすべてを負担することとなる場合、資産の譲渡は売却に該当しないと判断するものとし、売り手である借り手は、当該資産の譲渡とリースバックを一体の取引とみて、金融取引

として会計処理を行うこととしている。

　一方、売り手である借り手による資産の譲渡が収益認識会計基準などの他の会計基準等により、一時点で損益を認識する売却に該当すると判断される場合、売り手である借り手は、当該資産の譲渡について収益認識会計基準などの他の会計基準等に従い当該損益を認識し、リースバックについて本会計基準案等に従い借り手の会計処理を行うこととしている。

⑩　サブリース取引

　本会計基準案等では、「サブリース取引」について、原資産が借り手から第三者にさらにリース（以下「サブリース」という）され、当初の貸し手と借り手の間のリースが依然として有効である取引と定義し、当初の貸し手と借り手の間のリースを「ヘッドリース」、ヘッドリースにおける借り手を「中間的な貸し手」と定義した上で、サブリース取引について、IFRS第16号と同様にヘッドリースとサブリースを二つの別個の契約として借り手と貸し手の両方の会計処理を行うこととしている。

　IFRS第16号においては、本会計処理に対する例外は設けられていないが、本会計基準案等では、サブリース取引の例外的な定めとして、中間的な貸し手がヘッドリースに対してリスクを負わない場合の取扱いと転リース取引の取扱いを定めている。

⑪　貸し手のリースの会計処理

　ファイナンス・リースの会計処理について、収益認識会計基準において割賦基準が認められなくなったこととの整合性から、企業会計基準適用指針第16号で規定されていた「リース料受取時に売上高と売上原価を計上する方法」を廃止する。

　本会計基準案等では、フリーレント（契約開始当初数か月間賃料が無償となる契約条項）やレントホリデー（例えば、数年間賃貸借契約を継続する場合に一定期間賃料が無償となる契約条項）に関する会計処理を明確にして収益認識基準との整合性を図るため、貸し手は、オペレーティング・リースによる貸し手のリース料について、貸し手のリース期間にわたり原則として

定額法で計上する。

［2］開示

① リースに関する開示

本会計基準案等では、リースに関する注記における開示目的を、借り手または貸し手が注記において、財務諸表本表で提供される情報と合わせて、リースが借り手または貸し手の財政状態、経営成績およびキャッシュ・フローに与える影響を財務諸表利用者が評価するための基礎を与える情報を開示することと定めることとし、次の事項を注記することとしている。

　イ．借り手の注記

　　a．会計方針に関する情報

　　b．リース特有の取引に関する情報

　　c．当期および翌期以降のリースの金額を理解するための情報

　ロ．貸し手の注記

　　a．リース特有の取引に関する情報

　　b．当期および翌期以降のリースの金額を理解するための情報

② 金融商品の時価注記

リース負債については、金融商品の時価等に関する事項および金融商品の時価のレベルごとの内訳等に関する事項の注記は不要とされている。

③ 賃貸等不動産の時価注記

使用権資産の賃貸等不動産は期末の時価注記およびその算定方法の注記の対象外とされている。

［3］適用時期等

本会基準は、20XX年4月1日［公表から2年程度経過した日を想定している］以後開始する連結会計年度及び事業年度の期首から適用する。

なお、主要な論点について、現行のリース会計基準からリース公開草案での変更点や、IFRS基準や米国基準との比較をまとめると**図表7・2・9**のとおりとなる。

図表7・2・9

	論点	現行の リース会計基準	リース公開草案	IFRS	米国基準
1	(借り手) 会計処理	ファイナンス・リースとオペレーティング・リースに区分する。 原則としてファイナンス・リースはリース資産・債務を計上し、オペレーティング・リースは費用処理となる。	ファイナンス・リースとオペレーティング・リースに区分せず、IFRSと同様にすべてのリースについて使用権資産・リース債務を計上するよう現行基準から変更される。	区分はせず、すべてのリースについて使用権資産・リース債務を計上する。 (IFRS16.22)	区分するが、オペレーティング・リースについても資産・債務を両建計上する。 (Topic842-10-15)
2	(借り手) 短期リース・少額リースの簡便処理	短期リースの例外あり。金額基準は契約1件当たり300万円以下。 (適用指針35)	短期リースの例外あり。金額基準は契約1件当たり300万円以下または新品の原資産価値5,000米ドル以下の選択適用が可。 (適用指針案18〜20)	短期リースの例外あり。金額基準は新品の原資産価値5,000米ドル以下が対象。 (IFRS 16.5〜6)	短期リースの例外のみで、金額基準による例外処理は明記されていない。
3	(貸し手) 会計処理	ファイナンス・リースとオペレーティング・リースに区分する。 フリーレントに関しては明記なし。	現行基準から大きな変更なし。IFRSと同様にフリーレントはリース期間にわたり原則として定額法で記上することを明記。	ファイナンス・リースとオペレーティング・リースに区分する。 フリーレントはリース期間にわたり原則として定額法で計上する。 (IFRS 16.61〜65)	オペレーティング・リース以外のリースは、販売型リースと直接金融リースに分類。 フリーレントの収益認識はIFRSと同様。 (Topic842-10-25-1〜5)

4	リースの識別	維持管理費用相当額や通常の保守等の役務提供相当額についてリース料総額から控除する。（適用指針14）	基本的にIFRSの定めと整合させるように変更。ただし、貸し手に関しては、現行基準を踏襲した方法との選択適用化。	契約の中にリース構成部分と非リース構成部分が含まれる場合、契約の対価はそれぞれの構成部分に配分する。（IFRS 16.12〜16）	IFRSとほぼ同じ（Topic 842-10-15）
5	セール＆リースバック	リースバックがファイナンス・リースに該当する場合、売却損益は繰延処理。オペレーティング・リースに該当する場合、売却損益の調整なし。（適用指針49）	本論点に関してのみ、IFRSではなく米国基準（Topic 842）と同様の会計処理を採用している。借り手側のファイナンス・リース数値基準が撤廃され「ほとんどすべて」となる。売却に該当する場合は、全額の取引損益が認識されIFRSとは異なる定めとなっている。（適用指針案51）	資産の譲渡が収益認識基準（IFRS15）における売却である場合でも、取引損益の全額は認識されない（買い手である貸し手の残存資産の利得に制限）。売却でない場合は金融取引として処理。（IFRS 16.99〜103）	売却である場合には、IFRSのような制限はなく取引損益の全額が認識される。売却でない場合は金融取引として処理。（Topic 842-40-25）
6	サブリース	ヘッドリースとサブリースはそれぞれ別々に会計処理。ただし、PLにおいて貸し手としての受取リース料と借り手としての支払リース料の差額を認識する。（適用指針47）	IFRSと同様に変更。ただし、例外的な定めとして、中間的な貸し手がヘッドリースに対してリスクを負わない場合の取扱いと転リース取引の取扱いがあり。	中間的貸し手は使用権資産に基づいてリース分類する。（IFRS16. B58）	中間的貸し手が原資産に基づきリース分類。

第 2 節　不動産の認識の中止要件　　521

| 7 | 開示 | 日本基準での開示 | IFRSと整合的な開示に変更。ただし、少額リースの費用、短期リースのポートフォリオの注記は取り入れないなど一部に差異がある。 | 従来のIAS17から借り手・貸し手の双方の表示・開示の要求事項が拡充 | 米国基準での開示 |

（出所）さくら綜合事務所

第 **3** 節

連結会計

1 国際会計基準／国際財務報告基準

■連結財務諸表基準（IFRS10、11、12 号、IAS27、28 号）

IFRS の連結財務諸表基準は、以下の五つの基準に分けて公表されている。

- IFRS10号　連結財務諸表
- IFRS11号　ジョイント・アレンジメント
- IFRS12号　他の企業に対する関与の開示
- IAS27号　個別財務諸表
- IAS28号　関連会社およびジョイント・ベンチャーに対する投資

［1］支配の定義

IFRS 基準では、「支配」とは、「投資企業が被投資企業への関与から生じる変動するリターンにさらされているか、または変動するリターンに対する権利を有しているか、そしてリターンを生み出す企業の事業にパワーを有している場合、報告企業はその企業を支配している」と定義している。

> An investor controls an investee when it is exposed, or has rights, to variable returns from its involvement with the investee and has the ability to affect those returns through its power over the investee.　（IFRS10号 6 項）

企業は以下のすべての条件を満たすとき、被投資企業を支配していることになる（IFRS10号 7 項）。

第 3 節　連結会計　　523

① 被投資企業に対してパワー（power）を有している

② 被投資企業への関与から生じる変動するリターンにさらされているか、または変動するリターンに対する権利を有している

③ リターンを生み出す被投資企業にパワーを行使できる（リターンとパワーのリンク）

したがって、投資者が議決権の過半数を有していない場合でも、「支配」が成立する可能性がある。

［2］パワー（**power**）

パワーを持つとは、企業が、被投資企業のリターンに重要な影響を与える事業活動を支持する能力を現在持っていることをいう。

> An investor has power over an investee when the investor has existing rights that give it the current ability to direct the activities that significantly affect the investee's returns（'the relevant activities'）.（IFRS10号10項）

企業は様々な方法により被投資企業の事業に対するパワーを有する場合があり、それは議決権を有したり、議決権を有するオプションがあったり、その他契約による場合もある。ただし、契約に基づく代理人はパワーを有しているとはいえない場合もある。

［3］リターン（**return**）

リターン（return）とは、企業の活動により positive にも negative にも変化し、様々な形で生み出される（IFRS10号15、16項、B55〜57項）。

- 配当やその他経済的利益の分配（例：社債利息）、被投資企業有価証券の価値増減
- 被投資企業へのサービシング報酬
- アップフロンティー、子会社の資産や負債の回収のための現金やフィーへのアクセス権利、子会社への出資や残余持分の所有による、子会社の清算時における損失、タックスベネフィット
- 経費削減等

［4］ 支配の有無に関する個別論点

① 潜在的議決権（IFRS10号 B47〜50）

　　支配の有無については潜在的な議決権を考慮しなければならないが、その権利が実質的である場合にのみ考慮される。

① 代理人の関係（B58〜61）

　　意思決定権限を有する企業が誰かの代理人として業務をしているケースもある。証券化にあっては、特定資産管理会社やアセットマネージャー等が該当することが多いが、以下のことをすべて総合的に考慮して支配の有無を検討しなければならない。

- 投資先に対する意思決定権限の範囲
- 他の当事者が保有する権利
- 報酬契約に従い意思決定者に与えられる報酬
- 意思決定者が投資先に対して保有する他の持分からのリターンの変動性の影響の程度

③ 事実上の支配（過半数に満たない議決権）（B38）

　　過半数に満たない議決権のみ保有する場合でも、企業の状況により事実上の支配をしていると判断される可能性がある。

④ 防御的な権利（B26〜28）

　　防御的な権利はパワーを有しないと規定されている。

- 借り手の信用リスクを大きく変化させる可能性のある活動を制限する貸し手の権利
- 貸し手が借り手の資産を差し押さえる権利
- 資本的支出の同意権や社債等の発行の同意権等

［5］ 開示の充実（IFRS12 号）

IFRS 基準では、以下の項目につき開示の充実を行っている。

- 支配および関連する会計方針の根拠
- 会社グループの事業における非支配的持分
- 子会社の資産または負債における制約事項の種類および財務影響

第 3 節　連結会計　525

• 報告企業が支配していない組成された企業に関連する種類およびリスク

2 米国会計基準

1 一般的な連結基準

米国では、従来は会計調査公報（ARB）第51号「連結財務諸表（Consolidated Financial Statements）」および財務会計基準書（FAS）第94号「すべての過半数所有子会社の連結(Consolidation of All Majority-Owned Subsidiaries)」が連結の一般的なガイダンスとなっていたが、再構築(condification)により現在はASC810に規定されている。

同基準では、ごく一部の例外を除き、「支配」の概念を導入しているが原則として議決権の50%超を所有している子会社を連結しなければならない。また、所有する議決権割合が50%以下であっても、対象となる会社の営業および財務の方針に重要な影響力を有する場合には、持分法が適用される。ただし、変動持分事業体（VIE）の場合には、リスク経済価値モデルを基礎とする（ASC810-10-15-14、B25〜38）。

2 VIE の連結基準

[1] 適用対象となる事業体

ほとんどすべての法的な事業体を対象としており、法人、パートナーシップ、リミテッド・ライアビリティー・カンパニー（LLC）、グランタートラスト等の信託等も含まれる。これら事業体が VIE の VI を保有する場合には、その VIE の連結要否の検討が必要になってくる。

ただし、一定の非営利団体、事業資産の一部や、支店、事業部門、資産をプールしたものなどは適用範囲に含まれない。

[2] VIE の概念

対象事業体が組成時に以下のいずれかの条件を満たす場合、その事業体は VIE と考え、この連結基準に沿って連結の要否の判断を行う（ASC810-10-15-

14)。

> ①　リスクのあるエクイティ投資の合計額が不十分であるため、エクイティ保有者を含む他のいかなるものからの劣後する追加的財務支援(additional subordinated financial support) をなしに事業活動する十分な資金調達ができていない場合
> ②　リスクのあるエクイティ投資のグループが、以下の特徴のいずれかを欠いている場合
>   • 議決権等を通じて事業体の業績に最も重要な影響を与える事業に直接パワーを有する (the power through voting rights or similar rights, to direct the activities)
>   • 事業体に生じる期待損失を負担する義務があること
>   • 事業体の残存期待利益を享受する権利を有すること

［3］VI 保有の判定

　企業は、以下の性質を持つ支配的財務持分(controlling financial interest)を有するVIを保有する事業体を主たる受益者(PB)として連結する(ASC810-10-25-38)。

　VIEにおけるVIを所有する事業体は、支配的財務持分を有するかどうかを評価し、PBを決定する。事業体のVIもしくは関連当事者も含めて特性を評価するにあたり、他のVI保有者も同様に行われる。さらに、評価するにあたり、事業体の目的やVI保有者にリスクがどのようにつくられ帰属するかを含めたデザインも考慮する。以下の両方の特性を有した場合、事業体は支配的財務持分を有するとみなされる（ASC810-10-25-38A）。

　①　事業体の業績に最も重要な影響を与える事業に直接パワーを有する
　②　VIEに潜在的に重要となる事業体の損失を吸収する義務もしくは事業体の利益を受け取る権利を有する。なお、PBは一つの事業体のみであるべきで、二つ以上の事業体が損失を吸収する義務もしくは利益を受け取る権利を有する特性があったとしても、最も重要な影響を与える事業に直接パワーを有する事業体は一つであるとしている

［4］VI の認識(ASC810-10-15-17)

　適用にあたり、事業体のデザインを分析することが重要であり、以下の手順で行われる。

第3節　連結会計　　527

- 事業体のリスクの種類の分析
- 分析後、どの事業体が変動リスクを生み出し持分保有者に影響を与えるかの目的を決定
- 変動リスクとして、信用リスク、利率リスク、為替リスク、オペレーションリスクなどが考えられ、持分保有者に影響を与えるかの目的を決定する要因と環境に、事業体の業務内容、事業体の契約条件、事業体が発行した持分種類、潜在的投資家にどのように事業体持分が関わりを持っているか、どの参加者が事業体のデザインに重要な関わりを持っているかなどを考慮する

[5] PB 決定の定性的分析 (ASC810-10-05- 8 A)

　FIN46R から FAS167の改訂にあたっては、それまでの定量的な分析が廃止され、定性的分析によって主たる受益者の特定を行うこととなった。定性的分析にあたり、その事業体の目的、変動持分保有者を通して生じ得るリスクを含めたデザインを考慮するとし、以下の性質を持つ事業体は支配的財務持分があるとみなされ、両方該当する者が主たる受益者となる。

- 事業体の経営業績に重要な影響をもたらす直接的なパワーがある。実質的な排除権（kick-ont rights）を一方的に実行する能力がある単体の事業体でない限り、排除権の存在によって、直接的なパワーを有しているとは考慮されない。
- 利益を受け取る権利もしくは損失を吸収する義務が変動持分事業体（VIE）に潜在的な影響がある。なお、利益もしくは損失は定量的分析によるものではなく、VIE の運営にあたるデザインから黙示的、明示的な財務責任を考慮する。

　特に上段の判断は国際会計基準とのコンバージェンスが図られたものと評価されており、連結子会社の範囲に関する基準は、異なる詳細はあるものの、おおむね同じ方向性となったと解釈できる。

　これまで適格 SPE という非連結の事業体を設定し、それ以外については主に定量的な判断から浮動する損益の過半を享受する事業体への連結としていた

基準を、実質的に「支配」する企業への連結と大きく方向転換したことになる。ただし、一般の事業会社（VIE 以外の会社）については基準の改正はなされていないため、現在も議決権基準となっていることは、国際会計基準と相違している。

[6] 継続的な事業体の状況および主たる受益者の検討（ASC810-10-35- 4 ）

かつての FIN46R では、一定の影響がある事象が生じた場合に、VIE および PB の再検討を要求しているが、FAS167以降では、各報告期間ごとに継続的に再検討することを要求している。

[7] 関連当事者の合算

この解釈指針でいう関連当事者（related party）とは非常に広範であり、ASC 850に定義される企業の関係会社、持分法による会計処理をしている投資先、従業員便宜のための信託財産、主要株主、経営者、主要株主および経営者の近親者等に加え、以下のものが含まれる（ASC810-10-25-43）。

① VI 保有者に、経済的に依存している事業体

② VI 保有者から寄付や貸付けを受けている者（Fund など）

③ VI 保有者の役員、従業員、運営委員会のメンバー等

④ VI 保有者の承認なく、資産等の売買をすることができない者

⑤ VI 保有者に重大な金額での役務提供をしている者（De Facto Agents）

まず、これら広範な関連当事者の保有する総額で主たる受益者の判断を行う。次に、関連当事者間で最も総額が大きい者に連結される。

3 日本の会計基準

1 連結子会社の範囲とSPC

これまで企業会計基準審議会が公表した連結財務諸表原則および同注解が適用されてきたが、国際的な会計基準のコンバージェンスによる会計基準の変更等に対応するため、企業会計基準委員会は、企業会計基準第22号「連結財務諸表に関する会計基準」（以下「連結財務諸表会計基準」という）を2008年12月26日

第 3 節　連結会計　　529

（最終改正2013年9月13日）に公表した。

　その後2010年6月30日企業会計基準第25号「包括利益の表示に関する会計基準」（最終改正2022年10月28日）の公表に伴い用語等の修正を経て、2011年3月25日に特別目的会社における子会社の範囲に関する改訂がなされている。

　連結財務諸表作成の対象となる子会社の範囲を判断する基準として、一般に、①持株基準と、②支配力基準とがある。前者は議決権のある株式の過半数を所有しているか否かによって子会社を判定する考え方であり、後者は他の会社を実質的に支配しているか否かによって子会社を判定する考え方である。

　連結財務諸表会計基準では、親子会社の定義として、「親会社とは、他の企業の財務及び営業又は事業の方針を決定する機関（株主総会その他これに準ずる機関をいう。以下「意思決定機関」という。）を支配している会社をいい、子会社とは、当該他の企業をいう。親会社及び子会社又は子会社が、他の企業の意思決定機関を支配している場合における当該他の企業も、その親会社の子会社とみなす」（連結財務諸表会計基準6項）と定め、支配力基準を採用していることが伺える。

　さらに、他の意思決定機関を支配している企業とは、次の企業をいう。ただし、財務上または営業上もしくは事業上の関係からみて、他の企業の意思決定機関を支配していないことが明らかであると認められる企業は、この限りでない。

①　他の企業（更生会社、破産会社その他これらに準ずる企業であって、かつ、有効な支配従属関係が存在しないと認められる企業を除く。下記②および③においても同じ）の議決権の過半数を自己の計算において所有している企業

②　他の企業の議決権の100分の40以上、100分の50以下を自己の計算において所有している企業であって、かつ、次のいずれかの要件に該当する企業
　イ．自己の計算において所有している議決権と、自己と出資、人事、資金、技術、取引等において緊密な関係があることにより自己の意思と同一の内容の議決権を行使すると認められる者および自己の意思と同一の内容の議決権を行使することに同意している者が所有している議決権とを合わせて、他の企業の議決権の過半数を占めていること

ロ．役員もしくは使用人である者、またはこれらであった者で自己が他の企業の財務および営業または事業の方針の決定に関して影響を与えることができる者が、当該他の企業の取締役会その他これに準ずる機関の構成員の過半数を占めていること

ハ．他の企業の重要な財務および営業または事業の方針の決定を支配する契約等が存在すること

ニ．他の企業の資金調達額（貸借対照表の負債の部に計上されているもの）の総額の過半について融資（債務の保証および担保の提供を含む。以下同じ）を行っていること（自己と出資、人事、資金、技術、取引等において緊密な関係のある者が行う融資の額を合わせて資金調達額の総額の過半となる場合を含む）

ホ．その他、他の企業の意思決定機関を支配していることが推測される事実が存在すること

③　自己の計算において所有している議決権（当該議決権を所有していない場合を含む）と、自己と出資、人事、資金、技術、取引等において緊密な関係があることにより自己の意思と同一の内容の議決権を行使すると認められる者および自己の意思と同一の内容の議決権を行使することに同意している者が所有している議決権とを合わせて、他の企業の議決権の過半数を占めている企業であって、かつ、上記②のロ〜ホまでのいずれかの要件に該当する企業（連結財務諸表会計基準7項）

すなわち、持株基準を一応の基準としながらも、より実質的に他の会社等の意思決定機関を支配しているかどうかを判定し、支配していると認められる場合には、子会社として連結財務諸表作成の対象とするという考え方である。

2 ヴィークルの連結基準

ヴィークルの連結に関する現行の会計基準は、ヴィークルが資産流動化型ヴィークルか、資産運用型ヴィークルかによって適用される基準が異なる。

適用される会計基準は、**図表7・3・1**のとおりである。

第3節　連結会計　531

図表 7・3・1

会計基準	通常の会社	資産運用型	資産流動化型
連結	実質支配基準	実質支配基準	譲渡人：原則非連結 その他：実質支配基準

［1］資産流動化型ヴィークルの取扱い

　資産流動型ヴィークルの連結会計基準は、連結財務諸表会計基準 7-2 項に規定されている。TMK に準ずる事業体（資産流動化型ヴィークル）については、一定の要件を満たす場合、資産の譲渡人の連結対象となる子会社に該当しないものと推定することとし、連結子会社の範囲の例外的な適用をすることとしている。

> **連結財務諸表会計基準 7-2**
> 　前項にかかわらず、特別目的会社（資産の流動化に関する法律（平成10年法律第105号）第 2 条第 3 項に規定する特定目的会社及び事業内容の変更が制限されているこれと同様の事業を営む事業体をいう。以下同じ。）については、適正な価額で譲り受けた資産から生ずる収益を当該特別目的会社が発行する証券の所有者に享受させることを目的として設立されており、当該特別目的会社の事業がその目的に従って適切に遂行されているときは、当該特別目的会社に資産を譲渡した企業から独立しているものと認め、当該特別目的会社に資産を譲渡した企業の子会社に該当しないものと推定する。

　1998年より「連結財務諸表制度における子会社及び関連会社の範囲の見直しに係る具体的な取扱い」三にて、一定の要件を満たす特別目的会社に対する出資者および当該特別目的会社に資産を譲渡した企業は、当該特別目的会社を子会社に該当しないものと推定するという取扱いが定められていたが、2011年改正会計基準では、当該出資者にかかる定めを削除し、資産を譲渡した企業（当該企業が出資者を兼ねている場合を含む）に限定することとされている。

［2］資産運用型ヴィークルの取扱い

　資産運用型ヴィークルについては、資産流動化型ヴィークルとは異なり、特別な連結の範囲の例外的な規定は存在しない。また、「不動産流動化実務指針

Q&A」Q6では、投資信託または投資法人は、「投資信託及び投資法人に関する法律」に基づくものであり、「資産の流動化に関する法律」に基づく特定目的会社とは根拠となる法律が異なっていること、事業内容の変更が特定目的会社に比して特に制限されていないことから、連結会計基準第7-2および財務諸表等規則8条7項に掲げられている特別目的会社には該当しないものと考えられるとされている。したがって、投資法人等資産運用型ヴィークルについては、一般基準である支配力基準が適用される。

なお、 2006年9月8日（最終改正2022年7月1日）に企業会計基準委員会より、実務対応報告第20号「投資事業組合に対する支配力基準及び影響力基準の適用に関する実務上の取扱い」が公表され、投資事業組合に対する支配力基準および影響力基準の適用について、実務上の取扱いを示している。

① 投資事業組合に対する支配力基準の適用

投資事業組合（一般に、投資事業有限責任組合、任意組合、匿名組合として組成される）は、株式会社のように出資者が業務執行者を選任するのではなく、意思決定を行う出資者（匿名組合の場合には営業者）が業務執行の決定も直接行うことなどから、「連結財務諸表原則」および「連結財務諸表制度における子会社及び関連会社の範囲の見直しに係る具体的な取扱い」（1998年10月30日、企業会計審議会、以下「子会社等の範囲の見直しに係る具体的な取扱い」という）を適用する場合には、基本的には業務執行の権限を用いることによって、当該投資事業組合に対する支配力または影響力を判断することが適当である。

このような投資事業組合においては、株式会社における株主の議決権行使と異なり、各組合員が定期的に当該方針決定に関わっているかどうか判別ができないことが多い。このため、次の場合には、業務執行者（匿名組合における営業者を含む。以下同じ）が当該投資事業組合の財務および営業または事業の方針を決定できないことが明らかであると認められる場合を除き、当該投資事業組合(注)は業務執行者の子会社に該当する。

第3節　連結会計　533

（注） 同一の投資事業について営業者が複数の匿名組合員との間でそれぞれ匿名組合契約を締結している場合には、この匿名組合グループを一つの投資事業組合とみて、本実務対応報告を適用する。

イ．当該投資事業組合の業務の執行を決定することができる場合（業務執行権全体のうち、その過半の割合を自己（自己の子会社（注）を含む。以下同じ）の計算において有している場合）

（注） 子会社には、会社のみならず、組合その他これらに準ずる事業体（外国の法令に準拠して設立されたものを含む）も該当する（子会社等の範囲の見直しに係る具体的な取扱い一1）。また、親会社および子会社または子会社が、他の会社等を支配している場合における当該他の会社等（いわゆる孫会社）も、その子会社とみなされる（子会社等の範囲の見直しに係る具体的な取扱い一2および本実務対応報告Q3参照）。

ロ．当該投資事業組合の業務執行権全体のうち、その100分の40以上、100分の50以下を自己の計算において有している場合であって、かつ、次のいずれかの要件に該当する場合

　a．自己の計算において有している業務執行の権限と緊密な者（自己と出資、人事、資金、技術、取引等において緊密な関係があることにより、自己の意思と同一の内容の業務執行の権限を行使すると認められる者をいう）および同意している者（自己の意思と同一の内容の業務執行の権限を行使することに同意していると認められる者をいう）が有している業務執行の権限とを合わせて、当該投資事業組合にかかる業務執行の権限の過半の割合を占めていること

　b．当該投資事業組合の重要な財務および営業または事業の方針の決定を支配する契約等が存在すること

　c．当該投資事業組合の資金調達額（貸借対照表の負債に計上されているもの）の総額のおおむね過半について融資（債務の保証および担保の提供を含む。以下同じ）を行っていること（緊密な者が行う融資を合わせて資金調達額の総額のおおむね過半となる場合を含む）

　d．投資事業組合の資金調達額（貸借対照表の負債に計上されているもの

に限らない）の総額のおおむね過半について融資および出資を行っていること（緊密な者が行う融資および出資を合わせて資金調達額のおおむね過半となる場合を含む）

e．投資事業組合の投資事業から生ずる利益または損失のおおむね過半について享受または負担することとなっていること（緊密な者が享受または負担する額を合わせて当該利益または損失のおおむね過半となる場合を含む）

f．その他当該投資事業組合の財務および営業または事業の方針の決定を左右すると推測される事実が存在すること

ハ．自己の計算において有している投資事業組合に係る業務執行の権限（当該業務執行の権限を有していない場合を含む）と、緊密な者および同意している者が有している業務執行の権限とを合わせて、当該業務執行の権限の過半の割合を占めているときであって、かつ、上記ロのb〜fまでのいずれかの要件に該当する場合

　ただし、投資事業組合が商法上の匿名組合として組成される場合、通常、営業者が当該投資事業組合の財務および営業または事業の方針を決定しているが、匿名組合事業は営業者の個別財務諸表に反映されていることから、営業者においては当該匿名組合を子会社とする必要はないこととなる^(注)。

（注）　このように、商法上の匿名組合として組成される場合、通常、営業者が当該投資事業組合の財務および営業または事業の方針を決定しているため、基本的には、匿名組合員が当該匿名組合を連結することはない。しかし、当該匿名組合員に関して、営業者が匿名組合員の緊密な者と認められ、かつ、匿名組合員が当該匿名組合を支配している一定の事実が認められる場合には、匿名組合事業が営業者の個別財務諸表に反映されているが、匿名組合は当該匿名組合員の子会社に該当し連結の範囲に含まれることとなる。

　また、投資事業組合が連結会計基準第7-2の要件を満たす特別目的会社にあたる場合には、譲渡者の子会社に該当しないものと推定されることとなる。

第3節　連結会計　535

図表7・3・2

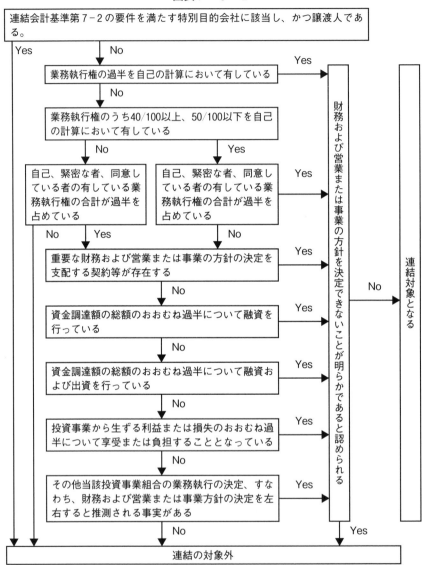

② 投資事業組合に対する影響力基準の適用

　次に、投資事業組合に対する影響力基準の適用について確認する。「子会社等の範囲の見直しに係る具体的な取扱い」を適用し次の要件に該当する場合には、投資事業組合が子会社にあたる場合または投資事業組合の財務および営業または事業の方針の決定に対して重要な影響を与えることができないことが明らかであると認められる場合を除き、当該投資事業組合は業務執行者の関連会社に該当する。

イ．当該投資事業組合に係る業務執行の権限の100分の20以上を自己の計算において有している場合

ロ．当該投資事業組合に係る業務執行に権限の100分の15以上、100分の20未満を自己の計算において有している場合であって、かつ、次のいずれかの要件に該当する場合

　　a．当該投資事業組合の財務および営業または事業の方針の決定に重要な影響を与える契約が存在すること

　　b．当該投資事業組合に対して重要な融資（債務の保証および担保の提供を含む）または出資を行っていること

　　c．当該投資事業組合の多くの投資先との間に、重要な投資育成や再生支援等、営業または事業上の取引があること

　　d．その他当該投資事業組合の財務および営業または事業の方針の決定に対して重要な影響を与えることができることが推測される事実が存在すること

ハ．自己の計算において有している当該投資事業組合に係る業務執行の権限（自己の計算において有していない場合も含む）と緊密な者および同意している者が有している業務執行の権限とを合わせて、当該業務執行の権限の100分の20以上を占めているときであって、かつ、上記ロのa～dまでのいずれかの要件に該当する場合

第3節　連結会計　537

3 信託の取扱い

信託の連結に関する取扱いについては、2007年8月2日に企業会計基準委員会から公表されている実務対応報告「信託の会計処理に関する実務上の取扱い」（以下「本実務対応報告」という）により示されている。

信託（ここでの信託は、委託者が当初受益者となるもの、いわゆる自益信託を前提としている）は、一般に、多くの受益者を想定しているため、連結財務諸表上、子会社や関連会社に該当するかどうかを判定する必然性は乏しかったものと考えられ、また、財産管理の制度としての特徴も有していることから、通常、「会社に準ずる事業体」に該当するとはいえない。

[1] 受益者が複数である信託が子会社および関連会社と判定される場合

しかし、受益者が複数である信託の中には、連結財務諸表上、財産管理のための仕組みとみるより、むしろ子会社および関連会社とみるほうが適切な場合(注1)があり、また、新信託法（2006年12月15日公布の「平成18年法律第108号」信託法）において、受益者集会の制度など、受益者が2人以上ある信託における受益者の意思決定の方法が明示されたため、受益者が2以上ある信託における次の受益者（当初受益者のみならず、他から受益権を譲り受けた受益者も含む）は、「連結財務諸表原則」および「子会社等の範囲の見直しに係る具体的な取扱い」に従い、原則として当該信託を子会社として取り扱うことが適当であるとしている(注2)。

(注1) 多くの受益者からなる合同運用の金銭の信託については、今後も従来と同様に、子会社や関連会社に該当するか否かについて判定を必要とすることは少ないと考えられるが、たとえば、合同運用の金銭の信託において、ある受益者が中心となって、事業を購入したり、他社の議決権のある株式の過半数を購入したりするケースでは、子会社や関連会社に該当するか否かについて判定する余地はある。

(注2) 受益者が単数である信託については、その信託財産にかかるすべての損益が当該受益者に帰属し、改めて子会社や関連会社に該当するか否かについて判定する必要はないものと考えられる。

① すべての受益者の一致によって受益者の意思決定がされる信託（新信託法105①）においては、自己以外のすべての受益者が緊密な者（自己と出資、

538　第7章　SPCと会計基準

人事、資金、技術、取引等において緊密な関係があることにより、自己の意思と同一の内容の意思決定を行うと認められる者）または同意している者（自己の意思と同一の内容の意思決定を行うことに同意していると認められる者）であり、かつ、連結会計基準7項(2)の②〜⑤までのいずれかの要件に該当する受益者

②　信託行為に受益者集会における多数決による旨の定めがある信託（新信託法105②）においては、連結会計基準7項で示す「他の企業の議決権」を、「信託における受益者の議決権」と読み替えて、連結会計基準第7項の企業に該当することとなる受益者

③　信託行為に別段の定めがあり、その定めとなるところによって受益者の意思決定が行われる信託（新信託法105①但書）では、その定めにより受益者の意思決定を行うことができることとなる受益者（なお、自己だけでは受益者の意思決定を行うことができないが、緊密な者または同意している者とを合わせれば受益者の意思決定を行うことができることとなる場合には、連結会計基準7項(2)」の②〜⑤までのいずれかの要件に該当する受益者）

　また、企業会計基準第16号「持分法に関する会計基準」5-2項（以下「持分法会計基準」という）で示す「他の企業の議決権」を、「信託における受益者の議決権」と読み替えて、持分法会計基準5-2項の企業に該当することとなる受益者は、当該信託を関連会社として取り扱うこととなる。

［2］受益権の譲渡等により受益者が多数（多数となると想定されるものも含む）となる場合

　受益権の譲渡等により受益者が多数となる場合（たとえば、受益権の分割や譲渡が有価証券の募集（金商法2③）または有価証券の売出し（金商法2④）にあたるときが該当すると考えられる）、および、受益権が私法上の有価証券とされている受益証券発行信託の受益証券を発行しているとき（新信託法207）などの多数となると想定される場合には、連結財務諸表上、当該信託を子会社または関連会社として取り扱うかどうかについては、上記［1］に準じることになる。

　なお、当該信託が、連結会計基準7-2項で示す特別目的会社にあたる場合

第3節　連結会計　539

には、譲渡者の子会社に該当しないものと推定されることとなる。また、受益権が優先劣後等のように質的に異なるものに分割されているとき、受益者が優先受益権のみの保有者である場合には、通常、信託に対する債権者と同様であると考えられるため、当該信託は当該受益者の子会社または関連会社として取り扱われないこととなる。

4 不動産の流動化の監査上の留意点

上記 **2** ［1］資産流動化型ヴィークルの取扱いで述べたように、財務諸表等規則8条7項では特別目的会社については、子会社に該当するか否かの判定上、特則が設けられている。当該特則は、本則に対する例外規定であるため、監査上は、拡大解釈がなされその趣旨を逸脱することがないように、十分留意する必要がある。

具体的には、適正な価額により資産の譲渡が行われているか（「監査上の留意点Q&A」Q4参照）、事業内容およびその変更の制限がなされ、目的に従った事業の遂行が行われているか（「監査上の留意点Q&A」Q5参照）について、十分な検討を行う必要がある。

［1］ 適正な価額による資産の譲渡（「監査上の留意点 Q&A」Q4）

特別目的会社を譲受人とする流動化取引においては、譲受人が通常の事業体とは異なる属性を有する事業体であり、かつ、様々な形で譲渡人による継続的関与がなされる場合が多いため、譲渡価額が適正な価額（時価）であるかどうかにつき、特に留意する必要がある。

［2］ 事業内容およびその変更の制限ならびに目的に従った事業の遂行

特別目的会社が子会社に該当しないと推定するためには、適正な価額による譲渡とともに、①事業内容およびその変更の制限と、②目的に従った事業の遂行が必要であり、監査上、それぞれ次のような点に留意する必要があると考えられる。

① 事業内容および変更の制限

財務諸表等規則8条7項に規定する特別目的会社については、特別目的

会社において特段の意思決定が行われることが推定されておらず、出資者等が特別目的会社の意思決定に関与する余地が生じないことから、当該特別目的会社は出資者等から独立しているものと推定されることとされている。これらの状況を監査する上では、以下の点を満たしていることに留意する必要がある。

- 定款等の事業体の目的を記載した文書において、事業内容が適正な価額で譲り受けた資産から生ずる収益を当該事業体が発行する証券の所有者に享受させることを目的としていることに特定されていること
- 当該事業体の出資者および当該事業体に関連する関係者が、事後的に定款等の変更により、事業内容を変更できない仕組みになっていること
- 事業体の設立当初に定められる契約書等の文書で、特別目的会社で実施される事業に必要な意思決定事項が定められており、特別目的会社の意思決定機関で、契約関係等の事後の変更が不要とされていること

② 目的に従った事業の遂行

財務諸表等規則8条7項では、設立時に定款や契約書等の文書で定められた事業が、その目的に従って遂行されていることを求めている。監査上は、以下の点を満たしていることを留意する必要がある。

- 事後的に、定款等の変更により事業目的の変更がなされていないこと
- 事後的に、合併等、重要な組織の変更がなされていないこと
- 事後的に、当初定められた契約内容の変更が行われていないこと

上記①または②の要件を満たしていない場合には、財務諸表等規則8条7項の適用はできず、財務諸表等規則8条3項に規定される実質支配力基準で子会社に該当するか否かを検討することが必要となる。

[3] 子会社および関連会社の範囲に関する適用指針

2008年5月13日に企業会計基準適用指針第22号「連結財務諸表における子会社及び関連会社の範囲の決定に関する適用指針」が企業会計基準委員会から公表されている。

本適用指針の主な内容は、①他の企業の意思決定機関を支配していないこと

等が明らかであると認められる場合の明確化、いわゆるベンチャーキャピタル
に関する条項にかかる要件の明確化、②利害関係者の判断を著しく誤らせるお
それがあるため連結の範囲に含めない子会社および持分法を適用しない関連会
社についての具体的な例示である。

① 適用範囲

同指針の適用範囲は以下の二つである。

イ．連結財務諸表を作成することとなる場合

ロ．個別財務諸表における子会社および関連会社に対する投資の範囲、お
　　よび連結財務諸表を作成していないが、個別財務諸表において連結財務
　　諸表に係る注記を行うこととなる場合

② 主な内容

イ．他の企業の意思決定機関を支配していないこと等が明らかであると認
　　められる場合の明確化

　　ベンチャーキャピタルなどの投資企業（投資先の事業そのものによる成
　果ではなく、売却による成果を期待して投資価値の向上を目的とする業務を
　専ら行う会社等）が投資育成や事業再生を図りキャピタルゲイン獲得を
　目的とする営業取引として、または銀行などの金融機関が債権の円滑な
　回収を目的とする営業取引として、他の企業の株式や出資を有している
　場合において、連結会計基準7項にいう他の企業の意思決定機関を支配
　していることに該当する要件を満たしていても、次のすべてを満たすよ
　うなとき（ただし、当該他の企業の株主総会その他これに準ずる機関を支配
　する意図が明確であると認められる場合を除く）には、子会社に該当しな
　いこととされている。また、関連会社についても同様に判定すること
　とされている。

　　a．売却等により当該他の企業の議決権の大部分を所有しないこととな
　　　る合理的な計画があること

　　b．当該他の企業との間で、当該営業取引として行っている投資または
　　　融資以外の取引がほとんどないこと

ｃ．当該他の企業は、自己の事業を単に移転したり自己に代わって行う
　　　ものとはみなせないこと

　　ｄ．当該他の企業との間に、シナジー効果も連携関係も見込まれないこ
　　　と

　　　　なお、他の企業の株式や出資を有している投資企業や金融機関は、
　　実質的な営業活動を行っている企業であることが必要であり、また、
　　当該投資企業や金融機関が含まれる企業集団に関する連結財務諸表
　　あっては、当該企業集団内の他の連結会社（親会社およびその連結子会
　　社）においても上記②から④の事項を満たすことが適当であるとして
　　いる。

ロ．利害関係者の判断を著しく誤らせるおそれがあるため連結の範囲に含
　めない子会社および持分法を適用しない関連会社の具体例

　　　連結会計基準14項(2)では、子会社のうち、連結することにより利害関
　係者の判断を著しく誤らせるおそれのある企業は、連結の範囲に含めな
　いものとしているが、一般に、それは限定的だと考えられるとして、他
　の企業が子会社に該当しても、たとえば、当該子会社がある匿名組合事
　業の営業者となり、当該匿名組合の事業を含む子会社の損益のほとんど
　すべてが匿名組合員に帰属し、当該子会社およびその親会社には形式的
　にも実質的にも帰属せず、かつ、当該子会社との取引がほとんどない場
　合には、当該子会社を連結することにより利害関係者の判断を著しく誤
　らせるおそれがあると認められるときに該当するものと考えられるとさ
　れている。

　　　また、関連会社（非連結子会社を含む）についても子会社の場合と同
　様に、持分法を適用することにより利害関係者の判断を著しく誤らせる
　おそれがある場合には、持分法を適用しないものとし、一般に限定的だ
　と考えられるとされている。

5 開示対象特別目的会社

[1] 一定の特別目的会社に係る開示に関する適用指針

上記 2 [1] 資産流動化型ヴィークルの取扱いで触れたとおり、一定の要件を満たす特別目的会社については、当該特別目的会社に対する「出資者等の子会社に該当しないもの」と推定するとしていたが、特別目的会社を利用した取引が急拡大するとともに複雑化・多様化していることから、企業集団の状況に関する利害関係者の判断を誤らせるおそれがあるのではないかという指摘があり、当面の対応として、出資者等の子会社に該当しないものと推定された特別目的会社については、その概要や取引金額等の開示を行うことが有用であると考えられることから、2007年3月29日(最終改正2011年3月25日)に企業会計基準委員会より「一定の特別目的会社に係る開示に関する適用指針」が公表されている。

その後、連結会計基準の改定が行われ、上記「出資者等の子会社に該当しないもの」が「譲渡者の子会社に該当しないもの」となることに基づく改定がなされている。

① 適用範囲

開示に関する適用指針の適用範囲は以下の二つである。

イ．連結財務諸表を作成する場合

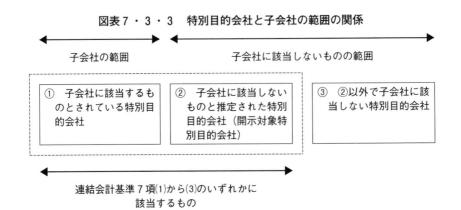

図表7・3・3　特別目的会社と子会社の範囲の関係

ロ．連結財務諸表を作成していないが、個別財務諸表において一定の特別目的会社に係る注記を行う場合

② 開示対象特別目的会社の定義

連結財務諸表に注記しなければならない開示対象特別目的会社とは、連結会計基準7-2項により、子会社とはしないものと推定された特別目的会社をいう。本適用指針では、特別目的会社について、①子会社に該当するとされる特別目的会社、②子会社に該当しないものと推定された特別目的会社（開示対象特別目的会社）、③②以外で子会社に該当しない特別目的会社の3種類に分類している。

[2] 開示内容（連結財務諸表の注記事項）

本適用指針により、開示する項目は次のとおりである。ただし、重要性が乏しいものは注記を省略できる。

① 開示対象特別目的会社の概要および開示対象特別目的会社を利用した取引の概要

イ．開示対象特別目的会社の概要

- 開示対象特別目的会社の数
- 主な法形態
- 会社との関係（議決権に対する所有割合、役員の兼任状況）

ロ．開示対象特別目的会社を利用した取引の概要

- 会社と開示対象特別目的会社との取引状況（主な対象資産等の種類、主な取引形態、回収サービス業務や収益を享受する残存部分の保有などの継続的な関与の概要、将来における損失負担の可能性など）や取引の目的

② 開示対象特別目的会社との取引金額等

- 会社と開示対象特別目的会社との間で当期に行った主な取引の金額（資産の譲渡取引額など）
- 当該取引の期末残高（資金取引に係る債権債務や債務保証、担保などの額）
- 当期の主な損益計上額（譲渡損益、金融損益、投資からの分配損益、回

第3節 連結会計 545

収サービス業務による損益など）

- 開示対象特別目的会社の直近の財政状態（資産総額や負債総額）

なお、開示対象特別目的会社に関するこれらの事項を注記するにあたっては、類似の取引形態や対象資産等ごとに適切に集約して、概括的に記載する。また、注記を行う重要性の判断にあたっては、当該集約された単位ごとに行うことが適当であるとされている。

図表 7・3・4　開示例

（開示例）
　当社及び一部の連結子会社は、資金調達先の多様化を図り、安定的に資金を調達することを目的として、不動産の流動化を実施しております。当該流動化にあたり、特別目的会社を利用しておりますが、これには特例有限会社や株式会社、資産流動化法上の特定目的会社があります。当該流動化においては、不動産を特別目的会社に譲渡し、当社及び一部の連結子会社は、譲渡した資産を裏付けとして特別目的会社が社債の発行や借入によって調達した資金を、売却代金として受領します。
　また、当該流動化においては、譲渡した不動産の賃借（リースバック）を行っている場合があります。さらに、いくつかの特別目的会社に対しては、匿名組合契約を締結しており、当該契約による出資金を有しています。匿名組合出資金については、すべてを回収する予定であり、令和XX年3月末現在、将来における損失負担の可能性はないと判断しております。
　これまで流動化を行い、令和XX年3月末において、取引残高のある特別目的会社は〇社あり、これらの直近の決算日における資産総額（単純合算）は X,XXX 百万円、負債総額（単純合算）は X,XXX 百万円です。なお、いずれの特別目的会社についても、当社及び連結子会社は議決権のある出資等は有しておらず、役員や従業員の派遣もありません。
　当期における特別目的会社との取引金額等は、次のとおりです。

（単位：百万円）

	主な取引の金額又は期末残高	主な損益	
		（項目）	（金額）
譲渡した不動産（注1）	X,XXX	売却益	XXX
匿名組合出資金（注2）	XXX	分配益	XXX
賃借（リースバック）取引（注3）	―	支払リース料	XXX

（注1）　譲渡した不動産に係る取引金額は、譲渡時点の譲渡価額によって記載しております。また、譲渡資産に係る売却益は、特別利益に計上されております。
（注2）　匿名組合出資金に係る取引金額は、当期における出資額によって記載しております。令和XX年3月末現在、不動産の流動化に係る匿名組合出資金の残高は、X,XXX 百万円であります。また、当該匿名組合出資金に係る分配益は、営業外収益に計上されております。
（注3）　譲渡した不動産について賃借（リースバック）を行っている場合があり、当該賃借取引は、通常の賃貸借取引に係る方法に準じて会計処理されております。なお、当該賃借取引は、解約不能なオペレーティング・リース取引に該当し、その未経過リース料の金額については、「リース取引関係」において注記しております。

第3節　連結会計　　547

第**8**章

匿名組合スキーム をめぐる**諸論点**

第 1 節

日本型レバレッジド・リースにおける匿名組合

1　レバレッジド・リースの基本的な考え方

　レバレッジド・リースとは、特に航空機、船舶、プラント設備、鉄道車両等、法定耐用年数に比べ経済的耐用年数の長い物件の取引に用いられる税務上の効果を利用したリースである。

　この仕組みでは、高収益をあげている一般事業会社(投資家)が償却資産(リース物件)をもつことで利益の繰延べを図るとともに、それによって生じる内部留保資金の運用益をリース料に反映させることで、リース借主（レッシー）にとっても魅力ある金利水準での物件調達が可能になる。

　投資家はリース物件購入価額の20%強を出資するだけで、同物件全体を所有した場合とほぼ等しい税効果を得ることができることから、いわゆる「レバレッジ」＝「梃子（てこ）」のリースと呼ばれ、盛んに利用されたが、平成17年度の税制改正において、このスキームの新規組成には税務上の制約が課せられることとなった。

2　投資形態

　出資金は、リース物件の購入資金の一部として、リース貸主(レッサー)たる営業者(匿名組合契約に基づく営業受託者)に提供され、投資家は営業者から当該

第1節　日本型レバレッジド・リースにおける匿名組合　　551

リース取引に基づく損益の分配を受けることで税効果を享受することになる。

　なお、物件購入資金のうち出資金部分を除いた残額（80％弱）は、金融機関等から借り入れるが、この借入金はレッシーが支払うリース料を返済原資とし、また、当該リース料およびリース物件を担保としている。このように、貸出人が返済原資を超えて形式上の借入人である営業者や、組合員の投資家に対して求償権を有しない（投資家は当該融資にかかわる返済義務を負わない）借入金に対して、一般に、「ノンリコース・ローン」という用語が広く使われている。

　しかし、現実の取引においては、ノンリコース・ローン契約は存在しない。すなわち、営業者の故意または重大な過失に基づく債務不履行に対しては、金融機関等の貸主は営業者に対する求償権を有する。したがって、リミテッド・リコース（限定的求償権付き）ローンという用語を使用するのが厳密には正しいのではないか。

3　仕組みとその特徴

　匿名組合を利用したレバレッジド・リースの基本的な仕組みは、**図表8・1・1**のようになる。

　リース物件の法定耐用年数を超えるリース期間を設定し、リース料は定額で収受する。リース物件の減価償却は定率法をとり、借入金の金利を費用化することによってリース開始後数年間は損失が発生することになる。ただし、法定耐用年数の120％を超えるリース取引は、リース（賃貸借）とは認められず、金融取引または売買とみなされる。

　ファイナンス・リースの場合、リース物件が、専ら海外で使用される場合は、減価償却額を定額法で計算しなければならない。すなわち、国外リース資産（旧法人税法施行令136条の３第１項に規定するリース取引の目的とされている減価償却資産で所得税法２条１項５号に規定する非居住者または外国法人に対して賃貸されているもの（これらの者の専ら国内において行う事業の用に供されるものを除く）をいう）は、リース期間定額法にて償却する。その方法は、リース取引にかか

552　第8章　匿名組合スキームをめぐる諸論点

図表 8・1・1

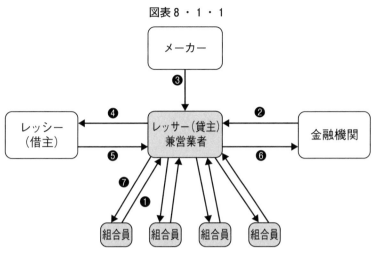

❶ 投資家は、営業者と1対1の匿名組合契約を結び、購入物件の20％から30％の出資を行う。
❷ 営業者は、リース物件を購入する際、出資金でまかなえない分を金融機関より借り入れ、これらの資金をもってリース物件の購入資金とする。
❸ リース物件を購入する。
❹ リース契約後、リース物件をレッシーに貸し付ける。
❺ リース料を受け入れる。
❻ 借入金元本、金利を支払う。
❼ 匿名組合の損益を計算し、各組合員の持分に応じた投資損益と現金とを分配する。

わる国外リース資産の取得価額から見積残存価額を控除した残額を、当該リース取引にかかわる契約において定められている当該国外リース資産の賃貸借期間の月数で除し、これに当該事業年度における当該国外リース資産の賃貸借期間の月数を乗じて計算した金額を各事業年度の償却限度額として償却する。ここに、月数は、暦に従って計算し、1月に満たない端数は、これを1月とする。なお、賃貸借期間には、再リースすることが明らかな場合には、再リース期間を含むものとする。また、リース資産を内国法人等に対して賃貸した後、さらに外国法人等に対して賃貸した場合において、これら一連の取引が実質的に内国法人等から直接賃貸したと認められるときは、当該リース資産は国外リース資

産に該当する（法基通7－6の2－15）。

　この規定はオペレーティング・リースに対しては適用されない。すなわち、オペレーティング・リース（ファイナンス・リースの条件を満たさない賃貸借取引）の場合は、定率償却が可能である。

4　リース取引に係る税務上の取扱い

1　リース取引に関する規定

　リース取引に対する税務上の取扱いについては、従来より、ファイナンス・リース取引のうち、一般の賃貸借と同様に取り扱うことに課税上の弊害があると認められるものについては、取引の経済的実質に応じて、これを売買取引等として取り扱うこととしていた[1]。

　平成10年度の税制改正において、リース取引に係る各種所得の金額の計算（法法64の2）と国外リース資産の償却方法（法令48①六）の2点が法制化され、通達が整備された。

[1] リース取引に係る各種所得の金額の計算（法法64の2）

　税務上の「リース取引」の定義、その取扱いは次のとおりである。なお、これに該当しないリース取引は「リース取引以外の賃貸借取引」とする。

　①　対象となるリース取引

　　　この規定の対象となるリース取引（いわゆる「税務上のリース取引」）とは、資産の賃貸借で次の要件を満たすものをいう（法法64の2③）。

1　昭和53年7月20日付「リース取引に係る法人税及び所得税の取扱いについて」、昭和63年3月30日付「リース期間が法定耐用年数よりも長いリース取引に対する税務上の取扱いについて」

　なお、平成63年リース通達改正および平成10年改正を受けて、社団法人リース事業協会では課税上の弊害の程度が高くならないよう、協会の会員は一定の要件を満たすリースのみを組成する趣旨で次の申し合わせを行っている。

・「リース期間が法定耐用年数の120％以下のリース取引に関する申し合わせ」（昭和63年12月22日）（平成2年5月17日）

554　第8章　匿名組合スキームをめぐる諸論点

イ．その賃貸借に係る契約が、賃貸借期間の中途においてその解除をすることができないものであること、またはこれに準ずるものであること

中途解約禁止に準じた取引とは、次のようなものをいう（法基通12－5－1－1）。

a．中途解約禁止条項がない場合で、解約時未経過リース料のおおむね全部をレッシーが支払う取引（いわゆるフルペイアウトである取引）、または、

b．中途解約禁止条項がある場合で、次のような条件が付されている取引

・レベル・アップの場合は、解約金を支払わない、または、

・残リース料を解約金とする。

フルペイアウトである取引とは、リース期間中に支払われるリース料の合計額が、リース物件の取得価額と付随費用（固定資産税、保険料、支払金利等）の合計額のおおむね全部をまかなっている取引をいう。ここで、おおむね全部とは、原則として90％以上を意味する。なお、おおむね全部の判定にあたり、次のように取り扱う（法基通12－5－1－2）。

a．購入選択権の行使が確実と認められる場合、同権利行使価額または残価をリース料に加算する

b．契約において、中途解約にともないリース資産を処分し、未経過リース料の合計額から処分価額の全部または一部を控除した金額をレッシーが支払うこととしている場合は、当該処分価額を加算する

ロ．その賃貸借に係る賃借人が、その賃貸借に係る資産からもたらされる経済的な利益を実質的に享受することができ、かつ、その資産の使用に伴って生ずる費用を実質的に負担すべきこととされているものであること

② 売買として取り扱うリース取引

法人がリース取引をした場合において、そのリース取引が次のいずれかに該当するもの、またはこれらに準ずるものであるときは、そのリース資

第1節　日本型レバレッジド・リースにおける匿名組合　555

産の賃貸人から賃借人への引渡しのときにそのリース資産の売買があった
ものとして、各事業年度の所得の金額を計算するものとする（法法64の2
①）。

イ．リース期間終了の時、またはリース期間の中途において、リース資産
が無償または名目的な対価の額でその賃借人に譲渡されるものであるこ
と

ロ．その賃借人に対し、リース期間終了の時、またはリース期間の中途に
おいて、リース資産を著しく有利な価額で買い取る権利が与えられてい
るものであること

ハ．リース資産の種類、用途、設置の状況等に照らし、リース資産がその
使用可能期間中その賃借人によってのみ使用されると見込まれるもので
あること、またはリース資産の識別が困難であると認められるものであ
ること

ニ．リース期間がリース資産の耐用年数に比して「相当の差異がある」も
の（その賃貸人またはその賃借人の法人税または所得税の負担を著しく軽減
することになると認められるものに限る）であること

「相当の差異がある」取引とは、

a．リース期間が耐用年数と比較して短い場合：

- 耐用年数が10年未満の場合：リース期間が耐用年数の70％（1年未
満切捨て）未満の取引

- 耐用年数が10年以上の場合：リース期間が耐用年数の60％（1年未
満切捨て）未満の取引

b．リース期間が耐用年数と比較して長い場合：

- リース期間が耐用年数の120％（1年未満切上げ）を超える取引
ただし、再リースすることが明らかな場合は、再リース期間をリー
ス期間に含める。

③　金銭の貸借として取り扱うリース取引

法人が譲受人から譲渡人に対する賃貸（リース取引に該当するものに限る）

を条件に資産の売買を行った場合において、その資産の種類、その売買および賃貸に至るまでの事情その他の状況に照らし、これら一連の取引が実質的に金銭の貸借であると認められるときは、その資産の売買はなかったものとし、かつ、その譲受人からその譲渡人に対する金銭の貸付けがあったものとして、各事業年度の所得の金額を計算するものとする（法法64の2②）。

リース・バック取引は、原則としてリース会社から借入れがあったものとして取り扱う。ただし、リース・バックであっても、次のような相当の理由があり、かつ、当該資産について立替金、仮払金等の仮勘定で経理し、レッシーの購入額でレッサーに売却するものは該当しない。

- 多種類の資産を購入する場合で、レッシーが購入するほうが事務が効率的な場合
- 輸入機器のように、通関事務等に専門的知識が必要な場合
- 既往の取引状況からレッシーが購入したほうが安くなる場合

また、法人が事業の用に供している資産を管理事務の省力化のためリース・バックする場合も該当しない。

［2］ 国外リース資産の償却方法

国外リース資産の償却方法は、旧国外リース期間定額法と定められた（法令48①六）。ここでいう国外リース資産とは、リース取引の目的とされる減価償却資産で、非居住者または外国法人に対して賃貸されているものをさす。

（国外リース資産の取得価額−見積残存価額）(注) × $\dfrac{\text{当該事業年度における国外リース資産の賃貸借の期間の月数}}{\text{国外リース資産の賃貸借の期間の月数}}$

（注）　見積残存価額とは、国外リース資産をその賃貸借の終了の時において譲渡するとした場合に見込まれる譲渡対価の額に相当する金額をいう（法令48⑤ニ）。

なお、国外リース資産の償却可能限度額は、その取得価額から見積残存価額

を控除した金額に相当する金額とされている。

　なお、リース取引に関する所得税および法人税法上の通達には次のようなものがある。

〔所得税基本通達〕

〈所有権移転外リース取引に該当しないリース取引の意義〉

　49－30の2　（所有権移転外リース取引に該当しないリース取引に準ずるものの意義）

　49－30の3　（著しく有利な価額）

　49－30の4　（専属使用のリース資産）

　49－30の5　（専用機械装置等に該当しないもの）

　49－30の6　（形式基準による専用機械装置等の判定）

　49－30の7　（識別困難なリース資産）

　49－30の8　（相当短いものの意義）

　49－30の9　（税負担を著しく軽減することになると認められないもの）

〈賃借人の処理〉

　49－30の10　（賃借人におけるリース資産の取得価額）

　49－30の11　（リース期間終了の時に賃借人がリース資産を購入した場合の取得価額等）

〈賃貸人の処理〉

　49－30の12　（リース期間の終了に伴い返還を受けた資産の取得価額）

　49－30の13　（リース期間の終了に伴い取得した資産の耐用年数の見積り等）

〈その他〉

　49－30の14　（賃貸借期間等に含まれる再リース期間）

　49－30の15　（国外リース資産に係る見積残存価額）

　49－30の16　（国外リース資産に係る転貸リースの意義）

〔法人税基本通達〕

第12章の5　リース取引

第1節　リース取引の意義

　12の5－1－1　（解除をすることができないものに準ずるものの意義）

　12の5－1－2　（おおむね100分の90の判定等）

　12の5－1－3　（これらに準ずるものの意義）

第2節　金銭の貸借とされるリース取引

第1款　金銭の貸借とされるリース取引の判定

12の５－２－１（金銭の貸借とされるリース取引の判定）
第２款　譲渡人の処理
　12の５－２－２（借入金として取り扱う売買代金の額）
第３款　譲受人の処理
　12の５－２－３（貸付金として取り扱う売買代金の額）
第12章の６　法人課税信託に係る所得の金額の計算等

　また、改正を受け、社団法人リース事業協会においては次のような申し合わせが行われ、その後国税庁の個別通達（平成11年９月16日　課法２－６　査調４－36）となっている。

レバレッジド・リース取引に対する税務上の取扱いについての申し合わせ
（平成11年５月14日・社団法人リース事業協会）

　平成10年度の税制改正により、従来のリース取引に係る通達（昭和53年、昭和63年並びに関係する取扱い慣行）が法令化され、これに伴い基本通達が発遣された。
　この法令及び基本通達におけるレバレッジド・リース取引に対する税務上の取扱いは、従来の63年リース通達と同様と理解されるが、昨今の経済事情等を勘案し、「別記」による場合には、基本通達12の５－２－１に該当しないものと思われる。

　別記　　　　　　　　　レバレッジド・リース取引の条件
１．リース期間終了後の見込中古市場価額のリース取引開始時の取得価額に占める割合が、相当高いと認められるリース資産（当面、飛行機に限る。）であること。
２．減価償却費の損失先行計上割合（下記の算式の割合をいう。）が160％以下となること。

$$損失先行計上割合 = \frac{組成するリース取引から生ずる減価償却費の損失先行計上額(B)}{リース期間が耐用年数どおりとするリース取引から生ずる減価償却費の損失先行計上額(A)}$$

　　（注）　分母(A)の金額は、減価償却資産の耐用年数等に関する省令別表第10に掲げる減価償却資産の残存割合（100分の10）相当額を残価とし、当該組成するリース取引日の属する年の１月１日現在における長期プライムレートを金利（リース料利率）として算定される金額をいう。

第１節　日本型レバレッジド・リースにおける匿名組合　　559

3．リース期間終了時に購入選択権により賃借人が購入する価額（購入価額について定めがないときは残価（12の5－1－3（注）で定める残価）に相当する金額を購入価額とする。）が見込中古市場価額以下の価額で、かつ、その資産の取得価額の45％を超えない金額であること。

4．その取引に基づく賃貸人の各年の課税所得（リース料－減価償却費－支払利息等）が、マイナスとなる期間がリース期間の50％以下であること。

5．リース資産を取得するために、賃貸人（又は匿名組合の出資者）が自己資金のほかに他人資金を使用する場合には、自己資金の割合がその資産の取得価額の20％以上であること。

6．リース開始日において、その取引（リース資産の売却完了までを含む。）に基づく賃貸人（又は匿名組合の出資者）の通算の課税所得が、その資産の取得価額の少なくとも1％以上の金額であること。

7．一の取引につき一の営業者又は複数の営業者が匿名組合契約を締結する場合、匿名組合事業の損益分配に関しては、次の要件をすべて満たすものであること。

①各匿名組合契約に係る計算期間の末日はすべて同一とする。

②匿名組合契約に係る計算期間は12か月又は6か月とし、リース期間を通じてすべて同一とする。

（注）　匿名組合事業開始の日を含む事業年度及び法人税法第14条に規定するみなし事業年度に係る計算期間にあっては、この限りでない。

③②の計算期間については、営業者の確定決算又は法人税法第72条第1項に規定する期間に係る決算（仮決算）に係るものに限る。

2 リース会計基準の改正および平成 19 年度税制改正

［1］リース会計基準の改正

　企業会計基準委員会（ASBJ）が平成19年3月30日に公表した企業会計基準第13号「リース取引に関する会計基準」および同適用指針16号「リース取引に関する会計基準の適用指針」（以下「適用指針」という）により、ファイナンス・リース取引については原則として売買処理に準じた会計処理が義務づけられることとなった。

　本会計基準等において、リース取引はオペレーティング・リースとファイナンス・リースとに区分され、ファイナンス・リースは所有権移転ファイナンス・リースと所有権移転外ファイナンス・リースとに分類されており、その基

本的な考え方については変更はない。

　ただし、ファイナンス・リースの具体的判断基準を適用指針において次のように定め（適用指針9項）、いずれかを満たした場合、ファイナンス・リース取引に該当するものとした。

　①　現在価値基準（90％基準）……解約不能のリース期間のリース料総額の現在価値が、リース物件の見積現金購入価額のおおむね90％以上

　②　経済的耐用年数基準（75％基準）……解約不能のリース期間が、リース物件の経済的耐用年数のおおむね75％以上（ただし、上記①の判定結果が90％を大きく下回ることが明らかな場合を除く）

　改正前は、ファイナンス・リース取引のうち、所有権移転条項付リース契約など一定の要件に該当するリース取引は所有権移転ファイナンス・リース取引と判定され、これ以外のリース取引は所有権移転外ファイナンス・リース取引として、改正前は通常の賃貸借処理を認められていたが、改正により所有権移転外リースについても、通常の売買取引に係る方法に準じて会計処理を行うこととされた。

[2] 平成19年度税制改正

　新基準の公表にともない、平成19年度税制改正において、賃借人側にはリースの簡便性を維持するため会計に沿った税制上の処理が認められ、賃貸人側には課税への影響を最小限にする措置が講じられた。

　改正前の法人税法においては、税務上のリース取引は原則として賃貸借処理により、一定の要件を満たすもののみが売買処理を行うことが規定されていたが、リース会計基準の改正にともない、税務上のリース取引は原則としてすべて売買処理として取り扱うこととされた。

　また、これまでの「売買取引として取扱うリース取引」については、新たに「所有権移転外リース」と定義され（法令48の2⑤五）、平成20年4月1日以後に締結する所有権移転外リース取引の契約によって、その賃借人が取得したものとされるリース資産の減価償却方法は、賃借人側において例外なく、リース期間定額法により償却限度額の計算をすることとなった。

第1節　日本型レバレッジド・リースにおける匿名組合　　561

［3］ 収益認識会計基準の導入による延払基準の廃止

　収益認識に関する包括的な会計基準の新たな導入にともない、平成30 (2018)
年度税制改正において法人の計上する資産の販売等に関する収益の額について
の法整備がなされた（法法22、22の2）。これまで、長期割賦販売等にかかる収
益および費用の額について適用が可能であった延払基準（長期割賦販売等の対
価のうち、その事業年度に支払期限が到来する額に対応する部分の金額を、その事
業年度の益金の額または損金の額に計上することができるとする基準（旧法法63））
は、当整備にともない、一定の経過措置を講じた上原則として廃止されること
となった。

　なお、リース譲渡のうち一定の要件を満たすものについては、特例として延
払基準が適用できる旨が定められており（法法63①）、別表14(8)（リース譲渡に
係る収益及び費用の益金及び損金に関する明細書）の添付がある場合には当特例
を適用することができる（法法63、64の2、法令124、平19改正法附則43・44、平
19改正法令附則1）。

3 新リース会計基準の導入

　2016年、IASB（国際会計基準審議会）はリース会計の新基準である IFRS16号
「リース」を公表し、平成31 (2019) 年1月以降に開始する事業年度から日本
国内でも強制適用となった。企業会計基準委員会では、国際会計基準とのコン
バージェンスへの取組みとして日本における新リース会計基準を公表すること
としており、その検討は最終局面を迎えている。

　新リース会計基準においては、原則としてすべてのリースについて使用権資
産およびリース負債を認識することとされており、会計への影響は大きいもの
と考えられる（詳細は第7章第2節3 **7** を参照のこと）。

4 組合損失に関する規制強化

　平成17年度の改正では、組合契約の組合員（組合の重要な業務の執行の決定に
関与し、契約を締結するための交渉等を自ら行う組合員を除く）の組合損失の取り

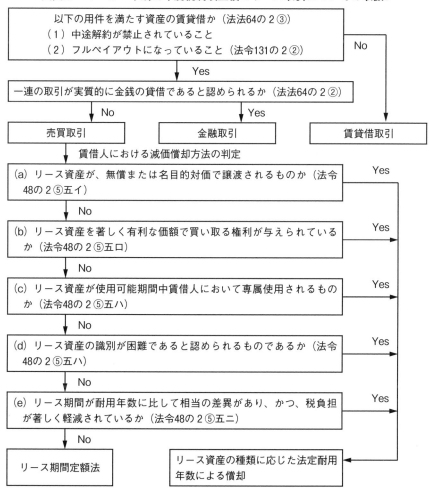

図表8・1・2　平成19年度税制改正後のリース取引についての取扱い

込みが規制されている（詳細は第4章第4節を参照のこと）。

　この規制は、原則として平成17年4月1日以後に締結される組合契約が対象となるが、既存の組合であっても、平成17年4月1日以後に新規に組合に参加する場合には適用される。なお、附則40条において、「平成19年4月1日前に締結される航空法第100条第1項の許可に係る事業の用に供する航空機の賃貸

に係るものは除く」という経過措置も設けられた。

第 2 節

日本型オペレーティング・リースにおける匿名組合

1 二つのリースの違い

　日本型レバレッジド・リースとオペレーティング・リースとの違いを概観すると、**図表8・2・1**のようになる。

　図表8・2・1から明らかなように、オペレーティング・リースに出資する投資家は、物件にかかわるリスクも負担し、より事業性が高いため、ハイ・リスク型の投資といえる。

　オペレーティング・リースにおける出資の方法として任意組合方式と匿名組合方式とがある。両者の違いを理解することは、レバレッジド・リースとオペレーティング・リースとの本質的相違を理解する上で重要と考える。

　任意組合とは、複数の当事者が出資を行い、共同の事業を営むことを約束する双務・有償・諸成の任意組合契約によってつくられる一種の団体をいう（民法667～688）。その組合契約は、各当事者が出資して、共同の事業を営むことを約することによってその効力を生じ（民法667）、各組合員の出資その他の財産は総組合員の共有に属する（民法668）。すなわち、組合の財産は、組合員にその持分に応じて直接帰属することになる。したがって、任意組合方式でのリース取引の場合は、出資者が自ら賃貸人（レッサー）の立場に立ち、リース物件の共有持分を直接所有することになる。その結果、自らの決算期、減価償却方法にあわせて損益を計算し、会計処理を行うことができる。

第2節　日本型オペレーティング・リースにおける匿名組合　　565

図表 8・2・1　レバレッジド・リースとオペレーティング・リースとの比較

	レバレッジド・リース	オペレーティング・リース
対象物件	航空機・電話交換機・電車・バス・コンテナ等の新品に限る	航空機・電車・バス等の新品または中古物件
投資家	法人（未上場企業がほとんど）	法人（同族会社が多い）
契約形態	匿名組合契約方式が圧倒的に多い	①単独または同一グループ企業内で、任意組合方式での共有、または②匿名組合契約方式
投資家の会計処理	オフ・バランス取引。営業者から分配された損益を取り込むのみで、簡便であるが調整はできない	所有（共有）の場合は貸借対照表に載せるオン・バランス取引。本業の利益に応じて減価償却方法を工夫できる
投資の目的	法人税の繰延べ	資産税対策、特に土地特定・株式特定を外す目的で使われることが多い。法人税の繰延べも同時に達成可能（詳細後述）
投資期間	航空機：10〜12年間 電話交換機：8年間 電車：16年間	4〜8年間が多い
最少投資額	50百万円が多い	所有（共有）の場合：数億円 匿名組合契約の場合：50百万円程度
投資利回り	ほぼ確定的	満了時の物件処分価額、為替レートにより変動する
為替リスク	ない	レッシーが海外の場合：為替リスクがある レッシーが国内で、中古市場も国内にある場合：為替リスクはない
残価リスク	レッシーが負う	投資家が負う

2 資産税対策への適用

　匿名組合方式の場合であっても、リース契約がレバレッジド・リースのようなファイナンス・リースではなく、オペレーティング・リースの場合、投資家

は、物件の残価リスクを負うなど、リース事業に参画していることは明らかであり、その点で資産税対策に使えない、とは言いきれない。しかし、相続税対策等の資産税対策は、約30年間に1回あるか、ないかであり、失敗が許されず、また規模も大きくなりがちなため、より慎重を期して、任意組合方式を採用する例が多い。特に、中小企業のオーナーが保有する自社株式の評価の上で、土地保有特定会社（総資産価額中に占める土地などの価額の割合が一定の割合以上の会社）や株式保有特定会社（総資産価額中に占める株式や出資の価額の合計額の割合が一定の割合以上の会社）等の特定の評価会社の株式は、原則として純資産価額方式により評価されるため、これを大会社化し、かつ特定の評価会社に該当しないこととして類似業種比準方式で評価できるようにする相続税対策として、任意組合方式のオペレーティング・リース取引に出資する場合が多い。

　投資家にとって、任意組合方式の大きな特徴は、その責任が、出資額にとどまらず、無限責任であることである。組合員の倒産に際しては、その倒産した組合員の所有持分を他の組合員が引き受けなければならず、組合員同士は、お互いに与信を供与し合っているといえる。このため、単独1社または、同一グループ会社内で任意組合を組成する例が多い（単独1社の場合であっても、下記③に示すように、倒産隔離の目的で、SPCを2社、組合員に組み込む場合が多い。この場合のSPCは、10,000円程度の名目的出資持分を所有する投資家であり、うち1社は業務執行組合員となる場合が多い）。

　一方、レッシーから見た場合の任意組合方式のオペレーティング・リース取引は、次のような特徴を有する。

① 　レバレッジド・リースと比べて、拘束期間が比較的短期間であり、物件運用上柔軟性に富む

② 　レバレッジ化されている場合、レバレッジド・リースの場合と同程度の低リース料を享受できる

③ 　投資家が倒産した場合、リース物件の所有権が債権者の手に渡るため、その対策を考慮する必要がある（たとえば、ケイマン諸島等のチャリタブル・トラストの子会社で倒産隔離されたSPCを2社準備し組合員とする、など）

④　満了時の買取オプションがレッシーに与えられる場合が多いが、その行使価額はその時点での時価となる。したがって、売却益が期待できない代わり、残価リスクを負わない

⑤　リース期間中にレベル・アップの必要が発生した場合など、投資家の負担で資本的支出をともなう改造等を行うことができる。逆に、投資家は、リース期間中に追加出資を求められる場合がある

⑥　海外レッシーの場合、リース料が米ドル建ての場合が多く、為替スワップが不要である（逆に、投資家は為替リスクを負う場合が多い）

⑦　中古物件のオペレーティング・リース・バック取引が可能であり、レッシーにとって資産をまとめて一度に売却・リース・バックし、圧縮することが可能となる

　レンダーにとっては、レバレッジド・リースと比較して、与信先が投資家になる点が大きく異なる。投資家は一般に非上場オーナー企業であり、その与信を補完する手立てが必要になる場合が多い。レバレッジド・リースと同様に、リミテッド・リコースでローンを提供することも考えられるが、この場合は、投資家が事実上借入れ債務を負っていないことになり、リース物件全体に対する事業を行っているといえるか、税務上疑義が残る。

　1999年以降、もっぱら海外で使用されるリース物件の減価償却方法が、定額法になったため、海外のレッシーに関わるレバレッジド・リース取引は、ほとんどすべてオペレーティング・リース取引になった。しかし、任意組合方式では、上述のように様々な問題を含み、投資家の賛同を得難いため、匿名組合方式でのオペレーティング・リースが数多く仕組まれるようになった。この場合の投資家は、従来の日本型レバレッジド・リースに投資する感覚で、あるいは、過去に投資したレバレッジド・リースの満了益対策として、同種の投資商品を求めてリース会社に照会することになる。その結果、オペレーティング・リースとはいうものの、その実態はレバレッジド・リースに極めて近い投資商品が市場に出回るなど、業界は混乱した。課税上の弊害が大きい取引は、投資家レベルで税務否認され、当該商品を組成・販売したリース会社やアレンジャーが

投資家から訴えられる事態も懸念される。

　オペレーティング・リースに関わる投資を、レバレッジド・リース投資の延長線上にあるタックス商品への投資と位置付けることには無理があると考えられる。もちろん、結果的に法人税の節減になるケースはあるにせよ、利益繰延べを目的とした取引に仕立てることは、課税庁から見れば許容できないことであろう。すなわち、オペレーティング・リース事業に参画する以上、投資家は、それなりの物件に関わる知識・ノウハウを有し、物件やレッシー、リース料、残価等を比較検討した上で、事業リスクを負って参入すべきであって、単に、営業者に対して資金を提供し、口出しもできない代わりに残価リスクもないような投資では、その事業性を疑われてもいたし方ない。

　航空機は、20年以上使用され、経済耐用年数が長いという神話も、機種によっては見直される時代になったといえる。リース会社やアレンジャーは、中長期的視野に立ち、商品開発に全力を上げなければなるまい。

第2節　日本型オペレーティング・リースにおける匿名組合　　569

第 3 節

匿名組合型不動産事業
その他のスキーム

1 匿名組合型不動産事業

　匿名組合型不動産事業は、判例等に出現するものを見ると、古くから行われていたようである。しかし、SPCと匿名組合を組み合わせる手法は、この1990年代後半以降急速に一般化してきたものである。

1 匿名組合型不動産事業がかつて採用されなかった理由

　匿名組合を利用した不動産共同事業手法は、現在は非常にポピュラーだが、1965年くらいから1990年頃までは大手の公募型事例としてほとんど出現しなかった。これには、次の理由があった。

① 個人投資家の税制上の不利

　　任意組合型と異なり相続税の小規模宅地評価減が使えない。

② 個人投資家の税制が不明確

　　所得区分等の取扱いが明らかでなかった（なお、現在は通達改正により、原則雑所得に該当することが明らかになっている）。

③ ローン・パッケージ等の仕組みの複雑性

　　任意組合型でもローンをパッケージしたものはない。

④ 匿名組合のイメージ

　　匿名組合自体のなじみが非常に薄い。

レバレッジド・リースに匿名組合型を導入したリース会社の主たるマーケットがオーナー会社であったのに対して、不動産会社の主要マーケットはあくまで個人の地主層であり、営業面でも匿名組合を利用した小口の商品性は従来のリースマンション等から大きく異なるものとなっている。

　また、業界として匿名組合方式の研究に取り組みはじめた90年頃から地価が大幅に下落を続け、他のストラクチャーを含めて販売が難しくなってしまったことも大きなインパクトだろう。

　さらに、レバレッジド・リースのようなタックス・オリエンティドの仕組みをつくり、低利資金を調達してサヤを取るためには、仮に税制や売却時価等の問題がクリアされても、金利やリスクの査定等の商品設計にかなり高度な金融技術が必要となるだろう。つまり、スプレッド感覚になじみがなかったのである。

　以下では、現在のようなスキームが一般化する前に匿名組合利用ストラクチャーとしてかつて提言された仕組みを挙げてみようと思う。

2　非課税団体を営業者とする匿名組合

　匿名組合を用いて災害復興資金を集めるというのは、阪神・淡路大震災後に建設省幹部の意向として新聞等に出たものである。しかし、具体的なスキームの提示等は新聞紙上にはなかった。

　そこで、ここではNGOとして匿名組合がなじむかどうかを検討してみよう。特に匿名組合の営業者が財団法人等の公益法人という可能性はあるのだろうか。商法上は匿名組合の営業者は商人ということになっているので、一般的には民法人が匿名組合の営業者となることは予定されていないと考えるべきだろう。ただし、財団法人等も収益事業を営めるのだから、その範囲内では営業者となりうるのではないかとも考えられる。なお、収益事業を行う営業者に匿名組合出資をした公益法人等（厚生年金基金を含む）は、分配利益を収益事業の利益として経理する（法基通15－1－2）。

　しかし、営業者を非居住者とし、たとえば香港等のタックス・ヘイブンの居

第3節　匿名組合型不動産事業その他のスキーム　　571

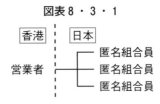

図表8・3・1

住者とする匿名組合は当然考えられる。もっとも匿名組合員が日本の居住者ならば、匿名組合員の段階でわが国の税率で課税されるのだが、営業者が当分の間損益分配しなかった場合にはどうなるであろうか。相手国の課税事情にもよるが、結果的には課税を繰り延べたのと同じことになる（**図表8・3・1参照**）。

　もちろん、これは非居住者である営業者の所得がわが国の国内源泉所得に該当せず、わが国内にPEを有しない等の条件が必要となる。

3　競売物件個人ファンド

　「地上げ屋」という言葉は非常にイメージが悪いが、不動産、特に土地開発事業において用地買収技術の重要性は非常に高い。ところが、この用地買収の技術、特に用地の企画・発見の技術はかなり個人的な才覚に依拠する部分が多い。

　ところで、現在の不動産の調達方法で最も安く用地を仕入れる方法は競売・公売であるものと考えられる。しかし、現状の競売・入札の仕組みでは大企業型の意思決定は不可能と考えられる。その理由は、競売物件は占有や権利侵害等のリスクが高いにもかかわらず、物件情報の入手から払込みまでが通常は2週間、長くても3週間という限られた時間内で、かつ、原則として現金払込みで行わなければならない（取消不可）からである。

　競売市場への参入障壁としては次がある。

①　現地内覧できない
②　公示期間が短い
③　ローンが原則付けられない
④　取消しがきかない

⑤　占有屋等の存在

　その結果、現在競売入札に参加している不動産会社は、トップダウンの意思決定ができ、資金的に余裕のあるオーナー会社に限られている。逆にいうと、以上のような参入障壁があるからこそ、競売物件は安く仕入れることができるのである。匿名組合で資金を集め、目の利く用地買収のエキスパートを営業者とした競売ファンドを仕組むことは理屈の上では非常に理にかなっているが、営業者の競合事業の禁止や勢力分散の防止等の措置がより強く求められることになろう。

2　特殊な資産への投資スキーム

1　太陽光ファンド

［1］概要

　国は震災後の電力不足解消とともに国際的な脱炭素の流れの中でカーボンニュートラル（温室効果ガスの排出権を全体としてゼロとする）政策のために再生可能エネルギーの導入拡大を政策課題の重要事項としてきた。税制面は2011年エネルギー環境負荷低減促進税制、2018年省エネ再エネ高度化促進税制、制度面としては再生可能エネルギーの固定価格買い取り制度（FIT）や補助金制度を制定して太陽光発電・風力発電の普及促進を図った。

　国は太陽光発電については一定の成果が得られたとして上記促進税制は2021年3月で終了し、中小企業経営強化税制（指定業種の事業用電力として使用する場合のみ）のみとなっている。

　太陽光発電に関する事業は投資法人や投資ファンドでも扱われる事業性の高いビジネスとして成長していることや昨今のサステナビリティへの投資および取組みが経営の最大課題の一つとして社会から要求されていることも追い風となり、さらに普及拡大につながっている。

［2］匿名組合を利用した太陽光ファンドの仕組み

　匿名組合を利用した太陽光ファンドは、次のパターンによることが多い。

第3節　匿名組合型不動産事業その他のスキーム　　573

① 匿名組合出資金および借入金等による資金調達により太陽光設備を購入または建設して発電した電力を電力会社へ売却販売し、得られた利益を匿名組合出資者へ分配する仕組み

② 匿名組合出資金および借入金等による資金調達により太陽光設備を購入または建設し、電力売電事業者または自家使用電力発電事業者に賃貸し、賃料を受領し、得られた利益を匿名組合出資者へ分配する。

[3] 会計税務上の論点

① 資産除去債務

　一般的に、太陽光ファンドには土地を取得するケースは少ない。理由はファンド終了時の土地の処分が難しい立地が多いことや、土地取得の場合には不動産特定共同事業法の規制対象となる可能性があることなどが挙げられる。したがって、借地契約において太陽光事業が終了した時に設備を撤去し、更地化返還義務が発生する。資産除去債務は企業会計基準第18号「資産除去債務に関する会計基準」により会計上資産除去債務の計上および見積費用の償却計上が求められる。資産除去債務の償却費および利息の計上は税務上損金として認められないため、会計・税務不一致が発生する。匿名組合契約では会計・税務不一致となったときの損益分配ルールをあらかじめ決めておく必要がある。

② 太陽光発電設備を発電事業の事業譲渡として譲受ける場合の営業権の取扱い

　再生可能エネルギーの固定価格買い取り制度（FIT）の権利を持つ太陽光設備を取得する場合に事業譲渡により取得した場合、太陽光設備よりかなり高い金額で取得することがある。この差額についての会計上の取扱いとして企業結合の会計処理、税務上の取扱いとして組織再編税制（非適格事業譲渡）が適用となる。

　税務上、移転資産の資産・負債の時価純資産額を超える場合にはその超える部分の金額は資産調整勘定として60か月で取り崩して損金の額に算入することになる（法法62の8）。一方、会計上は「のれん」として資産に計

上し20年以内のその効果の及ぶ期間にわたって定額法その他の合理的な方法により規則的に償却することになる（企業会計基準第21号「企業結合に関する会計基準」32項）。

③　償却資産税

太陽光設備は償却資産税の課税対象となるので１月１日現在所有している場合には申告が必要となる。太陽光設備はこれまで様々な減免措置があったが、対象資産は年々変更されている。

2016年以降はFIT対象外太陽光設備となっており、さらに補助金を受けているものなど年々条件が厳しくなっている。申告の際には必要な提出書類を準備しての申告が必要となる。

2　知的財産ファンド

［1］概要

営業者は投資家との間で匿名組合契約を締結し、匿名組合出資により得た資金で特許権を購入し、その特許権から使用料収入を得て投資家に配当を行うものである。

［2］分配

①　配当

毎計算期間における損益が匿名組合出資者に分配される。まだ収益が発生していない特許権を活用する場合には、収益発生までに相当に期間が必要となり、損失が先行することが考えられる。

その場合、匿名組合契約の内容にもよるが、各投資家はそれぞれの投資額を限度として損失額を負担し、投資額を超過する損失は営業者の負担となる。

②　償還

特許使用料の収入の他、特許権の売却により資金が回収され、利益を超える現金の分配が発生する場合には出資金の返還となる。

第３節　匿名組合型不動産事業その他のスキーム　　575

［3］ 税務上の論点

① 取得価額

特許権の価額は、財産評価基本通達によると、その権利に基づき将来受ける補償金の額の基準年利率による複利現価の額の合計額によって評価する。

イ．複利現価の額の合計額

第1年目の補償金年額×1年後の基準年利率による複利現価率＝A

第2年目の補償金年額×2年後の基準年利率による複利現価率＝B

第n年目の補償金年額×n年後の基準年利率による複利現価率＝N

A＋B＋…………＋N＝特許権の価額

上の算式中の「第1年目」および「1年後」とは、それぞれ、課税時期の翌日から1年を経過する日までおよびその1年を経過した日の翌日をいう。

ロ．補償金について

将来受ける補償金の額が確定していないものについては、課税時期前の相当の期間内に取得した補償金の額のうち、その特許権の内容等に照らし、その特許権に係る経常的な収入と認められる部分の金額を基とし、その特許権の需要および持続性等を参酌して推算した金額をもってその将来受ける補償金の額とする。

② 付随費用について

特許取得の付随費用についてはその取得に要した費用について取得原価に算入する必要がある。ただし法人税基本通達7－3－3の2により、登録免許税その他登記または登録のために要する費用については取得価額に算入しないことができる。

③ 特許維持年金費用について

特許権については権利を維持するために特許庁に一定期間ごとに年金費用を支払う必要がある。登録時に3年分しか特許料を納付せず、そのまま放置すれば、特許権は3年目が終了した時点で消滅するため、4年目以降

も特許権を存続させようとすると、4年目以降分の特許料を特許権が消滅する前（つまり3年目が終わるまで）に納付しなくてはならない。日本の場合、3年目以降は1年ごとに年金を支払う必要があり、その支払日の属する事業年度の損金となる。

　外国の場合、複数年分をまとめて支払う必要がある場合がある。特許権を維持するために複数年分の特許年金を支払うことであるならば、当該年金費用は繰延資産に該当し、支出の効果の及ぶ期間に渡り均等償却を行う必要があると考えられる。

３　スタートアップ投資への匿名組合出資の利用

　第2章第1節2**6**で見たように、匿名組合契約による資金調達は戦前の日本では大企業を含み、先進的事業家や先進的プロジェクトの資金調達方法としてメジャーな存在であった。

　現在のスタートアップに対しても魅力的な構成ができないだろうか。

［１］匿名組合＋オプション（新株予約権）の投資

　エンジェル投資家とスタートアップを結びつける法的形式として "匿名組合＋オプション" の組合せがあり得るのではないだろうか。

　匿名組合の営業者には当該ベンチャー企業がなる。一定の損失分担特約を付すことにより、組合事業の赤字は投資家にパススルーされる。問題は、出資対象となる組合事業の範囲だが、当面はその企業の事業の大部分が組合事業となろう。なお、このような匿名組合投資の事例として、従来より中小機構が経営課題の解決に取り組む中小企業・小規模事業者を対象に行っているハンズオン支援がある。

　これをさらに進めて組合の存続期間をたとえば5年とし、5年後に返還される出資金の額面金額でオプションを行使すれば、投資家は結果的に株式に転換できる。その間に上場したり上場会社と株式交換等をすればオプションは上場株になる。もちろん5年間ずっと損失で終わった場合には、返還される出資金はなく、投資家は権利行使する必要はない。

第3節　匿名組合型不動産事業その他のスキーム　　577

図表 8・3・2

	融資	株式	匿名組合	任意組合
元本保証	あり	なし	なし	なし
担保設定	可能	可能	可能（通説）	可能
追加出資	なし	なし	原則なし（特約可）	あり（無限責任）
確定利回り	あり	なし	なし	なし
果実	利子	配当	損益分配	損益分配

具体的には次のような手順となろう。

① 匿名組合契約および分離型新株引受権付社債の発行契約

② 出資金の払込み

③ 新株予約権の発行

④ 事業実施・毎期損益分配

⑤ ５年後出資金の返還とオプションの行使（不行使も可）

融資や株式投資との違いは**図表8・3・2**の点に求められる。

このように仕組むことにより、ベンチャー企業が当初赤字であった損失をも、損失分担の範囲（原則として出資金の範囲）内で、投資家側でも法人の場合は損金処理できる。個人の場合にも、一般的には事業所得の損失として損益通算できるはずだが、原則として雑所得になる（他の所得と損益通算できない所基通36・37共－21）。したがって、法人で投資したほうが税務上有効である。

［2］資本制借入金としての匿名組合出資

証券化においては、債務が匿名組合出資としてリパッケージされたことにより、資本性借入金として取り扱われる点に意義がある場合がある。

平成23年11月22日に「『資本性借入金』の積極活用について」が公表され、金融検査上、借入金であっても資本として取り扱うことができる「資本性借入金」の貸出条件が明確化され、その際に「金融検査マニュアルに関するよくあるご質問（FAQ）」も一部改定が行われた。

改定版のFAQでは、匿名組合契約に基づく出資など、融資以外の方法であっ

ても、「長期間償還不要な状態」、「配当可能利益に応じた金利設定」、「法的破綻時の劣後性」といった3条件が確保されていれば、資本性借入金に準じて資本とみなして差し支えないことが明記された。

　ただし、「十分な資本的性質が認められる借入金」は、当該借入金を「債務者の事業全体」の資本とみなすことを可能とするものであることから、たとえば、匿名組合契約に基づく出資の場合、少なくとも債務者の事業全体が赤字の場合には、仮に出資の対象事業が黒字であったとしても、配当負担がほとんど生じない仕組みとなっている必要があるとされている（FAQ 9 -31）。

　なお、金融検査マニュアルはバブル崩壊後の不良債権の処理において大きな役割を果たしたものの、金融機関が企業の育成と発展を通じ地域経済の活性化に貢献するといった機能を担う際の障壁となること等が問題視され、令和元(2019) 年12月31日をもって廃止されている。

　ただし、金融庁の公表する「主要銀行に関する監督指針」に関する令和2(2020) 年3月31日の改正においては資本性借入金の活用が謳われており、同日に公表された「資本性借入金関係FAQ」においては、コロナ関連の借入金の追加とともに、上記と同様の要件を満たす匿名組合出資について資本性借入金とみなすことが可能である旨が記載されている（同FAQ 問17）。

3　不動産または不動産担保ローン投資の実行事例

　1997年頃の不良債権処理パッケージ（**図表8・3・3**参照）が発表された頃から、匿名組合により不動産投資や不動産担保ローンへの投資を行うスキームが次々と現われた。多くはSPCを設立して、そのSPCを営業者とするものだったが、中には大手不動産会社が営業者となり、すでに保有している不動産物件等を対象に匿名組合契約により多額の資金を公募する事例もあった。

図表8・3・3　政府の「担保不動産等証券化パッケージ」（1997年3月31日発表）

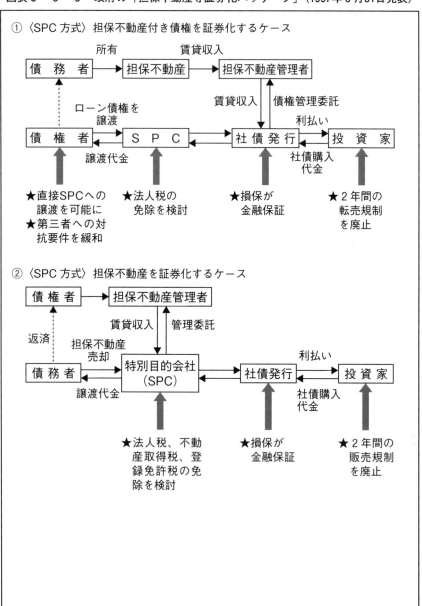

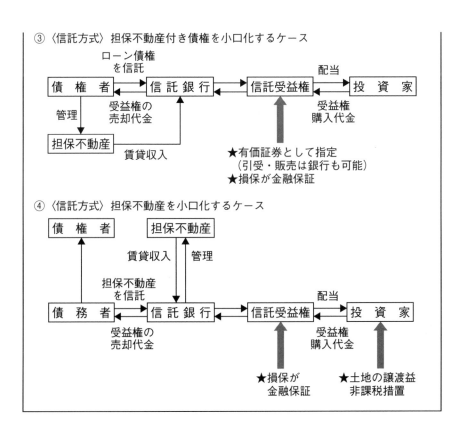

1 担保不動産証券化パッケージ

政府の担保不動産証券化パッケージを分類すれば、次のようになる。

- 担保不動産の証券化 $\begin{cases} \text{SPC 方式……②} \\ \text{信託方式……④} \end{cases}$

- 担保不動産付き貸付債権の流動化 $\begin{cases} \text{SPC 方式……①} \\ \text{信託方式……③} \end{cases}$

2 不動産会社の子会社が営業者となりオフショアSPCが債券を発行した事例(不動産特定共同事業法)

図表8・3・4

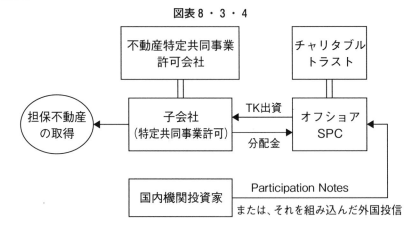

3 国内SPCとオフショアSPCがParticipation Notesを発行した事例

図表8・3・5

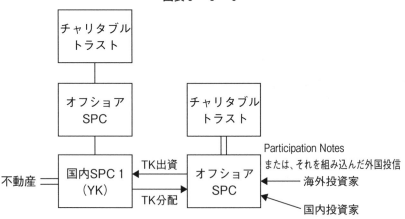

　上記2と異なるのは、国内SPCもオフショアSPCもいずれも誰の子会社等でなく、倒産隔離することを意図して設計されている点と、投資家の中に海外投資家が含まれている点である。

この方法によった場合、当初は国内 SPC およびオフショア SPC の双方とも
わが国の税負担を少なくすることができたが、平成14（2002）年の改正後はオ
フショア SPC に支払われる TK 分配金に原則として20％の源泉税が課される
こととなったため、東京支店を設けて法人税申告により源泉税の還付を受ける
方法を採っている分配損益の計算を単純化する工夫が必要となる。

4　地方証券化における市場活性化事例

　平成20年から平成22年にかけて、地方における不動産証券化市場の活性化を
促進する目的で、国土交通省土地・水資源局による「地方における不動産証券
化市場活性化事業不動産証券化・流動化の実施に関する業務」が行われ、地方
都市の空き戸建て住宅管理・空洞化既成市街地の再生や、グループホームの建
築等に匿名組合が利用された。これらのスキームは、想定利回りは都市部で利
用される匿名組合スキームに比べると低いが、社会資本の整備・充実といった
視点から有意義に利用されていると考えられる。

　なお、上記の業務で収集された匿名組合契約等の契約例は、国土交通省のホー
ムページにおいて公開されている（https://www.mlit.go.jp/totikensangyo/totikensangyo
_tk5_000086.html）。

第3節　匿名組合型不動産事業その他のスキーム　　583

第 4 節

その他の実務上の問題点

1 営業者が従来保有している不動産を 組合財産とした場合の損益分配

　匿名組合の営業者がもともと有している不動産で、含み益のある不動産を保有する特別目的会社（SPC）を設立したような場合には、次の問題が生ずる。

【事例】（手持不動産）営業者の簿価＝10、出資対象不動産の時価＝200

〔事業開始前の営業者の貸借対照表〕

営業者 B/S

不　動　産	10	資　本　金	10

　不動産のみを組合財産とし、組合員からの出資金で100、借入金で100調達した場合には、次のような貸借対照表となる。他の勘定科目は標準約款どおりの事業が行われたことを想定している。

匿名組合 B/S

現　預　金	40	修繕積立金	10
別途預金	10	借　入　金	100
不　動　産	200	受入保証金	40
		出　資　金	100

営業者 B/S

現　預　金	240	預　り　金	10
別途預金	10	借　入　金	100
不　動　産	10	受入保証金	40
		長期預り金	100
		資　本　金	10

　ここで、観念的に評価益を計上した不動産の減価償却が可能か、それとも営業者の簿価10までしか資金調達できないかが問題となる。

　もし、営業者の簿価で匿名組合 B/S も構成した場合、〔A〕の匿名組合 B/S

584　第8章　匿名組合スキームをめぐる諸論点

になる。

　組入れ時点までの含み益は、既に営業者等（ただし、既に先行して同一事業に投資している匿名組合契約がある場合にはその匿名組合員等も含む）に帰属しているものと考えられる。そこで、匿名組合の分配損益計算のもととなる匿名組合事業の財産としての不動産の価値は、本来は組入れ時までの含み益を含む時価で認識させることが妥当である。合理的な対価性があり、当事者間の合意があれば、減価償却ではなく時価法等により分配を行う方法や、売上だけを基準に分配する等の方法も検討し得る(注1)（逆に時価と簿価が大きく乖離しているときに、簿価を投資額とする条件設定をしている場合には、営業者と匿名組合員の間に寄付贈与の問題が生じ得る）。

　組合員は事業からの分配額を純額で受け入れるため、組合員側での減価償却費の計上額は契約上の分配金の計算方法の一部に過ぎない。ただし、SPCを用いたレバレッジドリース等で匿名組合組成時に時価で取得した資産に対して投資する匿名組合事業（つまり、資産の含み損益はない）の場合には、営業者の固有の会計に基づいて分配損益を計算する例が多く(注2)、仮に税務上の所得計算と異なる場合には、営業者段階での課税を避けるために一時差異の場合には税務上の所得を分配するという契約条件となっている場合が多い(注3)。

（注1）　上場不動産会社が賃料売上に適切な経費率を控除して分配する優先匿名組合出資を公募した例等がある。
（注2）　匿名組合契約に係る損失の計上時期についての裁決（平4.9.16、裁決事例集No.44、217頁）。レバレッジド・リースを利用した航空機リースへの匿名組合出資により、多額の減価償却費を早期に組合員に分配する節税スキームにおいて、減価償却費の計上額は営業者の資産簿価に基づいて計算した確定損益に拠るべきとの判断が行われたものがある。このようなスキームでは、リース事業協会の自主規制ルール（のちに個別通達として改めて規定された）に則り、減価償却費の計算は営業者の資産簿価に基づき一定の制約下で計上することが国税庁と同意されており、当事案においてはこれを逸脱した点が問題視されたものと考えられる（参考書籍：舟橋克剛『レバレッジドリース・日本型』金融財政事情研究会、平成7年9月）。
（注3）　本事業にかかる本利益または本損失は、営業者が自己の基準として採用する日本の会計原則に従い計算され、営業者の法人税法上の所得計算に関して

第4節　その他の実務上の問題点　　585

本事業に係る損益について申告調整を行う項目（営業者の法人税申告期限後に判明したものを含む）に関しては、営業者は本匿名組合員にその項目および金額を通知し、本匿名組合員は当該申告調整金額を負担するとの条項や事後的に判明した正しい損益当初より分配したものとする等の契約条件とすることが多い。また、損益の分配と金銭の分配の計算方法は別途定めることが多い。なお、平成17年12月26日に改正される前の法人税基本通達14－1－3にあった（注）が、改正において削除された。この注の削除の意味は、任意組合のネットネット法における税務否認金（交際費・寄付金）の取扱いを匿名組合に準用するのを止めただけで、匿名組合では出資者である組合員に分配することには従前どおり可能であるとも考えられる。しかし、実務では税務リスクを考え、営業者に生ずる税負担を考え、社外流出項目については営業者での否認額を実効税率で除した額を控除した額を分配する定めを置くことが多い。

〔A〕出資金と不動産を組合財産と
　　する場合

匿名組合 B/S

現　預　金	230	修繕積立金	10
別途預金	10	借　入　金	100
不　動　産	10	受入保証金	40
		出　資　金	100

〔B〕不動産を営業者の時価出資と
　　する場合

匿名組合 B/S

現　預　金	240	修繕積立金	10
別途預金	10	借　入　金	100
不　動　産	200	受入保証金	40
		出　資　金	300

　本件の具体例として、**図表8・4・1**は、もともと複数の事業を展開している不動産会社がその一部のビル投資事業について TK 出資を募り、資金調達した事例である。

　別事業を併行して行う営業者の一部事業を対象に匿名組合出資を行う場合、共通経費の配賦について、分配損益の計算を単純化する工夫が必要となる。

　不動産特定共同事業として、行政的監督があるケースについては特に留意が必要となる。一般的にはさらに営業者の業務の優先順位や償還事由等をコヴェナンツとして契約に盛り込む必要があろう。

　不動産特定共同事業法の規制趣旨は営業者の財政状態の安定性により投資家保護を図るものであったため、営業者に多くの資本金等の負担を求めることになった。そこで、投資家が投資対象のリスクを自己責任で判断する持分、つまり、アセットマネージャーの信用から分離された持分を創出するという要請に

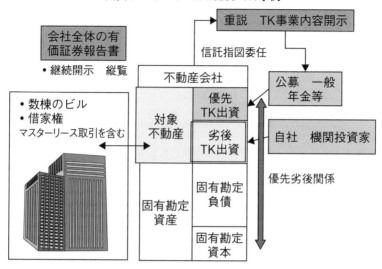

図表8・4・1 In-house TK 事例

かなうものでなかったため、創設当初は大きく利用が広まらなかった。

しかし、不動産特定共同事業法の約款審査のために用意された標準的約款は、それまで明らかでなかった匿名組合の標準的契約スタイルが公に認められることになり、その後の流動化に用いられる契約の標準パターンを開発したという点で、その後の発展に間接的ではあるが大きな役割を果たすこととなった。

2 ノンリコース・ローン

　レバレッジド・リース等の匿名組合の特徴として挙げられるのが、出資者が少額の資金で大きなタックス・メリットを享受できる点にある。つまり、残りの部分については借入によって資金調達を行うのである。これが、「他人のふんどしで相撲を取る」といわれるゆえんであり、レバレッジ（てこ）の意味である。

　そこで、この借入にはノンリコース・ローンが利用される。融資する金融機

関は借入人（レバレッジド・リースの場合にはレッサー、営業者）が提供する担保債権（レッシーに対するリース債権）を与信根拠としてリース物件に抵当権を付け、その担保債権の債務者（レッシー）が債務不履行となった場合にも借入人（レッサー）には返済を要求しないというローンである。特にレバレッジド・リースにはこのノンリコース・ローンが不可欠だといわれている。それによって、出資者は自己の出資金額以上の損失を負うことはない。

匿名組合を利用してタックス・メリット、スケール・メリットを享受するためには、こうしたリスク回避の処理が必要となる。

レッシーからのリース料の回収が不能になった場合には、担保提供されたリース債権をリース物件に付された抵当権に基づいて強制執行を行い貸付金を回収する。これにより、金融機関は営業者（レッサー）に対して貸付金の返済を求めることはない。

3 匿名組合契約における諸規定

近年では、クラウドファンディングの隆盛に伴い、様々な形態の小口化投資商品が巷にあふれるようになっている。これらのスキームには匿名組合の仕組みが用いられていることが多いのであるが、そのファンドの性格に応じ、通常の匿名組合契約とは異なる特殊な条項が盛り込まれていることがある。

以下に、いくつかの条項を挙げておくため参考にされたい。

1 匿名組合事業の定義に関する規定

特に営業者がその匿名組合契約の対象となる事業とは別の類似事業を営んでいる場合、帰属する損益、資産負債の範囲の定義は非常に重要となる。具体的な計算方法は、損益計算および金銭分配規定に規定されるが、その前提としての投資対象事業の範囲規定が必要となる。定義方法は、以下のようにいくつかのバリエーションと組合せがある。

［1］物的定義

投資対象事業・資産が物的に定義可能な場合には、直裁に定義することが可能となるが、その場合であっても、営業者が複数事業を営む場合の共通経費の範囲および配賦方法を損益分配等の規定に盛り込む必要がある。

［2］契約による定義

定義の方法としては、匿名組合契約締結前に出資対象事業に関して締結している契約および締結予定である契約を列記する方法もある。これにより、列記された契約から生じる損益、資産負債が計算対象であることが判別できることになる。

［3］みなし規定

上記のような規定を精緻に取り込んでも、主観的な判断が介入する部分やあいまいな領域が残る場合が考えられる。このような場合、一定の損益・資産負債を投資対象事業であるもの（または、ないもの）とみなすことをあらかじめ合意しておくことで解決できる場合がある。

2 出資募集目標額未達の場合に関する規定

レバレッジド・リース等にも見られる規定であり、募集結果目標額に到達しなかった場合の措置について規定しているものが多い。

〈記載例〉

---

① 営業者は、令和X6年○月○日から令和X7年○月○日までの本匿名組合出資の募集・媒介期間中に他の匿名組合契約を匿名組合員との間で締結することがで

きるものとする。ただし、匿名組合出資金の合計金額は金××億円を限度とし、また当該金額が金××億円に達しない場合であっても、本契約の効力には何ら影響もないものとする。

② 前項の定めにかかわらず、営業者は、匿名組合出資金の合計金額が金××億円に達せず、かつ匿名組合契約に基づく出資以外の資金調達の方法によっても金××億円と匿名組合出資金の差額を補うことができず、本営業の実施が困難であると合理的に判断した場合には、本匿名組合員に通知のうえ、本匿名組合契約を解除し、匿名組合出資金の募集媒介を中止するものとする。この場合、本契約は初めよりなかったものとみなされるものとし、営業者は、本匿名組合員よりすでに受け入れた金銭があるときは、当該金銭を無利息にて返還すれば足りるものとする。

3 分配損益・分配金銭に関する規定

　この部分が匿名組合契約の核となる部分である。営業者が出資対象事業とは別の事業も併営している場合や損益の計算方法に損益分岐点（固定費回収点までは損益を分配しない）の考え方を取り入れているもの等、事業形態に応じた工夫が見られる。

〈契約例〉

第n条　利益および損益の分配、出資金の返還
① 本営業の会計期間（以下「会計期間」という）は、令和X6年×月×日から×月×日までとする。ただし、やむを得ない理由がある場合、営業者は、本匿名組合員に通知の上、会計期間を変更することができる。ただし、会計期間の延期に関しては令和X7年×月×日までを限度とする。
② 営業者は、会計期間終了後、30日以内に、本営業の損益（以下「匿名組合損益」という）を計算する。匿名組合損益は、出資割合に応じ各匿名組合員に帰属する。
③ 営業者は、会計期間終了後30日以内に、本匿名組合員に帰属する匿名組合損益の額を確定し、本匿名組合員に書面で通知する。なお、損益の計算においては1円未満の端数はこれを切り捨てる。
④ 本匿名組合員は、前各項に従い本匿名組合員に帰属する匿名組合損益の分配を受けた結果、本匿名組合員に分配された損失累計額が本出資金の金額を超過する場合であっても、本出資金の額の範囲内でのみこれを負担する。

⑤　本匿名組合員は、分配を受けた匿名組合損益あるいは分配金に課される租税公課について、自らこれを負担するものとする。

⑥　営業者は、本営業の損益から生じる金銭を管理するため、営業者が必要と認める銀行口座を開設し、管理する。

⑦　営業者は、会計期間終了後、30日以内（以下「分配期限」という）に、本匿名組合員に対し、本出資金の金額に、本条第2項ないし第4項までの規定に基づき分配された匿名組合損益の額を控除または加算した金額を、本契約の各規定に従い、本匿名組合員に利益または出資金の返還として分配するものとする。営業者は本項に規定する金銭の支払いに際し、本匿名組合員に対し、その計算根拠を記載した計算書類を交付するものとする。ただし、やむを得ない理由がある場合、営業者は、本匿名組合員に通知の上、分配期限を最大30日間延期することができる。

4 契約終了時の資産評価および期中の減損処理を含む時価評価に関する規定

これらの処理は損益分配に関連する規定でもある。匿名組合事業に帰属する資産について、時価の変動を分配損益に含めるか否かは当事者の合意事項であり、必ず時価の変動を分配対象としなければならないということでもないと考える。

しかしながら、不動産投資のように通常投資対象物のキャピタルゲインが投資損益に大きな影響を与えるような場合には、時価の変動に関する規定がなかったとしても、通常の投資行動として分配すべき損益に含まれるという意思解釈が成立する余地もあると思われる。

そこで、匿名組合に帰属する資産の範囲に関する事項および契約終了時および期中の時価評価に関する条項は、重要な規定となる場合がある。

〈契約例〉

第n条　匿名組合契約に係る会計方針の特則
①　本営業終了時において、第三者に対して売却処分ないし除却がされず営業者の財産として認識される××等の製作物の評価は、実際の時価にかかわらず、製作物全体で3億円として評価するものとします。

第4節　その他の実務上の問題点　　591

② 本営業終了時において、第三者に対して売却処分ないし除却がされず営業者の財産として認識される固定資産（××等の製作物を除く）については、減損処理は適用しません。また、本営業終了時に営業者が有する棚卸資産については、営業者が処分可能性等を考慮のうえ、その裁量に基づき評価額を決定するものとします。なお、この場合、営業者がその裁量において、遅滞なく処分可能でないと判断したものについては、資産価値がないものとして取り扱うことができるものとします。

③ 匿名組合の会計期間以前に営業上発生しまたは会計上発生したと見なされる費用のうち、本営業に関連すると合理的に認められる費用については、匿名組合の損益計算に含まれることとします。

④ 各匿名組合員に帰属する匿名組合損益の金額は、本営業の会計期間について計算された匿名組合損益に各匿名組合員の出資割合を乗じて計算した金額（1円未満切捨て）をもってその金額とします。

第n条　在庫の処分

　事業期間終了日において第三者に対して売却処分ないし除却がされずに営業者の財産として認識される本作品（以下「在庫という」）は、営業者がかかる在庫を以下の計算方法により評価した金額（以下「在庫の評価額」という）（実際の時価並びに本匿名組合事業のために製作された商品および仕掛品の種類にかかわらず、本匿名組合事業ごとに200万円を上限として、在庫の評価額を計算するものとする）の固有財産に属する現金を本匿名組合事業に係る資産に帰属せしめるのと引換えに、本匿名組合事業に係る資産から除かれ、営業者の固有財産に属するものとする。

（在庫の評価額の計算方法）

　　y 円＝2,000,000円－x 円

　　　y：在庫の評価額（ただし、y がマイナスとなる場合には 0 円とする）

　　　x：匿名組合出資金の合計額に、匿名組合損益の累計額を控除または加算した金額

5　営業者報酬に関する規定

　営業者報酬は低額または成果連動型のいずれもがありうる。営業者の出資に対する配当として規定する場合もあるが、実質的には他の出資者への分配損益または分配金銭の計算上の控除項目を規定しているという点で、本質的には変わらないのではないかと思われる。

〈契約例〉

> **第n条　営業者報酬**
>
> 　営業者による本営業の遂行に対する報酬は、会計期間について、以下の算式に基づき計算されるものとし、下記(2)に記載する匿名組合員優先配当部分を除く匿名組合員への利益の分配および出資金の返還と同順位とする。
>
> 　営業者報酬＝〔(1)－(2)〕×50％（ただし、マイナスとなる場合はゼロ円とする）
> 　(1)　会計期間の本営業の利益（営業者報酬計算前）
> 　(2)　会計期間の末日における匿名組合出資金の合計額×5％（匿名組合員優先配当部分）

6　営業者のコヴェナンツ

[1] コヴェナンツとは

　コヴェナンツは英和辞書を紐解くと「約束、誓約」などと訳されているが、最近の金融実務においては「財務制限条項、制約事項」などと解されており、融資取引において活用されている例が多く見られる。

　借入人に対する一定の作為・不作為を誓約するコヴェナンツには、借入人の事業リスクが早い段階で発見できること、借入人の事業内容の監視効果があること、グリッド金利を取ることによる借入人の金利負担の減少などがある。もちろん、この誓約を強化しすぎると借入人の事業が極端に制限されたり、コヴェナンツのチェック事項が多すぎて経済的・時間的に無駄になり、財務内容が悪化する可能性があるであろう。

　そこで、整理するとコヴェナンツの目的を、①事業リスクを事前に認識・分析することにより、事業リスクをある程度コントロールすること、②借入人の経営を適切に制限・監視することで、早期にリスクの発生可能性を把握し、対応を図ることで事業リスクを軽減すること、③事業リスクの軽減によって事業継続を図っていくこととして捉えるべきといわれている。

[2] 匿名組合契約のコヴェナンツ

　リスク回避手段としてのコヴェナンツにおいて、金銭消費貸借契約と匿名組合契約の本質的な違いとして次のことが挙げられるであろう。

第4節　その他の実務上の問題点　593

- 金銭消費貸借契約では、借りた資金をどのように使うかは借主の自由である。資金提供者が資金需要者の営業に対して監視をするのが匿名組合契約であって、監視がないような契約は匿名組合契約とは考えられない
- 匿名組合契約の本質が信託契約であるとの主張もあり、コヴェナンツは新たに義務を課するというより、信託受託者としての営業者の義務を具体化する。営業者にあるのは、裁量であり、自由というわけではない
- 匿名組合契約に現れるコヴェナンツは、善管注意義務の立証責任を匿名組合員側に軽くするという意味がある
- 匿名組合員が直接的に営業者による事業執行の中身に指示を与えるようなものでない限り、詳細なコヴェナンツの存在が、匿名組合性を喪失させるとは考える必要はないであろう

　コヴェナンツを匿名組合契約に適用することにより、営業者だけでなく、匿名組合員への誓約にもなる。これは金商法施行以前において、匿名組合についてそれほど法規制がされておらず、逆に、上述した各ファンドのような投資家が増える可能性があったため、不特定多数の投資家を想定する匿名組合契約やIn-house型の匿名組合契約などにおいては、重要な条項であった。不動産ファンドについてはレバレッジを効かせるため、ノンリコースローンを絡ませるスキームが圧倒的に多く、そのローン契約においてももちろんコヴェナンツが取り入れられており、それより劣後する匿名組合契約について必要ないという考えもあったが、組合契約という面ではまだ法規制がゆるかったため必要不可欠であると考えられてきた。

　コヴェナンツ項目例としては、

① 　匿名組合資金使用使途の制限（匿名組合事業のみの使用）

② 　匿名組合事業自体の制限（たとえば東京近郊のマンションのみの管理処分など）

③ 　遵守事項として、善管注意義務、重大な契約解除および訴訟の通知義務、配当および報告期日

などがあるであろう。

スキーム組成段階では、コヴェナンツ事項として、前述したような損益分配の計算方法の制限に限らず、営業者側か匿名組合員側（他の組合員が出資の自由な償還を可能にすると匿名組合事業そのものが継続不可能となる可能性がある）かいずれの制限を強くするかなどについても検討を行う必要がある。

匿名組合契約においては、コヴェナンツは「営業者の約束」や「遵守事項」として規定される。

特に事業の範囲の定義が難しい場合、営業者または関連者との競業が考えられる場合等には、コヴェナンツの規定が非常に重要となる。しかしながら、実際の契約例を見てみる限りでは、ローンを導入している場合にはローン契約に詳細なコヴェナンツがおかれることが多いが、匿名組合契約そのものにはごく一般的な行為制限が課されるだけの場合が多い。この理由は以下のように考えられる。

① 営業者には一般的な善管注意義務が課されており、それによりカバーできる部分があること
② そのような規定をおいても、通常出資者は営業者を有効にモニターできず実効性に乏しい
③ 元々出資者の営業者に対する信頼に基づいて契約が成立していること
④ 営業者への行為制限が迅速で効率的な営業の妨げになることもあること

〈契約例〉

第n条　営業者の遵守事項

本契約に基づく債務が残存する限り、営業者は、本契約に別段の定めがある場合を除き、以下の事項を遵守するものとする。

(1) 営業者は、善良な管理者の注意義務をもって誠実かつ忠実に本事業を遂行する者とする。
(2) 本匿名組合事業に係る範囲における営業者関連契約に基づく権利を適切に行使し、また、営業者関連契約の相手方当事者の義務を履行させるために合理的に必要な行為を行う。
(3) 本契約に別に定めるもののほか、以下の場合、本匿名組合員に対し、通知または報告を行う。

第4節　その他の実務上の問題点　　595

① 営業者に対し、本匿名組合事業の収益に重大な影響を与えると判断される訴訟、仲裁、その他の法的手続が提起された場合
　　② 営業者関連契約のうち本匿名組合事業の遂行にとって重要であると判断される契約が解除されまたは解約する旨の通知が当該契約のいずれかの当事者により送付され、合理的期間内にこれに代替しうる契約を締結しうる見込みのない場合

7 重要事項説明に関する規定

　営業者の出資の勧誘に関する説明を「重要事項説明」と呼んでいることが多いが、これは、金融商品販売法3条に基づく重要事項の説明義務およびその他の関連する各種業法の書面交付や説明義務を兼ねている場合が多い。

〈契約例〉

第n条
　本匿名組合員に対して別途配布される匿名組合重要事項説明書（以下「重要事項説明書」という）は、営業者の知る限り、以下の①ないし③の事項を充足している。
　　① 重要事項説明書において、本営業、営業者の資産および営業者に関する重要な事項が記載されていること
　　② 重要事項説明書において、本営業、営業者の資産および営業者に関する重要な事項について虚偽の表示がなく、かつ表示すべき重要な事項および誤解を生じさせないために必要な重要な事実の表示が欠けていないこと
　　③ 重要事項説明書中、「匿名組合契約のリスクおよび留意点」には、本出資の危険度その他本出資の得失に関する投資者の判断に重大な影響を及ぼすと合理的に判断される事項が記載されていること

8 匿名組合契約書の例

　巻末資料2参照。

596　第8章　匿名組合スキームをめぐる諸論点

4 内部統制上の諸問題

1 親会社の連結対応

［1］内部統制の概要

　平成19年2月に企業会計審議会から公表された「財務報告に係る内部統制の評価及び監査の基準並びに財務報告に係る内部統制の評価及び監査に関する実施基準の設定について（意見書）」のうち、『財務報告に係る内部統制の評価及び監査の基準』において、「内部統制とは、基本的に、業務の有効性及び効率性、財務報告の信頼性、事業活動に関わる法令等の遵守並びに資産の保全の4つの目的が達成されているとの合理的な保証を得るために、業務に組み込まれ、組織内のすべての者によって遂行されるプロセスをいい、統制環境、リスクの評価と対応、統制活動、情報と伝達、モニタリング（監視活動）及びIT（情報技術）への対応の6つの基本的要素から構成される。」とされている。

　その4つの目的は、それぞれ独立しているが相互に関連しているものであり、その目的を達成するため、経営者は、内部統制の基本的要素が組み込まれたプロセスを整備し、そのプロセスを適切に運用していく必要がある。また、それぞれの目的を達成するには、すべての基本的要素が有効に機能していることが必要であり、それぞれの基本的要素は、内部統制の目的のすべてに必要になるという関係にある。

　なお、内部統制は、社内規程等に示されることにより具体化されて、組織内のすべての者がそれぞれの立場で理解し遂行することになる。また、内部統制の整備および運用状況は、適切に記録および保存される必要がある。

〈4つの目的〉

① 業務の有効性および効率性

　事業活動の目的の達成のため、業務の有効性および効率性を高めること。

② 財務報告の信頼性

財務諸表および財務諸表に重要な影響を及ぼす可能性のある情報の信頼性を確保すること。

③　事業活動に関わる法令等の遵守

事業活動に関わる法令その他の規範の遵守を促進すること。

④　資産の保全

資産の取得、使用および処分が正当な手続きおよび承認の下に行われるよう、資産の保全を図ること。

〈6つの基本的要素〉

①　統制環境

統制環境とは、組織の気風を決定し、組織内のすべての者の統制に対する意識に影響を与えるとともに、他の基本的要素の基礎をなし、リスクの評価と対応、統制活動、情報と伝達、モニタリングおよびITへの対応に影響を及ぼす基盤をいう。

②　リスクの評価と対応

リスクの評価と対応とは、組織目標の達成に影響を与える事象について、組織目標の達成を阻害する要因をリスクとして識別、分析および評価し、当該リスクへの適切な対応を行う一連のプロセスをいう。

イ．リスクの評価

リスクの評価とは、組織目標の達成に影響を与える事象について、組織目標の達成を阻害する要因をリスクとして識別、分析および評価するプロセスをいう。リスクの評価にあたっては、組織の内外で発生するリスクを、組織全体の目標に関わる全社的なリスクと組織の職能や活動単位の目標に関わる業務別のリスクに分類し、その性質に応じて、識別されたリスクの大きさ、発生可能性、頻度等を分析し、当該目標への影響を評価する。

ロ．リスクへの対応

リスクへの対応とは、リスクの評価を受けて、当該リスクへの適切な

対応を選択するプロセスをいう。リスクへの対応にあたっては、評価されたリスクについて、その回避、低減、移転または受容等、適切な対応を選択する。

③　統制活動

統制活動とは、経営者の命令および指示が適切に実行されることを確保するために定める方針および手続きをいう。統制活動には、権限および職責の付与、職務の分掌等の広範な方針および手続きが含まれる。このような方針および手続きは、業務のプロセスに組み込まれるべきものであり、組織内のすべての者において遂行されることにより機能するものである。

④　情報と伝達

情報と伝達とは、必要な情報が識別、把握および処理され、組織内外および関係者相互に正しく伝えられることを確保することをいう。組織内のすべての者が各々の職務の遂行に必要とする情報は、適時かつ適切に、識別、把握、処理および伝達されなければならない。また、必要な情報が伝達されるだけでなく、それが受け手に正しく理解され、その情報を必要とする組織内のすべての者に共有されることが重要である。一般に、情報の識別、把握、処理および伝達は、人的および機械化された情報システムを通して行われる。

イ．情報

組織内のすべての者は、組織目標を達成するためおよび内部統制の目的を達成するため、適時かつ適切に各々の職務の遂行に必要な情報を識別し、情報の内容および信頼性を十分に把握し、利用可能な形式に整えて処理することが求められる。

ロ．伝達

ａ．内部伝達

組織目標を達成するためおよび内部統制の目的を達成するため、必要な情報が適時に組織内の適切な者に伝達される必要がある。経営者は、組織内における情報システムを通して、経営方針等を組織内のすべての

第4節　その他の実務上の問題点　599

者に伝達するとともに、重要な情報が、特に、組織の上層部に適時かつ適切に伝達される手段を確保する必要がある。

　ｂ．外部伝達

　　法令による財務情報の開示等を含め、情報は組織の内部だけでなく、組織の外部に対しても適時かつ適切に伝達される必要がある。また、顧客など、組織の外部から重要な情報が提供されることがあるため、組織は外部からの情報を適時かつ適切に識別、把握および処理するプロセスを整備する必要がある。

⑤　モニタリング

　モニタリングとは、内部統制が有効に機能していることを継続的に評価するプロセスをいう。モニタリングにより、内部統制は常に監視、評価および是正されることになる。モニタリングには、業務に組み込まれて行われる日常的モニタリングおよび業務から独立した視点から実施される独立的評価がある。両者は個別にまたは組み合わせて行われる場合がある。

　イ．日常的モニタリング

　　日常的モニタリングは、内部統制の有効性を監視するために、経営管理や業務改善等の通常の業務に組み込まれて行われる活動をいう。

　ロ．独立的評価

　　独立的評価は、日常的モニタリングとは別個に、通常の業務から独立した視点で、定期的または随時に行われる内部統制の評価であり、経営者、取締役会、監査役または監査委員会、内部監査等を通じて実施されるものである。

　ハ．評価プロセス

　　内部統制を評価することは、それ自体一つのプロセスである。内部統制を評価する者は、組織の活動および評価の対象となる内部統制の各基本的要素をあらかじめ十分に理解する必要がある。

　ニ．内部統制上の問題についての報告

　　日常的モニタリングおよび独立的評価により明らかになった内部統制

上の問題に適切に対処するため、当該問題の程度に応じて組織内の適切な者に情報を報告する仕組みを整備することが必要である。この仕組みには、経営者、取締役会、監査役等に対する報告の手続きが含まれる。

⑥　ITへの対応

ITへの対応とは、組織目標を達成するためにあらかじめ適切な方針および手続きを定め、それを踏まえて、業務の実施において組織の内外のITに対し適切に対応することをいう。

ITへの対応は、内部統制の他の基本的要素と必ずしも独立に存在するものではないが、組織の業務内容がITに大きく依存している場合や組織の情報システムがITを高度に取り入れている場合等には、内部統制の目的を達成するために不可欠の要素として、内部統制の有効性に係る判断の規準となる。

ITへの対応は、IT環境への対応とITの利用および統制からなる。

イ．IT環境への対応

IT環境とは、組織が活動する上で必然的に関わる内外のITの利用状況のことであり、社会および市場におけるITの浸透度、組織が行う取引等におけるITの利用状況、および組織が選択的に依拠している一連の情報システムの状況等をいう。IT環境に対しては、組織目標を達成するために、組織の管理が及ぶ範囲においてあらかじめ適切な方針と手続きを定め、それを踏まえた適切な対応を行う必要がある。

IT環境への対応は、単に統制環境のみに関連づけられるものではなく、個々の業務プロセスの段階において、内部統制の他の基本的要素と一体となって評価される。

ロ．ITの利用および統制

ITの利用および統制とは、組織内において、内部統制の他の基本的要素の有効性を確保するためにITを有効かつ効率的に利用すること、ならびに組織内において業務に体系的に組み込まれて様々な形で利用されているITに対して、組織目標を達成するために、あらかじめ適切な

方針および手続きを定め、内部統制の他の基本的要素をより有効に機能させることをいう。

ITの利用および統制は、内部統制の他の基本的要素と密接不可分の関係を有しており、これらと一体となって評価される。また、ITの利用および統制は、導入されているITの利便性とともにその脆弱性および業務に与える影響の重要性等を十分に勘案した上で、評価されることになる。

［2］親会社の連結対応

親会社の連結対応は、SPCが親会社にとってどのような位置付けのものであるかにより対応が異なってくる。具体的には、対象となるSPCが親会社の連結子会社になるか、関連会社となるか、また、そのSPCの保有する資産規模等により親会社にとっての重要性が異なるため、その対応も異なる。なお、どのような位置付けであっても親会社の必要とする連結書式等により連結対象期間の報告を行うことになる点に違いはない。

また、連結対応で問題となる点として、その対象期間、会計処理方針（資産の評価基準、繰延資産の処理方法、引当金の計上基準、営業収益の計上基準、減価償却方法、消費税の処理方法等）がある。これらについても原則として親会社の方法に合わせる（企業会計基準第22号、第17号）ように変更するものの、複数の投資家がいる案件等では難しい場合もあるため、その場合には、連結パッケージ上で組替処理を行い報告することとなる。

さらに、親会社の連結上、重要性の高いSPCについては、親会社の会計監査人が連結子会社であるSPCの監査を行う場合もあるが、その場合もその重要性に応じて、当該SPCに対して期中監査を行う場合もあれば、SPCの内部統制を問題として、報告書の提出を求める場合もあれば、その事務を受託している事務管理会社の内部統制の確認を行う場合もある。いずれにしても、連結親会社の内部統制基準に従って対応することになる。

2 事務管理会社における内部統制

事務管理会社における内部統制としては、各SPCの通帳および印鑑の管理

方法、契約書類その他原本書類の保管方法、職務分掌の状況（支払時、捺印時、計算書類等の作成時の承認体制および人数）、パソコン管理状況を含めたセキュリティー体制が問題となるため、就業規則等により一定の基準を設け、その従業員への周知徹底により内部統制を構築し、その整備・運用を行う必要がある。

第9章

クラウドファンディングの
発展とブロックチェーン
技術の可能性

第 1 節

多様化する資金調達手法

1 資金調達手法の変化と多様化

　資金調達手法には様々な方法があるが、社会状況の変化やテクノロジーの進展に応じて変化・多様化している。現在でも大企業から中小企業まで幅広く利用されている代表的かつ伝統的な資金調達手法としては、新株発行によるエクイティ・ファイナンスが挙げられる。

　エクイティ・ファイナンスは、投資家にとっては株主としての地位を取得し発行体に対して議決権を行使できるようになるとともに、値上がり益によるキャピタルゲインを得られるだけでなく、事業収益に応じたインカムゲインも受けることが可能となる。一方で、エクイティ・ファイナンスでは発行体の信用力に依存することになるため、投資家は当該発行体の事業全般のリスクを負担することともなる。

　これに対して、発行体ではなく、特定のプロジェクトの収益力に着目して融資を行う資金調達手法がプロジェクト・ファイナンスである。プロジェクト・ファイナンスでは、投資家は当該プロジェクトの実施主体の信用力とは切り離されたプロジェクトそのものに投資することができる一方、あくまで債権者としての地位を有するに過ぎず、当該プロジェクト実施主体に対する議決権等を行使することはできない。

　そして、情報化社会の進展にともない、インターネットを通じた新たな資金

第 1 節　多様化する資金調達手法　　607

調達手法として、クラウドファンディングが登場した。クラウドファンディング（crowd funding）とは、群衆（crowd）と資金調達（funding）を組み合わせた造語であり、一般的には、インターネットを通じて不特定多数の者から資金を調達する手法をいう。クラウドファンディングは、スキームに応じて様々な類型が存在するところ、株式を発行してインターネットを通じて幅広い個人投資家から少額の資金調達を行う、株式投資型クラウドファンディングも存在する。

さらに、近時、ブロックチェーン技術を活用して生成・発行される、決済手段としての機能や何らかのサービスを受けうる権利等を表彰したトークン（「ユーティリティ・トークン」という）を対価として、インターネットを通じて世界中の投資家から資金調達を行う、イニシャル・コイン・オファリング（Initial Coin Offering。頭文字をとって一般に「ICO」と呼ばれている）が登場した。

ICO は、インターネットを通じた資金調達手法という点ではクラウドファンディングと同様であるが、対価として投資家に引き渡されるトークンについて、ブロックチェーンを通じて自由に移転・譲渡できるとともに、セカンダリーマーケットとしての暗号資産取引所が世界中に存在することから流動性が非常に高いという特徴を有している。

ICO は、いわばクラウドファンディングのアップデート版として一時期世界的に爆発的に流行した。一方で、ICO により発行されるトークンの法的性質や ICO そのものへの規制が不透明であること、発行体の信用力やプロジェクトの収益力が裏付けとなっているエクイティ・ファイナンスやプロジェクト・ファイナンスと異なり、トークンの価値の裏付けが不明確であること、事前に開示される情報がホワイトペーパーと呼ばれる ICO プロジェクトの概要やロードマップ等が記載された簡潔な資料しかなく、ICO トークン発行体と投資家との間の情報の非対称性が著しく詐欺的な案件が横行したことなどの問題点も指摘されてきた。

こうした ICO への批判を受けて、株式や資産等、企業や特定の資産が生み出す収益を裏付けとしたトークンを発行し、規制に準拠して資金調達を行う手法として、セキュリティ・トークン・オファリング（Security Token Offering。

608　第9章　クラウドファンディングの発展とブロックチェーン技術の可能性

図表9・1・1　多様化する資金調達手法とそれぞれの特徴

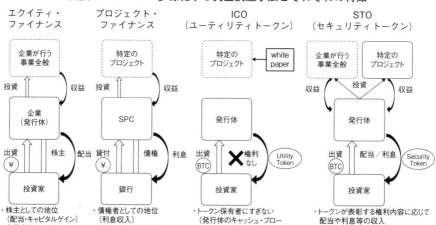

　頭文字をとって一般に「STO」と呼ばれる）が登場した。
　STOは、いわば、有価証券（Security）をトークン化し、ICOにより資金調達する手法といえるが、価値の裏付けが不明確なユーティリティ・トークンを用いたICOよりも信頼性が高い手法と考えられている。
　ただし、トークン化しているとはいえ、STOは有価証券を用いた資金調達手法であることから、エクイティ・ファイナンスなどと同様、ほとんどの主要各国において現地の証券規制で厳格に規制されることとなる。
　日本では、ユーティリティ・トークンを用いたICOについては資金決済法に基づき規制することとし、STOについては、金商法において、ファンド持分などの二項有価証券をトークン化したものを「電子記録移転権利」として定義し、金商法で規制することとされた。
　電子記録移転権利は、トークン化されたことにともなう事実上の流通性の高さ等に鑑み、第一項有価証券として取り扱うこととされている（金商法2③）。

2 為替取引と資金決済法・銀行法の規制の違い

　商品・サービスを購入する際の代金の支払や、遠方の家族への送金は広く日常的に行われているが、今日では、こうした支払や仕送りは、現金の受渡しや銀行口座振替・振込のほか、電子マネーによるアプリを通じた送金など、多種多様なサービスによって行われている。

　こうした隔地者間での資金の移動をともなう取引は「為替取引」として銀行業の一つに位置付けられ（銀行法2②二）、厳格な規制下にある銀行しか提供できないこととされてきた。

　その後、インターネット取引の普及等により、主に個人が利用する少額の送金について、より安価で便利なサービスが求められていたことや、海外では、既に銀行以外の事業者が送金を取り扱うことが認められていたこと等を踏まえ、2010年に施行された資金決済法において、一定金額以下の為替取引に限り、資金移動業者が取り扱うことが可能となった（資金決済法2③）。

　銀行と資金移動業者に係る規制の相違点を整理すると、**概要図表9・1・2**のとおりである。

　なお、令和2年6月5日に成立した「金融サービスの利用者の利便の向上及び保護を図るための金融商品の販売等に関する法律等の一部を改正する法律」（令和2年法律第50号）によって改正された資金決済法により、1回当たりの為替取引の金額の上限額に応じて、第一種資金移動業、第二種資金移動業および第三種資金移動業の3類型が創設された（資金決済法2②、36の2）。

図表 9・1・2　銀行と資金移動業者に係る規制の相違点概要

		銀　行	第二種資金移動業者（注）
参入形式		免許制	登録制
「決済」の上限		制限なし	1回100万円以下に限る(注)
利用者資金の滞留		制限なし（預金）	滞留制限あり
破綻リスクの低減	財務	① 最低資本金(20億円) ② 自己資本比率基準 ③ 早期警戒制度・早期是正措置	特になし 「適正かつ確実に遂行するために必要と認められる財政的基礎」
	業務範囲	固有業務・付随業務・他業証券業・法定他業に限定	特になし 他に行う事業が公益に反しないこと
破綻時の対応		・預金保険料を保護の原資とする預金保険制度（公的セーフティネット） ・原則1,000万円まで（決済債務は全額）保護 ・名寄せの準備義務	供託等義務

（注）2020年資金決済法改正により、第二種資金移動業のほか、送金可能額に上限のない第一種資金移動業、および1回当たりの為替取引の金額が5万円以下である第三種資金移動業の類型が創設された。

CoffeeBreak **Web 3.0にともなう資産のデジタル化とSPC**

「デジタル社会の実現に向けた重点計画」(令和4年6月7日閣議決定)では、ブロックチェーン技術によって実現される新しいインターネットのあり方であるWeb 3.0の推進に向けたわが国での環境整備の必要性が謳われている。

これを受けて作成された「デジタル社会推進本部NFT政策検討プロジェクトチーム」による提唱項目には、ビジネス発展に必要な法的整備等の施策、利用者保護やコンテンツホルダーの保護とあわせ、健全な育成に必要な施策として税務会計上の取扱いに関し、次のような論点も取り上げられており、資産の流動化がデジタル化手法を得てさらに活況を呈することが期待される。

・ブロックチェーンエコノミーに適した税制改正
・トークン発行に際して暗号資産交換業者が受ける審査の基準緩和
・ブロックチェーン関連事業への投資ビークル・スキームの多様化
・暗号資産発行企業等の会計監査の機会確保
・利用者に対する所得課税の見直し

○Web3.0とは、ブロックチェーン技術によって、①管理者による信用保証が不要、②改竄されない、③コピーできない、といった特性が実現し、個々人がデータを所有・管理し、一極集中管理の巨大プラットフォーマーを介さずに自由につながり、交流・取引を行う、多極化されたWeb社会のこと。

Web1.0からWeb3.0までの変遷

〈Web1.0〉
●1990年〜2000年代前半
●インターネット導入初期の段階。従前の手紙や電話といった手段に加えて、電子メールが普及。ただし、一方通行のコミュニケーション
●主要サービス：電子メール

〈Web2.0〉
●2000年代後半〜2020年
●SNSが生み出され、双方向のコミュニケーションが可能。他方で、GAFAM等の巨大なプラットフォーマーに個人データが一極集中管理される仕組み
●主要サービス：SNS、Eコマース

〈Web3.0〉
●2021年〜
●巨大プラットフォーマーを介さずに、個人が直接相互に自由につながり、交流・取引が行われる多極化された仮想空間社会
●主要サービス：NFT、メタバース

(出所) 令和4年4月 内閣官房「新しい資本主義実現本部事務局」基礎資料より

・国境を跨ぐ取引における所得税および消費税の課税関係の整理

・分散型自律組織（DAO）の法人化を認める制度創設

　Web 3.0関連事業そのものに投資する際の投資用ヴィークルとしては、オフショアSPCあるいは日本のTKスキームの利用が多かった。

　一般的に、ベンチャー事業へのエクイティ投資にはLPSが利用されるが、Web 3.0ファンドは事業そのものへのエクイティ投資だけでなく、トークンへの投資も行うことが多く、LPS法下ではこれらのトークンへの投資が明示的に容認されていなかったためである。LPSと同様の課税方式である任意組合は、投資家の有限責任性が確保できず、ヴィークルとしての代替は難しい。

　TKスキームはこのような新規分野の投資に対し柔軟な利用が可能ではあるが、出資が有価証券として認識されないことや、場合により営業者への課税がある等、法的・税務上の予見性が低いとみなされ、機関投資家や国外投資家からは好まれない傾向があるという。

　さらにわが国法人税法上の取扱いにおいては、投資家あるいはヴィークルが市場のある暗号資産を保有している場合、含み益に対し期末に課税が生じる。

　これらの障壁が日本法制下におけるWeb 3.0ファンドへの意欲的な投資を阻み、多額の資金が国外組成ファンドへ流出することが懸念されたことを受け、LPSのセキュリティ・トークン投資が容認される旨の解釈の通達（経産省、2023年4月19日）の公表、法人税上の暗号資産の時価評価に関する法改正（時価評価される暗号資産から一部を除外（令和5年度税制改正））などが矢継ぎ早に行われている。

　Web 3.0への移行はこれまでの経済構造を変化させるほどの大きな潮流となるともいわれており、その経済的効果を国内で享受できるよう、迅速な施策、さらなる制度の整備が望まれる。

〈参考〉トークンとは

- トークンとは、ブロックチェーン上に刻まれた価値の表章。トークンには代替性トークン（Fungible Token）と非代替性トークン（Non-Fungible Token）等が存在。

	法的位置づけ	×	テクニカルレイヤー	×	チェーン上の用途	×	ガバナンス
FT	**暗号資産** 1. 不特定多数と決済で使用可 2. 不特定多数と購入・売却可 3. 法定通貨建てでない 4. 電子的に記録され、移転可		**ネイティブトークン** 各ブロックチェーンの基軸トークン。 （ビットコインならBTC、イーサリアムならETH等）。		**ペイメントトークン** 送金・決済のみに利用されるトークン。 BTC、XRP、USDT、USDC等		**ガバナンストークン** プロジェクトの意思決定に投票できる権利が付与されたトークン。 ※金融規制上の権利ではない
	電子決済手段 1. 不特定多数と決済で使用可 2. 法定通貨建資産 3. 電子的に記録され、移転可 所謂、ステーブルコインの一種		**プロトコルトークン** ブロックチェーン上で稼働するサービスを提供する主体等がそのブロックチェーン上で発行するトークン。例えばSTEPN上のGST/GMT。		**ユーティリティトークン** 特定のプロジェクトの利用時に使用するトークン。サービス利用時の手数料や、保有によるアクセス権付与等に使用。ゲーム内通貨等。		**ガバナンス機能なし** 上記権利が付与されていないトークン。
	電子記録移転有価証券表示権利等 1. 金商法上の有価証券（株券、債券、信託受益権等） 2. 電子的に記録され、移転可 所謂、セキュリティトークン				**機能なし** トークンそのものにはブロックチェーン上での機能・用途がないもの。ミームコインや、ファントークン等		
	法的位置づけなし 特に法的位置づけがないトークン。						
NFT	**なし** ※配当可能性が高まれば電子記録移転権利になる可能性 ※同一のものを多数発行の場合、暗号資産に該当する可能性		**なし**		**ユーティリティ付きNFT** 特定のプロジェクトの利用時に使用するNFT。ゲームキャラクター等。		**ガバナンス付きNFT** プロジェクトの意思決定に投票できる権利が付与されたNFT。
					機能なし 同上		**ガバナンス機能なし** 同上

※FTでもNFTでも仕組みによっては前払式支払手段や為替取引に該当する可能性

（出所）「Web 3.0事業環境整備の考え方─今後のトークン経済の成熟から、Society 5.0への貢献可能性まで─」2022年12月16日　大臣官房 Web 3.0政策推進室

第2節

クラウドファンディングの概要

1　クラウドファンディングの類型

　日本におけるクラウドファンディングは、平成23（2011）年の東日本大震災を契機とし、復興支援のための寄附を行う手段として拡大した経緯がある。その後新たな局面に入り、様々な研究開発プロジェクトや地方創生、あるいは事業再生を目指す企業等の利用や、SPCを利用した不動産や貸付金の小口化投資商品も数多く登場することとなった。これらの募集をWEB上で行うためのプラットフォーマーも多く現れ、法人、個人問わず気軽に利用できるインフラが成立している。

　内閣府・総務省・経済産業省・農林水産省・国土交通省の各省庁も新たな資金調達手段としてのクラウドファンディングに注目し、小口のリスクマネーの市場への供給や、地方創生や街づくりへの活用を検討している。また令和4年4月の改正民法施行により成人年齢が引き下げられたことにより、一部のサービスは18歳から利用できるとしており、若年層への浸透も期待される。

　クラウドファンディングは、主に①寄付タイプ、②購入タイプ、③投資タイプ（貸付・ファンド・株式）に分けられる。③の投資タイプは金銭でのリターンがあり、①の寄付タイプ、②の購入タイプには金銭でのリターンはないが、①の寄付タイプはその企画の成果の開示を受けられる場合もあるし、②の購入タイプはリターンとして商品やサービスを受けることができる（**図表9・2・2**）。

第2節　クラウドファンディングの概要　　615

図表9・2・1　資金供給と地方発プロジェクトの応援

〈ふるさと投資の仕組み（投資型）〉

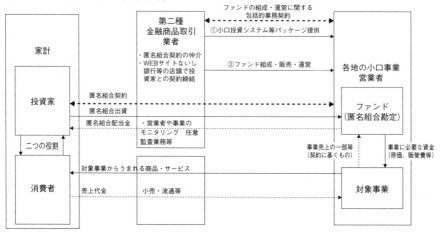

（出所）未来技術×地方創生検討会　第2回会合「資料2−8−1　赤井厚雄『クラウドファンディング×地方創生　2019年2月28日』」より

図表9・2・2　クラウドファンディングの種類

	寄付タイプ	購入タイプ	金融タイプ		
			貸付タイプ（ソーシャルレンディング）	ファンドタイプ	株式タイプ
仕組み	寄付金を募る仕組みである。ボランティア等、海外の難民救済等の財政的支援等に利用される場合が多い。	プロジェクト等への出資者を募る仕組み。出資者は金額に応じたサービス・商品等を得る。	企業や個人から資金を集めて貸付を行う。信用度や内容、また担保の状況によって分類されたグループへ貸し付ける。	出資者が特定の事業。出資者は、企業の実績、業績に応じて、サービス等を受け取れる。	非上場株式に対して出資者を募る。出資者は業績に応じて配当を受け取れる場合もある。
特徴	寄付金を集める仕組みとして東日本大震災のあと、日本で広まった。寄付を直接行うだけでなく、自らが他人から資金を集めた上で間接的に寄付を行う場合も寄	購入タイプは、必ずしも投資と経済的見返りのバランスを重視しないことが多い。現在の日本のクラウドファンディングにおいて、最も一般	取扱業者が自分の会社内の匿名組合が個人や企業へ、金銭消費貸借契約により貸付を行う。出資者は借入れの種類、リスク度合いによって	個々の事業プロジェクトに対して設立された匿名組合に出資する。配当とは別に商品やサービスを提供する場合もあり、購入タイプ的な要素	個別の事業概要・計画をベースに出資者自身が判断し企業そのものに対し出資する。出資者は株主として経営に関与できるが、株式型クラウ

	寄付タイプ	購入タイプ	金融タイプ		
			貸付タイプ（ソーシャルレンディング）	ファンドタイプ	株式タイプ
	付タイプに含まれる。ただし、「寄付タイプ」ではあっても地方公共団体、特定公益法人相手ではないため、寄付者は税法上の寄付金控除を受けられない場合が多い。また寄付を集めた方もスキーム運営者への手数料だけではなく、贈与税を納めなければならない場合もあるので、実際に使用できる金額を正しく把握しなければならない。	的。出資額と提供されるサービス、商品の価値はバランスをとってはいるが、中にはバランスのとれていないものもあり、あまりに出資額と受け取り商品の価値に差があると税法上は贈与とみなされる場合がある。	分類された各組合に出資するが、具体的にどこに出資したかは見えない。世界のクラウドファンディングの約4割を占めるが、日本においては出資者がずっと個人や企業に対して貸付を行う場合には貸金業登録が必要となり、個別の借入先には事実上貸出が実施できない。	も一部入っている。個別の事業概要・計画をもとに出資者が事業が成功するかどうかを判断して出資するが、出資者は事業に直接関与はできない。6年以内の中期の投資期間のものが多い。	ドファンディングへの出資は従来はベンチャーキャピタル等が主体として行ってきた専門性の高いベンチャー投資を直接個人が行うため、リスクがかなり伴う。また、期日がないため、今後整備される非上場株式の流通の仕組み如何によっては資金の回収は必ずしも容易ではないが、出資先企業の上場、買収等により大きな利益を上げられることもある。
メリット	自分の意向に沿った寄付対象を見つけることができる。決済機能を使って、簡単に寄付できる。	自分がいいと思ったプロジェクトに最初から自分も参加している気分を味わえる。また、サービス等を手にすることができる。また、普通手に入れられない無形の価値を手にすることができることもある。	一般の預金等よりも高利回りの運用を期待できる。他の金融タイプに比べ期間が短いものが多く、貸付けタイプのため事業の状況にかかわらず、調達者は返済しなければならない。	貸付型とは違い、個別のプロジェクトを自分で選びながら投資できる。事業の進捗によって配当を受けるため自分も事業に参加している感覚になれる。配当とは別に商品やサービス受け取れる場合も多い。	小額での非上場株式へ投資できる。売上高や利益に応じた配当を受け取ることができるし将来売却することにより収入を得ることもできる。株主であるため会社の運営に対し発言権がある。
リスク	そもそも寄付であるため、リスクはあまり無いが、詐欺団体に寄付をした場合には寄付行為が無意味	製品・サービスが完成まで至らなかったり、完成したとしても、完成が遅れるなどのリ	調達者の事業の不調だけではなく、匿名組合を構成する取扱業者が倒産して、貸し倒れの	事業の不調、当該事業以外の理由での調達者の倒産等により元本が割れるリスクがある。	事業の不調、調達者の倒産等により価値がなくなるおそれがある。非上場株式であるため

第2節　クラウドファンディングの概要　　617

			金融タイプ		
寄付タイプ	購入タイプ	貸付タイプ（ソーシャルレンディング）	ファンドタイプ	株式タイプ
なものとなるリスクがある。	スクがある。	リスクを背負う場合がある。海外案件では為替リスクや高額の為替手数料が発生する場合がある。	また、事業の運営方法には関与することはできない。営業者には元本返済の義務がないため、返済されない場合もある。	に流動性が低く、返済期日もないため換金できない場合もある。

（出所）　https://kakaku.com/crowdfunding/を参考に作成

2　不動産クラウドファンディング

　平成28（2016）年頃から、フィンテック（金融（Finance）と技術（Technology）をかけ合わせた造語）関連市場の拡大の影響もあり、不動産とテクノロジーをかけ合わせた造語「不動産テック」が誕生し、不動産取引の電子化が推し進められることとなった。不動産投資についても電子化のための法整備が急務となっていたところ、クラウドファンディング等を活用した空き家等の再生等を促進するため、不動産特定共同事業法における電子取引業務にかかる規定の整備等を内容とする不動産特定共同事業法の一部を改正する法律（平成29年法律第46号）が、平成29年12月１日より施行された。

　さらに「未来投資戦略2018」（平成30年６月15日閣議決定）では、不動産投資市場の環境を整備し、不動産ストックの量的・質的な向上を推進するため、地方における不動産の有効活用や、不動産クラウドファンディングにかかる各種ガイドラインの策定や規制の合理化等を行う方針が示され、不動産特定共同事業法および同法に基づく不動産クラウドファンディングの一層の活用促進等を図るため、次のような抜本的な施策を実施することとなった。

• 施策［１］　「不動産特定共同事業法の電子取引業務ガイドライン」の策定

不動産特定共同事業法に基づく不動産クラウドファンディングを実施しよう
　　とする者が備えるべき業務管理体制、取扱いプロジェクトの審査体制および情
　　報開示項目を明確化。
• 施策［2］　不動産特定共同事業法施行規則の改正
　　不動産クラウドファンディングと対象不動産変更型契約（不動産の入替を行
　　う不動産特定共同事業契約）を組み合わせることにより、個人等による長期・
　　安定的な不動産クラウドファンディングへの参加を促進するための内閣府令・
　　国土交通省令の改正。
• 施策［3］　不動産特定共同事業への新設法人の参入要件の見直し
　　「不動産特定共同事業の監督に当たっての留意事項について」を改正し、ク
　　ラウドファンディングを行う新設法人について、不動産特定共同事業への参入
　　要件を緩和。
• 施策［4］　不動産流通税の特例措置の延長・拡充（平成31年度税制改正）
• 施策［5］　特例事業者の宅地建物取引業保証協会への加入解禁

　これを受け、不動産特定共同事業法（以下「不特法」という）を利用した不
動産小口化商品がより柔軟に組成・販売できるようになったことから、不動産
クラウドファンディング市場は活況を呈し、様々な投資商品が出現することと
なった。記録的な低金利時代において、短期、高利率、低リスク、かつインター
ネット経由で気軽に投資できる不動産小口化商品は魅力的であり、応募開始と
ともに申し込みが殺到する商品も生じた。

　こうした小口商品は不特法の類型のうち匿名組合スキームで組成されている
ことが多い。不動産取得のための融資を小口化した商品もあるが、これらは不
動産投資ではなく貸付型（後述ソーシャルレンディングを参照のこと）に分類さ
れる。いずれも個人の小口投資家における収入は原則として雑所得となるため、
収益には源泉徴収されて総合所得となり、損失の損益通算はできない。同じく
不動産投資の小口証券化商品である J-REIT は実績もあり、小口投資であれば
配当所得として申告分離課税が選択できる等の所得税法上の優遇もあるが、規
模が大きく投資対象が多数に上るため、投資家にとっては不動産投資を行って
いる実感はあまりない。一方、不特法による小口化商品は、投資先が一物件、
あるいは同種の数物件に限定されていることが多い。また配当としてのリター

第2節　クラウドファンディングの概要　　619

図表9・2・3　融資型・不特法型クラウドファンディング市場規模の推移

（出所）　一般社団法人　日本クラウドファンディング協会「クラウドファンディング市場調査報告書」（2021年7月9日）

ンよりも、地域において歴史的に重要な物件への支援を主眼としたものや、知名度の高い物件・特殊な機能のある物件など、投資家の選好により個性的な物件に投資できることがREITへの投資との相違であり、一定の投資家層を獲得している。

　ただし、不動産クラウドファンディングによる小口化商品のうちTK型のものについて、出資譲渡の際の第三者対抗要件の具備に一定の手続きを要すること等の事情もあり、一般的に投資期間中の出資そのものの譲渡が簡単にできない契約となっており、現状セカンドマーケットの確立がなく、投資後の流動性が低いことがネックとなっている。この点についてはスマートコントラクト（後述第3節参照のこと）手法を前提とした法制上の対応等が模索されてきた。

　この点については、ヴィークルとして信託原簿の書換のみで第三者対抗要件

を具備することができる一定の特定受益証券発行信託（第5章第4節6**3**［2］
④参照のこと）の活用や、産業競争力強化法等の一部を改正する等の法律（令
和3年法律第70号）に基づき、その認定を受けた事業者によって提供される情
報システムを利用した債権譲渡の通知等が、確定日付のある証書による通知等
とみなす特例の創設等が行われている。

3 匿名組合型ソーシャルレンディング

　近年、超過利息問題をはじめ、貸金業への規制が強化されていることもあり、
貸付金ではなく匿名組合出資として資金調達をし、投資家の融資判断によりマ
イクロファイナンス事業を行うスキームが出現している。

　日本においては、無関係の個人間で直接金銭の貸借を行うことは基本的には
なかった。それに対し、海外、特に欧米においては、「ソーシャルレンディン
グ」と呼ばれる個人間での金銭の貸借取引が成立している。

　ソーシャルレンディングは融資型クラウドファンディングに該当するもので
あり、日本においてもこの仕組みを用いた投資商品が登場し、急成長している。

　ソーシャルレンディングの概要は、以下のとおりである。

① 　仲介業者が、貸し手と借り手が集まる場を提供する（通常はインターネッ
　ト上）

② 　借り手が希望額、期間、利率など融資内容の条件を提示する

③ 　貸し手が②の条件を踏まえ、貸し手としての希望条件を提示する。複数
　の貸し手が提示した場合には、最も借り手の条件に近いものが融資を行う
　権利を得ることができる

　ソーシャルレンディングの貸し手について、匿名組合契約により参加するス
キームが実際に行われている。つまり、上記の仲介業者と貸し手の間で匿名組
合契約を締結し、仲介業者が営業者であり、貸し手が匿名組合出資者となる。

　貸し手である投資家は貸付金ではなく匿名組合出資として金銭を出資し、営
業者が借り手に対して融資を行う。なお、この場合の融資については、投資家

第2節　クラウドファンディングの概要　　621

の判断で融資先や条件などを決定していることから、実質的には投資家が融資を行う形と同様の効用が得られていると考えられる。

また、匿名組合契約のスキームを利用した場合、営業者が貸付を行っている形となるので、貸金業の登録は営業者のみにおいて必要となり、投資家においては不要となる。

以下、実際に行われている匿名組合型ソーシャルレンディングの商品概要である。

① 入札期間

オークション期間が固定となっているものと、希望金額が100%満たされた時点で、オークションが終了となる場合の2種類がある。後者の場合には、金利は一定であるが、オークション期間が固定の場合には、希望金額の100%を超えた後の入札については、基本的には金利が低下することとなる。

② 担保・保証

無担保・無保証。

③ 借入金額

100,000円から2,000,000円まで、設定が可能。

④ 借入金利

下限が2.85%、上限が17.8%となっており、自分で設定することとなる。

⑤ 返済

毎月所定の元利金を返済。貸し手への分配率は「借り手の借入金金利−1.5%」。

⑥ 保証会社

ボロワーは、その選択に従い、保証会社がボロワーの借入れに保証する仕組みを利用することができる。

⑦ 匿名組合の計算期間

毎月1日から毎月末日までの各1か月間。

図表9・2・4

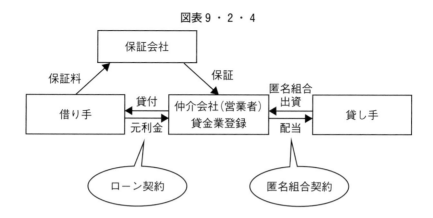

⑧ 利益および損失
- 日本における一般に公正妥当と認められる会計原則（ただし、会計上の処理と税法上の処理が異なる場合には、税法上の処理を優先するものとする）に従い計算する
- 営業者の法人税法上の所得を計算するにあたって、会計上の損益に調整する必要がある場合には、(i)の金額を減算し、または、(ii)の金額を加算する
  (i) 法人税等に基づく社外流出項目に係る申告調整すべき金額×｛実行税率／（1－実行税率）｝を乗じた金額
  (ii) 法人税等の規定により申告調整すべき金額（内部留保項目）
- 損益分配の結果、匿名組合員に分配された損失累計額が本匿名組合出資金の額を超過する場合においても、匿名組合員は出資金の範囲内でのみ、これを負担する。

⑨ 営業者報酬
- ローン契約の締結時に、契約時報酬として、匿名出資金の1.5％相当額
- 各計算期間の末日に、期間報酬として、下記の金額
  期間報酬＝A－C
  　A＝本貸付契約に規定する条件により計算した約定利息および遅延損

害金の金額

B＝（本貸付契約の年利率マイナス1.5）÷本件貸付契約の年利率×（本貸付契約に規定する条件により計算した約定利息および遅延損害金の金額）

C＝（B×出資者各人÷出資額合計額）を出資者全員分で合計した金額

⑩　債権回収の委託

貸付債権の回収委託を行った場合において、借入人から金員を回収した場合には、本匿名組合員に対し、回収金から費用等を差し引いた残額に、出資割合を乗じて得られる金額を、匿名組合出資金額に満つるまでは出資金の返還として（以下「債権回収分配金」という）、それを超える部分については、配当利益として分配するものとする。

⑪　債権譲渡

債権譲渡を行った場合において、本匿名組合員に対し、譲渡額から費用等を差し引いた金額に、出資割合を乗じて得られる金額を、匿名組合出資金額に満つるまでは出資金の返還として（以下「債権回収分配金」という）、それを超える部分については、配当利益として分配するものとする。

⑫　現金の分配

営業者は、匿名組合員に対して、各計算期間において生じた、配当利益、返還出資金、債権回収分配金および債権譲渡分配金相当額の現金分配を行うものとされている。ただし、現金分配額が利益の分配額を超える場合の、その超える部分の金額は、出資金の返還として処理する。

⑬　譲渡制限

本匿名組合員は、営業者の事前の書面による承諾なく、本匿名組合契約、本匿名組合契約に係る出資の持分または匿名組合員としての地位その他本契約に基づく権利または義務を譲渡し、その他の処分をすることができないものとする。

第3節

ブロックチェーン技術による
クラウドファンディング手法の拡大

1 仮想通貨による資金調達8兆円の衝撃

　ブロックチェーン技術によって個人間で、国際的に、素早く価値の移転ができるようになったことにより、3兆円以上の資金が、企業、プロジェクトによって、2018年までに主に個人投資家から調達されてきた（参照：https://elementus.io/token-sales-history）。

　そして、2018年から、2022年末現在に至るまでに一体いくら仮想通貨によって調達されたのかはわからないが、2018年のICOバブルよりも、今回コロナ後の金融緩和を受けた2021年のバブルのほうが社会全体の注目や、動いている資金額も多いことを考えると、総額60B USD、8兆円をゆうに超える以上の資金が新規仮想通貨の発行、販売によって調達されてきたと考えられるのではないだろうか。

　こういったブロックチェーン技術による資金調達のことは一般的にICO（Initial Coin Offering）や、IEO（Initial Exchange Offering）や、TGE（Token Generation Event）、Token Sales等と呼ばれており、世界各国、あるいはどこの国も拠点としない様々な企業や、プロジェクトによって行われてきた。

　一番大きいEOSというプロジェクトのICOになると、個人投資家からのクラウドファンディングでありながら4,000億円以上を集め、いうまでもなく大きな事象として世界に衝撃を与えた。また大手メッセンジャーアプリのTele-

第3節　ブロックチェーン技術によるクラウドファンディング手法の拡大　　625

gram が1,700億円を ICO によって集めたことも衝撃を与えた。

　しかし、このように仮想通貨の新規発行、販売による企業・プロジェクトの資金調達は、Bitcoin が始まった2009年からの仮想通貨の歴史に比べても比較的最近のことであり、また2017〜2018年がその中心であったことから、その2年はとりわけ、ICO バブルの年と呼ばれていた。

　その大きな理由は、1つ目にプロジェクトによる独自コインの発行、ならびにそれらのコインの上場が簡単になった、ないしは多くの開発者が市場に参加し、やりやすくなったこと、2つ目に高品質な取引所が世界中に増え、市場参加者が増えたこと、3つ目に Bitcoin や、Ether や Ripple をはじめとする大手コインの流動性が増し、それと同時に大手コインと交換される独自コインの流動性も増したことがある。

　それでは、なぜ2018年に ICO バブルが弾けたかというと、資金調達したプロジェクトのほとんどが有用なアプリケーションや、プラットフォームを作り出すことに上手く行かなかったからである。

　しかし、2021年になり、分散型金融（Defi）や、非代替性トークン（Non-Fungible Token、NFT）が流行した。Defi においては、人々は、仮想通貨を預け入れることによる高額な利回り（10〜10000％というような）を求め、NFT においては、人々は、有名なアーティストの絵や、プロジェクトが発行した NFT の、芸術性や、希少性を求めた。また、それらを求める人がいることによる投機熱が加熱したことによって、仮想通貨市場全体が盛り上がった。

　それにより、2021年も ICO バブルのような、仮想通貨による資金調達バブルは来たのであった。しかし、ICO という名前自体が2018年の暴落や、詐欺的プロジェクトの多発によって良くなかったため、取引所と提携して販売する IEO（Initial Exchnage Offering）、分散型取引所上でトークンを販売する IDO（Initial Dex Offering）、もしくは機関投資家や一部の裕福な個人投資家だけを対象にプライベートセール、という別の名前で行われた。また、この2021年における仮想通貨による資金調達バブルの違いは機関投資家や、A16Z をはじめとする大手ベンチャーキャピタルもが参入していたことであろう。これらは2018年

のプレイヤーと資金量も経験も違い、長期的な視野の投資家も多い。

2 ブロックチェーンとは

　基本的には、ブロックチェーンとは、仮想通貨の残高や取引履歴、あるいは個人情報や、商品の購買履歴等、価値あるデータを、ブロックチェーンネットワークを構成する様々なコンピューター達がすべて同じデータを保存する形で保存、更新するシステムのことである。

　それによりブロックチェーンは、透明性、冗長性、国際性、そして速さの面で従来より良い可能性のあるデータベーステクノロジーであり、金融取引や、サプライチェーンや、ID 認証などで使える可能性がある。

　それでは、なぜその分散型データベースであり、コンピューターのネットワークでもあるテクノロジーがブロックチェーンと呼ばれるのかというと、データをひとまとめにした「ブロック」を、時系列ごとに順番を付けて並べて「チェーン」のようにコンピューターのネットワーク全体で保管しているためである。

　それによってどんな良いことがあるかというと、1つ目に、データの時系列をはっきりさせることによって、今、誰がいくら持っているか、といった情報や、誰が誰にお金を送った、といった情報をはっきりさせることができる。

　たとえばAさんが1コイン持っていて、Bさんに1コイン送ったという情報と、Cさんに1コイン送ったという情報が、両方ブロックチェーン上に書き込まれたとする。もしこの2つの情報の時系列がつけられなければ（どちらが早かったかを判定できなければ）、1コインが合計2コインに増えてしまう。しかし、ネットワーク全体でこの2つの情報に時系列をつけることができれば、後になったほうを無効とすることにネットワーク全体で合意することができるのである。

　2つ目に、データを様々なコンピューター全体で保存しておくことによって、どこか一部のコンピューターの電源が落ちたり、破壊されたりしても、データが消えることがない。

第3節　ブロックチェーン技術によるクラウドファンディング手法の拡大　　627

図表9・3・1　データの時系列がつくことによるメリット

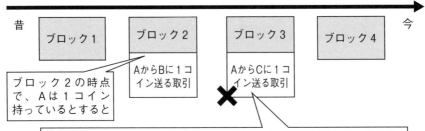

図表9・3・2　同一データが分散されて保管されていることによる安全性

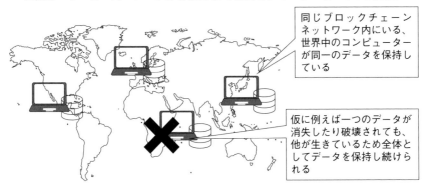

　それにより、特に、仮想通貨のように国ごとに法的解釈が異なったり、ある国では違法とされるものでも、ブロックチェーンを使うことによって、世界中にデータを分散保持させ、システムを稼働させ続けることができることになる。

3　ブロックチェーン技術とクラウドファンディング

　ブロックチェーン技術を用いたクラウドファンディングである、ICOによる資金調達においては、企業やプロジェクトが独自にコイン（トークンとも呼

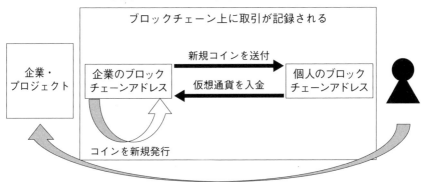

図表9・3・3　基本的なICOの仕組み

ばれる）を発行し、それと引き換えに個人からコイン、ないし法定通貨を受け取ることによって、企業やプロジェクトは資金を調達する。

　このようにして発行されるコインはなんらかの使用価値（Utility Value）を持ち、現在国際的にそれらのコインはUtility Coin（ないし、Utility Token）と呼ばれている。一方、使用価値だけでなく、証券的な価値、たとえば企業・プロジェクトからの利益分配を配当として受け取れるといったような価値を持つものは、Security Tokenと呼ばれている。

　ICOはほぼすべてUtility Coinの発行・販売である。その理由は、証券を発行して販売するためには、たとえブロックチェーンを使ったとしてもその発行元のプロジェクト・企業が、販売する先の国の厳しい証券規制に従わなければならず、迅速に、国際的に行うことができないためである。

　また、発行されたコインが証券である場合には、仮想通貨取引所がコインを上場させることができず（上場させるためには証券取引所としてのライセンスが必要になってしまう）、流動性が出ず、コインを買った側もメリットが乏しい場合が多い。

　使用価値の代表例としては、コインが発行されているブロックチェーン上での取引手数料として使えることや、ブロックチェーンの仕組みを変更するための議決権、ブロックチェーン上で新しくコインをマイニング（ブロックチェー

ンを構成するノードによるコインの新規発行）するための権利がある。

4 匿名組合契約のスマートコントラクトの可能性

1 ブロックチェーン技術と匿名組合契約

スマートコントラクトとは、ブロックチェーン上で作動し、ブロックチェーン上に書き込まれているデータを変更することができるプログラムである。

一度ブロックチェーン上に書き込まれたスマートコントラクトは基本的に削除することができないため、契約内容を確実に残すことができる。また、ブロックチェーン上で作動するためブロックチェーン上に記載されているコイン等の価値の移転を行うことができ、それにより金銭的な契約内容の執行までも自動化できることになる。

従来の紙や電子契約においては、ある条件を満たした際の契約の内容を執行するためには、その条件を満たしたかどうかの判定は自動とはいかず、また、銀行口座からお金を動かす等が必要となるが、スマートコントラクトにおいては、条件を満たしたかどうかはプログラムが判定し、契約の内容の執行はブロックチェーン上の価値の移転によって自動的に行われるように作ることができる。そして基本的には合意した内容はブロックチェーン上に不可逆的に記載されるため、取り消すことができない。

これは Code is law とよく言われる概念であり、スマートコントラクトにおいては、ブロックチェーン上に書かれたプログラムが、契約書であり、裁判所でもあることになる。

現状 ICO による資金調達において、スマートコントラクトが活かされている例は多く、たとえば集まった資金が一定の条件を満たさなければ、営業者の手元に引き落とされないようなブロックチェーン上でのエスクローシステムや、いくら出資者が集めるかを定めずに、一定期間内に集まった額に対する出資者が送金した額に応じてコインを自動的に配布するシステム、また、出資者が送金する時点と、出資者がコインを受け取る時点の日数の差をスマートコントラ

630　第9章　クラウドファンディングの発展とブロックチェーン技術の可能性

図表9・3・4　スマートコントラクトの仕組み

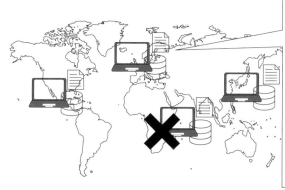

スマートコントラクトでは、契約内容がプログラムで書かれていて、世界中のコンピューターに保存されている。

プログラムが実行された場合には、世界中のコンピューターが保存しているブロックチェーンのデータを書き換えることが可能なため、たとえば資産の移転や、もしくは、プログラムとして書かれている契約内容自体の変更を行うことができる（営業者、出資者の変更や、持ち分の変化等）。

クトに定義して自動的に配布されるようにする等がある。

2　スマートコントラクトを活かすメリット

　ここで、匿名組合契約にスマートコントラクトを活かすことによってどのような利点があるのかを考えてみよう。

　匿名組合契約において面倒な点の一つに、配当の分配があると思われるが、出資者比率をコインの持ち分の割合とし、配当の分配をコインの持ち分の割合に応じて行うことは簡単にできる（ここでそのコインの名前をTKコインとしておく）。

　ただ、事業からいくら利益が上がったかということはブロックチェーン上の出来事ではないので、営業者が帳簿どおりにブロックチェーン上に事業から上がった利益を記載し、利益の中から配当とすべき金額（おそらく大体の場合には法定通貨で利益が上がる）を何らかのメジャーな仮想通貨に交換して、TKコインの持ち分の割合に応じてTKコインのブロックチェーンアドレスに対してその仮想通貨を送ることとなる。

　また、匿名組合契約において出資者や、営業者が変更になった場合に、それらをブロックチェーン上のアドレスの変更として反映すること、またそれらの

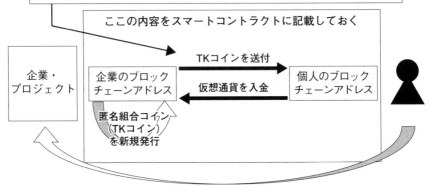

図表9・3・5　匿名組合契約にスマートコントラクトを活かす仕組み

　アドレスの変更には承認権者の承認が必要とすることもスマートコントラクトとして記載することが可能で、従来の書面でのやり取りに比べてはるかに速く行えることが想定できる。

　そして、何より匿名組合契約を結ぶこと自体が大変簡単になり、たくさんの個人から資金を集めることができるようになる。この簡単さと、ブロックチェーンによる信頼性が、今まで実際にICOで、3兆円以上もの資金が新しいプロジェクトに対して主に個人からの投資で集まってきた理由である。

　たとえば、匿名組合契約への出資者を500人集めたいと思ったときに、紙の契約書のやり取りで500件結ぶのは大変手間がかかるが、匿名組合営業者がスマートコントラクトのプログラムを契約内容のPDFへのURLのリンクを記載した形で作成し、そのプログラムに対して500人が同意し、彼ら自身のブロックチェーンアドレスから仮想通貨を送金するという形を取れば、最初のブロックチェーンアドレスを作成し仮想通貨を所有するというエントリーコストを除けば簡単に出資者を集めることができる。

3 匿名組合契約における注意点

ICO でこれまでに総額 3 兆円以上もの資金が個人からプロジェクトへと集まったのも、ブロックチェーン上での送受金ならびにスマートコントラクトによる契約・執行プロセス（新しく発行されたコインの受け取りや、出資額に対していくら、いつコインを受け取れるかの定義等）が大変簡単でスピーディであるためである。

このようなことを匿名組合契約をスマートコントラクトで行うことにおいてブロックチェーン上で定義することはプログラムを書けば可能であるが、注意すべき点は、匿名組合契約のような利益の分配を行うことを約束する資金調達においては、匿名組合の出資者に対して配布されるコインは、Utility Token ではなく、Security Token になるものと考えられる。

そのため、匿名組合契約によるコインを日本以外にも特定の国に在住する人に営業して販売することは、その国の証券法に従わなければならなくなることが想定される。

5 ブロックチェーン（暗号資産）に関する改正金融商品取引法および改正資金決済法の規制

仮想通貨取扱業者の破綻事件を契機に、平成28年、資金決済に関する法律（以下「資金決済法」という）が改正され、暗号資産に関する規制が世界に先駆けて導入された。その後、仮想通貨の外部流出事案の発生、仮想通貨の投機対象化および仮想通貨に係る新たな取引（ICO 等）の登場等の状況の変化に鑑みて、仮想通貨に係る制度的な対応の議論が重ねられ、「仮想通貨交換業等に関する研究会報告書」[1]（以下「本報告書」という）がとりまとめられた。本報告書を受けて、令和元年 5 月31日に暗号資産に関連する資金決済法、金融商品取引法および金融商品販売法の改正法が成立した（以下「令和元年改正」という）。

改正法では、従前、仮想通貨と呼ばれていた、ブロックチェーン技術等を用

---

1 https://www.fsa.go.jp/news/30/singi/20181221-1.pdf

第 3 節 ブロックチェーン技術によるクラウドファンディング手法の拡大 633

いて電子的に記録・移転することができる財産的価値につき、「暗号資産」と呼称を変更するとともに、①暗号資産の交換・管理に関する業務への対応（暗号資産交換業者に対する業規制の強化等）および②暗号資産を用いた新たな取引や不公正な行為への対応（風説の流布・相場操縦行為等の禁止等）といった諸々の規制の追加および強化がなされている。

　令和元年改正の内容は多岐に渡るが、紙幅の関係上、暗号資産に係る金融商品取引法および資金決済法の適用の有無が明確化された点に限って、以下説明する。

1　改正法がICOにもたらす影響

　従前から、「ICOの仕組みによっては、資金決済法や金融商品取引法等の規制対象となります」との注意喚起が金融庁よりなされており[2]、また、ICOに係る金融商品取引法の適用関係については、（I）ICOにおいて発行されるトークンの購入者が発行者からの事業収益の分配等を期待する場合で、かつ、（II）(a) 法定通貨で購入される場合、または (b) 暗号資産で購入されるが、実質的には法定通貨での購入と同視される場合においては、当該トークンが表章するとされる権利は集団投資スキーム持分に該当し、二項有価証券に該当するとの解釈がなされていたものの[3]、金融商品取引法や資金決済法の具体的な適用関係につき不明確な点が残されていた。

　上記（I）の要件については、ICOは一般的に以下の3タイプに分類されるところ、投資型のICOにのみ金融商品取引法の適用があり、それ以外のICOについては、金融商品取引法の規制対象とならないことを示唆するものであるが、かかる考え方は令和元年改正によっても変わるものではないと解されている[4]。

2　金融庁「ICO（Initial Coin Offering）について〜利用者及び事業者に対する注意喚起〜」（https://www.fsa.go.jp/policy/virtual_currency/06.pdf）

3　本報告書20頁および21頁参照

4　松尾元信「暗号資産に関する資金決済法、金融商品取引法等の改正」『金融法務事情 No. 2119』9頁および10頁参照

634　第9章　クラウドファンディングの発展とブロックチェーン技術の可能性

- 発行者が将来的な事業収益等を分配する債務を負っている「投資型」
- 発行者が将来的に物・サービス等を提供するなど、上記以外の債務を負っている「その他権利型」
- 発行者が債務を何も負っていない「無権利型」

　次に（II）の要件については、令和元年改正により修正がなされている。つまり、令和元年改正により暗号資産が金銭とみなされることになり、暗号資産による出資がなされた組合型ファンド持分についても、金銭による出資がなされた組合型ファンド持分同様、集団投資スキーム持分として金融商品取引法上の二項有価証券に該当しうることが明確化された。かかる改正は、暗号資産による出資がなされた組合型ファンド持分につき、実質的には法定通貨での購入と同視される場合（上記（II）（b）の要件）に限らず一般的に集団投資スキーム持分に該当することとしたものであり、金融商品取引法の適用範囲を広げるものである。

　さらに、令和元年改正においては、①金融商品取引法2条2項各号に掲げる権利のうち、②電子情報処理組織を用いて移転することができる財産的価値（電子機器その他の物に電子的方法により記録されるものに限る）に表示されるもの（いわゆるセキュリティ・トークンが典型例）を「電子記録移転権利」と定義し、一項有価証券に該当すると整理した。これは、本来、金融商品取引法2条2項第5号または第6号の集団投資スキーム持分に該当し、二項有価証券（みなし有価証券）として取り扱われる権利であっても、ブロックチェーンをはじめとする分散型台帳技術等を活用する場合には、広く多数の者に流通する蓋然性が高いことを理由に、投資家保護の観点から一項有価証券として整理したものである[5,6]。

5　このように、みなし有価証券を流通性に鑑みて一項有価証券として取り扱う取扱いについては、「開示規制の柔構造化を図る斬新な取扱い」と評価されている。松尾直彦「暗号資産規制と情報利活用を巡る改正法案の読み方」『金融財政事情70（17）』53頁

図表 9・3・6　投資型 ICO に係る改正前後の金融商品取引法の適用関係（概要）[7]

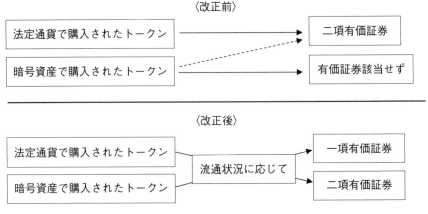

　以上のとおり、改正金融商品取引法においては、いわゆる投資型 ICO（対価が暗号資産の場合も含む）において発行された電子的に流通しうるトークンは、一項有価証券として金融商品取引法の法規制が及びうることとなる。

　一項有価証券として取り扱われた場合、(a) 公募に該当する場合の発行開示（有価証券届出書、目論見書等）や継続開示（有価証券報告書）等の開示規制に服するとともに、(b) 売買等や募集の取扱い等を行うために第一種金融商品取引業に係る登録が必要になる（仮想通貨交換業の登録のみでは不可）等の業規制にも服することとなる。なお、電子記録移転権利に該当する場合にも、他の一項有価証券同様、転売制限を付すことを前提に50名未満に取得勧誘する少人数私募や適格機関投資家のみに取得勧誘する適格機関投資家私募等に該当する場合には開示規制は免除されるため、実務上はこのような私募要件の充足を目指す場合が多くを占めることが予想される。

　なお、集団投資スキーム持分の発行者自身による取得勧誘行為は、いわゆる

6　なお、取得できる投資家が適格機関投資家等に限られ、かつ、権利移転にあたって、権利者からの申し出および発行者の承諾を要することが技術的措置により担保されている場合は、電子記録移転権利から除かれる。

7　あくまでも概要を示すものに過ぎず、すべての場合を網羅的に示すものではないことに留意されたい。

自己募集として第二種金融商品取引業の登録または適格機関投資家等特例業務の届出が必要であり、この点に関しては、改正後も変更はない。

　最後に、改正金融商品取引法において上記の電子記録移転権利に係る法規制が新設されたことにともない、改正資金決済法中における「暗号資産」の定義から「電子記録移転権利」が除外され、電子記録移転権利については金融商品取引法のみが適用され、資金決済法の重畳適用はないことが明確化されている。

2 匿名組合契約における実体法上の課題

　以上のとおり、従前法の適用関係に不明確な点が残されていたICOに関して、法規制の枠組みが明確化されてきた。かかる法規制の枠組みの中で、今後どのような法的性質（電子記録移転権利該当性、開示規制等）を意図したICOが主流となるかについては引き続き動向を注視していく必要がある。

　また、金融商品取引法や資金決済法上の枠組みが明確化されたものの、実体法上の枠組みとしては検討を要する課題は依然として複数存在する。

　たとえば、従来より、スマートコントラクトとしてブロックチェーンに契約を乗せることが（i）法的な意味での意思表示や取引行為もブロックチェーンに乗せることを含意するか、それとも（ii）あくまで証拠のみがブロックチェーンに乗っているにすぎないと解釈するかといった議論が存在していた。このようなブロックチェーンという仕組み自体に係る根本的な実体法上の論点に加え、今般の改正に伴い、様々な商品設計のICOが試みられる結果、各商品の商品設計に応じて個別具体的な実体法上の論点が浮き彫りになる可能性がある。

　たとえば、匿名組合契約上の匿名組合員たる地位を表示する電子記録移転権利を想定した場合には、一般的な財産の移転と異なり、匿名組合契約の相手方たる営業者という、当事者（譲渡人および譲受人）とは異なる第三者の利害関係が介在することとなる。その結果、当該電子記録移転権利に係る譲渡人から譲受人への移転をブロックチェーン上で記録したとしても、（ブロックチェーンに契約を乗せることの意味につき上記のいずれの解釈を採用するかに関わらず）か

第3節　ブロックチェーン技術によるクラウドファンディング手法の拡大　　637

かるブロックチェーン上の記録を理由に、かかる記録に何ら関与していない営業者の売買の承諾を推認することはできない以上、当然に匿名組合員たる地位が譲受人に移転することにはならないと解される（民法539条の2も参照）。

　ブロックチェーンを用いることによる利便性を損なうことなく、かかる問題に対応するための解決法の一つとしては、ブロックチェーン上の記録から営業者の売買の承諾を推認できる建付、例えば、匿名組合契約書において、匿名組合員がその匿名組合契約上の匿名組合員たる地位をブロックチェーン上で移転する際には、営業者はこれを承諾したものとみなすといった規定を設けるなどの工夫が考えられるであろう。

　このように様々な商品設計に応じて生じる個別具体的な実体法上の論点についても、実務上どのように対応されていくかについては引き続き動向を注視していく必要がある。

CoffeeBreak FTX破綻の明暗

　暗号資産（仮想通貨）取引所大手のFTXトレーディングは、2022年11月11日に、連邦破産法11条（Chapter11）の適用を申請し、創業者で最高経営責任者であったサム・バンクマン・フリード氏は、詐欺などの容疑で逮捕されるスキャンダルにまで発展した。再建の過程において、FTXの破綻は、資金流用や不適切な会計処理の横行等ガバナンスの欠如が招いたことが明らかとなったが、市場はこの問題を業界全体のリスクと捉え、結果暗号資産取引全般への信頼が大きく揺らぐ結果となった。この余波は連鎖を続け、その後間もなく米国を拠点に暗号資産の貸付けを手がける「ジェネシス・グローバル・キャピタル」が関連会社とともにChapter11の適用を申請し、米暗号資産取引所大手コインベースは日本事業撤退を発表した。

　各国のFTX顧客は資金回収の目途がつかない状況が報道される一方、日本の取引業者であるFTX Japan株式会社は、顧客の預かり資産については法令に則り、暗号資産はコールドウォレットにおいて、法定通貨は信託口座におい

て分別管理を行っており、速やかに返還手続きを行う予定である旨のプレスリリースを行っている。

　日本では2014年のマウントゴックス資金流出事件と破綻劇、2017年のコインベースのハッキング事案を受け、暗号資産交換業者に対し、原則として顧客の暗号資産については信頼性の高い方法（前出コールドウォレットなど）による管理を義務づけている（資金決済法63の11②、暗号資産交換業者に関する内閣府令27条）。また利用者保護の規定として、暗号資産交換業者に対し法的整理手続き等が開始された場合には、利用者からの暗号資産返還請求権に関する優先弁済権が認められている（資金決済法63の19の2①）。金融庁は、FTX Japan株式会社がFTXトレーディングの破綻後も利用者からの財産の受入れ等の取引を継続していた事態に対し、「暗号資産交換業を適正かつ確実に遂行する体制の整備が行われていない」状況に該当するとしていち早く業務改善命令を発出し資産保全を行った。日本の規制は各国に比して厳しいとされており、国内での爆発的な投資ブームを抑制していた一面はあったかもしれないが、非常事態においては投資家の明暗を分ける結果となった。

　FTX破綻を契機とし、各国は暗号資産取引業者に金融機関並みの規制を行うことを検討しており、関連業界は冬の時代到来ともいわれている。しかし、暗号資産やブロックチェーン技術、これにより生み出される様々なトークンは、これまで夢見られてきたような無尽蔵の利益を産み出す錬金術では決してない。むしろ一定の規制の下、実体経済と足並みをそろえて発展してこそ真の価値を発揮するものではないだろうか。暗号資産をはじめとする様々なトークン取引の隆盛が一時のゴールドラッシュで終わらず、技術の発展や制度の整備に対する様々な専門家の連綿とした取組みが実を結ぶことに期待したい。

〈参考文献〉木内登英「FTXのずさんな経営実態がより明らかにされることが、
　　　　　　暗号資産市場全体の信頼回復の足掛かりとなるか」『NRIナレッ
　　　　　　ジ・インサイト（2022/12/09）』

第4節

不動産セキュリティ・トークン

1 不動産裏付金融商品のトークン化の潮流

不動産特定共同事業法（以下「不特法」という）に基づく匿名組合出資持分は、クラウドファンディングを通じ広く個人投資家へ販売されるようになり、新たな投資商品として広く認知されるに至った。さらに、2020年5月「情報通信技術の進展に伴う金融取引の多様化に対応するための資金決済に関する法律等の一部を改正する法律」（令和元年法律28号）等の施行により、セキュリティ・トークン(注1)の発行・流通環境が整備されたことにともない、不動産投資に関する出資持分に関するセキュリティ・トークン化の動きが一気に加速することとなった。

「トークン」に表示される有価証券に係る権利は「電子記録移転有価証券表示権利等」と定義され、金商法2条2項各号に掲げる権利のうち、電子情報処理組織を用いて移転することができる財産的価値に表示されるものが「電子記録移転権利」と定義された（同条3項）。一方、トークン表示型の第二項有価証券のうち、一定の除外要件(注2)を満たすものは電子記録移転権利から除かれることとなっている（通常、「適用除外電子記録移転権利」と呼ばれる）（**図表9・4・1**参照）。

（注1）　ブロックチェーン技術に代表される分散型台帳技術を用いて生成される「トークン（表象）」に表示される有価証券等に係る権利を総称していうもの

640　第9章　クラウドファンディングの発展とブロックチェーン技術の可能性

図表9・4・1　金商法におけるセキュリティ・トークンの位置づけ

有価証券の区分			開示規制の種別	業規制の登録種別
証券又は証書（金商法2①）				
有価証券	みなし有価証券	「証券又は証書」に表示されるべき権利（※1）（＝「有価証券表示権利」）（金商法2②柱書き前段）	第一項有価証券 原則として発行・継続開示の義務あり	第一種金融商品取引業 登録時の最低資本金5,000万円、自己資本比率の継続的なモニタリングなど、高水準の規制あり。
		「電子記録債権」のうち、流通性その他の事情を勘案し、社債券その他の有価証券とみなすことが必要と認められるものとして政令で定めるもの（現行、該当なし）（金商法2②柱書き中段）		
	証券又は証書に表示されるべき権利以外の「権利」（信託の受益権、投資事業有限責任組合の持分等）（金商法2②柱書き後段・各号）	「電子記録移転権利」に該当するもの（※2）		
		「電子記録移転権利」に該当しないもの（※3）	第二項有価証券 原則として発行・継続開示の義務なし	第二種金融商品取引業 最低資本金は1,000万円 自己資本規制なし

（※1）　トークンに表示されたものは「電子記録移転有価証券表示権利等（電子記録移転権利以外のもの）」、いわゆるトークン表示型第一項有価証券となる。

（※2）　いわゆる「トークン表示型第二項有価証券」ともいう。

（※3）　トークンに表示されないもの、およびトークンに表示されたもののうち除外要件を満たすいわゆる「適用除外電子記録移転権利または、自己募集・私募」が該当する（根拠条文：金商法2⑧七へ、28②一）。自己運用が投資運用業に該当していたとしても、適格機関投資家等特例業務として行う場合には、投資運用業の登録を要しない（金商法63①）。

（出所）　さくら綜合事務所

　　　とする。

（注2）　適格機関投資家等以外の者への取得制限、および権利者の申出と発行者の承諾がなければ譲渡できないとする譲渡制限（金融商品取引法第二条に規定する定義に関する内閣府令9の2）

2 不動産セキュリティ・トークンのスキーム

1 受益証券発行信託セキュリティ・トークン

　不特法に基づく匿名組合出資持分や、合同会社と匿名組合を組み合わせた一般的な投資スキーム（いわゆる GK-TK スキーム）による持分については、早い段階からセキュリティ・トークン化の要望があり、実用のための検討が行われてきた経緯がある。しかし、匿名組合出資持分は、ブロックチェーン技術を利用してオンライン上のみで権利移転する場合に第三者対抗要件が具備できないこと（「対抗要件問題」）や、匿名組合分配利益（雑所得）や匿名組合出資の譲渡所得（一般譲渡所得）は個人投資家において総合課税となり、申告分離課税となる一般的な上場・公募型金融商品と比較して不利となるという所得税法上の問題（「税制問題」）等の制約があった。

　こうした問題を克服する新たな証券化の器として、信託受益権の利用が試みられることとなった。信託法185条2項に規定する受益証券発行信託の受益証券のうち証券不発行のもの（以下「受益証券不発行受益権」という）は、受益証券の交付を経ずに譲渡手続が可能であり、第三者対抗要件は受益権原簿の記録のみで具備できるとされている（信託法195①）。

　また投資家が受ける受益証券不発行受益権の収益の分配は、一定の要件を満たす場合、所得税法上、上場金融商品と同様の取扱い（申告分離課税の適用や特定口座への受入れ）が可能となるため、個人投資家が小口投資する対象として適している。

　2021年8月、国内初の公募型不動産セキュリティ・トークンとしてケネディクス・リアルティ・トークン渋谷神南が発行された。発行会社は三菱 UFJ 信託銀行㈱（受託者）および㈱ DS1（委託者）、野村證券㈱および㈱ SBI 証券が引受けを行い、広く一般投資家向けに販売が行われたが、すべてが譲渡制限付きとなっており、転々流通は予定されていない。2022年にはさらに数件の募集が行われ、2023年においては実用段階としてさらに多くの案件が組成される見

込みであるという。

2 不特法セキュリティ・トークン・匿名組合出資持分セキュリティ・トークン（GK–TK スキーム）

　不特法による持分のうち SPC を利用する特例事業スキーム以外の匿名組合出資[注3]は、金商法２条２項５号ハにより、金商法２条２項５号に定めるみなし有価証券から除外されており、金商業等府令１条４項17号に規定される電子記録移転有価証券表示権利等には該当しない。そのため現段階において金商法上の業規制や開示規制の適用はなく、投資家の人数や属性も特段の制限はない[注4]。ただし、契約締結前書面・契約締結時書面は必要であり（不特法24、25）、クラウドファンディングを行う場合には電子取引業務に係る業務管理体制（不動産特定共同事業法施行規則（以下「不特規」という）54）も必要となる[注5]。

　また匿名組合出資を受けた SPC（主に合同会社）が匿名組合出資金等を原資として不動産信託受益権を取得し、その不動産信託受益権からの収益等をもとに匿名組合員への配当を行ういわゆる GK–TK スキームは、商品設計における柔軟性が高く、比較的低コストでの発行・運用が可能となる等の理由から広く定着しており、セキュリティ・トークン化への期待が高かった（信託受益権ではなく現物不動産を扱う場合は不特法の適用対象となる）。なお GK–TK スキームを含む匿名組合出資持分は、原則として集団投資スキーム持分として金商法２条２項５号に定めるみなし有価証券に該当するが、セキュリティ・トークン化された場合には流通性が高まることが予想されるため金商法上の規制強化が図られており、一部の適用除外となるものを除き第一項有価証券と同等に扱われる（金商法２③）。

　当スキームのセキュリティ・トークン化における第１号案件として2021年11月に「トーセイ・プロパティ・ファンド（シリーズ１）」の募集が行われた[注6]。このストラクチャーは、現物の不動産ではなく、不動産の信託受益権の取得・運用のための資金を匿名組合契約により調達するものであるため、不特法の適用対象外である。

第４節　不動産セキュリティ・トークン　　643

ただし、不特法に基づき現物不動産を運用する匿名組合出資を表示するセキュリティ・トークン、また不特法に基づかず不動産の信託受益権を取得・運用する GK-TK スキームによる匿名組合出資を表示するセキュリティ・トークンのいずれにおいても、第三者対抗要件問題および税制問題が依然として解決されていないのが現状である。

（注3）　SPC を利用する特例事業スキームを含む匿名組合の出資持分は、金商法2条2項5号に定めるみなし有価証券となる。

（注4）　なお、この点について、不動産特定共同事業契約に基づく権利のうちトークン化されたものについては金商法の改正が予定されている（「金融商品取引法等の一部を改正する法律案」（金融庁2023年3月14日（第211回国会提出））。

（注5）　発行実績としては、2020年3月、㈱LIFULL による実証実験を経て、2020年11月、㈱エンジョイワークスによる1,500万円の資金調達が行われた。また、㈱グローベルスは、2020年12月に大家どっとこむ（クラウドファンディングサービス）の第1号案件である「南麻布の大家になろう」において、㈱LIFULLと SecuritizeJapan ㈱の協業サービスを通じて、不特法セキュリティ・トークンの取扱いを行う旨を発表。

（注6）　東海東京証券㈱が募集の取扱いを行い、PF にはシンガポールの ADDX Pte.LTD.が運営する ADDX（プライベート型）が利用された。

3　注目の特定受益証券発行信託セキュリティ・トークンとは

1　ヴィークルの性質

　不動産証券化のためには、通常「ヴィークル」と呼ばれる器(注7)を用いる。企業会計上の「特別目的会社」（Special Purpose Company）とは財務諸表等規則8条7項に規定する「特定資産の流動化に関する法律（平成10年法律第105号）第2条第3項に規定する特定目的会社及び事業内容の変更が制限されているこれと同様の事業を営む事業体」をいい、あらかじめ特定された資産の取得・運用・譲渡のみを行うので、資産の入替え等事業内容の変更ができないため、開発や大規模修繕は困難である。資産の入替えを行うが、一定種類の資産の運用のみを行う場合は、「ファンド」と呼んで特別目的会社とは区別しており、投資法人や投資信託がその代表的なヴィークルである。任意組合、匿名組合また

644　第9章　クラウドファンディングの発展とブロックチェーン技術の可能性

は信託は契約や対象資産により、その両方の目的で使用し得る。

これらの器は、通常 one-tiertaxation による資金効率が求められ、それ自体には法人税が課税されず投資家に対する１回限りの課税のみであること（多くの場合、導管性）が重要となる。このために投資法人や特定目的会社等、支払配当を損金算入できる特殊な法人や、それ自体は納税主体とならない組合などを利用することが主であるが、信託は、法人課税信託に該当しない限り、単体でその機能を担うことも、あるいは他の器と組み合わせて利用することも可能である。

信託受益権に対する課税方式の類型は、次の税務上の三つの区分に応じそれぞれ規定されている（法法12①④、法法２二十九・二十九の二）。

① 受益者等課税信託…受益者課税（発生時。いわゆるパススルー課税）

② 集団投資信託…受益者課税（収益受領時）

③ 法人課税信託…信託自体に法人税課税

受益証券発行信託は原則として、③法人税課税信託となるが、このうち所轄の税務署長の承認を受けた者が引き受けたものである等一定の要件を満たすもののみ「特定受益証券発行信託」として、②の集団投資信託に区分される。これまで公募された受益証券発行信託の受益権セキュリティ・トークンに用いられる信託は、税務上の理由から、すべて「特定受益証券発行信託」によるものであった。

②の集団投資信託とは、合同運用信託、証券投資信託、国内公募投資信託、外国投資信託、特定受益証券発行信託をいう。課税方式は受益者へのパススルー課税や信託自体への法人税課税ではなく、収益の分配時に投資家において利子所得あるいは配当所得として課税されるものであるため、転々流通する金融資産の器として適した特性を有する。

2006年に制定された新信託法により新たな類型として設けられた受益証券発行信託（信託法185）は、その受益権が細分化され転々流転することを前提としており、その受益者への課税が実務上困難であると考えられることから、原則として法人税課税信託に分類されることとなった。ただし、このうち①適正に

第４節　不動産セキュリティ・トークン　　645

信託事務を実施可能な要件を満たす者が受託者であり、②過度な課税の繰延べが生じないものとして税法上の要件を満たすものとして一定要件を満たすものについてのみ、「特定受益証券発行信託」として定義され、その課税上の取扱いは一般的な投資信託と同様となった。

すなわち収益については投資家への分配時課税となり、所得税法上の課税区分において一定の要件を満たす場合には申告分離課税や特定口座への受入れが可能であること等、金融商品としての優遇を受けることができるとされた。

このように特定受益証券発行信託はすでに貴金属を対象にした上場ETFの器として10年以上の活用実績があり、優れたポテンシャルを備えていたものの、TK-GKスキーム等に比し組成にコストがかかること等の理由から、これまで不動産流動化の器としてはあまり活用されてこなかった経緯がある。しかし、不動産セキュリティ・トークン組成上の要請を満たす点においては、こうしたハードルを越えるに値するメリットがあったということであろう。

（注7） 法人に限らず、匿名組合、民法上の組合、信託、外国の法人などが利用される。

2 特定受益証券発行信託の税務上の要件および許認可

受益証券発行信託は、次の要件のすべてを満たす場合には「特定受益証券発行信託」として区分され、信託財産から生じる利益については投資家への分配時まで繰り延べることが可能となる(注8)。

① 承認受託者(注9)が引き受けたものであること （法法2二十九ハ(1)）

② 各計算期間終了の時における未分配利益の額のその時における元本の総額に対する割合（利益留保割合）が1,000分の25を超えない旨の信託行為における定めがあること （法法2二十九ハ(2)、法令14の4⑪）

③ 各計算期間開始の時において、その時までに到来した利益留保割合の算定の時期のいずれにおいてもその算定された利益留保割合が1,000分の25を超えていないこと （法法2二十九ハ(3)）

④ その計算期間が1年を超えないこと （法法2二十九ハ(4)）

⑤　受益者（受益者としての権利を現に有するものに限る）が存しない信託に該当したことがないこと^(注10)（法法２二十九ハ(5)）

（注8）　ただし、合同運用信託および法人を委託者とする租税回避型の法人課税信託は除かれる。

（注9）　承認受託者（その受益証券発行信託の受託者に就任したことによりその信託事務の引継ぎを受けた承認受託者を含む）の承認が取り消された場合、あるいは承認受託者以外の者が受託者に就任した場合には、その翌計算期間開始の時から特定受益証券発行信託に該当しないこととなる。そのため計算期間の中途で課税関係に変更が生じることはなく、承認の取消しがあってもその取消しのあった日の属する計算期間の終了の日までは特定受益証券発行信託に該当し、翌計算期間開始の日から法人課税信託に該当することとなる（法基通12の６－１－７）。

（注10）　特定受益証券発行信託となるのは信託法185条３項に規定する受益証券発行信託に限られており、外国の法律を準拠法とする信託受益権を表示する証券を発行する旨の定めのあるものは特定受益証券発行信託には該当し得ない。一方、法人課税信託の類型の第一は「受益権を表示する証券を発行する旨の定めのある信託」と規定されている（ただし集団投資信託は除外される）ため、信託法185条３項に規定する受益証券発行信託に限られず、外国の法律を準拠法とする信託で受益権を表示する証券を発行する旨の定めのあるものは法人課税信託に該当する（法基通12の６－１－１）。

4　特定受益証券発行信託受託者の税務上の留意点

1　承認受託者の要件

　特定受益証券発行信託は、前記3 **2** ①で述べたように承認受託者に引き受けられたものである必要がある。この承認受託者とは、信託事務の実施につき一定の要件に該当するものであることについて税務署長の承認を受けた法人とされているが、その一定の要件は次のとおりである（法令14の４①）。

①　次に掲げるいずれかの法人に該当すること

　イ．信託会社（信託業法２条４項に規定する管理型信託会社を除く）

　ロ．金融機関の信託業務の兼営等に関する法律の規定により同法１条１項に規定する信託業務を営む同項に規定する金融機関

第４節　不動産セキュリティ・トークン　　647

ハ．資本金の額または出資金の額が5,000万円以上である法人。ただし、その設立日以後１年を経過していないものを除く^(注11)

② その引受けを行う信託に係る信託法37条１項に規定する書類または電磁的記録および同条２項に規定する書類または電磁的記録の作成および保存が確実に行われると見込まれること。ただし、限定責任信託にあっては、信託法222条２項に規定する会計帳簿および同条４項に規定する書類または電磁的記録の作成および保存が確実に行われると見込まれること

③ その帳簿書類に取引の全部または一部を隠ぺいし、または仮装して記載または記録をした事実がないこと

④ その業務および経理の状況につき一定の方法^(注12)により開示し、または会社法435条２項に規定する計算書類および事業報告ならびにこれらの附属明細書その他これらに類する書類について閲覧の請求があった場合には、正当な理由がある場合を除き、これらを閲覧させること

⑤ 清算中でないこと

(注11) 設立日以後１年が経過している旨の要件は、承認にあたり税務署長が信託事務の適正な実施が可能かについて過去の実績を参考にすることができるようにする趣旨である。また資本金の額または出資金の額に下限が設けられている趣旨は、信託事務の適正な実施が可能な規模であることを担保するものであり、信託業法における管理型信託会社の要件としての資本金の額の下限である5,000万円以上（信託業法10①二、信託業法施行令８）と同水準となっている。ここにいう「設立日」は、通常の内国法人は設立の日であるが、合併等の場合においてはその区分に応じそれぞれ定める日であり、外国法人については恒久的施設を有することとなった日とされている（法令14の４②）。

またイから除外される管理型信託会社はハに該当すれば承認受託者となることができる。これは、信託会社のうち、管理型信託会社以外の信託会社は免許制である一方、管理型信託会社については登録制であり監督も緩やかであるため、信託事務の実施が適正にできるかについて過去の実績をみる必要があるためである。

(注12) なお、一定の方法は、次のとおりとされている（法規８の３①）。

イ．金融商品取引法24条１項に規定する有価証券報告書に記載する方法
ロ．銀行法20条１項の規定により作成した書類および同法２条１項に規定する説明書類を同項の規定により公衆の縦覧に供する方法（これらの書

類につき同条 4 項に規定する内閣府令で定める措置をとる方法を含む）

ハ．信託業法34条 1 項に規定する説明書類を同項の規定により公衆の縦覧に供する方法（当該説明書類につき同条 3 項に規定する内閣府令で定める措置をとる方法を含む）

ニ．会社法435条 2 項に規定する計算書類および事業報告ならびにこれらの附属明細書を公告する方法

ホ．イからニまでに掲げる方法に類する方法

信託事務の実施についての適正性を判断する基準として、業務および経理の状況についての開示を求めており、閲覧やニの方法による開示書類には事業報告や附属明細書が含まれ、会社法の規定による公告よりも対象書類は広い。またホについては外国信託会社や合同会社などが受託者である場合が想定されている。

2 承認等の手続き

承認受託者の承認を受けようとする法人は、その法人の名称等一定事項を記載した承認申請書に加え、その法人が承認受託者の要件を満たす法人に該当する旨を証する書類を添付して（法令14の 4 ④）その納税地の所轄税務署長に提出しなければならない（法令14の 4 ③）。承認または却下の旨は書面により通知される。また信託事務が不適切である場合等は承認の取消しも行われ得る（法令14の 4 ⑦⑧）。

3 計算書類の提出

承認受託者の承認を受けた法人は、その法人の各事業年度終了の日の翌日以後 2 か月を経過する日までに、その法人が受託者である特定受益証券発行信託の各計算期間（その終了の日が当該事業年度中にあるものに限る）の貸借対照表および損益計算書（これらの書類に各計算期間に係る収益の分配の状況について記載がない場合には、その収益の分配の状況を記載した書類を含む）を、納税地の所轄税務署長に提出しなければならない（法令14の 4 ⑨、法規 8 の 3 ②）。なお、この書類の提出は、受託者の事務手続を考慮し、信託の計算期間ではなく受託者の固有の事業年度ごとにまとめて提出することとされている（注13）。

第 4 節　不動産セキュリティ・トークン　　649

(注13)　承認を取り消された場合にも、承認受託者の承認を過去に受けた事実がある限りは「承認を受けた法人」に該当すると考えられる。したがって、特定受益証券発行信託の計算期間で承認の取消日以後最初に終了するものについては（受託者はすでに承認を取り消されているが）書類の提出義務があることとなるが、それ以後は特定受益証券発行信託に該当せず、書類の提出義務はないものと解される。

4　収益の分配額の通知義務

　承認受託者の承認を受けた法人には、特定受益証券発行信託につき収益の分配（元本の払戻しを含む）を行う場合には、収益の分配を受ける者に対し、その課税関係を明らかにするため、その収益の分配が特定受益証券発行信託の収益の分配である旨を通知する義務が課されている（法令14の4⑮）。

5　トークン化と業規制

　トークン化された信託受益権がトークン表示型第一項有価証券に該当する場合には日本証券業協会、電子記録移転権利に該当する場合にはSTO協会の自主規制下において、それぞれに応じた開示規制が課される。

　たとえば、電子記録移転権利の公募における開示情報としては、第一部の「証券情報」では、「内国有価証券投資事業権利等の形態等」として、利用技術の名称・内容および選定理由、利用プラットフォームの名称、内容および選定理由などの記載が必要となる。

　また、第二部の「発行者情報」においては組合等の状況として、組合等の概況、投資方針、投資リスク等が開示されるが、特有の情報として資産保管会社や技術提供者、プラットフォーム提供者の名称・運営上の役割ならびに関係業務の内容、さらに資産流出リスクその他の電子記録移転権利に固有のリスクおよびそれらに関するリスク管理体制、技術提供者およびプラットフォーム提供者に対す報酬および手数料も開示の対象となる。その他、仲介・売買に関する業法規制は**図表9・4・2**のとおりである。

図表 9・4・2　仲介・売買に関する規制

	第一項有価証券			第二項有価証券	
	従来型	トークン化有価証券	電子記録移転権利（第二項有価証券のうちトークン表示したもの）	電子記録移転権利から除外されるもの	従来型
募集の仲介・業としての売買	1種金商業	1種金商業（変更登録必要）		2種金商業（変更登録必要）	2種金商業
募集・売買時に勧誘できる投資家の範囲	非上場株式等は自主規制で制限	自主規制規則上の制限（STO協会）		除外要件あり	制限なし

（出所）　さくら綜合事務所

6　信託受託者の会計と開示

　信託法の改正にともない、信託の受託者は、法務省令に定める信託計算規則に従い、貸借対照表、損益計算書等を作成することを要し（信託法37②）、その信託の会計は一般に公正妥当と認められる会計の慣行に従う（信託法13）ことが規定された。企業会計基準委員会においては2007年8月2日実務対応報告23号「信託の会計処理に関する実務上の取扱い」を公表しており、Q8において、限定責任信託や、受益者が多数となる信託については公正妥当と認められる企業会計基準に基づいて行うこととされた。また、社団法人信託協会は受益証券発行信託について、受託者の信託事務の適正な処理の遂行および利害関係者への適正な情報開示等を目的とし、信託会計の実務慣行の中から、受益証券を発行する信託（特定目的信託等の同様の機能を有する信託）の会計として一般に公正妥当と認められるものを取りまとめた「受益証券発行信託計算規則」を公表

第4節　不動産セキュリティ・トークン　　651

しており、特定受益証券発行信託（法法2二十九ハ）の計算等も、当規則に基づくこととされている。

また、受益権が金商法の規制の対象となる有価証券に該当する場合には、それぞれの属性に応じ、前記「特定受益証券発行受託者の税務上の留意点」に示す開示等規制の対象となる。

トークン化された信託受益権については実務対応報告43号「電子記録移転有価証券表示権利等の発行及び開示に関する取扱い」が公表されており、その取扱いについては**図表9・4・3**のようになる。

図表9・4・3　トークン化された信託受益権の取扱い

区分	対象	基準
【金融商品会計基準等上の有価証券に該当する場合】（投資信託、貸付信託、受益証券発行信託の受益権等）	発生および消滅の認識(注1)	金融商品会計基準7項から9項　金融商品実務指針
	貸借対照表価額の算定および評価差額	金融商品会計基準15項から22項　金融商品実務指針
【金融商品会計基準等上の有価証券に該当しない場合(注2)】（金銭以外の信託等）	全般	金融商品実務指針　実務対応報告第23号「信託の会計処理に関する実務上の取扱い」

（注1）　ただし、電子記録移転有価証券表示権利等の売買契約について、契約を締結した時点（金融商品実務指針における「約定日」に相当する時点）から電子記録移転有価証券表示権利等が移転した時点までの期間が短期間である場合は、金融商品実務指針22項の定めに関わらず、契約を締結した時点で買い手は電子記録移転有価証券表示権利等の発生を認識し、売り手は電子記録移転有価証券表示権利等の消滅を認識する。なお、短期間に該当するか否かは、わが国の上場株式における受渡しに係る通常の期間とおおむね同期間かそれより短い期間かどうかに基づいて判断するものと考えられる。

（注2）　ただし、金融商品会計基準等上の有価証券に該当しない電子記録移転有価証券表示権利等のうち、金融商品実務指針および実務対応報告23号の定めに基づき、結果的に有価証券とみなして、または、有価証券に準じて取り扱うこととされているものについての発生の認識（信託設定時を除く）および消滅の認識は、上記の「金融商品会計基準等上の有価証券に該当する場合」の定めに従って行う。

（出所）　さくら綜合事務所

7 セキュリティ・トークン化された信託受益権を保有する投資家の会計税務上の留意点

1 法人投資家の会計に関する事項

　セキュリティ・トークン化された受益権（電子記録移転有価証券表示権利等）を保有する場合の会計処理は、金融商品会計基準等上の有価証券に該当する場合と該当しない場合に分けて取り扱う(注14)。特定受益証券発行信託の受益権は第一項有価証券に該当するものとして扱われるため、金融商品会計基準等上の有価証券に該当する場合として取り扱うものとするが、金融商品会計基準等上の有価証券に該当する電子記録移転有価証券表示権利等の発生および消滅の認識、貸借対照表価額の算定および評価差額に係る会計処理は従来の有価証券と同様に行うものとされている。

　ただし、電子記録移転有価証券表示権利等の特有の事象として、ブロックチェーン上での譲渡手続が即時に行われる等の取引が想定されるため、売買契約締結時点から電子記録移転有価証券表示権利等の移転時点までの期間が短期間である場合には、契約締結時点において電子記録移転有価証券表示権利等の発生・消滅を認識することとされた(注15)。

　なお、会計基準上の有価証券に該当しないものが主として信託受益権の保有者が単数の信託受益権であり（金融商品実務指針8項、58項）、それらには信託報告（実務対応報告23号等）が適用になるが、複数の受益権者が保有する優先劣後に分割した金融資産の信託受益権（金融商品実務指針100項(2)）やその他の集団投資スキーム持分は有価証券として取り扱うことになるのではないか。

（注14）　2022年8月26日実務対応報告43号「電子記録移転有価証券表示権利等の発行及び保有の会計処理及び開示に関する取扱い」
（注15）　原則は約定日基準であるが、修正受渡基準を選択することができる。

2 法人投資家の税務上の取扱い

　トークンに関連する税務情報としては、国税庁より「暗号資産に関する税務

上の取扱いについて（FAQ）」が公表されているが、有価証券の価値を表彰するいわゆるセキュリティ・トークンはこの扱いの対象とはならず、本来の法的なあり方に基づいて取り扱う。金商法2条1項14号に規定する受益証券発行信託の受益権は、法人税法上の有価証券の定義に該当し（法法2二十一、法令11）、たとえば売買目的有価証券の時価評価（法法61の3等）、一単位当たりの帳簿価額の算定方法（法令119の5①）や著しく価値が低下した場合の評価損の計上（法法33）などの対象となる。

　なお消費税法上においては有価証券としての取扱いとなり（消基通6－2－1）、受益権そのものの譲渡取引は非課税となるが、非課税となる有価証券等の譲渡としてその収入金額の5％について課税売上割合の計算上加味する必要がある。

3 　個人投資家の税務上の取扱い

　法人の場合と同様、セキュリティ・トークン化されていても本来の課税関係となるため、信託の課税区分において集団投資信託である特定受益証券発行信託の受益権セキュリティ・トークンの収益の分配については配当所得となり（所法24①）、当該不動産セキュリティ・トークンが一定の公募要件を満たして組成され、措法37条の11に規定する「上場株式等」に該当する場合には、申告分離課税の対象となる（措法8の4）。さらに組成次第では特定口座への受入れも可能であるが（措法37の11の3〜37の11の5）、目下販売されている特定受益証券発行信託セキュリティ・トークンは一般口座での受入れが主流となっており、原則として譲渡した際の所得については自身での確定申告が必要となる。

　なお、不特法に基づく出資持分をセキュリティ・トークン化したものを取得した場合には、組成スキームに基づく従来どおりの取扱いとなる（業務の遂行に関与しない出資者として、匿名組合方式であれば原則として雑所得、任意組合方式であれば原則としてインカムゲインは不動産所得、キャピタルゲインは譲渡所得）。

〈参考文献〉
・「金融技術進展等を踏まえた対応策」（第12回不動産投資市場政策懇談会 配布資料）国土交通省
・一般社団法人日本 STO 協会「セキュリティトークン市場ワーキング・グループ中間整理（報告書）」2022年10月
・一般社団法人日本 STO 協会「令和 5 年度税制改正要望」
・「令和 4 年度版 会社税務釈義」第一法規
・アンダーソン・毛利・友常法律事務所　青木俊介『セキュリティトークンの基礎と実務』（2022年度 ARES マスター研修講義）
・『コンメンタール法人税法 Digital（令和 4 年度）』第一法規
・谷口義幸『要説 金融商品取引法開示制度』税務研究会出版局、2023年 4 月

資料

■資料1　判例一覧

裁判所	判決年月日 事件番号	事件名・判決要旨
大審院	明治36年6月20日 明36(オ)280号	〔出資金返還請求ノ件〕匿名組合契約の解除、匿名組合解散および出資金返還に関する契約とは、その法的性質は異なる。
東京控訴院	明治38年8月3日 明36(ラ)292号	その営業が商行為であれば、匿名組合の営業者であっても、その者は商人である。
大阪控訴院	明治40年1月22日	匿名組合においては、営業および財産の検査許可申請の相手方は営業者であって匿名組合員ではない。
長崎控訴院	明治40年11月26日 明40(ネ)37号	組合員は営業者に対して利益分配および出資価額返還請求権を有するのみであり、組合員相互間には何らの法律関係をも生じない。
宮城控訴院	明治41年12月4日 明40(ネ)226号	出資未済の場合においては、匿名組合員はその出資に足るまでは責任を負う。
東京控訴院	明治44年5月16日 明42(ネ)720号	匿名組合の当事者は営業者および匿名組合員の2人のみである。
大阪控訴院	明治45年1月29日	出資額を超える損失は営業者が負担する。
大審院	明治45年6月1日 明45(オ)159号	〔資金返還並配当金請求ノ件〕出資の減少の有無については解除後の損失を斟酌できない。
大審院	大正5年5月29日 大5(オ)14号	〔立替金請求ノ件〕旧商法265条（現行503条）の商人とは、行為の当時現に商人たるものを指し、現行商法施行前に成立した匿名組合においては、営業名義人が営業上の行為につき全責任を負う。
大審院	大正6年5月23日 大5(オ)926号	〔損害賠償請求ノ件〕営業上の財産が組合員の共有に属することを前提とするときは、その組合は普通組合であって匿名組合ではない。
大審院	大正7年10月2日 大7(オ)710号	〔貸金請求ノ件〕組合の業務執行者は、総組合員の委任により、組合を代表して、業務執行として必要な諸般の行為をする権限を有する。また、業務執行者を定めない場合、組合員の1人が組合の名でした行為については他の組合員は第三者に対し責任を負わない。
大審院	大正8年6月14日 大8(オ)138号	〔精算金支払請求ノ件〕委託契約を締結するに際して第三者が損益計算の結果について、仲買人が責任を負う旨の契約をするのは有効であり、異なる運送店が第三者の

資料1　判例一覧　　659

裁 判 所	判 決 年 月 日 事 件 番 号	事 件 名 ・ 判 決 要 旨
		弁済によって債務を免れた場合、内部関係において現実利益を受けた者が外部に対する法律上の責任いかんを問わず返還義務を負う。
大 審 院	大正10年5月4日 大10(オ)291号	〔売掛代金請求ノ件〕匿名組合の対外的行為の決定は営業者が行い、組合員の過半数の同意は必要ない。
大 審 院	大正10年8月10日 大10(オ)483号	〔損害要償ノ件〕仮植中の草木は動産であり、これが組合員の共有物に属する場合、当該組合は匿名組合ではない。
東 京 区 裁	大正11年4月25日 大11(フ)1374号	組合ではない個人が、「匿名組合」という商号を使用することはできない。
東京控訴院	昭和2年12月26日 昭2(ネ)737号	持分と認められる権利義務の割合および右権利義務の譲渡に関する定めなどを有する契約は匿名組合にあたらない。
行 政 裁	昭和2年12月27日 大12 63号	〔所得金額決定取消請求ノ訴〕法人のある事業年度に欠損を繰り越しても、その繰り越した係争事業年度の損金として計算すべきではない。
大 審 院	昭和3年6月21日 昭3(オ)229号	〔匿名組合契約不存在確認事件〕組合員が他の組合員との間で組合の存否認訴訟を提起する際は、他の組合員全員となる。
大 審 院	昭和7年12月10日 昭7(オ)394号	〔貸金請求事件〕組合財産は一種の団体財産としての特質を帯び、民法264条は組合員の共有の組合財産に関する民法の特別規定に優先しない。
大 審 院	昭和8年2月15日 昭7(オ)1829号	〔合資会社設立無効確認請求事件〕合資会社の定款に各社員の出資金額が規定してある場合、設立時に所定の出資をしたか否かは会社の成否に関係がない。
行 政 裁	昭和8年3月11日 昭6 61号	〔所得税営業純益金額決定不服ノ訴〕営業権の評価益の益金算入事例。
大 阪 区 裁	昭和9年8月2日 昭8(ハ)10029号	形式的には匿名組合の名称を有していても、実質上は組合員各自がそれぞれ一定額の出資をし、組合員相互の金融をはかることを目的とする組合は民法上の組合である。
大 審 院	昭和14年11月28日 昭13(オ)1979号	〔無尽契約金請求事件〕無尽業法12条に違反して締結した無尽契約は無効である。
岡 山 区 裁	昭和16年12月27日	営業者が利益配当もせず、組合員が出資もしないものは、匿名組合契約とはいえない。
大 審 院	昭和18年7月16日 昭18(オ)291号	〔株券返還請求事件〕株式の短期清算取引を委託の不当利得返還債務を保証する契約は無効である。

裁 判 所	判決年月日 事 件 番 号	事 件 名 ・ 判 決 要 旨
函 館 地 裁	昭和26年2月27日	〔約束手形金請求事件〕組合事業の代表者が組合員に組合事業勘定から出資して貸付を行っても、組合員全員の承諾がない限り、代表者と借入れを行った組合員の金銭消費貸借とみなす。
最 高 裁	昭和26年3月15日 昭25(れ)766号	〔地方税法違反被告事件〕地方税法136条2項の入場税の特別徴収義務者たる身分のない者が特別徴収義務者の入場税の一部逋脱に成功した場合は逋脱犯の共犯となる。
名古屋地裁	昭和27年5月17日	匿名組合契約名義で日掛金を集め、一定期間後に利息を加算した一定金額を給付し、または期間途中において貸付をして日賦返済をさせるのは無尽営業となる。
千 葉 地 裁	昭和27年10月31日	〔貸金業等の取締に関する法律違反被告事件〕いわゆる株主相互金融方式による資金の受入れは預り金に該当する。
京 都 地 裁	昭和30年3月8日 昭26(ワ)1155号	〔家屋明渡請求事件〕借家人と貸家人とが借家の一部を利用して別個に営業をしている場合、共同経営は借家人を営業者とする匿名組合の性質を有すると解され、借家権は依然として借家人個人のものと考えられるから、借家人と甲との間における使用関係は使用貸借関係である。
名古屋地裁	昭和31年4月5日	〔詐欺被告事件〕営業者に出資金につき所有者としての権利を実行させず、契約上の責任のみのような匿名組合約款は、その本質に反し無効である。
仙 台 地 裁	昭和31年8月31日	〔約束手形金請求事件〕民法上の組合の役員により組合活動のため振り出された手形債務は組合員全員で連帯して負うべきものである。
東 京 地 裁	昭和31年9月14日 昭29(ワ)8874号	〔出資金返還請求事件〕利益の有無にかかわらず出資金に対する一定利率の金銭の支払いを約することは匿名組合の性質に反する。
高 松 高 裁	昭和31年10月20日 昭31(ネ)121号	〔所得税額更正決定取消請求控訴〕所得税法9条1項7号のいわゆる山林所得とは山林経営による所得を指すものと解されているので、山林経営の実を伴わない場合の山林立木の譲渡による所得は、特段の事情のない限り、同条同項8号の譲渡所得と解する。
大 阪 高 裁	昭和31年12月20日	〔貸金請求控訴事件〕組合員からなされた出資を組合が会社に対して貸付をした場合は、実質的には会社の組合員からの借入金である。
東 京 地 裁	昭和32年7月26日	〔出資金返還請求事件〕営業者が利益の有無にかかわら

資料1　判例一覧　　661

裁 判 所	判 決 年 月 日 事 件 番 号	事 件 名 ・ 判 決 要 旨
	昭29(ワ)自5991号、 至6010号	ず、一定時期に一定率の利益分配をすることを約し、組合員に営業への関与権を与えていないものは匿名組合とはいえない。
東 京 高 裁	昭和32年9月7日 昭32(ネ)129号	〔建物収去土地明渡請求控訴事件〕匿名組合契約にもとづき土地の借地権そのものを出資する必要はなく、使用権のみの出資も認められる。
最 高 裁	昭和32年12月19日 昭28(あ)5403号	〔横領被告事件〕組合の事業を任されている者が株式会社設立のため出資された資金によって建設された建物を自己名義に保存登記をした上、自己の債務の弁済に供するため他に譲渡した場合は横領罪となる。
大 阪 地 裁	昭和33年3月13日 昭31(ワ)1798号	〔家屋明渡請求事件〕十数箇月配当を受けていない場合は、解散事由の「やむをえない場合」にあたると認められる。物の使用権が出資の目的である匿名組合契約終了の場合には、出資者は常にまず物の返還を請求することができ、それに対し終了時に営業上の損失があって使用権の価額が減額しているときには、営業者は出資者に対し減少価額の支払いを請求し、それを支払うまでは返還請求に応じない旨の抗弁を主張することができる。また、出資者が損失を分担しない特約のあるときは、出資者はさらにその旨の抗弁を主張して返還を請求しうると解する。
熊 本 地 裁	昭和33年5月6日 昭27(行)31号	〔審査決定取消請求事件〕たかだか従業員組合的な存在にすぎなかったこと等の事実が認められる場合は、「その従事者である運転手および助手等が組合を結成し、独立して自ら運送業をなしていたから、この組合に支払った運賃分は個人事業主の収入に帰属するものでなく、その必要経費として控除すべきである」との主張は認められ、運賃分は事業主個人に帰属し、その事業所得に計上すべきである。
東 京 地 裁	昭和33年7月3日 昭29(行)81号	〔源泉徴収所得税賦課処分取消請求事件〕商法上の匿名組合契約は浮動する利益を分配することが要件であり、あらかじめ確定した割合の金員を分配すると定めたことだけでは、所得税法に規定する匿名組合契約等にあたらないとはいえない。
東 京 地 裁	昭和33年7月3日 昭31(行)24号	〔源泉徴収所得税徴収処分取消請求事件〕事業者と資金提供者との契約が旧所得税法42条3項、1条2項3号、同法施行規則1条にいう匿名組合契約等に該当するかど

裁判所	判決年月日 事件番号	事件名・判決要旨
		うかは、客観的にみて資金提供者が当該事業にいわゆる隠れた営業者として参加する意思があるか、または単に出資の対価として利息を受ける意思をもつにすぎないかという点にある。
東京地裁	昭和33年9月11日 昭30(行)60号	〔源泉徴収所得税徴収決定処分無効確認事件〕匿名組合契約またはこれに準ずる契約に基づく利益の配当であるか、消費寄託契約にもとづく確定利息であるかは、外観上認識、判断できるものではないので、契約当事者の意思その他の資料を広く調査して初めて決定しうるような性質をもつ場合、利益の配当と誤って源泉徴収所得税の徴収決定をしても、その瑕疵は客観的に明白なものとはいえず、その処分は法律上当然無効ではない。
仙台地裁	昭和34年1月29日	〔資材代金等請求事件〕組合で選出した組合代表者が構成員の許可なく行った取引であっても、組合員は善意であることを理由にその責任を逃れることはできない。
東京地裁	昭和34年6月17日 昭31(行)55号	〔源泉徴収所得税等決定処分無効確認事件〕契約の外形だけでは、消費寄託契約により支払われる利息か匿名組合によって分配される利益かが明らかでない場合で、契約当事者の意思その他の資料を広く調査して初めて決定し得るような性質を持つものについて、税務署長が利益の分配と誤って源泉所得税の徴収決定をしても、その瑕疵は客観的に明白なものとはいえず、その処分は法律上無効とはいえない。
東京高裁	昭和34年9月12日 昭33(ネ)1541号	〔源泉徴収所得税徴収処分取消請求控訴事件〕事業者と事業資金提供者との契約が所得税法42条3項、1条2項3号、同1条にいう匿名組合契約等に該当するかどうかは、客観的にみて資金提供者が当該事業に参加する意思があるか、あるいは単に出資の対価として利息を受ける意思を持つにすぎないかという点にある。
秋田地裁	昭和35年1月25日 昭33(ヨ)1号	〔仮処分申請事件〕戦後の経営不振により統合していたバス会社を、統合前の業者に経営委託し自動車匿名組合とした。しかし、このような経営状態は違法との陸運局の勧告により株式会社による経営状態に戻した。
山口地裁	昭和35年2月24日 昭34(モ)241号	〔不作為を命じた仮処分に違反する行為の除却命令〕不作為を命じた仮処分に違反する行為の除却命令を匿名組合長生炭鉱が申請した事例で、不作為を命ずる仮処分の

資料1 判例一覧 663

裁 判 所	判決年月日 事 件 番 号	事 件 名 ・ 判 決 要 旨
		執行は、命令が債権者に送達されて直ちに完了するもので はなく、不作為義務は命令の取消しがあるまで継続する。
最 高 裁	昭和35年9月30日 昭32(オ)8号	〔所得税更正決定取消請求上告事件〕山林経営の実体が ない場合は、右譲渡による所得は山林取得ではなく譲渡 所得と解す。
神 戸 地 裁	昭和35年12月19日 昭32(わ)402号	〔外国為替及び外国貿易管理法違反事件〕個人経営の経 営者が住居を本邦へ変更したとしても、営業を継続してい る海外の営業所は営業者本人の居住性と別個に扱い、 非居住者とみなす。
東 京 高 裁	昭和36年1月31日 昭33(ネ)2164号	〔源泉徴収所得税徴収決定処分無効確認請求控訴事件〕 所得法税1条2項3号にいう匿名組合契約およびこれに 準ずる契約とは、いずれも匿名組合員が、前者について は商人、後者については商人でない者の事業に出資して、 その事業から生ずる利益の分配を受けることを約する契 約と解す。
大 阪 地 裁	昭和36年3月30日 昭32(ワ)4178号	〔建物収去土地明渡請求事件〕土地区画整理において、 従前の土地の所有者が単純なる仮換地指定処分後に何ら の権原なき第三者が従前の土地を不法に占拠し、これに 対して賃借権を有する旨を主張した場合、その第三者に 対して賃借権の不存在確認を訴求することは確認の利益 を欠き不適法である。
東 京 地 裁	昭和36年7月5日 昭34(ネ)1492号	〔源泉徴収所得税決定等処分無効確認請求控訴〕匿名組 合契約は、営業成績に従って浮動する利益を分配するこ とが絶対的要素であり、利益の有無にかかわらず、分配 すべき最低額を保証する契約の場合、匿名組合とはなり 得ない。
最 高 裁	昭和36年10月27日 昭35(オ)4号	〔源泉徴収所得税徴収処分取消請求事件（「勧業経済」事 件）〕客観的に出資者が隠れた事業者として事業に参加 し、その利益の分配を受ける意思を有せず、金銭を会社 に利用させ、その対価として利息を享受する意思を持っ ていたにすぎない場合、事業者と出資者との契約は、所 得税法1条2項3号にいう「匿名組合契約およびこれに 準ずる契約」にあたらない。
最 高 裁	昭和37年2月23日 昭36(オ)502号	〔源泉徴収所得税徴収決定処分無効確認請求上告事件〕 源泉徴収決定処分の当然無効非該当例。
山 口 地 裁	昭和37年4月2日	〔訴願裁決取消請求事件〕旧都市計画法25条の「行政庁

裁 判 所	判 決 年 月 日 事 件 番 号	事 件 名 ・ 判 決 要 旨
	昭29(行)22号	ノ為シタル処分ニ不服アル者」とは、当該行政処分の相手方及び当該処分によって自己の期待的利益を侵害された第三者をいう。
千 葉 地 裁	昭和37年6月29日 昭35(ワ)83号	〔損害賠償請求事件〕組合財産につき民法上の組合であれば組合員の共有物であり、商法上の匿名組合であれば営業者個人の所有物である。本件では、匿名組合のために組合財産を営業者個人が専有したとしても何ら問題はない。
最 高 裁	昭和37年10月2日 昭36(オ)1254号	〔源泉徴収所得税賦課処分等取消請求上告事件〕所得税法上の匿名組合契約とは、出資、利益の分配、10人以上の出資者という要件の外に、出資者が隠れた事業者として事業に参加し、その利益の配当を受ける意思を有することを要する。
最 高 裁	昭和37年11月1日 昭37(あ)1185号	〔外国為替及び外国貿易管理法違反被告事件〕居住者が本邦外に有する営業所は、外国為替及び外国貿易管理法においては非居住者とみなされると解すべきである。
最 高 裁	昭和38年3月3日 昭36(オ)1214号	〔所得税決定取消事件〕課税の資料となるべき書類や帳簿が一切皆無である場合、営業者の所得は合理的な方法によって推計するよりほかない。
最 高 裁	昭和38年5月31日 昭35(オ)1461号	〔資材代金等請求上告事件〕民法上の組合においては組合規約等で業務執行者の代理権を制限しても、その制限は善意無過失の第三者に対抗できない。
東 京 地 裁	昭和38年10月10日 昭31(行)107号	〔源泉徴収所得賦課処分等取消請求事件〕出資者に対してその出資に対する対価として事業の利益の有無に関係なく確定率の金銭等の支払いを約する契約は、利益の分配たる本質的要素を欠くものとして所得税法上の匿名組合契約等に該当しない。
福 岡 高 裁	昭和39年5月19日 昭36(ネ)924号	〔為替手形金請求控訴事件〕手形の裏書が手形割引でなく消費貸借を確保するためになされたものと認める。
札 幌 高 裁	昭和39年12月10日	〔所得税法違反被告事件〕出資受領書等が発行されず、出資側の帳簿にも出資の記載がなく、匿名組合の帳簿にも出資勘定が設けられていないことは、組合組織の存在を否定する理由となりうる。
岡 山 地 裁	昭和41年12月7日 昭38(ワ)460号	〔貸金請求事件〕金融業に対して出資をし、その利益を分配する契約は匿名組合類似の契約として、商法の匿名

資料1 判例一覧 665

裁判所	判決年月日 事件番号	事件名・判決要旨
		組合に関する規定が準用される。
東京地裁	昭和43年10月7日 昭40(特わ)295号	〔法人税法違反等被告事件〕不正輸出による収益は会社を出資者とする匿名組合に帰属しない。
仙台高裁	昭和44年4月30日 昭43(ネ)169号	〔営業権確認等請求控訴事件〕組合員が営業者に不信の念をもち共同経営の意思を喪失した場合に、既に信頼関係が破壊され、事業の円満な運営継続が到底期待できない場合は「已ムコトヲ得サル事由」にあたるというべきである。
大阪高裁	昭和44年8月5日 昭42(ネ)1436号	〔転付金請求控訴事件〕インドネシア組合の組合員が組合のために日本において日本会社との間で締結した日本所在の不動産の賃貸借契約の効力について、事案の性質上当事者は日本法に従って契約を締結する意思が明白であった場合、日本法が適用される。
東京高裁	昭和44年10月6日 昭43(ウ)2510号	〔法人税法違反等被告事件〕営業の重要部分については組合員たる会社が行い、業務に対する営業者の報酬が支払われておらず、匿名組合の金銭の受払いが組合員名義の口座で行われている場合、匿名組合の業務とはいえず組合員の裏業務である。
最　高　裁	昭和45年11月6日 昭41(オ)648号	〔共有物分割並びに所有権確認等反訴請求上告事件〕数個の共有建物が一筆の土地上にあり、外形上一団の建物とみられる場合に、本条により右建物につき現物分割をする方法として、右建物を一括して分割の対象とし、共有者がそれぞれ各個の建物の単独所有権を取得することも認められる。
山口地裁	昭和46年6月28日 昭42(行ウ)6号	〔所得税更正処分取消請求事件〕宇部匿名組合の頭取に帰属していた投資信託の所得は会社に帰属する。
東京高裁	昭和46年7月30日 昭43(ネ)859号	〔損害賠償等請求控訴事件〕2人が共同の事業を営むことを目的として、出資、事業および利益分配の三要素からなる契約は、民法の組合契約に類似し、これに関する規定の類推適用が認められた事例。
東京地裁	昭和47年9月27日	〔源泉所得税納税告知等取消請求〕会社代表者によって取り立てられ、個人の資金として運用された場合、会社資産である土地の譲渡代金として受け取った手形は、その者に対して賞与の支給があったものと認定された事例。
山口地裁	昭和47年11月13日 昭44(行ウ)8号	〔裁決取消請求事件〕不動産の売買を円滑に進めるため、滞納者たる匿名組合の営業者から組合員に金銭が支払わ

裁 判 所	判 決 年 月 日 事 件 番 号	事 件 名 ・ 判 決 要 旨
		れても無償譲渡と認める。
東 京 地 裁	昭和48年9月21日 昭46(ワ)8883号	〔債務不存在確認等請求事件〕共有名義の抵当権設定登記の末梢請求に対し、そのうち1人の単独名義に更正登記手続を命じても違反ではない。
最　高　裁	昭和48年9月28日 昭43(行ツ)57号	〔源泉徴収所得賦課処分等取消請求上告事件〕匿名組合契約における利益の分配にあたらないものを、それにあたると誤認してされた源泉徴収所得税の納税の告知は無効ではない。
最　高　裁	昭和48年10月30日 昭44(オ)1135号	〔転付金請求上告事件〕代理人がした商行為による債権につき本人が提起した債権請求控訴の係続中に、相手方が商法504条但書にもとづき債権者として代理人を選択したときは、本人の請求は、右訴訟が係属している間代理人の債権につき催告に準じた時効中断の効力を及ぼすものと解する。
最　高　裁	昭和49年12月13日 昭47(あ)1588号	〔所得税法違反被告事件〕匿名組合の利息は現金主義によって所得計算すべきであり、利息の算出は営業者の一方的、内部的意思にすぎず、この段階では経費として確定していない。
津　地　裁	昭和51年4月22日 昭45(行ウ)1号	〔所得税更正決定取消請求事件〕民法上の組合契約に係る事業を基礎とした会社から、組合員であった者が会社から身を退くに際して支払われた金員は退職金ではなく、借入金の返済であると認定された事例。
山 口 地 裁	昭和51年10月25日 昭45(行ウ)3号	〔第二次納税義務者納付告知処分取消請求事件〕結成中の匿名組合に土地を譲渡した者が、匿名組合員のために借り入れた土地譲渡代金を上回る借入金を自己資金で弁済しているとき、当該土地の転買人から転買時から16年後に転買代金の一部を受領している場合は無償譲渡とはならない。
名古屋地裁	昭和52年12月7日 昭52(行ウ)21号	〔建物新築許可処分一部無効確認等請求事件〕土地区画整理事業の施行地区内に店舗を賃借し営業を行っているものは、市長が土地区画整理法76条にもとづき不動産業者に対し右店舗と同一の場所についてした建物新築許可処分の無効確認を求める法律上の利益を有しない。
東 京 地 裁	昭和54年10月9日 昭48(ワ)4806号	〔建物所有権保存登記末梢登記等請求事件〕共同事業が対外的にはその者の個人営業と変わらない外観を呈していても、対内的には各出資者の法的地位が持分として認

資料1　判例一覧　　667

裁 判 所	判決年月日 事 件 番 号	事 件 名 ・ 判 決 要 旨
		識され、利益の分配も出資割合に応じて行われている等、対内的には共同事業の実体を備えている場合には、右告示は民法上の組合に類似するものとして組合に関する民法の規定が類推適用される。
東 京 高 裁	昭和58年11月9日 昭57(う)1804号	〔所得税法違反被告事件〕利益を折半する約束で2名が共同して第三者である法人の名義を借用して不動産の売買を行った際、その法人に支払った礼金は脱税のための費用であるから必要経費に計上できないが、その2分の1は他の共同者の利益金に負担させるべきである。
東 京 地 裁	昭和60年3月22日 昭56(特わ)387号	〔所得税法違反被告事件〕証券会社の外務員が顧客の仮名口座を利用した株式取引による株式売買益を秘匿する行為に積極的に協力したことにより、所得税法違反の共同正犯であるとされた事例。
名古屋地裁	昭和60年3月25日 昭56(行ウ)39号	〔法人税更正処分取消請求事件〕匿名組合契約の営業者がなした土地の譲渡は営業者自身の土地譲渡であるとされ、租税特別措置法63条の適用上の土地譲渡利益金額も営業者に帰属する。
名古屋高裁	昭和61年7月16日 昭60(行コ)6号	〔法人税更正処分取消等請求控訴〕匿名組合契約上の営業者がなした土地の譲渡は営業者自身の土地譲渡であり、租税特別措置法63条の適用上も土地譲渡利益金額もあげて営業者に帰属する。
東 京 地 裁	昭和61年7月25日 昭55(ワ)13484号	〔損害賠償請求事件〕場外馬券売り場の建築、賃貸を目的とする組合は匿名組合として認められない。
最　　高　　裁	昭和62年7月3日 昭58(オ)734号	〔配当異議等請求事件〕いわゆる同族会社の代表者で実質的な経営者でもある破産者が義務なくして当該会社のために保証または担保の供与をしたことを直接の原因として、債権者が当該会社に対して出捐をしても、破産者がその行為の対価として経済的利益を受けない場合には、当該行為は本条5号にいう無償行為にあたる。
最　　高　　裁	昭和62年7月10日 昭58(オ)735号	〔配当異議等事件〕いわゆる同族会社の代表者で実質的な経営者でもある破産者が義務なくして当該会社のために保証または担保の供与をしたことを直接の原因として、債権者が当該会社に対して出捐をしても、破産者がその行為の対価として経済的利益を受けない場合には、右行為は本条5号にいう無償行為にあたる。
東 京 地 裁	昭和62年11月5日	〔土地所有権移転登記等請求事件〕二人組合において、

裁 判 所	判決年月日 事件番号	事 件 名 ・ 判 決 要 旨
	昭53(ワ)1259号	両者間に訴訟が係属するなどの事由で信頼関係が全く失われ、共同して事業を行うことが不可能な状態に至った場合は「やむを得ない」事由にあたる。
最 高 裁	昭和63年10月13日 昭61(行ツ)155号	〔法人税更正処分取消請求等上告〕匿名組合の営業者がなした土地の譲渡は営業者自身の土地譲渡であるとされ、租税特別措置法63条の適用上も土地譲渡利益金額もあげて営業者に帰属する。
佐賀地裁	平成元年10月24日 昭62(わ)100号	〔法人税法違反、所得税法違反被告事件〕郷土事業の実質的経営者の認定事例。
東京高裁	平成2年4月20日 昭60(う)1254号	〔所得税法違反被告事件〕証券会社の外務員が多数の顧客との間に「証券売買一任勘定取引」や「信託契約」による「預り金」、「預り株式」を運用して株式売買を続けていた場合には、それらについて確定清算がされるまでは、顧客の所得も外務員の所得も確定することができない。
名古屋地裁	平成2年5月18日 昭63(行ウ)18、19号	〔法人税更正処分取消等請求事件〕複数の出資者から出捐された資金をもとにしてなされた土地の購入およびその譲渡が、匿名組合契約にもとづいて行われたものであるとして、右譲渡の名義人である営業者にその譲渡利益が帰属するとされた事例。
大阪地裁	平成2年12月19日 昭63(行ウ)73号	〔法人税更正処分取消請求事件〕会社と会社が行った土地競落の出資者との間の契約は、土地の競落と転売という営業により生じる利益の分配を約して出資を行うことを内容としていることから商法上の匿名組合にあたるものと認める。
国税不服審判所	平成4年6月8日	競走馬の売買に係る収益計上時期について、売買代金の全額受領をもって収益計上とする処理は、取引慣行に照らして妥当なものということができるとして、売買契約書上の目標期日に収益計上しなかったことによる更正処分を全部取消した事例。
国税不服審判所	平成4年9月16日	匿名組合投資損失が、事業年度末において確定した損失の額でないことから、損金算入が否定され更正処分を受けた事例。
東京地裁	平成5年3月3日 昭63(ワ)249号	〔土地建物抵当権設定登記等抹消登記手続請求事件〕実質上一人の株主の個人企業である二つの会社は、匿名組合契約にもとづいて出資金返還請求権を設定したが、既にその返還請求権は消滅していると主張した。しかし当

資料1　判例一覧　　669

裁 判 所	判 決 年 月 日 事 件 番 号	事 件 名 ・ 判 決 要 旨
		該二つの会社には匿名組合契約の締約の証拠が認められず、法人格が実質上同一のものと認められるとして、一方の会社の債務の連帯保証人が他の会社に対し、求償債務の支払を請求することが認められた事例。
横 浜 地 裁	平成 5 年 6 月28日 平 4（わ）1947号	〔法人税法違反被告事件〕不動産業を営む会社において、法人税を免れようと企て、所得の大部分を匿名組合契約にもとづき、免税特権のある在日パキスタン大使館員に取得させたかのように仮装するなどの方法で所得を秘匿した上、脱税した。法人税逋脱犯の成立を認め、代表者を実刑に処した事例。
東 京 地 裁	平成 6 年 4 月26日 平 4（ワ）883号	〔損害賠償請求事件〕会社の借入金を私的に費消した代表取締役による、債権者との契約は金銭消費貸借契約ではなく、匿名組合契約類似のものであり返還する金員は存在しないとの主張が否定された事例。
東 京 地 裁	平成 7 年 3 月28日 平 6（ワ）6834号	〔出資金返還請求事件〕銀行系列のリース会社がペーパーカンパニーを設立し、航空機のレバレッジド・リースのための匿名組合契約を締結した。匿名組合員がペーパーカンパニーおよびリース会社に対し、法人格否認の法理、契約内容の錯誤を主張して、営業者に対してではなく、その親会社に対して出資金の返還を請求したが、否定された事例。
名古屋高裁 金 沢 支 部	平成 7 年 4 月17日 平 6（行コ） 1 号	〔所得税更正処分取消・所得税再更正処分取消請求控訴事件〕匿名組合にもとづく株式取引において、株式売買による利益の金額は、匿名組合契約による利益分配金として、当該契約上の営業者の雑所得金額の計算の際、必要経費に算入されるべきであるという営業者の主張が排斥された事例。
東 京 高 裁	平成 8 年 4 月17日 平 5（う）1039号	〔法人税法違反被告事件〕外交特権を有する駐日大使を利用し、内容虚偽の匿名組合を締結した後、馴合訴訟を提起する等の方法をとって売上高を減らし脱税したという事例。
東 京 地 裁	平成 9 年 2 月27日 平 7（ワ）2728号	〔売掛代金請求事件〕建築請負工事に関する共同企業体が建築資材の購入によって負担した債務について、当該構成員が商法511条 1 項の適用により連帯債務を負うべきであるとした事例。
大 阪 地 裁	平成 9 年 5 月29日	〔貸金請求・損害賠償請求事件〕匿名組合契約を利用し

裁 判 所	判 決 年 月 日 事 件 番 号	事 件 名 ・ 判 決 要 旨
	平6（ワ）12626号 平7（ワ）10381号	た不動産投資により節税を目的とした取引において、出資者から錯誤および詐欺の主張が排斥された事例。
神 戸 地 裁	平成10年1月28日 昭61（行ウ）28号	〔更正処分取消請求事件〕土地建物の買収の手付金の融資に関して、転売が行われた際に、融資額を超える部分の返済金額があり、これは融資をした側が、事業報酬として受け取った、当該土地建物譲渡益の分配金の性質を有するものと推認され、融資した側のその年中における所得金額として算入すべきであるとされた事例。
那 覇 地 裁	平成12年4月25日 平8（行ウ）8号 平11（行ウ）4号	〔法人税更正処分等取消請求事件〕法人が、土地の転売に際して取得した金員は匿名組合契約の出資に係る利益分配であると主張したが、土地取得の際に当該法人の代表取締役が取得代金の借入の連帯保証人になっていること等の状況から、単なる出資ではなく、共有持分を有していたとされた。このため、取得した金員は、超短期所有に係る共有持分相当の土地譲渡利益に該当するとされた事例。
国 税 不 服 審 判 所	平成13年2月26日	〔JLLC法人格事件〕ニューヨーク市において不動産を取得・賃貸する目的で米国において設立されたJLLCが行う不動産賃貸業に係る不動産運用損失を日本の匿名組合に準じたパス・スルー課税が適当と判断した。よって他の不動産所得金額と合算し、さらに給与所得金額と通算し確定申告を行おうとしたところ、JLLCを「外国法人」と認定し、損益はJLLC自体に帰属するとし損益通算を認めなかった事例。
東 京 地 裁	平成13年11月9日 平12（行ウ）69号	〔旺文社追徴課税更正処分等取消請求事件〕旺文社が所有していたオランダ所在の子会社株式には多額の含み益があったが、これを低額による増資を行い、そのすべてをオランダの他社に割り当てる旨の株主総会決議を行うことにより、生じていた多額の含み益になんら課税されることなく旺文社から割り当てを受けた他社へ移転が行われた。これに対し、税務署が課税を行ったが、結局旺文社が勝訴し、100億円を超える課税処分が取り消された事例。
名 古 屋 地 裁	平成14年9月4日 平10（わ）2265号 平11（わ）138号、 299号、401号、539	〔連続脱税事件〕公認会計士・税理士という資格を有した被告人が顧客から不動産の譲渡に伴う事務を処理する過程において、清算人となった会社の預金を横領し、また会社の代表者や他人の税の申告事務を処理する者等の

資料1　判例一覧　671

裁 判 所	判 決 年 月 日 事 件 番 号	事 件 名 ・ 判 決 要 旨
	号、627号	立場で架空の匿名組合損失を計上する方法によりその所得税、法人税をほ脱し、さらに事業収入の一部を除外する方法により自己の所得税をほ脱した事案。
大 阪 地 裁	平成14年10月10日 平13(わ)6697号、 7245号	〔損害賠償請求事件〕aグループ全体では多額の債務超過であるにもかかわらず中核会社であるaそのものは黒字に見せかけて、監督官庁の近畿財務局に対しては将来的に経営が健全化できる具体的な見込があるかのように装うなどし、金融商品を買う者らにはaグループの経営実態が悟られないように注意して、金融商品を売り続けた事例。
大 阪 高 裁	平成15年3月6日	〔映画フィルムリース事件〕本件映画フィルムを取得するための売買契約は、控訴人会社の租税負担を回避する目的で、その形式が用いられたに過ぎないものであり、控訴人会社が本件映画フィルムの所有権を取得したものと認めることはできないから、本件映画フィルムが減価償却資産に当たるとして損金に算入した減価償却費は全額償却超過額に該当するとされた事例。
国 税 不 服 審 判 所	平成15年6月30日	〔匿名組合性否認事件〕オランダの法人が日本のグループ企業に対して匿名組合出資をし、これに基づく分配を受けていた。これに対して、日蘭租税条約上の恒久的施設がないものとして、源泉所得税を払わなかったところ、この匿名組合性が否認され、任意組合であると認定を受けたことにより、日本の企業が恒久的施設に該当するものとして、追徴課税されることとなった事例。
名古屋地裁	平成16年5月27日 平14(ワ)3368号	〔大和都市グループ損害賠償請求事件〕抵当証券等の金融商品の販売等を業としていたYグループから金融商品を購入した原告らが、匿名組合への出資名目で資金を集めたり、またYグループによるいわゆる抵当証券商法は組織的詐欺ともいうべき違法なものであるなどとして、損害賠償を求めた事案で、重要な役割を果たした被告Aは、民法719条2項で定める他人（他の役員ら）の不法行為を幇助することに当たると判断するのが相当であるなどとして、請求の一部を認容した事例。
熊 本 地 裁	平成16年7月13日 第三小法廷判決 平12(行ヒ)32〜34 号	〔法人税更正処分等取消請求事件〕昭和42年以降、無限連鎖講を次々と考案し、自らその本部として運営していたAが税務調査を受けることになり、税務対策等の観点から社団化を図り、税務当局は当該社団に対して、過

672

裁 判 所	判 決 年 月 日 事 件 番 号	事 件 名 ・ 判 決 要 旨
		少申告加算税等の増額更正をしたが、これを不服として、Aの破産管財人Xが人格なき社団等に該当しないとして無効を主張した。第1審では、この請求を棄却し、原審では、請求を認容した。最高裁では、法人でない社団の要求を具備すると認定してされた法人税等の更正が当然無効であるとはいえないとして請求を棄却した事例。
名古屋地裁	平成16年10月28日 平15(行ウ)26号ないし31号	〔航空機リース申告所得税更正処分取消請求各事件〕航空機リース事業を行う民法上の組合への投資に対する分配を不動産所得として、減価償却費等を必要経費に計上し所得税の確定申告を行った投資家に対して、課税当局がその投資契約は民法上の組合契約ではなく利益配当契約であり、航空機リースによる所得も雑所得として損益通算を認めなかったため争われた。判決では、争点となった組合は民法上の組合に当たると判断するのが相当であり、航空機リース事業による収益も不動産所得に区分されるのは明らかとした。また、損益通算を考慮して事業計画を策定することに経済的合理性があるとし、課税当局の主張を退けた。
国 税 不 服 審 判 所	平成17年4月1日	〔所得税額控除否認事件〕法人税法141条1号に掲げる外国法人が同条4号に掲げる外国法人であった期間に係る匿名組合の収益分配金（源泉分離課税制度の適用対象所得）の支払を受けた際に源泉徴収された所得税の額は、収益分配金を実際に受領した日の属する事業年度の法人税の申告においても所得税額控除の適用はできないとした事例。
津　地　裁	平成17年4月19日 平15(行ウ)16～18号	〔損益通算の可否／任意組合契約による航空機リース〕申告所得税更正処分取消等請求事件。課税庁が主張する利益配当契約より適切な法形式である本件組合契約を選択したことに異常性・不当性はないとした事例。
静 岡 地 裁	平成17年7月14日 平15(行ウ)9号、10号	〔損益通算の可否／任意組合契約による航空機リース〕申告所得税更正処分取消等請求事件。航空機リース事業を行う組合の業務執行会社は、組合の業務執行組合員として、組合のために、組合員を賃貸人（レッサー）とするリース契約を締結したものであり、同リース契約の効果は各組合員に帰属するから、組合事業に伴う納税者の所得は、航空機の貸付けによる所得として、所得税法26条1項（不動産所得）の不動産所得に該当するというべ

資料1　判例一覧　　673

裁 判 所	判 決 年 月 日 事 件 番 号	事 件 名 ・ 判 決 要 旨
		きであり、同事業に係る組合の損失は、その損益帰属主体である組合員に配賦されると解され、同法69条1項（損益通算）に基づき損益通算をすることができると判断された事例。
東 京 地 裁	平成17年7月28日 平15（行ウ）第379号、平成15年（行ウ）第614号	〔同族会社の行為計算否認／海外への投資ファンドを利用したスキーム〕法人税等更正処分等取消請求事件（第1事件）。法人税等更正処分取消請求事件（第2事件）。繰越欠損金額に係る更正の性質及び後続年度の繰越欠損金額のすべてを争った事例。
東 京 地 裁	平成17年9月30日	〔匿名組合性否認事件〕オランダの法人の日本のグループ企業に対する匿名組合出資について、当該契約は匿名組合契約であり、租税条約上のその他所得と認められた事例（平成15年6月30日　国税不服審判所参照）。
国 税 不 服 審 判 所	平成17年10月21日	〔所得の帰属と区分〕①同族会社が利息相当額として支払った金員は請求人の雑所得及び給与所得に該当する、②不動産賃貸を目的とする匿名組合が外国法人に支払った分配金は請求人の不動産所得に該当する、③償還日直前に株式投資信託を同族会社に売却して得た代金のうち、請求人が償還を受けた場合に徴収される源泉所得税額相当額は給与所得に該当するとした事例。
国 税 不 服 審 判 所	平成17年11月10日	〔個別対応方式における用途区分の判定〕住宅として賃貸中の各信託不動産（建物）を譲渡目的で取得した場合には、仕入税額控除における個別対応方式では「課税資産の譲渡等とその他の資産の譲渡等に共通して要するもの」に区分されると判断した事例。
名古屋地裁	平成17年12月21日 平16（行ウ）59号、60号、61号	〔損益通算の可否／任意組合契約による船舶リース〕所得税更正処分等取消請求事件。民法上の組合として行った船舶賃貸事業に係る収益が不動産所得に当たることを前提に、その減価償却費等を損益通算して所得税の確定申告を行ったのに対し、一般組合員は、検査権を有しており、また、本件各組合においては解任権が保障されていると認められ、本件各組合参加契約は、民法上の組合契約の要件を充足していると判断することができるとされた事例。
最 高 裁	平成18年1月24日	〔映画フィルムリース事件〕本件映画フィルムについて、減価償却費の損金算入を否定した事例（平成15年3月16

674

裁 判 所	判 決 年 月 日 事 件 番 号	事 件 名 ・ 判 決 要 旨
		日 大阪高裁参照）。
国 税 不 服 審 判 所	平成18年2月2日	〔LPSから得た損益および分配金〕A国のLPSから得た 損益は配当所得および不動産所得でもない雑所得とされ た事例。
国 税 不 服 審 判 所	平成18年8月14日	〔所得区分／不動産所得と認めなかった事例〕航空機リー ス事業に係る匿名組合の組合員に配分されたとする損失 は出資額の減少にすぎず、その所得区分は雑所得に該当 するとした事例。
国 税 不 服 審 判 所	平成18年11月20日	〔所得区分／信託契約を介した米国デラウエア州のLPS の不動産投資事業〕請求人が信託契約を介して投資した 海外不動産事業に係る損益は、信託の受託者が締結した LPS契約に基づきLPS（リミテッド・パートナーシップ） から配分されたものであり、不動産所得、配当所得では なく、雑所得に該当するとした事例。
名古屋高裁	平成19年3月8日 平18(行コ) 1号	〔損益通算の可否／任意組合契約による船舶リース〕本 件各組合が民法上の組合に該当し、各組合参加契約は民 法上の組合契約として有効に成立していると認め、本件 各船舶は本件賃貸事業に係る収益は不動産所得にあた り、所得税法49条1項の減価償却資産にあたるとし、税 務署の控訴を棄却した事例（平成17年12月21日 名古屋 地裁参照）。
国 税 不 服 審 判 所	平成19年3月9日	〔仕入税額控除／個別対応方式〕請求人は、本件各信託 受益権を取得することにより、消費税を課さないとされ る住宅の貸付けに係る賃貸料収入を得ることができるこ とから、本件取得費等は、課税資産の譲渡等を行うため にのみ必要な課税仕入れと判断することはできないとし た事例。
東 京 地 裁	平成19年6月22日 平16(行ウ)529号	〔所得区分／匿名組合契約に基づく利益の分配金は雑所 得〕所得税更正処分等取消請求事件。規約において「民 法667条1項の規定に基づく組合とする」としている投 資クラブは匿名組合であり、その運用益の分配は匿名組 合契約に基づく利益の分配であるとした事例。その投資 クラブの運用益の分配は、「株式等の譲渡による」所得 に該当せず、雑所得であるとした事例。
東 京 高 裁	平成19年6月28日	〔匿名組合性否認事件〕平成17年9月30日判決の東京地 裁の判旨を支持した事例（平成15年6月30日 国税不服

資料1 判例一覧 675

裁 判 所	判 決 年 月 日 事 件 番 号	事 件 名 ・ 判 決 要 旨
		審判所参照)。
静 岡 地 裁	平成19年7月27日 平17(行ウ）9号 （第1事件）、平18 （行ウ）7号（第2 事件)、平18(行ウ) 8号（第3事件）	〔航空機リース／匿名組合契約〕航空機リースを営業と する匿名組合契約の実質は確定利益配当契約である、と する課税庁の主張が排斥された事例。営業者のリース資 産である航空機は減価償却資産に該当するか（積極)。 匿名組合の航空機リース事業に係る損失は、匿名組合員 である法人の所得金額の計算上損金の額に算入できると された事例。
東 京 地 裁	平成19年9月14日 平18(行ウ)205号	〔ユニマット事件／海外での株式譲渡と住所の認定〕所 得税決定処分取消等請求事件。株式を譲渡した譲渡所得 があるとして、所得税に係る決定処分及び無申告加算税 賦課決定処分を受けた原告が、上記譲渡時には国内に住 所を有していなかったので納税義務を負わないと主張し て、国に対し、各処分の取消しを求めた事案で、一定の 場所がその者の住所であるか否かは、客観的事実に基づ き、総合的に判定するのが相当であるとした上で、原告 が日本国内に住所を有していたと認めることはできず、 上記各決定は違法であるとして、原告の請求を認容した 事例。
東 京 高 裁	平成19年10月30日	A社に勤務する控訴人が加入するクラブから受けた運用 益の分配金は、A社を営業者、出資者を匿名組合員とす る匿名組合契約が成立し、匿名組合契約に基づく利益の 分配金であると認定し、本件所得が「株式等に係る譲渡 所得等」に該当しない等として、控訴人の請求を棄却し た原判決を支持し、雑所得処理によりなされた本件更正 処分等が信義則に違反するものではないとして、控訴を 棄却した事例（平成19年6月22日　東京地裁参照)。
東 京 地 裁	平成19年12月19日 平18(行ウ)93~96 号、平18(行ウ)97 号	〔所得の帰属／海外法人等を利用した投資スキーム〕海 外のSPC等を利用したスキームを実行して真実の法律 関係を隠ぺいしたことについて重加算税の賦課は相当で あるとされた事例。匿名組合契約の出資者は名義を仮装 したものであり、その分配利益は、真の出資者の不動産 所得に該当するとされた事例。
岐 阜 地 裁	平成20年1月24日 平16(行ウ)9、10 号、平18(行ウ)6、 7号	〔損益通算の可否／任意組合契約による船舶リース〕所 得税更正処分等取消請求事件(甲事件、乙事件、丙事件、 丁事件)、平成18年（行ウ）第11号相続税更正処分等取 消請求事件（戊事件)。

裁 判 所	判 決 年 月 日 事 件 番 号	事 件 名 ・ 判 決 要 旨
		ケイマン諸島において船舶賃貸事業を目的として組成されたLPSは、日本法における任意組合に相当するとした事例。
最 高 裁	平成20年6月5日 （第一小法廷） 平19(行ヒ)300号	〔上告不受理／ガイダント事件／匿名組合契約と日蘭租税条約〕オランダの法人の日本のグループ企業に対する匿名組合出資について、オランダ法人に租税回避の目的があるとしても、その手段が違法とされる法的根拠がなく、二重非課税の排除は条約の明文で規定する等の措置で解決するのが相当であるとし、控訴を棄却した事例（平成17年9月30日　東京地裁参照）。
国税不服 審 判 所	平成20年6月26日	贈与により取得した株式の評価について、原処分庁が、評価会社の匿名組合への出資に係る最終分配金額は経常的利益であるから財産評価基本通達に定める類似業種比準方式における「評価会社の1株当たりの年利益金額」に含まれるとして贈与税の更正処分等をしたのに対し、請求人が、当該最終分配金額は非経常的利益であるから「評価会社の1株当たりの年利益金額」の計算上控除すべきであるとして、当該処分等の一部の取消しを求め、棄却された事例。
国税不服 審 判 所	平成20年7月26日	匿名組合契約への出資を有する会社の株式の評価について、国税不服審判所は、匿名組合契約に係る出資の評価額は、課税時期において、その匿名組合契約が終了したものとした場合に匿名組合員が分配を受けることができる清算金の額に相当する金額と解するのが相当された事例。
国税不服 審 判 所	平成20年8月21日	航空機リース事業に関する匿名組合契約（本件匿名組合契約）の出資者の地位を譲り受けた請求人が、本件匿名組合契約に基づいて配分される損益は、不動産所得にも、利子所得ないし一時所得のいずれにも該当しないため、所得税法35条1項の雑所得に該当するとされた事例。
東 京 高 裁	平成20年9月10日 平20(行コ)39号	〔所得の帰属／海外法人等を利用した投資スキーム〕所得税更正処分取消、源泉所得税納税告知処分取消等請求控訴事件。海外のSPC等を利用したスキームを実行して真実の法律関係を隠ぺいしたことについて重加算税の賦課は相当であるとされた事例。匿名組合契約の出資者は名義を仮装したものであり、その分配利益は、真の出資者の不動産所得に該当するとされた事例。

資料1　判例一覧　　677

裁 判 所	判 決 年 月 日 事 件 番 号	事 件 名 ・ 判 決 要 旨
東 京 地 裁	平成22年1月27日 平20(行ウ)488号	〔タックスヘイブン対策税制／特定外国子会社等の損益の帰属〕法人税更正処分取消等請求事件。原告がパナマ共和国に設置した便宜置籍船の所有者である法人は、いわゆるタックス・ヘイブン対策税制に定める「特定外国子会社等」に該当するから、同条の定める課税対象留保金額を原告の益金の額に算入すべきとされた事例（平成24年8月30日　東京地裁参照）。
国 税 不 服 審 判 所	平成22年8月26日	〔匿名組合契約／源泉徴収義務／課税要件についての事実認定の在り方〕取引確認書の記載内容は、一義的に必ずしも明らかでないとして、取引確認書以外の証拠及び間接事実により、A国LPSが利益分配請求権に基づいて受領する金員が国内源泉所得に該当するとされた事例。
東 京 地 裁	平成22年9月30日 平21(ワ)5317号	特別目的会社につき、法人格の濫用や形骸化しているとは言えないとされた事例。
東 京 地 裁	平成22年11月18日 平21(行ウ)87号	匿名組合に係る営業として行われた航空機リース事業に関する損失について、雑所得またはその損失とされた事例。
国 税 不 服 審 判 所	平成23年2月24日	〔所得の帰属／風俗店・投資ファンド等の運用収益〕①居酒屋及びキャバクラに係る事業所得は請求人の主張する名義人には帰属せず、経営上の重要な判断を自ら行っていた請求人に帰属し、②私募債に係る償還差益等は、発行時に定められた償還期限等において請求人の収入すべき権利が確定していたというべきであるとした事例。
東 京 地 裁	平成23年7月19日 平19(行ウ)78号	LPSによる建物の賃貸収益が、組合員の不動産所得に該当するものと認められた事例。
東 京 高 裁	平成23年8月4日 平23(行コ)89号	任意組合等の組合員の組合事業に係る所得金額の計算方法等に関して、所基通36・37共－20の三つの計算方法について、組合員が組合事業に係る収入・支出、資産・負債等を明らかにできない場合（総額方式の採用が困難な場合）にだけ、中間方式や純額方式が適用できるとされた事例。
大 阪 高 裁	平成23年11月2日 平22(ネ)3459号	一般的な匿名組合型の不動産投資ファンドについて、適合性違反は否定した事例（説明義務違反あり）。
東 京 地 裁	平成23年12月7日 平21(ワ)37301号	不動産証券化商品において、レバレッジリスクについての説明義務違反が認められた事例。

裁 判 所	判 決 年 月 日 事 件 番 号	事 件 名 ・ 判 決 要 旨
東京高等 裁 判 所 （控訴審）	平成24年7月19日 平22(行コ)403号	〔所得区分／匿名組合契約による航空機リース事業の損益〕匿名組合契約に基づき分配される損益は、不動産所得またはその損失に該当しないとした事例。匿名組合契約に基づき分配される損益は、雑所得又はその損失に該当するとした事例。
東 京 地 裁	平成24年8月30日 平23(行ウ)123号	〔バミューダ諸島LPS事件／我が国の租税法上の法人該当性〕納付義務不存在確認等請求事件。原告が、法人税の申告書を提出しなかったとして、法人税についての決定処分および無申告加算税の賦課決定処分を受けたため、被告（国）に対し、主位的請求として、本件決定及び賦課決定に係る納税義務が存在しないことの確認を求め、予備的請求として、本件各決定の取消しを求めた事案において、原告は、我が国の租税法上の法人に該当すると認めることはできないとし、主位的請求を棄却し、予備的請求を認容した事例。
名古屋高裁	平成25年1月24日 平24(行コ)8号、 平24(行コ)37号	〔所得区分／海外不動産投資事業／米国デラウェア州LPSの法人該当性〕所得税更正処分取消等、所得税通知処分取消請求控訴事件・同附帯控訴事件。米国所在の中古住宅の貸付けに係る所得について、無限責任を負う構成員と有限責任を負う構成員が存在する事業体の場合、有限責任の構成員について無限に必要経費を計上することは認められない旨の被告の主張は理由がなく、原告らについて有限責任であることを理由に必要経費に算入すべき金額が制限される理由はないとした事例（平成27年7月17日　最高裁にて原審破棄）。
国税不服 審 判 所	平成25年2月14日	【取引相場のない株式／類似業種比準方式／非経常的な利益】取引相場のない株式の評価額を類似業種比準方式によって算定する際、評価会社が出資した匿名組合契約に係るオペレーティング・リース取引終了時における固定資産売却に係る利益は、「1株当たりの年利益金額」の計算上、非経常的な利益に該当しないとされた事例。
東 京 地 裁	平成25年2月25日 平24(行ウ)26号	【不動産流動化による信託受益権の譲渡／会計処理訂正後の更正の請求の可否】更正をすべき理由がない旨の通知処分取消請求事件。 英国領バミューダ諸島の法律に基づいて組成されたリミテッド・パートナーシップ（LPS）であり、かつ特例パートナーシップ（EPS）である原告（被控訴人）が、処分

資料1　判例一覧　　679

裁 判 所	判決年月日 事 件 番 号	事 件 名 ・ 判 決 要 旨
		行政庁から、国内源泉所得である匿名組合契約に基づく利益分配金に関する決定処分を受けたことについて、原判決で、原告は法人税法上の納税義務者に当たるということはできないとした上、本件各決定はいずれも違法であるが、無効であるとまではいえないとして、〔1〕主位的請求を棄却し、〔2〕予備的請求を認容して、本件各決定を取消したため、被告が、上記〔2〕を不服として、控訴した事案において、原告の予備的請求は理由があるから認容すべきであり、これと同旨の原判決は相当であるとして、本件控訴を棄却した事例（平成24年8月30日　東京地裁参照）。
国 税 不 服 審 判 所	平成25年3月1日	〔源泉徴収（匿名組合契約に基づく利益の分配）〕源泉徴収の対象となる匿名組合契約に基づく利益の額の計算上、契約内容の異なる別個の匿名組合契約に係る損失の額及び別途支払うこととされている管理費用の額を控除することはできないとした事例。請求人が、組合利益から控除すべきであるとする匿名組合契約の管理費用等は他の匿名組合契約に係るものであるから、控除することはできないとした事例。
東 京 地 裁	平成25年4月16日 平23（行ウ）56号、 平23（行ウ）497号	〔源泉徴収義務と所得の帰属／法人名義等で営まれているキャバクラの経営主体〕納税告知処分等取消請求事件（第1事件）。所得税等決定処分等取消請求事件（第2事件）。キャバクラ店の経営主体について争われた事例。
国 税 不 服 審 判 所	平成25年10月15日	〔納税義務者（人格のない社団等）〕団地の管理組合である請求人は、人格のない社団等に該当し、団地共用部分の賃貸による収入は、請求人の収益事業による収入であるとした事例。
東 京 地 裁	平成25年11月1日 平23（行ウ）124号、 平23（行ウ）136号	〔源泉徴収義務／匿名組合契約に係る契約上の地位または債権の一部譲渡に相当する利益〕納税告知処分取消等請求事件（第1事件）。納税告知処分取消等請求事件（第2事件）。アイルランドの匿名組合員に対する利益の分配について、源泉所得税の徴収および国への納付をしなかったところ、税務署長が、利益の分配として支払をした金額のうち99パーセントに相当する部分については上記条約の適用がない等として、本件各納税告知処分等をしたため、被控訴人らが、控訴人（被告。国）に対し、その取消しを求めた事案の控訴審において、日愛租税条

裁 判 所	判 決 年 月 日 事 件 番 号	事 件 名 ・ 判 決 要 旨
		約には、租税条約の濫用を理由として租税条約の適用を否定する規定は定められていないから、日愛租税条約23条（一方の締約国において生ずる他方の締約国の居住者の所得で前諸条に明文の規定がないものに対しては、当該他方の締約国においてのみ租税を課することができる。）が適用される等として、被控訴人らの請求を認容した原判決を支持して、本件控訴を棄却した事例。
東 京 高 裁	平成26年2月5日 平24(行コ)345号	〔バミューダ諸島 LPS 事件／わが国の租税法上の法人該当性〕納付義務不存在確認等請求控訴事件。英国領バミューダ諸島の法律に基づき組成されたリミテッド・パートナーシップであり、かつ、特例パートナーシップ（ESP）である被控訴人は、法人税法2条4号の「外国法人」に該当せず、同法4条2項本文による納税義務者に当たるということはできないから、法人税の納税義務を負うものとはいえないとされた事例（平成25年2月25日　東京地裁参照）。
東 京 高 裁	平成26年10月29日 平25(行コ)401号	〔各納税告知処分取消等請求控訴事件〕アイルランドの匿名組合員に対する利益の分配に関する源泉所得税の徴収の件について、被控訴人らの請求を認容した原判決を支持して、本件控訴を棄却した事例（平成25年11月1日東京地裁参照）。
国 税 不 服 審 判 所	平成26年12月1日	〔固定資産から棚卸資産に振り替え低価法を適用した土地の評価差額〕販売目的で所有していた土地持分は、事業年度終了の時において、個別法による原価法に基づく低価法が適用されるとされた事例。
最 高 裁	平成27年6月12日 第二小法廷 平24(行ヒ)408号	〔所得区分／匿名組合契約による航空機リース事業の損益〕【所得税更正処分取消等請求事件】匿名組合契約に基づき分配を受けた損失を不動産所得に係る損失として申告したことには、国税通則法65条4項にいう「正当な理由」があるとした事例。匿名組合契約に基づき分配を受けた損失は雑所得に係る損失に該当し、損益通算の対象とならないとした事例。
最 高 裁	平成27年7月17日 平25(行ヒ)166号	〔所得税更正処分取消等、所得税通知処分取消請求事件〕米国デラウェア州の法律に基づいて設立されたリミテッド・パートナーシップ（LPS）が行う米国所在の不動産の賃貸事業に係る投資事業に出資した者らが、当該賃貸事業により生じた所得が不動産所得に該当し、他の所

資料1　判例一覧　681

裁 判 所	判 決 年 月 日 事 件 番 号	事 件 名 ・ 判 決 要 旨
		と損益通算できるか否かを争っていた事件（名古屋地裁・高裁）で、最高裁は、原審を破棄し、本件各LPSは外国法人に該当し、分配された損益は不動産所得とならないと判断した（平成25年1月24日　名古屋高裁参照）。
東 京 地 裁	平成27年7月17日 平27(ワ)10306号	〔損害賠償請求事件〕原告が、被告の組成するファンドに投資した際に被告が金融商品の販売等に関する法律3条1項1号所定の重要事項についての説明をしなかったとして、被告に対し、同法5条に基づく損害賠償として、元本欠損額及び遅延損害金の支払を求めた事案。
東 京 地 裁	平成27年7月17日 平25(ワ)25462号	〔損害賠償請求事件〕投資運用を行う被告M会社との間で匿名組合契約を締結して出資金及び手数料合計を出捐した原告が、上記金員については金融商品まがい商品であることを秘して騙取されたものであると主張して、被告らに対し、共同不法行為を主張した事案。
東 京 地 裁	平成27年8月28日 平25(ワ)15599号	〔損害賠償請求事件〕J社又は被告会社との間で、ホテル等の空室の管理運営事業に出資する契約を締結して出資した原告らが、主位的に、被告会社による上記契約の勧誘が詐欺又は説明義務違反に当たり、その勧誘行為を担っていた被告pとともに共同不法行為が成立すると主張した事案。
東 京 地 裁	平成27年8月28日 平27(ワ)4463号	〔社債償還金請求事件〕原告（その親会社を出資者とする第1の匿名組合契約の営業者を出資者とする第2の匿名組合契約の営業者）が、産業廃棄物処理施設の設置運営を計画していた被告のため、社債を引き受けたことから、被告に対し、その償還総額等の支払を求めた事案。
東 京 地 裁	平成27年9月11日 平25(ワ)29412号	〔損害賠償請求事件〕原告が、被告会社1の従業員と名乗った被告1、被告2から、被告会社2が販売し被告会社3がレンタル保証しているコンテナ所有権購入の勧誘を受け、その購入代金名下に金員を詐取されたとして、被告会社らに対し、損害賠償等を請求した事案。
東 京 地 裁	平成27年10月8日 平25(ワ)15279号	〔損害賠償請求事件〕合同会社Jとの間で匿名組合契約を締結して出資をした原告が、Jの業務執行社員であった被告S社が、原告に虚偽の説明をして匿名組合に出資させたことやJに返還すべき出資金残金を返還せず、被告G社に保有させたままとしてJに破産を余儀なくされ

裁 判 所	判決年月日 事 件 番 号	事 件 名 ・ 判 決 要 旨
		た事案。
東 京 地 裁	平成27年10月14日 平26(ワ)28743号	〔損害賠償請求事件〕原告が、被告らの欺罔によって投資金名目で金銭を騙取され、未だ一部が返還されていないなどと主張し、被告らに対し、不法行為に基づき連帯して上記未返還金相当の金銭の支払等を求めた事案で、被告らは、互いに意思を相通じて投資名目による金員をだまし取ったとされる事案。
東 京 地 裁	平成27年11月11日 平26(ワ)14163号	〔損害賠償請求事件〕原告が、被告会社Xにおいて営む匿名組合の本件ファンドに金員を出資し、さらに上記出資を被告Yにおいて営む匿名組合の本件新ファンドに移行させる旨を承諾したが、上記出資ないし移行の承諾に際して、被告Bから上記各ファンドについて受けた説明と異なることが争われた事案。
東 京 地 裁	平成27年11月13日 平26(ワ)5646号	〔信託財産返還請求事件(甲事件)、損害賠償請求事件(乙事件)〕被告会社との間で金銭信託基本契約を締結し、金員を信託した原告が、被告会社に対し、信託金及びこれに対する遅延損害金の支払を求めた事案において、被告会社の行為が、原告との関係において、違法なものであったとみることはできず、また信託金の返還合意があったとは認められないとして、原告の請求を棄却した事例。
東 京 地 裁	平成27年11月13日 平24(ワ)29038号	〔損害賠償請求事件〕原告らが、原告ら及びB社との間でそれぞれ締結したアセットマネジメント契約に基づき、原告ら及びB社所有の物件の管理運営をそれぞれ被告に委託していたが、当該物件を売却しようとした際、被告が妨害行為をする等したことは、債務不履行又は不法行為に当たり、これにより物件の価値が低下して、損害を被ったと主張して、原告らが被告に対し、債務不履行に基づき、又は選択的に不法行為に基づき損害賠償及びこれに対する遅延損害金の支払を求めた事案において、債務不履行に基づく請求に理由があるとして、原告の請求を認容した事例。
東 京 地 裁	平成27年12月1日 平26(ワ)24015号	〔損害賠償請求事件〕原告が、被告会社の従業員等から投資の勧誘を受け、投資金を支払ったことにより損害を受けたとして、被告会社の代表取締役である被告bに対しては会社法429条1項又は民法719条及び民法709条に基づき、勧誘等の当時被告会社の従業員等であった被告

資料1 判例一覧 683

裁 判 所	判 決 年 月 日 事 件 番 号	事 件 名 ・ 判 決 要 旨
		c らに対しては民法719条及び民法709条に基づき、被告会社に対しては会社法350条及び民法715条に基づき、投資金相当額及び弁護士費用等の連帯支払を求めた事案において、請求を認容した事案。
東 京 地 裁	平成27年12月24日 平27(ワ)10370号	〔損害賠償請求事件〕原告が、被告D社、訴外U社、訴外R社による投資勧誘の際、担当者から虚偽の説明を受けたことで確実に利益が出るものと誤信して取引に及んだ結果、損害を被ったとして、被告D社、被告M社、被告N社、被告 c （U社従業員）及び被告 f （R社代表取締役）に対しては組織的に不法行為を共同したことによる共同不法行為責任に基づいて、被告 e （N社代表取締役）に対しては会社法429条１項に基づいて、損害賠償を求めた事案において、請求を認容した事案。
東 京 地 裁	平成27年12月24日 平25(ワ)29740号	〔損害賠償請求事件〕原告が、被告が原告から交付される金銭が同人とファンドを運営する会社との契約において定められる投資先への投資等に使用されないことを認識しながら、Cに対し、原告に対する投資の勧誘を指示し、原告から出資金を交付させたことが不法行為に当たると主張して、不法行為による損害賠償請求権に基づき、出資金相当額の金員等の支払を求めた事案において、請求を認容した事案。
東 京 地 裁	平成28年１月12日 平27(ワ)5306号	〔破産債権査定決定に対する異議請求事件〕原告が、破産開始決定を受けた破産者P２に対する債権（貸金債権及び連帯保証債権）を有するとして、破産管財人である被告に破産債権の届出をしたところ、同人はこれについて異議を述べ、破産裁判所である東京地方裁判所が同各債権を０円と査定する旨の決定をしたことから、同決定のうち連帯保証債権の査定について異議を述べた事案において、請求は理由がないとして、原決定を認可した事案。
名古屋地裁	平成28年１月21日 平25(ワ)5391号	〔不当利得返還請求事件〕社債を購入した顧客からの払込金額に応じた一定割合を加給金として支給する旨の合意が公序良俗に違反しているかどうかが争われた事案。
東 京 地 裁	平成28年２月５日 平27(ワ)26648号	〔損害賠償請求事件〕被告会社の従業員であった被告Cによる違法な勧誘行為により損害を被った等主張する原告が、被告らに対し、不法行為又は使用者責任に基づき、損害賠償等の支払を求めた事案において、請求が認容さ

裁 判 所	判決年月日 事 件 番 号	事 件 名 ・ 判 決 要 旨
		れた事案。
東 京 地 裁	平成28年2月9日 平26(ワ)1370号	〔損害賠償請求事件〕原告会社と、その関連会社の発行する雑誌の購読者である原告購読者らとが、原告会社の取締役で雑誌の編集発行人であった被告に対し、原告会社においては会社法423条1項に基づき損害賠償金等の支払を求め、原告購読者らにおいては民法709条に基づき損害賠償金等の支払を求めた事案において、原告会社の請求を棄却し、原告購読者らの請求を認容した事案。
東 京 地 裁	平成28年2月12日 平27(ワ)27433号	〔出資金返還請求事件〕被告Bの違法な勧誘により破産者Aを匿名組合員、被告会社を営業者とする匿名組合契約を締結し出資金を支払った破産者Aの破産管財人である原告が、主位的には、被告会社に対しては、民法715条に基づき、被告Cに対しては、被告会社の代表取締役としての権利義務を引き続き有していた等主張し、不法行為に基づき、損害賠償等の支払を求め、予備的には、上記契約の無効等を主張し、被告B及び被告Cに対し、会社法429条に基づき、出資金の返還等を求めた事案において、請求がいずれも認容された事案。
東 京 地 裁	平成28年2月18日 平25(ワ)22035号	〔損害賠償請求事件〕ベトナム未公開株を扱う投資ファンド会社及びその代表取締役、上記投資ファンド会社を自己のメールマガジンで紹介し、また上記会社が作成したDVDに出演した者に対して、説明義務違反及び断定的判断の提供の違法があったとして、違法な勧誘行為を理由とする不法行為の成立を認めた事案。
東 京 地 裁	平成28年2月23日 平26(ワ)23576号	〔請求異議事件〕被告を債権者、原告を債務者とする債務名義(確定判決)について、原告が、同確定判決に係る債権は相殺によって消滅したと主張して、被告の原告に対する同確定判決に基づく強制執行を許さない旨の判決を求めた(請求異議事件)事案において、請求を認容した事案。
東 京 地 裁	平成28年2月25日 平27(ワ)17813号	〔損害賠償請求事件〕合同会社甲の業務執行社員等である投資協議会の代表理事であった被告Aが自ら組織的な詐欺行為を行っていたかどうかが争われた事案において、証拠及び弁論の全趣旨によれば、被告Aは、民法719条1項に基づき、本件詐欺行為によって原告が被った損害を賠償すべき責任を負い、他方、その社名、本店所在地等から両社が密接な関係を有するものであることは明

資料1　判例一覧　　685

裁判所	判決年月日 事件番号	事件名・判決要旨
		らかではあるものの、その代表者等の役員は異なっており、株式会社甲が合同会社甲による違法な投資業務を同社と一体となって行い、又はそれに関与していたことまでは認め難いとして、原告の請求を一部認容した事案。
岡山地裁	平成28年2月26日 平26(ワ)143号	〔損害賠償請求事件〕被告らの本件ファンドに出資するように原告を勧誘した行為について、違法な勧誘行為があったとして、損害賠償を求めた等の事案において、本件ファンドが適格機関投資家等特例業務にあたるとしても、非常に高リスクで、一般投資家保護のための制度的保障や情報提供がなされていない状況下にあるものと認められる等として、被告Bは、原告に対して、本件ファンドへの出資勧誘に際して、説明義務違反の違法があるというべきであるなどとして、原告の請求を一部認容した事案。
名古屋高裁	平成28年3月8日 平27(行コ)38号	〔所得税更正処分取消等、所得税通知処分取消請求控訴、同附帯控訴事件〕被控訴人（原告）らが、アメリカ合衆国（米国）デラウェア州の法律に基づいて設立されたリミテッド・パートナーシップ（LPS）が行う米国所在の中古住宅の貸付けに係る所得が、所得税法26条1項所定の不動産所得に該当するとして、その減価償却等による損金と他の所得との損益通算をして所得税の申告又は更正の請求をしたところ、更正処分及び過少申告加算税賦課決定処分がされたことから、控訴人（被告）国に対し、その取消しを求めた事案の差戻控訴審において、原判決中、各過少申告加算税賦課決定処分に係る部分は相当ではなく、控訴は理由があるとして、原判決を取消し、被控訴人らの請求をいずれも棄却した事案（平成27年7月17日　最高裁参照）。
東京地裁	平成28年3月11日 平26(ワ)32181号	〔損害賠償請求事件〕原告が、被告会社の販売担当から、実際には、韓国の会社への投資運用の実態がないにもかかわらず、韓国の会社に投資する投資事業匿名組合への出資に関して、詐欺の不法行為等があったとして、上記金員及び本件訴訟の弁護士費用並びに遅延損害金の連帯支払を求めた事案で、被告会社は、当初から、本件投資事業匿名組合に対する出資金として顧客から集めた金員を本件投資対象会社に投資することを想定していなかった可能性が高いものと考えざるを得ないなどとして、請求を認容した事案。

裁 判 所	判 決 年 月 日 事 件 番 号	事 件 名 ・ 判 決 要 旨
東 京 地 裁	平成28年3月15日 平27(行ウ)364号	〔警告処分取消請求事件〕貸金業の登録をしていない原告が、韓国法人である貸付株式会社に対し、金銭を貸し付け、これによって得た収益を分配する事業を行っていたところ、関東財務局長から上記行為が貸金業に該当するため直ちに取り止めるよう警告されたと主張し、被告である国に対し、行政事件訴訟法3条2項に基づき上記警告の取消しを求めた事案で、貸金業の登録をしていない原告に対し、直ちに本件貸付けを取り止めるよう求める行政指導であり、それ自体としては処分に当たらないとして、訴えを却下した事例。
東 京 地 裁	平成28年3月17日 平25(ワ)28615号	〔損害賠償請求事件〕原告が、被告会社の従業員から匿名組合契約を締結する方式による出資勧誘を受け、出資金を騙し取られたと主張して、被告会社及びその役員及び従業員である被告らに対し、損害賠償を請求した事案において、請求を認容した事案。
東 京 地 裁	平成28年3月24日 平27(行ウ)365号	〔報告命令処分取消請求事件〕金融商品取引法による登録を受けた金融商品取引業者である原告が、日本国内に居住又は所在する個人及び法人から出資を受けて大韓民国所在の株式会社に対する貸付けを行っていたところ、処分行政庁から、同法56条の2第1項に基づく報告命令を受けたことから、本件報告命令は違法なものであるとして、その取消しを求めた事案において、本件報告命令は、本件各報告により、その目的を達してその法的効果は失われており、原告について、本件報告命令の取消しによって回復すべき法律上の利益もないことより、本件訴えは、訴えの利益を欠く不適法なものであるとして、原告の請求を却下した事案。
東 京 地 裁	平成28年3月25日 平26(ワ)14054号	〔損害賠償請求事件〕ベトナム未公開株ファンドへの出資の勧誘について、損害賠償責任又は不法行為責任に基づき、損害賠償金等の支払を求めた事案において、請求を一部認容した事案。
東 京 地 裁	平成28年3月29日 平27(ワ)2529号	〔損害賠償請求事件〕被告会社の勧誘を受けて匿名組合契約を締結した原告が、被告会社及びその代表取締役である被告Bに対し、共同不法行為(説明義務違反、詐欺)に基づく損害賠償及び不法行為の日の後から支払済みまで、民法所定の割合による金員の支払を求めた事案で、被告らは、真実は説明通りの利回りと元本保証は不可能

資料1　判例一覧　　687

裁判所	判決年月日 事件番号	事件名・判決要旨
		であるのに、これを秘して、説明通りの利回りと元本保証があると信じた原告から現金を交付させたものであり、被告会社とその代表取締役である被告Bの行為は共同不法行為を構成するとして、原告の請求を一部認容した事案。
東京地裁	平成28年3月30日 平25(ワ)33400号	〔損害賠償請求事件〕訴外会社の従業員から勧誘を受け、同社を営業者とする匿名組合に係る取引等を行った原告が、匿名組合は組織的な詐欺行為を行い、又は適合性違反、説明義務違反若しくは断定的判断の提供による違法性を帯びる勧誘行為を行い、出資金等名目で金員を交付させたとして、匿名組合の顧客からの出資金を管理・運用していた会社の代表取締役である被告に対し、民法719条、会社法429条1項に基づき金員の支払を求めた事案において、請求を認容した事案。
国税不服 審判所	平成28年4月19日	〔太陽光発電設備が未完成にもかかわらず、完成したものとして内容虚偽の請求書で消費税還付申告をした事件〕審査請求人（以下「請求人」という。）が、原処分庁の調査による指摘に従い、消費税及び地方消費税の修正申告書を提出したところ、原処分庁が、内容虚偽の請求書を請求人が自ら作成して、太陽光発電設備の取得費を課税仕入れに係る支払対価の額に含めて確定申告書を提出したことは仮装に基づくものであるとして、重加算税の賦課決定処分を行ったのに対し、請求人が、仮装の事実はないなどとして、同処分のうち過少申告加算税相当額を超える部分の取消しを求めた事案。
東京地裁	平成28年4月20日 平26(ワ)19651号	〔請求異議事件〕原告が、被告の原告に対する仮執行宣言付支払督促に表示された貸金請求権が存在しないと主張し、上記請求権に基づく執行力の排除を求めて、被告に対し、民事執行法35条1項前段に基づき請求異議の訴えを提起した事案。
東京地裁	平成28年4月20日 平27(ワ)3091号	〔損害賠償請求事件〕被告会社が扱う本件ファンドに出資した原告が、本件ファンドは出資者に投資の損益を適切に帰属させる実質を欠くものであり、これを販売・勧誘すること自体が違法である等と主張した事案。
東京地裁	平成28年4月22日 平25(ワ)29412号	〔損害賠償請求事件〕株式会社甲が販売し、株式会社乙がレンタル保証したコンテナ所有権販売の勧誘を受け、その購入代金名下に金員を支出した原告が、乙の代表取

裁 判 所	判 決 年 月 日 事 件 番 号	事 件 名 ・ 判 決 要 旨
		締役であった被告に対し、民法719条1項及び会社法429条1項に基づき、上記金員及び弁護士費用相当損害金の合計額及び遅延損害金の支払を求めた事案で、上記各取引は、実体のない架空の商品を販売する詐欺的取引であった等として、請求を認容した事案。
東 京 地 裁	平成28年4月27日 平25(行ウ)38号	〔法人税更正処分等取消請求事件〕税務大学校研究部教育官であった者の作成した文献の記載をもって、LPSの営む不動産賃貸事業に係る物件の償却費を損金の額に算入したことに「正当な理由」（国税通則法65条4項）があるということはできないとした事案。
東 京 地 裁	平成28年5月20日 平27(行ウ)366号	〔登録取得義務不存在確認請求事件〕原告は、貸金業法3条所定の登録をしておらず、関東財務局長から、大韓民国の訴外法人に対する貸付業務をやめるよう警告を受けた後、訴外法人の子会社となった原告が、同法は、外国における借主に対する貸付けには適用がないところ、原告の訴外法人に対する貸付けは、原告が訴外法人の子会社でない場合であっても貸金業には該当しないなどと主張して、被告に対し、選択的に〔1〕上記貸付業務を原告が訴外法人の子会社であることを継続するという方法で行うのか、又は、同法3条1項の登録を受ける義務を負わずに、訴外法人の子会社であることを継続しないという方法で行うのかという二つの選択肢を有する地位にあることの確認、又は、〔2〕原告が訴外法人の子会社であるか否かにかかわらず、同法3条1項の登録を受ける義務を負わないことの確認を求めた事案において、本件においては、現に、原告の有する権利又は法律的地位に危険又は不安が存在し、これを除去するため、被告に対し確認判決を得ることが有効かつ適切な場合であるとはいえないから、本件請求〔1〕及び〔2〕に係る本件訴えは確認の利益を欠くとして、原告の訴えを却下した事例。
東 京 地 裁	平成28年5月23日 平27(ワ)16333号	〔損害賠償請求事件〕貸金業を営む者が国内で活動を行っている以上、貸付けの相手方が国外の資金需要者に限られるとしても、貸金業法の適用を排除する理由とはならないとされた事案。
東 京 地 裁	平成28年6月8日 平27(ワ)8834号	〔損害賠償請求事件〕原告が、S社の従業員から外国為替証拠金取引の勧誘を受け、同社に証拠金又は追加証拠

資料1　判例一覧　　689

裁 判 所	判決年月日 事 件 番 号	事 件 名 ・ 判 決 要 旨
		金として金員を拠出したが、同社は金融商品取引業者ではなく、ＦＸ取引もしていないのに、原告を欺いて金員を騙し取った事案。
東 京 地 裁	平成28年6月8日 平26(ワ)24259号	〔損害賠償請求事件〕原告が、被告らに対し、連帯して、民法719条及び会社法429条に基づき、損害金及びこれに対する遅延損害金の支払を求めた事案で、被告甲は、匿名組合乙（本件ファンド）の運用において損失が生じていたにもかかわらず、顧客に対し虚偽の報告をした事案。
最 高 裁	平成28年6月10日 平27(行ヒ)78号	〔各納税告知処分取消等請求上告受理事件（不受理）（確定）国側当事者・国（麻布税務署長事務承継者芝税務署長）〕上告不受理／源泉徴収義務／匿名組合員から地位を譲り受けた法人への利益分配金
東 京 地 裁	平成28年6月13日 平27(ワ)22082号	〔損害賠償請求事件〕原告が、被告Bが原告を投資名目で欺罔して金員を被告会社名義の銀行口座に振り込ませたと主張して、被告Bに対しては詐欺による不法行為による損害賠償請求権に基づき、被告会社に対しては会社法350条に基づき交付した金員の残額及び弁護士費用相当損害金等の支払を求めた事案において、請求を認容した事案。
東 京 地 裁	平成28年6月28日 平27(ワ)11767号	〔損害賠償請求事件〕原告が、かつて自身の未成年後見人を務めていたCにおいて、被告から勧誘を受けて、原告を代理して、本件ファンドに出資したことに関し、未成年後見人が、未成年被後見人を代理してこのような投機性の高い商品に対する投資を行うことは、およそ許されず、他方、証券会社等の担当者においても、未成年後見人が未成年被後見人を代理して当該取引を行うことを認識した以上、当該取引の勧誘をすることはおよそ許されないのであって、これに反し、当該取引の勧誘をした場合は、適合性原則に違反するものとして不法行為責任を免れないというべきであるなどとして、被告の反論を認めず、原告の請求を認容した事案。
東 京 地 裁	平成28年7月4日 平26(ワ)34756号	〔会社取締役就任等登記抹消請求事件〕原告が、被告の取締役に就任することを承諾したことはないなどと主張して、被告の取締役の地位にないことの確認を求めるとともに、原告が被告の取締役に就任（重任）した旨の登記の抹消登記手続を求めた事案。
東 京 地 裁	平成28年7月8日	〔損害賠償請求事件〕原告（昭和9年生まれ）はユニオ

裁判所	判決年月日 事件番号	事件名・判決要旨
	平27(ワ)13630号	ン・キャピタルからファンドへの出資を持ちかけられ、出資契約を締結した。しかし、ユニオン・キャピタルは、実際には出資金を運用しておらず、原告との間で出資契約を締結し出資をさせたこと自体が違法と認定された事案。
東京地裁	平成28年7月19日 平26(行ウ)498号	〔納税告知取消請求事件〕本件は、破産会社が、同社を営業者として匿名組合員との間で締結した匿名組合契約において、匿名組合員に対して利益の分配として支払った金員につき、源泉所得税の納税の告知等を受けたことに関し、破産会社の破産管財人である原告、上記各支払は出資の払戻しであって「匿名組合契約に基づく利益の分配」に該当せず、源泉所得税の納税義務を負わないと主張して、上記納税告知処分等の各取消しを求めるとともに、納付済みである平成26年10月1日付け納税の告知の源泉所得税につき、国税通則法56条1項に基づく還付等の支払を求め、同日付け納税の告知等の源泉所得税等につき、その納税義務が存在しないことの確認を求めたが、各支払は「匿名組合契約に基づく利益の分配」に該当し、破産会社は、匿名組合員に対して本件各支払をするに当たり、所得税額を徴収し、これを国に納付する義務があるとされた事案。
東京地裁	平成28年8月26日 平26(ワ)15797号	〔損害賠償請求事件〕原告が、K社が運営する匿名組合が、約束されていたA社の社債を購入していなかったことに加えて、A社は原告からの出資金を運用していなかったなどとして損害賠償を求めた事案で、K社が、原告からの出資金で社債を購入したこと、A社が、原告からの出資金等について運用を行っていたことが認められるとして、主位的請求を棄却し、A社の運用状況を的確に把握して、同社への出資金を回収することができたとは認められないから、被告らに上記義務の違反があったとしても、損害との因果関係を認めることができないとして、予備的請求を棄却した事例。
最高裁	平成28年9月6日 平27(受)766号	〔損害賠償請求事件〕匿名組合契約の営業者が新たに設立される株式会社に出資するなどし、同社が営業者の代表者等から売買により株式を取得した場合において、営業者に匿名組合員に対する善管注意義務違反はないとした原審の判断に違法があるとされた事案。
東京地裁	平成28年9月9日	〔損害賠償請求事件〕被告会社の従業員らから勧誘を受

資料1 判例一覧 691

裁 判 所	判 決 年 月 日 事 件 番 号	事 件 名 ・ 判 決 要 旨
	平27(ワ)32147号	けて、被告会社を営業者とする匿名組合出資契約を締結し、被告会社に対して出資金として金員を交付した原告が、その勧誘について適合性原則違反の違法があったと主張して、被告従業員らにつき共同不法行為に基づく損害賠償請求として、被告会社につき使用者責任に基づく損害賠償請求として、被告らに対し、連帯して出資金相当額及び弁護士費用等の支払を求めた事案において、請求を一部認容した事案。
東 京 地 裁	平成28年9月16日 平27(ワ)2042号	〔損害賠償請求事件〕原告が、被告は、匿名組合への投資に関し、出資金名下に原告から金員を騙し取ったなどと主張して、被告に対し、民法719条1項若しくは709条又は一般社団法人及び一般財団法人に関する法律117条1項に基づき損害金の支払を求めた事案。
東 京 地 裁	平成28年9月29日 平28(ワ)7153号	〔損害賠償請求事件〕原告が、被告会社に対し、主位的に、ファンドについての各契約の解除に基づく原状回復請求権に基づき、予備的に、不当利得返還請求権（各契約の詐欺取消し又は錯誤無効）に基づき、更に予備的に債務不履行に基づく損害賠償請求権に基づき、被告Bに対し、会社法429条1項を理由とする損害賠償請求権に基づき、連帯して各契約に係る出資金総額から配当金名目で受領済みの金額を控除した額等の支払を求めた事案において、請求を認容した事案。
東 京 地 裁	平成28年9月29日 平23(ワ)27674号	〔旧取締役に対する損害賠償請求事件〕銀行の取締役と経営判断の原則の適用。
東 京 地 裁	平成28年10月25日 平26(ワ)9214号	〔損害賠償請求事件〕被告GGMとの間で匿名組合契約を締結し、合計1,350万円を投資した原告が、本件ファンドの勧誘行為には説明義務違反等の違法があると主張し、同ファンドの営業者である被告GGM及びその代表取締役である被告D並びに同ファンドの販売者である被告レガリア及び当時の代表取締役である被告Cに対し、連帯して投資金相当額等の損害賠償を求めた事案において、被告らは共同不法行為責任を負うと認めるのが相当であるとして請求を一部認容した事案。
東 京 地 裁	平成28年10月28日 平27(ワ)35825号	〔請求異議の訴え及び不当利得返還等請求事件〕不当利得返還請求事件の被告である原告が、同事件の原告である被告に対し、〔1〕本件債権が、本件債権2を自働債権とする相殺により消滅したことを理由として、被告か

裁 判 所	判 決 年 月 日 事 件 番 号	事 件 名 ・ 判 決 要 旨
		ら原告に対する本件判決に基づく強制執行の不許の裁判を求めるとともに、〔2〕本件債権2の上記相殺後の残金の内金及び遅延損害金の支払を求めた事案で、原告が本件債権2を取得したと認めることができるとして、原告の請求を認容した事案。
東 京 高 裁	平成28年11月30日 平28(ネ)3806号	〔損害賠償請求控訴事件〕本件は、被控訴人の未成年後見人を務めていたAが、控訴人から勧誘を受け、被控訴人を代理してレジデンシャル−ONEという不動産投資ファンドに投資して被控訴人に損害が生じたため、被控訴人が、控訴人の従業員がAを勧誘した行為が適合性原則違反及び説明義務違反等にあたると主張して損害賠償を請求した事案。
東 京 地 裁	平成28年11月30日 平28(ワ)12843号	〔損害賠償請求事件〕原告が、被告会社（雑貨の企画、制作、輸入等を目的とする合同会社）及びその業務執行兼代表社員であった被告らに対し、被告会社の従業員によりファンドの勧誘を受け、出資金等の名目で金銭を交付させられ損害を被ったとして、損害賠償を請求した事案において、請求を認容した事案。
東 京 高 裁	平成28年12月12日 平28(ネ)2998号	〔損害賠償請求控訴事件〕日本国内において金銭の貸付けの一部を業として行っている限り、顧客が国外の借主のみであっても、「貸金業を営」むこと（貸金業法3条1項）に該当するとされた事案。
東 京 地 裁	平成28年12月21日 平26(ワ)25289号	〔損害賠償請求事件〕A会社との間で投資目的の匿名組合契約を締結した原告が、A会社の取締役である被告に対し、契約に係るA会社の不法行為を阻止しなかったことが取締役の任務懈怠に当たるとして、金員及び遅延損害金の支払を求めた事案で、被告は、会社法429条1項に基づき、契約に係る原告の損害を賠償する責任を負うものと認めるのが相当であるとして、原告の請求を一部認容した事案。
東 京 地 裁	平成28年12月26日 平28(ワ)31192号	〔損害賠償請求事件〕被告会社が、原告を含む顧客からの出資金の一部を、被告会社の代表取締役である被告Bの知人への貸付金や被告Bの遊興費に充てるなどして私的に流用し、適切に運用しなかったなどとして、原告が、被告らに対し、損害の賠償を求めた事案。
東 京 地 裁	平成28年12月27日	〔損害賠償請求事件〕原告らが、詐欺行為によって違法

資料1　判例一覧　　693

裁 判 所	判 決 年 月 日 事 件 番 号	事 件 名 ・ 判 決 要 旨
	平27（ワ）32808号	な商法に資金を出資させられ、損害を受けたことに関し、被告P1及び被告P2も当該商法に関与していたとして、被告両名に対し、共同不法行為（被告両名）又は会社法429条（被告P1）に基づき、損害賠償及び遅延損害金の支払を求めた事案で、原告の請求を認容した事案。
東 京 地 裁	平成29年1月11日 平26（ワ）16596号	〔損害賠償請求事件〕原告が、主位的に、被告らが共同して、虚偽の内容の情報を提供して、Z1を欺罔してその旨を誤信させ、原告からあるA法人に対して投資金を拠出させて、原告に損害を生じさせたと主張し、予備的に、原告の上記債権回収を不可能にし、原告に損害を生じさせたと主張して、被告らに対して、会社法350条に基づく金員及びこれに対する遅延損害金の連帯支払を求めた事案で、送金をさせた行為については、不法行為に当たらないというべきであって、そうである以上、送金をさせた行為が詐欺であることを前提とする原告の主位的請求について理由がないことは明らかであり、また、原告は、本件金銭消費貸借契約によって、出資金返還請求権を失ったものではないから、原告の予備的請求も理由がないとして、原告の請求を棄却した事案。
東 京 高 裁	平成29年1月19日 平26（行ウ）498号	〔納税告知取消請求控訴事件〕匿名組合契約に基づく「利益の分配」と称してされた支払行為については、匿名組合員に「利益の分配」としての経済的利益が帰属し、課税要件が充足された以上、その経済的利益が解消されない限り、「利益の分配」に当たることを否定することはできないとされた事案。
東 京 地 裁	平成29年1月24日 平25（行ウ）39号	〔所得税更正処分等取消請求事件〕米国において不動産に係る事業を営むワシントン州の法律に基づいて設立されたリミテッド・パートナーシップの持分を取得した原告が、当該事業により生じた損益のうち原告に割り当てられたものを原告の不動産所得の金額の計算上収入金額又は必要経費に算入して所得税の申告をしたところ、所轄税務署長から、当該事業により生じた所得は原告の不動産所得に該当しないなどとして、更正処分及び過少申告加算税賦課決定処分を受けたため、被告（国）に対し、各処分の取消しを求めた事案において、請求を棄却した事案。
東 京 地 裁	平成29年1月25日	〔損害賠償請求事件〕被告の出資金流用行為による損害

裁 判 所	判決年月日 事 件 番 号	事 件 名 ・ 判 決 要 旨
	平27(ワ)34544号	賠償請求権の存否について、営業者であるＡ社における私的流用行為等により出資相当額の返還が困難になるような場合には、被告の出資金流用行為は、原告の出資金返還請求権を侵害する違法な行為であり、不法行為を構成するとして、原告の請求を認容した事案。
津　地　裁	平成29年2月13日 平26(ワ)84号	〔売買代金返還等請求事件〕旧会社との間で、ハッピーリタイアメント倶楽部会員権を購入する契約を締結したが、同契約は違法であり、同契約に基づき出捐した購入代金相当の損害を被ったと主張する原告が、被告に対し、購入代金相当額等の支払いを求めた事案において、同契約は、預託金を約定通りに返還することが極めて困難になった時期以降に締結されたから、同契約を締結したことにより原告に生じた損害は、代表取締役の職務を行うについての被告の悪意又は重大な過失に起因するものと認められるとして、損益相殺をしたうえ、原告の請求を一部認容した事案。
東 京 地 裁	平成29年2月20日 平27(ワ)1625号	〔損害賠償請求事件〕韓国で設立された訴外法人への出資を勧誘され、貸付金名目で同法人に出資した原告らが、主位的に、勧誘時の不法行為、及び、訴外会社の資金を被告会社に流出させるなどの不法行為があったと主張して、被告会社、同社の代表取締役、取締役又は監査役であるその余の被告らに対し、損害の賠償等を求め、予備的に、被告らに対し、会社法818条2項に基づき金員の支払を求めた事案において、主位的請求及び予備的請をそれぞれ一部認容した事案。
東 京 地 裁	平成29年2月21日 平27(ワ)15658号	〔損害賠償請求事件〕原告が、いわゆる投資会社である被告会社及びその代表者等に対し、被告会社らの詐欺行為によって出資金名目で金員を騙取されたなどと主張して、不法行為に基づく損害賠償を求めた事案。
東 京 地 裁	平成29年3月8日 平28(ワ)24356号	〔損害賠償請求事件〕原告が、被告らによる行為により、被告合同会社甲に対し、出資金を出資したものであり、同額の損害を被ったと主張して、被告合同会社甲に対して損害賠償金の支払を、被告Ｂに対して、不法行為（民法709条）に基づき、被告株式会社乙に対して、会社法350条に基づき、被告Ｄに対して、会社法597条に基づき、被告Ｃに対して、会社法597条に基づき、損害賠償金の支払及び各支払済みまで民法所定の割合による遅延損害

資料1　判例一覧　　695

裁 判 所	判 決 年 月 日 事 件 番 号	事 件 名 ・ 判 決 要 旨
		金の支払をそれぞれ求めた事案で、証拠及び弁論の全趣旨によれば、請求原因記載の各事実が認められ、出資によって原告に生じた損害について賠償責任を負うものと認められるとして、原告の請求を一部認容した事案。
東 京 地 裁	平成29年3月13日 平27(ワ)24019号	〔損害賠償請求事件〕原告が、主位的には、被告との間での出資金預託契約に基づく清算金及び遅延損害金の支払を求め、予備的には、被告が出資先会社から返還を受けた金銭が不当利得となる旨を主張して、原告の出資金額が全体の出資金額に占める割合を乗じた額についての返還を求めた事案で、原告の主位的請求を認容した事案。
東 京 高 裁	平成29年4月26日 平28(ネ)5160号	〔損害賠償請求控訴事件〕信託型未公開株式ファンドへの出資募集の際、勧誘者が、投資家にとって極めて関心が高いと考えられる実際の未公開株式購入額や、これに直接影響する高額の仲介手数料の存在及びその額等について何らの説明も行わなかったときには、当該勧誘者は、その勧誘を受けて当該ファンドへの出資した者に対する説明義務を怠ったというべきであるから、上記の者らに対し、不法行為責任を負うとされた事案。
東 京 地 裁	平成29年6月23日 平25(ワ)16422号	〔貸金返還等請求事件〕ファンドの組成、運用及び管理業務等を目的とする株式会社である原告が、(1)主位的に、被告から、本件ファンドへの出資の勧誘に際し、被告が開発した裁定取引自動売買システムを用いて外国為替証拠金取引に係る裁定取引を行えば、元本割れのリスクは一切なく常に利益を上げることができるなどと説明を受けたが、実際には本件システムは完成していなかったうえ、リスクの高いアルゴリズム取引が行われたために、本件ファンドに多額の損失が発生したなどと主張して、被告らに対し、損害賠償金及び遅延損害金の連帯支払を求めた事案で、被告は、原告に対し、民法709条に基づく不法行為責任を負うものであり、被告会社は、被告と共同して、一体として原告を勧誘したとみられることから、被告らは、本件ファンドに係る違法な勧誘について、原告に対し、連帯して損害賠償責任を負うとして、原告の主位的請求を認容した事案。
東 京 地 裁	平成29年9月6日 平27(ワ)37233号	〔損害賠償請求事件〕厚生年金基金である原告が、被告が代表取締役又は取締役を務めていた訴外株式会社DH及び訴外株式会社DAの行為によって、原告と年金運用

696

裁 判 所	判 決 年 月 日 事 件 番 号	事 件 名 ・ 判 決 要 旨
		コンサルティング契約を締結していた訴外株式会社Sから忠実な立場での基金の運用に関する助言等を受ける権利を侵害されたと主張して、会社法429条1項に基づき、原告に生じた損害の一部についての賠償及びこれに対する遅延損害金の支払を求めた事案で、DHらが、本件契約〔1〕〔2〕を締結し、その報酬をSに支払った行為は、原告に対する不法行為には当たらないというべきであるから、被告が、DHらの代表取締役又は取締役としての職務を行うについて悪意又は重過失によりその任務を懈怠したものということはできないとして、原告の請求を棄却した事案。
東 京 地 裁	平成29年9月19日 平27(ワ)19371号	〔損害賠償請求事件〕原告らが、訴外P5と共謀した被告から、元金と配当金を安全かつ確実に返還するなどと勧誘され、原告会社は直接、原告P2及び原告P3は原告会社の組織する匿名組合に対する出資を通じ、それぞれ被告の運営する投資会社に投資したところ、一切返金をされてないとして、被告に対し、不法行為に基づき、損害賠償及び遅延損害金の支払を求めた事案で、原告らの請求を棄却した事案。
東 京 高 裁	平成29年9月27日 平28(ネ)5534号	〔旧取締役に対する損害賠償、詐害行為取消請求控訴、同附帯控訴事件／日本振興銀行旧取締役に対する損害賠償、詐害行為取消請求控訴事件〕銀行の取締役と経営判断の原則の適用。
最 高 裁	平成29年9月29日 平29(行ツ)156号、 平29(行ヒ)172号	〔納税告知取消請求上告及び上告受理事件（棄却・不受理）（確定）〕上告棄却・不受理／源泉徴収義務／匿名組合の粉飾された損益計算に基づく利益分配
東 京 地 裁	平成29年10月3日 平28(ワ)4437号	〔損害賠償請求事件〕被告シーク社が適格機関投資家等特例業務として行うファンドへの出資金等の名目で同被告に対して金員を支払った破産者の破産管財人である原告が、破産者が金員を支払ったのは同被告の担当者が虚偽の事実を告げたためであるなどと主張し、被告シーク社及び当時同被告の代表取締役であった被告Dに対し、不法行為に基づき破産者が支払った金員相当額の賠償等を求めた事案。
東 京 地 裁	平成29年10月12日 平27(行ウ)240号	〔法人税更正処分取消等請求事件（却下・棄却）（控訴）国側当事者・国（処分行政庁　北税務署長事務承継者南税務署長、東京上野税務署長）〕留保金課税／匿名組合

資料1　判例一覧　　697

裁　判　所	判　決　年　月　日 事　件　番　号	事　件　名　・　判　決　要　旨
		契約に基づく分配金／債権を譲り受けた後の免責的債務引受け
東 京 地 裁	平成29年10月13日 平28(ワ)10640号	〔損害賠償請求事件〕原告が、被告合同会社から投資の勧誘を受け、金員を被告ｂに交付して、匿名組合契約である本件匿名組合契約を締結したが、実態は偽の投資話であり、典型的な劇場型詐欺による資金集めのものであると主張して、被告合同会社及び被告ｂに対して損害金及び弁護士費用及びこれに対する遅延損害金の支払を求めた事案。
東 京 地 裁	平成29年11月9日 平28(ワ)11233号	〔貸金返還請求事件〕原告が、被告に対し、金銭消費貸借契約に基づく貸金残元金の返還及びこれに対する遅延損害金の支払を求めたところ、被告は、原告から交付された金員は匿名組合契約に基づく出資金であるなどと主張し、金員の返還義務を争った事案。
東 京 地 裁	平成29年11月21日 平27(ワ)32629号	〔損害賠償及び詐害行為取消等請求事件〕原告が、〔１〕被告Ｐ２に対し、被告Ｐ２が、金融商品取引法29条の登録を受けていない事業者であるＯ社及びその代表取締役である訴外Ｐ４と共謀のうえ、真実は安定的な運用により高配当を継続するつもりがないにもかかわらず、これを秘して、契約した事案。
東 京 地 裁	平成29年11月29日 平26(ワ)1281号	〔損害賠償請求事件〕原告が、被告株式会社Ｒの従業員であった被告Ｂから、Ｒが出資を募集する４件の匿名組合契約につき、利率がよく毎月安定して配当を受け取れるうえにいつでも解約でき元本が戻るなどと虚偽の説明に基づく違法な投資勧誘を受けたと主張した事案。
東 京 地 裁	平成29年11月29日 平27(ワ)35993号	〔アセットマネジメント報酬請求本訴事件、損害賠償請求反訴事件〕不動産の管理運用についてのアセットマネジメント契約（投資一任契約）の受託者の債務不履行責任が認められなかった事案。
東 京 地 裁	平成29年12月5日 平27(ワ)9742号	〔損害賠償請求事件〕原告らが、被告Ｃ及び被告甲の従業員であるＨの勧誘を受けて、Ｊが主導し被告甲が販売する甲ファンド及び訴外Ａ合同会社が販売するＡ匿名組合にそれぞれ出資をしたが、そもそもファンドは運用実態がないうえ、被告Ｃ及びＨが行った勧誘は説明義務違反であったと主張した事案。
東 京 地 裁	平成29年12月7日	〔損害賠償請求事件〕資産運用等を行うことなどを目的

裁 判 所	判 決 年 月 日 事 件 番 号	事 件 名 ・ 判 決 要 旨
	平27(ワ)19312号	とする会社である原告らが、被告甲の代表取締役である被告D及び取締役である同Eから投資ビジネスを提案され、運用利益を見込んでファンドを組成し同被告らの指図に従い送金したが同被告らの提案する投資スキームは当初から実態のないものであり損害を被ったと主張した事案。
東 京 地 裁	平成29年12月21日 平28(ワ)34697号	〔損害賠償請求事件〕訴訟承継前原告亡Aを共同相続した原告らが、Aは、株式会社G及び合同会社Hによる未公開株式をめぐる詐欺に遭い、金員をだまし取られたところ、株式会社甲は、上記詐欺行為の関係者に対して電話転送サービスを提供するにあたり、本人確認義務を怠り、その結果、同サービスに係る電話番号が上記詐欺行為に利用されたとして、当時の甲の代表取締役であった被告に対し、その職務を行うにつき悪意又は重大な過失があったとして、損害賠償金と、これらに対する遅延損害金の支払を求めた事案。
東 京 地 裁	平成29年12月22日 平26(ワ)34374号	〔損害賠償請求事件〕レジャーホテルを投資対象物件とした匿名組合形式の投資商品である本件ファンドについて、本件ファンドの破綻により差損を被ったとした事案。
東 京 地 裁	平成29年12月25日 平26(ワ)24454号	〔損害賠償請求事件〕原告らが、被告A株式会社の企画したファンド等について、被告らがその運用方法について虚偽の事実を告げ、高利率の配当、元本の償還を殊更強調するなどして出資を勧誘し、原告らに出資をさせたと主張した事案。
東 京 地 裁	平成30年1月23日 平29(ワ)16925号	〔投資事業有限責任組合事業決算書並びに監査報告書の開示請求事件〕原告が、被告Aらに対して、契約に係る監査報告書及び報告書の開示、一般に公正妥当と認められる会計原則に基づく組合決算書及び監査報告書の開示を求めるとともに、被告監査法人に対して、被告監査法人が、被告Aらに対して報告書の開示条件として設定した、原告の制限の撤回、契約所定の会計原則に基づく監査報告を実施し、その監査報告書を作成して、被告Aらに対してこれを交付することを求めた事案で、これは被告監査法人の作為を求める請求と善解できるが、そのような義務を負うものではないとして、原告の請求を却下、棄却した事案。
東 京 地 裁	平成30年1月23日	〔所得税更正処分取消等請求事件〕他者の営む事業から

資料1　判例一覧　　699

裁 判 所	判 決 年 月 日 事 件 番 号	事 件 名 ・ 判 決 要 旨
	平26（行ウ）351号	生じた利益の分配を受ける旨の合意がされている場合において、当該合意に基づいて当該他者から受領した利益に係る所得区分の判断基準。
東 京 地 裁	平成30年1月25日 平28（ワ）30430号	〔損害賠償請求事件〕原告が、J社との間でのコンサルティング契約に基づきプロジェクトを紹介し、約定の成功報酬が支払われるはずであったにもかかわらず、これが支払われなかったことについて、被告に対し、不法行為に基づき支払われるべきであった成功報酬額に相当金及び弁護士費用の合計金の損害賠償並びに遅延損害金の支払を求めた事案。
東 京 高 裁	平成30年2月14日 平29（ネ）3358号	〔貸金返還等請求控訴事件〕平成29年6月23日の東京地裁の判決（平25（ワ）16422号）に対し、控訴人らが控訴した事案で、控訴人らの外形的・客観的な表示行為に虚偽があるとはいえないなどの主張をいずれも採用できないとして、本件各控訴をいずれも棄却した事案。
東 京 地 裁	平成30年3月15日 平25（ワ）15279号	〔損害賠償請求事件〕本件破産会社との間で、営業者を本件破産会社とする本件ファンドに係る匿名組合契約を締結し、出資を行った者の1人である原告が、本件破産会社の業務執行役員であったS社の代表取締役であった者被告に対し、〔1〕主位的には、被告は、本件ファンドが実際には出資をすれば高確率で出資金が減少又は消失する状況にあったのに、被告が開発した本件システムの運用により本件ファンドが着実に利益をあげているとの虚偽の説明をするなどして欺罔し、原告に出資をさせたことが、〔2〕予備的には、被告においては、本件ファンドに係る虚偽の実績データを作成し、これに基づき作成された資料が本件ファンドへの投資勧誘に用いられていることを知っていた以上、実際には上記データのような取引が行われておらずほぼ一方的に損失が出ていることを告知すべき条理上の告知義務があったのに、そのような事実を告知しなかったことが、不法行為に当たると主張して、損害賠償金及びこれに対する遅延損害金の支払を求めた事案。
東 京 高 裁	平成30年4月11日 平29（ネ）4577号	〔損害賠償請求控訴事件〕厚生年金基金である控訴人（原審原告）が、被控訴人（原審被告）が代表取締役又は取締役を務めていた訴外株式会社DH及び訴外株式会社DAの行為によって、原告と年金運用コンサルティング

裁 判 所	判決年月日 事 件 番 号	事 件 名 ・ 判 決 要 旨
		契約を締結していた訴外株式会社Sから忠実な立場での基金の運用に関する助言等を受ける権利を侵害されたと主張して、会社法429条1項に基づき、控訴人に生じた損害の一部についての賠償及びこれに対する遅延損害金の支払を求め、原審が控訴人の請求を棄却したため、控訴人が控訴した事案で、原審判決を変更し、被控訴人に支払を命じた事案（平成29年9月6日　東京地裁参照）。
福 岡 地 裁	平成30年4月27日 平27(ワ)344号	〔損害賠償請求事件〕分離前相被告株式会社N又はその前身である株式会社との間で匿名組合契約を締結して、同契約上、同社らとの間の同契約に基づく権利（ファンド持分）を取得した原告らが、同社らの支店長又は営業員であった被告らに対し、詐欺等の共同不法行為に基づき、連帯して、各出資額と弁護士費用を合計した各金員及びこれに対する遅延損害金の支払を求めた事案で、N社の従業員であった被告A及び被告Bは、それぞれ、少なくとも詐欺の未必の故意を有していたと認められ、出資について、原告に対し、詐欺の不法行為による損害賠償義務を負うとして、請求を一部認容した事案。
大 阪 地 裁	平成30年5月10日 平28(ワ)5587号	〔営業権確認等請求事件、使用料等請求反訴事件〕アイドルグループのメンバーとマネジメント契約を締結している本訴原告（反訴被告）が、同メンバーがマネジメント契約を締結していた本訴被告（反訴原告）との間で、マネジメント契約に関する権利義務の存在ないし不存在を争った事案において、各メンバーと被告の代表取締役であるAの本件話合い当時、Aは被告ないしAにおいてした出資の回収にこだわっていたことが明らかであって、出資により得られた資産を単純に原告の所有とする包括的な合意がされたとはおよそ認められないから、その話合いの趣旨から認定し得る合意内容は、個別の資産ごとに認定していくべきものであるとして、本訴請求及び反訴請求をいずれも一部認容した事案。
東 京 高 裁	平成30年5月23日 平30(ネ)92号	〔アセットマネジメント契約受託者の善管注意義務違反が否定されるなどした事件〕コンサルティング業等を目的とする株式会社である被控訴人が、本件各不動産に係る売買取引のための特別目的会社である控訴人に対して、本件変更覚書に基づく本件報酬として金員及びこれに対する遅延損害金の支払を求めたのに対し、控訴人が、損害賠償の反訴を提起したところ、原審が、本件報酬の

資料1　判例一覧　701

裁 判 所	判 決 年 月 日 事 件 番 号	事 件 名 ・ 判 決 要 旨
		発生要件は本件変更覚書において明文で規定されたことのみであり、被控訴人に本件アセットマネジメント契約上の債務不履行があったものとは認められないと判断して、被控訴人の本訴請求を認容したため、控訴人が控訴した事案で、被控訴人の本訴請求は理由があるから、これを認容した原判決は相当であって、本件控訴は理由がないとして、本件控訴を棄却した事案。
東 京 高 裁	平成30年 6 月28日 平27(行ウ)240号	〔法人税更正処分取消等請求事件（却下・棄却）〕留保金課税／匿名組合契約に基づく分配金／債権を譲り受けた後の免責的債務引受け
東 京 高 裁	平成30年12月 5 日 平30(ネ)2456号	〔損害賠償請求、同反訴請求控訴事件〕本訴は、第 1 審原告らが、インターネット上の電子掲示板に被告が投稿した記事によって名誉を毀損されるなどした旨、第 1 審原告Ｘ 1 が、被告の反訴提起は違法行為に当たる旨主張して、被告に対し、不法行為に基づく損害賠償を求め、争った事案。
東 京 高 裁	令和 2 年11月20日 平31(行ウ)	〔所得税更正処分等取消請求事件〕外国子会社の留保所得につき外国子会社合算税制による合算対象金額であるとして更正決定があったことにつき、外国子法人が締結した金銭消費貸借契約書は、匿名組合契約或いは共算的金銭消費貸借契約の性質をもつものであり、留保所得は損金に算入されるべきものであったため不当とする納税者の主張に理由がないとして却下されたもの。
東 京 高 裁	令和 2 年12月17日 令元(行コ)318号	〔相続税更正処分等取消請求控訴事件（棄却）〕米国所在の投資不動産について、納税者らが主張する持分割合による共有の合意があったとは認められず、また、不動産が組合財産であり、組合員らの間で米国不動産の取得の都度持ち分割合に関する合意があったとは認められないため、被相続人が米国の登記名義のとおり所有していたとされ、納税者の主張が退けられた事例。

（出所）TKC 法律情報データベース「LEX/DB インターネット」
　　　　TAINS「一般社団法人日税連税法データベース」
　　　　国税不服審判所 公表裁決事例（https://www.kfs.go.jp/service/JP/index.html）

■資料2　匿名組合契約書

　本匿名組合契約（以下「本契約」という。）は、A合同会社（以下「営業者」という。）とB株式会社（以下「本匿名組合員」という。）との間で、2023年○月○日付で締結された。

第1条（定　義）

　本契約において、以下の用語は、それぞれ以下に定める意味を有する。なお、特に定めがないものについては、本件貸付契約の定義に従うものとする。

(1) 「営業日」とは、銀行法（昭和56年法律第59号、その後の改正を含む。）に従い、日本において銀行の休業日として定められた日以外の日をいう。

(2) 「親法人」とは、C一般社団法人をいう。

(3) 「金融商品取引法」とは、金融商品取引法（昭和23年法律第25号、その後の改正を含む。）をいう。

(4) 「計算期間」とは、本契約の有効期間中、①毎年2月1日から4月末日まで、②5月1日から7月末日まで、③8月1日から10月末日まで、及び④11月1日から翌年1月末日までの期間のそれぞれをいう。但し、初回の計算期間は本契約締結日から2012年4月末日までとし、最後の計算期間は、その直前の計算期間の末日の翌日から本契約の終了日までとする。なお、計算期間が開始した日以降、計算期間の終了予定日より前の日に、解散の日等、営業者の法人税法上の事業年度が終了し、又は、終了したとみなされる日が到来した場合においては、計算期間もその日に終了したものとみなすものとする。

(5) 「計算期日」とは、各計算期間について当該計算期間の末日をいう。

(6) 「現金分配期日」とは、本契約の有効期間中、各計算期日の属する月の翌々月の末日をいう。但し、当該日が営業日でない場合には、直前の営業日をいう。また、最初の現金分配期日は、2024年○月末日とする。

(7) 「公租公課」とは、営業者に賦課される一切の公租公課を総称していう。

(8) 「事業年度」とは、毎年○月1日から○月末日までの期間をいう。ただし、最初の事業年度については、営業者設立から2023年○月末日までを指す。

(9) 「定義府令」とは、金融商品取引法第2条に規定する定義に関する内閣府令（平成5年大蔵省令第14号、その後の改正を含む。）をいう。

(10) 「匿名組合財産」とは、本事業に関連して営業者が取得し、保有する財産（本出資金を含む。）をいう。

(11) 「本貸付契約」とは、営業者と本貸付人の間の2024年○月○日付金銭消費貸借契約（その後の変更等を含む。）をいう。

(12) 「本貸付人」とは、F銀行をいう。

⒀ 「本関連契約」とは、本契約、本貸付契約、本プロジェクト契約、本担保契約、本受益権の取得に係る契約、本信託契約、AM 契約及び事務委任契約、並びにこれらに付随し、又は関連して締結される書面等（（もしあれば）報酬覚書等を意味するが、これに限られない。）のうち、営業者が当事者となる契約をいう。

⒁ 「本事業」とは、以下の事業をいう。

① 本受益権の売買契約の締結並びに同契約に基づく本受益権の購入及び売却その他の権利の行使及び義務の履行

② 本受益権に係る受益者としての権利の行使及び義務の履行

③ その他上記①及び②に記載された事業に関連又は付随する一切の取引（上記①及び②に記載されたもの以外の資金調達に係る契約及びこれに関連する契約の締結並びにこれらの契約に基づく権利の行使及び義務の履行を含む。）

⒂ 「本受益権」とは、本信託契約に係る信託受益権をいう。

⒃ 「本出資金」とは、本契約に基づく当初の出資金及び追加の出資金をいう。但し、本契約に従い、本匿名組合員に対して出資の払戻し又はみなし償還が行われた場合には、その額を控除した残額をいう。

⒄ 「本信託契約」とは、G 銀行株式会社（以下「本信託受託者」という。）とH 株式会社との間の2023年○月○日付不動産管理処分信託契約書（その後の変更等を含む。）をいう。

⒅ 「本信託不動産」とは、本信託契約に係る信託財産たる土地及び建物をいう。）

⒆ 「分配用口座」とは、営業者が、分配用口座として開設する別紙に記載する口座をいう。

⒇ 「AM 契約」とは、営業者とアセットマネジャーとの間の2023年○月○日付アセットマネジメント契約（その後の変更等を含む。）をいう。

第2条（商法上の匿名組合契約）

1 本匿名組合員は、営業者が行う本事業に関し、本契約に定める条件に従って出資することを約し、営業者は、本契約に従って本事業を遂行し（但し、宅地建物取引業法（昭和27年法律第176号、その後の改正を含む。）又は不動産特定共同事業法（平成6年法律第77号、その後の改正を含む。）その他の適用法令に抵触しない範囲内で行うものとする。）、本事業から生じる損益及び金銭を本契約に定める条件に従って本匿名組合員に配分又は分配することを約し、もって営業者と本匿名組合員は、匿名組合契約を締結する。なお、本契約に基づく出資は、日本円で金銭にて行われるものとし、また、本匿名組合員に対する配分又は分配は日本円で金銭にて行われるものとする。

2　本契約の両当事者は、本契約が商法（明治32年法律第48号、その後の改正を
　　含む。以下同じ。）第535条から第542条に規定される匿名組合契約であること、
　　及び営業者と本匿名組合員の関係が本契約の条項に従うほか同法第2編第4章
　　に規定される営業者と匿名組合員の関係であることを了解する。また、本契約
　　の両当事者は、本契約が同法の匿名組合契約としての性格を失わないことを条
　　件として、本契約の条項が同法の任意規定に優先して適用されることに合意す
　　る。
3　本契約は、営業者と本匿名組合員との間に、代理、民法上の組合、資産の共
　　有若しくは合有又はその他これらのいずれかと類似の法律関係を生じさせな
　　い。
4　本匿名組合員は、本契約に基づく本匿名組合員の権利について、①かかる権
　　利の取得の申込みの勧誘が金融商品取引法第2条第3項第3号に該当しないこ
　　とにより、金融商品取引法第4条第1項の規定による届出が行われていないこ
　　と、②かかる権利が金融商品取引法第2条第2項第5号に掲げる権利であるこ
　　と、及び③かかる権利を譲渡する場合には、その相手方に対し、第①号及び第
　　②号又は譲渡時において有効な法令上必要な告知事項を、予め又は同時に、書
　　面をもって告知しなければならないことを、本契約締結前に営業者より書面に
　　て告知を受けた上でこれを確認し、これを了知のうえ本契約を締結するもので
　　ある。

第3条（当初出資）

1　本匿名組合員は、2023年○月○日（以下「当初出資金出資日」という。）ま
　　でに、本事業のための当初の出資金として、金○○○円を、本事業に出資する。
　　本条に基づき当初に出資された出資金を以下「当初出資金」という。
2　本匿名組合員は、当初出資金を、営業者の指定する口座に振り込む方法によ
　　り支払うものとし、その振込み等に係る費用は本匿名組合員の負担とする。

第4条（任意的追加出資）

1　営業者は、前条に定めるほか、本事業に関連する支払いのために必要な資金
　　が不足する場合には、本匿名組合員に対して、任意の追加出資を求めることが
　　できる。
2　本匿名組合員は、本条に定める追加出資の提案に応じて任意の追加出資をす
　　ることができる。但し、本匿名組合員は、その義務を負うものではない。
3　本匿名組合員は、営業者に対し、本事業に関する追加出資の提案をした上、
　　営業者との書面による合意により追加出資をすることができる。

資料2　匿名組合契約書　705

第5条（本匿名組合員の自己責任による投資）

1　本匿名組合員は、本事業の諸条件及び諸事項（リスクを含む。）を自ら十分検討、評価し、自己の判断と責任によって本契約に基づく出資に応じるものである。

2　営業者は、本事業の結果について、また、本匿名組合員の本契約に基づく出資が経済的、法的、税務上その他いかなる結果をもたらすかについて、明示、黙示を問わず何らの保証を行わず、また保証をしたとみなされることはない。但し、営業者は本事業の成功に向けて合理的に努力するものとする。

3　本匿名組合員は、本契約に基づく出資の元本が保証されるものではないこと、本契約上の本匿名組合員の権利の流動性が極めて低いこと、配当が保証されるものではないこと、営業者より支払われる金額の総額（利益の分配及び出資の払戻を含む。）は、本事業の運営状況により出資を行った出資金の総額より少ない場合があり得ること、その他本受益権に伴うリスク等を有するものであること及びその他のリスクを伴うものであることを理解している。本匿名組合員は、本契約に基づく本事業への出資が本匿名組合員にとって適切な投資であり、自らかかるリスクを負うことができると判断しており、金融商品の販売等に関する法律（平成12年法律第101号、その後の改正を含む。）その他の法令上要求される重要事項の説明又は開示（金融商品の販売等に関する法律第3条第1項に規定する重要事項に関する説明を含む。）を要求しないことを、ここに確認する。

4　本匿名組合員は、営業者がアセットマネジャーとAM契約を締結するに先立ち、アセットマネジャーに対して金融商品取引法第34条の3第1項に基づき自己を特定投資家として取り扱うよう申し出ることを承諾する。

第6条（本事業）

1　本事業は、営業者が自らの単独の裁量に基づいて開始し、継続し、終了し、その他の態様により遂行するものである。本匿名組合員は、本事業の遂行に対して、本契約に別途定める場合及び金融商品取引法その他の法令で要求される場合を除き、いかなる形においても関与することはできない。

2　営業者は、アセットマネジャーとの間でAM契約を締結し、本事業の全部又は一部を委託するものとする。

3　営業者は、本契約に従って、善良なる管理者の注意義務をもって本事業を行う。但し、本匿名組合員は、営業者が故意若しくは過失又は詐欺的行為なくして行った本事業の内容、方法及び結果等について、営業者に対して、債務不履行、不法行為、その他一切の責任を追及しない。

4　営業者は、本出資金を、本受益権の購入資金その他関連する費用の支払いその他本事業を遂行する目的のためにのみ使用する。

第7条（匿名組合財産の帰属等）
1 本事業は、営業者単独の事業である。匿名組合財産のすべては営業者に排他的に帰属する。本匿名組合員は、本契約に従って現金の分配を受け、出資の価額の返還を受ける権利を除いて、匿名組合財産のすべてについて所有権その他いかなる権利をも有しない。本匿名組合員は、本契約に従い損益の配分を受ける他は、本事業に係る収益及び費用について、いかなる権利又は持分をも有しない。本匿名組合員は、本事業に関していかなる債務をも負担しない。
2 営業者は、本匿名組合員に対して利益を配分し、若しくは現金を分配すること、又は本出資金の全部若しくは一部を現実に払い戻すことを保証するものではなく、また、いかなる理由にせよ、本契約に明示的に定める場合及び法で義務付けられる場合を除き、利益の配分、現金の分配又は出資の現実の払戻しをする義務を負わない。
3 本匿名組合員は、本出資金の額を超えて損失を負担しない。但し、本匿名組合員は、第12条の規定により損益分配を受けた金額のうち第13条の規定により現金分配を受けていない金額（以下「現金分配留保額」という。）がある場合には、配分される損失の累積額が本出資金の額及び現金分配留保額の合計額に達するまで、本契約に定める損益分配のルールに従って本事業の損失を負担することに同意する。
4 本匿名組合員は、本契約に別段の定めのない限り、第3条及び第4条に基づき払い込まれた出資金は、本契約が終了し、かつ本貸付契約に基づく本貸付人に対して負う債務の一切が完済されるまでは返還されないことに同意する。

第8条（第三者に対する権利義務関係）
1 本事業に関して第三者に対して生じた権利義務は、すべて営業者に帰属する。
2 本匿名組合員は、本事業に関する営業者の行為について第三者に対して権利を取得せず、また、義務及び責任を負わない。

第9条（営業者の誓約事項）
1 営業者は、本信託受託者から信託財産状況報告書、報告書その他の書類を受領したときは、速やかにその写しを本匿名組合員に交付する。
2 営業者は、本貸付契約に基づき本貸付人に対して報告書その他の書面を提出する場合には、速やかにその写しを本匿名組合員に交付する。
3 本契約に基づく本匿名組合員に対する債務が残存する限り、営業者は、本契約に別途定める他、以下の約束を遵守するものとする。
(1) 本事業以外の事業を行わず、本契約上明記されている業務以外の業務を行わないこと。本事業に関連しない借入れその他債務負担行為及び投資、貸付、保証その他の信用の供与を行わないこと。特に、営業者の出資対象事業は、

不動産に係る信託受益権に対する投資を行うもののみとすること。

⑵　親法人以外の者を、営業者の社員とせず、親法人をして営業者の持分の売却、担保権の設定その他の処分を行わせないこと。親法人に対する配当を行わないこと。

⑶　営業者の定款変更、増資・減資、合併、事業譲渡、会社分割、株式交換、子会社の設立若しくは保有その他の組織再編又は組織変更を行わないこと。

⑷　営業者は、その役員又は職務執行者に対し、報酬、賞与、退職金、退職慰労金、ストックオプションその他を支払わないこと。

⑸　本関連契約に基づく権利を適切に行使し、又は本関連契約の相手方当事者の義務を履行させるために必要な行為をすべて行うこと。

⑹　本契約に別途定めるものの他、以下の場合、本匿名組合員に対し、遅滞なく書面による通知及び報告を行うこと。

①　営業者に対し、訴訟、仲裁、その他の法的手続が提起されたことを知った場合

②　営業者が行政機関及び裁判所等の公的機関からの決定、命令、処分等を受領した場合

③　本事業に関する情報を本匿名組合員が合理的に要求した場合（営業者の法令違反又は義務違反にならない範囲に限る。）

⑺　適用ある法律、規則に基づき必要な許可、認可等を取得し、届出等を行い、さらにその他実務上必要なすべての届出を行うこと。また、適用のあるすべての法令を遵守すること。

⑻　匿名組合財産を、営業者のその他の財産又は第三者の財産と分別して管理すること。殊に、本出資金を営業者の固有財産と分別して管理するため、金融商品取引法第40条の３及び金融商品取引業等に関する内閣府令（平成19年内閣府令第52号、その後の改正を含む。）第125条に定める基準を満たすこと。

⑼　破産手続、民事再生手続、特定調停手続その他現在又は将来において営業者に適用のある倒産処理手続開始の申立又は解散の決議・決定（解散について社員の同意を取得することを含む。）をしないこと。但し、解散の決議・決定については、本受益権又は本信託不動産のすべてが売却された場合はこの限りではない。

⑽　公租公課を適時に申告納税すること。

⑾　本匿名組合員の承諾なく以下の行為を行わない。

①　AM契約について本匿名組合員に不利益を与える変更、修正若しくは改定をすること。

②　本関連契約について本匿名組合員に重大な不利益を与える変更、修正若しくは改定をすること。

③　AM契約上の営業者の権利を放棄すること。

④　AM契約上のアセットマネジャーの義務を免除し、又は猶予すること。
⑫　新たに本関連契約を締結した場合には、本匿名組合員に対し、速やかにその内容を通知すること。

第10条（利害関係人取引）

　　営業者は、本事業を行う上で、利害関係人取引のうち、①利害関係人（○○等を個別に又は総称していう。以下同じ。）に対して本受益権を売却する場合、②法令により本匿名組合員の同意を必要とする場合、③その他アセットマネジャーが個別に本匿名組合員の同意を取得する必要があると判断した事項については、本匿名組合員の事前の書面による同意を得てこれを行うものとする。

第11条（表明及び保証）

1　営業者は、本匿名組合員に対し、本契約締結日及び第3条又は第4条に基づき出資を行う日において、以下の各事項が真実かつ正確であることを表明し保証する。
　⑴　営業者の法人格
　　　営業者は、日本の法律に基づき適法に設立され、有効に存続する合同会社であり、自己の財産及び資産を保有し、本関連契約を締結し、これらに基づく権利を行使し、義務を履行する権限及び能力並びに本事業を遂行する権限及び能力を有すること。
　⑵　営業者の権利能力
　　　営業者による本関連契約の締結及び履行並びに本関連契約において企図されている取引及び本事業の実行は、営業者の権利能力及び行為能力の範囲内であり、すべての必要な社内手続により授権されたものであり、(i)営業者又はその財産を拘束する日本国の一切の法令（金融商品取引法を含むが、これに限られない。）、規則、通達、命令、判決及び決定、(ii)営業者の定款その他の社内規則、又は(iii)営業者が当事者となっている他の契約又は営業者の財産を拘束する他の契約に違反しないこと。
　⑶　訴訟等の不存在
　　　裁判所、政府機関又は仲裁機関のいずれにおいても、営業者の本関連契約の締結及び履行並びに本事業に関し、営業者に影響のある係属中又は継続中の訴訟、保全手続、強制執行手続、調停、仲裁、その他の司法又は行政手続は存在せず、営業者の知り得る限り、そのおそれもないこと。
　⑷　拘束力ある契約
　　　本関連契約は、その締結により、営業者の適法で有効かつ拘束力を有する義務を構成し、債権者の権利に一般に影響を与える適用法令に基づく制限に服する他、その条項に従い営業者に対して執行可能であること。

(5) 財務状態

営業者は、期限が到来した債務について支払不履行に陥っておらず、書面により自己の支払不能を認めておらず、また、営業者に対して、若しくは営業者自身により、営業者の破産、民事再生若しくはその他債権者の権利に一般的に影響を与える手続、清算、解散又はいずれかの法域におけるこれらと同様な手続を求める手続の開始又は開始の申立てがなされておらず、その申立原因も存在しないこと。営業者による本関連契約の締結及び履行は、営業者の債権者を害することとならず、営業者は自らの債権者を害することになるとの認識を有していないこと。営業者は、本関連契約の締結及び履行を正当な事業目的に基づいて行っており、何らの違法又は不当な目的若しくは意図を有していないこと。

(6) 営業者の社員

① 営業者の社員は一般社団法人及び一般財団法人に関する法律（平成18年法律第48号、その後の改正を含む。）に準拠して設立され、有効に存続する法人である親法人のみであり、かつ、親法人の社員は、アセットマネジャーから独立していること。

② 親法人の定款において、以下の事項が定められていること。

(i) 社員全員の同意がない限り新たな社員が入社することができないこと。

(ii) 社員につき、破産手続、民事再生手続その他の法的倒産手続の申立てがなされた場合には当該社員は当然に退社すること。

(iii) 基金拠出者は、親法人解散のときまで基金の返還請求をすることができず、かつ破産手続、民事再生手続、その他の法的倒産手続の開始の申立権を有しないこと。

(7) 債務負担行為

営業者は、本貸付契約その他本事業に関連して締結するものを除き、金銭消費貸借契約を締結し、又は金銭の借入れ若しくは保証を行っておらず、また、本関連契約において営業者が負担することが予定されている債務（営業者が日常業務に関して負担する債務等を含むが、これに限定されない。）を除き、出資の受入れ、手形又は小切手の振出し若しくは裏書き等、原因の如何を問わず、いかなる債務も負担していないこと。

(8) 定款等

営業者が本匿名組合員にその写しを提出した営業者の定款は、有効かつ最新の定款の真正なる写しであり、当該定款以外に営業者は社内規則その他の内部手続規定を設けていない。また、当該定款は、その写しの提出後変更されておらず、失効していないこと。

(9)　役員・従業員

　　営業者は、その役員又は職務執行者に対し、報酬、賞与、退職金、退職慰労金、ストックオプションその他の支払義務を一切負担していないこと。

(10)　許認可等

　　営業者による本関連契約の締結及び履行並びに本関連契約において企図されている取引及び本事業の実行について、政府機関その他の第三者の許認可、登録、承諾若しくは同意等又はそれらに対する通知が必要である場合には、本契約締結日までに履行すべきものは適法・適式に終了しており、かつ、いかなる法令、規則、通達、命令、判決、決定、営業者の定款、その他の内部規則、営業者自身が当事者となっている契約又は営業者若しくは営業者の財産に影響を与える第三者との間における契約又は合意等に違反し、又は抵触するものではないこと。

(11)　契約違反の不存在

　　営業者は、本契約上の義務又は債務及び営業者と第三者との契約の重要な義務又は債務に関して、何らの違反又は不履行もしておらず、時の経過又は通知により、かかる違反又は不履行となる事態も生じていないこと。

(12)　公租公課の支払い

　　営業者は、必要な税務申告をすべて行い、納期が到来している税金を適時にすべて支払っていること。

(13)　担保の不存在

　　本貸付契約において予定される担保以外に、本事業に関し営業者が保有する資産・権利には担保が付されていないこと。

2　本匿名組合員は、本契約締結日及び第3条又は第4条に基づき出資を行う日において、以下の各事項が真実かつ正確であることを表明し保証する。

(1)　本匿名組合員の法人格

　　本匿名組合員は、日本の法律に基づき適法に設立され、有効に存続する合同会社であり、自己の財産及び資産を保有し、本契約を締結し、これに基づく権利を行使し、義務を履行する権限及び能力を有すること。

(2)　本匿名組合員の権利能力

　　本契約の本匿名組合員による締結及び履行並びに本契約において企図されている取引の実行は本匿名組合員の権利能力の範囲内であり、すべての必要な社内手続により授権されたものであり、(i)本匿名組合員の定款その他の社内規則又は(ii)本匿名組合員に対して拘束力を有する又は影響を与える法律又は契約上の制限に違反しないこと。

(3)　訴訟等の不存在

　　裁判所、政府機関又は仲裁機関のいずれにおいても、本事業に対する出資に関し、本匿名組合員に影響のある係属中又は継続中の裁判、調査又は手続

は存在せず、本匿名組合員の知り得る限り、そのおそれもないこと。

⑷　拘束力ある契約

　　本契約は、その締結により、本匿名組合員の適法で有効かつ法的拘束力を有する義務を構成し、債権者の権利に一般に影響を与える適用法令に基づく制限に服する他、その条項に従い本匿名組合員に対して執行可能であること。

⑸　財務状態

　　本匿名組合員は、債務超過ではなく、期限が到来した債務について支払不履行に陥っておらず、書面により自己の支払不能を認めておらず、また、本匿名組合員に対して若しくは本匿名組合員自身により、本匿名組合員の破産、民事再生若しくはその他債権者の権利に一般的に影響を与える手続、清算、解散又はいずれかの法域におけるこれらと同様の手続を求める手続の開始又は開始の申立てがなされておらず、その申立原因も存在しないこと。本匿名組合員による本契約の締結及び履行は、本匿名組合員の債権者を害することとならず、本匿名組合員は自らの債権者を害することとなるとの認識を有していないこと。本匿名組合員は、本契約の締結及び履行を正当な事業目的に基づいて行っており、何らの違法又は不当な目的ないし意図を有していないこと。

⑹　許認可等

　　本匿名組合員による本契約の締結及び履行並びに本契約において企図されている取引の実行について、政府機関その他の第三者の許認可、登録、承諾若しくは同意等又はそれらに対する通知が必要である場合には、本契約締結日までに履行すべきものは適法・適式に終了しており、かつ、いかなる法令、規則、通達、命令、判決、決定、営業者の定款、その他の内部規則、本匿名組合員自身が当事者となっている契約又は本匿名組合員若しくは本匿名組合員の財産に影響を与える第三者との間における契約又は合意等に違反し、又は抵触するものではないこと。特に、本匿名組合員は、金融商品取引法第63条の適用上、適格機関投資家として取り扱われる者であること。

3　営業者は、本契約締結日又は本契約締結日以降において、第１項に定める表明及び保証のいずれかが真実でなく又は不正確であったことが判明した場合には、直ちに本匿名組合員に通知し、かかる表明保証違反及び通知義務の違反により本匿名組合員が被ったすべての損失及び損害について本匿名組合員に対して賠償しなければならない（但し、この支払いは、第22条に従う。）。本匿名組合員は、本契約締結日又は本契約締結日以降において、第２項に定める表明及び保証のいずれかが真実でなく又は不正確であったことが判明した場合には、直ちに営業者に通知し、かかる表明保証違反及び通知義務の違反により営業者が被ったすべての損失及び損害について営業者に対して賠償しなければならない。

4　匿名組合員は、金融商品取引法第63条の適用上、適格機関投資家として取り扱われる者に該当しないこととなった場合には、速やかにその旨を書面にて営業者に通知する。

第12条（会計及び損益の帰属）

1　営業者は、自らの計算書類等を日本において一般に公正妥当と認められた会計原則に従い（但し、日本国の税法上、かかる会計原則と異なる取扱いが適用される場合には、当該税法上の取扱いに従う。以下同じ。）、貸借対照表及び損益計算書を作成する。なお、本事業の利益及び損失とは、以下に規定される各項目の範囲については、会社に適用される上記会計原則を勘案する。本事業の遂行から生じた利益及び損失を意味し、主として営業者に生じた以下のものから構成される（但し、これらに限られない。）。

(1)　収益

① 本受益権に係る配当及び元本交付金

② 本受益権の売却益

③ 本受益権の償還差益

④ 分配用口座内の金銭に係る運用益

⑤ 債務免除益

⑥ 本事業に関し営業者に帰属するその他の収益

(2)　費用

① 受益者たる営業者が本信託契約に基づき負担すべき諸費用（減価償却資産に係る減価償却費、修繕費、公租公課、損害保険料を含むが、これらに限られない。）

② 本貸付契約に関連する期中の諸費用

③ 本貸付契約その他の本関連契約に基づき貸付人に対して支払うべき費用、遅延損害金、支払利息相当額

④ 繰延資産償却

⑤ オペレーションコスト

⑥ 本受益権の売却損失

⑦ 本受益権の償還差損

⑧ 本受益権の取得、保有、管理及び処分に関連する費用

⑨ 本事業に関し第三者に対して支払うべき報酬及び費用

⑩ 本事業に関して営業者に帰属するその他の費用（設立費用、清算費用、親会社の経費及び清算費用等の立替金で精算されないことが確定している支出その他合理的に計算した現金支出額相当額（税金負担分を含む。））

2　営業者は、本事業の執行に関するあらゆる取引について明瞭かつ正確な会計帳簿その他会計に関する記録を作成し、保管する。かかる帳簿及び記録は日本

資料2　匿名組合契約書　　713

において一般に公正妥当と認められた会計原則に従ったものでなければならない。

3　営業者は、本匿名組合員から要求があった場合には、本匿名組合員に対し、前項に定める帳簿及び記録の写しを遅滞なく提供する。本匿名組合員は、自己の費用負担により、通常の営業時間内に営業者が保管している帳簿及び記録を閲覧することができる。本匿名組合員は、事前通知をした上で、自己の委任する弁護士又は公認会計士にかかる閲覧を行わせることができる。

4　営業者は、各計算期日の直後に到来する現金分配期日までに、(i)日本において一般に認められた会計原則に従い作成された報告書であって、(A)当該計算期日現在の本事業に関する営業者の貸借対照表、及び(B)当該計算期日に終了する計算期間における本事業に関する営業者の損益計算書、並びに(ii)本事業により各計算期間中に生じた利益又は損失に関する匿名組合計算書（前記(i)に対応するもの）を本匿名組合員に送付する。

5　各計算期間において本事業から生じる利益が計上された場合（本条に基づく本匿名組合員に対する損益の配分前において）には、当該利益は計算期日に、本匿名組合員に帰属する。但し、次項に基づく損失の配分があり、損失累計額が存在する場合には、当該利益は、損失の累積額がゼロとなるまでその填補に充当され、その後、本匿名組合員に残存する利益を分配する。

6　各計算期間において本事業から生じる損失が計上された場合（本条に基づく本匿名組合員に対する損益の配分前において）には、当該損失は計算期日に、本匿名組合員に帰属する。但し、本匿名組合員に帰属する損失の累積額がその出資の金額と本匿名組合員に帰属する利益のうち支払いが留保されている金額の合計額を超えないものとし、これを超過する損失は、これを営業者に分配する。

7　本条に基づく損益の配分について、1円未満の端数が生じた場合、営業者は、これを切り捨て営業者に帰属させる等自己が適当と判断する方法により処理することができる。

8　本事業に係る損益分配の計算について、営業者の法人税法上の所得を計算する上で会計上の損益に調整が必要な場合（本事業に関するものに限り、本件営業者の法人税申告期限後に判明したものを含む。）には、営業者が本出資者に分配する匿名組合損益の額は、会計上の分配すべき損益に以下の調整項目のうち①と②についてはその合計額に {実効税率／（1－実効税率）} を乗じた金額を減算し、③についてはその金額のうち営業者の所得計算上加算される金額は加算、営業者の所得計算上減算される金額は減算し、④についてはその金額及びその金額に {実効税率／（1－実効税率）} を乗じた金額の合計額を減算した金額とする。なお、本項における実効税率の計算方法は⑤に記載のとおりとする。

① 法人税法及び租税特別措置法（以下、「法人税法等」という。）の規定に基づき申告調整を行う項目の内、交際費、寄付金、その他法人税法等に基づき営業者の所得計算上加算される社外流出項目（法人税申告書別表四の社外流出欄に記載されるものをいい、別紙○に例示するものその他のものをいう。）に係る申告調整すべき金額（営業者の法人税額から控除される所得税額及び法人税法第2条第16号に規定される資本金等の額を構成するものを除く。）

② 法人税法等の規定に基づき法人税申告書別表四の留保欄に記載される申告調整を行なう項目（以下、「内部留保項目」といい、別紙○に例示するものその他のものをいう。）のうち、本契約終了日の属する計算期間において申告調整が生じた、金銭債権に係る貸倒引当金繰入限度超過額、繰延消費税等の損金算入限度超過額、本契約終了後に賦課される固定資産税・都市計画税や本契約終了後に役務提供又は引渡が完了する費用及び資本的支出等の本契約終了後に営業者の所得計算上損金算入可能となる費用等の所得加算額、その他終了する本事業に係る回収可能性の乏しい資産について損失として処理することとした場合における当該損失の所得加算額

③ 本契約終了日の属する計算期間前の各計算期間において申告調整が生じた内部留保項目に係る申告調整すべき金額

④ ③に規定する内部留保項目の内、本契約終了日の属する計算期間において申告調整が解消していない内部留保項目について、本契約終了日の属する計算期間前の各計算期間において申告調整された金額

⑤ 実効税率とは、以下の算式により計算される値をいう。なお、各税率については、本項を適用する各事業年度において法令に基づき営業者に適用される税率とする。

$$\{法人税率×（1＋住民税法人税割税率）＋事業税所得割税率＋基準法人所得割額の計算税率×地方法人特別税率\}÷（1＋事業税所得割税率＋基準法人所得割額の計算税率×地方法人特別税率）$$

9 本匿名組合員は、本信託契約の信託財産たる不動産又は本受益権を売却したことにより租税特別措置法第62条の3、第63条の土地重課制度で課税される法人税及びそれにより増加する住民税が発生する場合には、その合計額を100％から営業者に対する法人税及び住民税の実効税率の合計を控除した割合で除した金額を負担するものとする。

第13条（金銭の分配）

1 営業者は、現金分配期日において、本事業によって生じる現金の分配として、当日における分配用口座の残高全額を、本匿名組合員に対して当該分配し、支払うものとする。但し、営業者は、本関連契約の規定に従い留保すべき金額又はアセットマネージャーが合理的に留保すべきものと判断した金額を、現金分

配期日の分配用口座の残高から控除して、その残額の範囲で金銭の分配をすることができる。

2　営業者が、適用ある法律（所得税法（昭和43年法律第33号、その後の改正を含む。）第210条を含むがこれに限らない。）により、本契約上本匿名組合員に対する支払いについて何らかの金額（所得税の源泉徴収金額を含む。）を減額又は控除しなければならない場合、営業者は当該金額を減額又は控除するものとし、源泉所得税徴収票その他の減額又は控除に関する徴憑を本匿名組合員の要請に応じ適時に本匿名組合員に提供する。本匿名組合員は当該減額又は控除に予め同意する。この場合、本匿名組合員は営業者に対して支払額の増額又は追加の支払いを要求する権利を有しない。

3　各計算期間において、本条に基づいて本匿名組合員に分配された金銭が当該計算期間について本匿名組合員に配分された利益の額を超える場合、当該超過分は出資の払戻しと取り扱う。なお、本項に基づく出資の払戻しにより本出資金の残額が0円となった場合でも、第16条に規定する契約終了事由に該当しない限り、本契約の効力に影響を及ぼさないものとする。

4　本条に基づく金銭の分配は、各現金分配期日までに、当該現金分配期日に対応する分配額を本匿名組合員に対して通知したうえで、本匿名組合員の別紙記載の銀行口座に対して日本円にて送金することにより行われる。なお、かかる分配において、営業者は、1円未満の端数は切り捨てる等自己が適当と判断する方法により処理することができる。

5　本契約各当事者は、本契約により企図される取引に関し各当事者に課される租税のすべて（本条に基づき本匿名組合員に対して分配される金銭に課される税金を含む。）につき、自らこれを負担する。

6　本匿名組合員は、本事業によって生じる金銭の支払いが当該現金分配期日における分配用口座内の資金の限度で分配されるものであることを承認する。また、本匿名組合員は、営業者に対する債務と自己の営業者に対する債権とを相殺してはならず、その他リリース口座内の資金以外の営業者の資産から自己の債権を回収してはならないものとする。

第14条（営業者報酬）

　営業者は、本契約に基づき本事業を遂行する報酬（以下「営業者報酬」という。）として、年額金20万円を収受することができる。営業者は、各計算期間に係る計算期日に、分配用口座の残高から5万円を収受する。営業者報酬は本事業の費用に計上される。計算期間が3暦月でない場合における営業者報酬の金額は、1年を365日とする日割計算による。

第15条（期　　間）

　　本契約の期間は、本契約締結日から2029年○月○日までとする。ただし、営業者と本匿名組合員が合意した場合には、延長することができる。

第16条（本契約の終了）

　　本契約は以下の事由が発生した場合には、その発生した時点で終了する。

(1)　第15条に定める本契約の期間が満了した場合

(2)　本受益権の売却その他の処分による売却代金全額を営業者が受領し、本貸付契約に基づく本貸付人に対する債務を完済し、かつ、営業者と本匿名組合員が別途合意した場合

(3)　本信託不動産の全部が売却され、その売却代金を原資とする信託配当すべてを営業者が受領し、本貸付契約に基づく本貸付人に対する債務を完済し、かつ、営業者と本匿名組合員が別途合意した場合

(4)　法令又は税制の変更その他の事由により本事業の継続が不可能又は著しく困難であると営業者が判断し、営業者が本事業の終了を本匿名組合員に通知した場合

(5)　営業者又は本匿名組合員が破産手続開始の決定を受けた場合

(6)　第17条により本契約が解除された場合

(7)　営業者又は本匿名組合員が解散の決議を行った場合

(8)　営業者の財産の全部又は一部について、仮差押、保全差押又は差押があった場合で、かかる仮差押、保全差押又は差押が30日以内に取り消されないとき

第17条（解　　除）

　　本匿名組合員及び営業者は、他方当事者が法令又は本契約上の自己の義務のいずれかについて違反をし、催告後10日以内に義務違反が治癒されない場合には、本契約を解除することができる。なお、かかる解除権の行使は、当該義務違反に基づく損害賠償請求を妨げない。また、営業者及び本匿名組合員は、法律上可能な限り、本契約について商法第540条第1項及び第2項の適用がないことを確認する。

第18条（本契約の終了後の処理）

1　第16条又は第17条により本契約が終了した場合であっても、営業者が本貸付契約に基づき貸付人に対して負う債務が完済されていない場合には、営業者は、かかる債務が完済されるまでは、本事業を継続し、本契約に係る清算は行われないものとする。

資料2　匿名組合契約書　　717

2　（出資の返還）

⑴　本契約が終了した場合には、本匿名組合員に対して出資の価額（利益がある場合にはこれを含む。以下同じ。）の返還を速やかに行うものとする。但し、第22条に従う。

⑵　前号による出資の価額の返還は、原則として金銭で行うものとする。但し、第16条第１項第⑷号により本契約が終了した場合には、営業者は、出資の価額の返還の方法につき、本匿名組合員の意見を聴くものとする。

3　営業者は、匿名組合財産の価額（実際の処分価額又は処分されない場合には一定の客観的基準により算定した評価額）から本事業に係る一切の債務（本事業の清算及び出資の価額の返還に要する費用を含む。）及び営業者報酬を控除した金額をもとに、第13条第１項に準じて返還すべき出資の価額を決定する。なお、決定された返還すべき金額を、会計上出資の払戻額と利益の分配額に区分する方法については、第13条第３項に従うことを確認する。

4　本匿名組合員に出資の価額の返還として分配されるべき金額が本出資金の額又は本契約終了時に本匿名組合員の会計上出資として計上されている金額を下回る場合であっても、本匿名組合員は、営業者に対してその差額の支払いを求めることはできないものとする。

5　営業者又は本匿名組合員は、相手方の責めに帰すべき事由により本契約が終了した場合には、これにより蒙った損害の賠償を請求することができる。但し、かかる営業者による支払いについては、第22条に従う。なお、本項による損害賠償金は、営業者又は本匿名組合員の計算に帰属し、本事業の損益には算入されない。

6　本契約が終了した場合において、本匿名組合員に対する出資の価額の返還が本事業の遂行に支障を来すおそれが合理的に認められる場合、営業者は、適用法令で認められる範囲において、出資の価額の返還を延期することができる。

7　本条は、本契約終了後も有効に存続する。

第19条（遅延損害金）

営業者及び本匿名組合員が本契約に基づき負担する支払債務の履行を遅延した場合には、その当事者は、相手方に対して、その支払期日（同日を含まない。）から完済される日（同日を含む。）までの間、未払債務に対して年率14％（１年を365日とする日割計算による。）の割合による遅延損害金を支払う。

第20条（秘密保持）

営業者及び本匿名組合員は、①適用法令により開示が義務付けられる場合、②行政官庁、裁判所その他の公的機関若しくは自主的規制団体の要請により必要とされる場合、③営業者による資金調達に関して営業者が必要とする場合（営

業者への融資先、投資先及びそれらの候補者、並びに、融資先及び投資先の権利・地位の譲受人及びその候補者への開示を含む。）、④本信託受託者、並びに、本信託受託者の権利・地位の譲受人及びその候補者へ開示する場合、⑤アセットマネジャーに対して開示する場合、⑥本匿名組合員からその保有する有価証券に係る運用権限その他の業務を受託する者に対して開示する場合、⑦弁護士、公認会計士、監査法人、税理士、税理士法人、格付機関等への開示その他正当な理由のある場合、⑧本受益権又は本信託不動産の買主及びその候補者に開示する場合、並びに⑨その他営業者と本匿名組合員との間で別途書面で合意する場合を除き、本契約に関連して知り得た相手方又はアセットマネジャーの業務上の情報、本契約の内容及び本事業の内容に関する情報その他本契約に基づき又は関連して相手方当事者から受領した機密情報一切（次の各号に掲げる情報を除く。）を第三者に開示せず、かつ、本契約の目的以外に利用しない。

(1) 開示された時点で、すでに公知となっている情報

(2) 開示された後に、自らの責めに帰すべき事由によらず公知となった情報

(3) 開示された時点ですでに自ら保有していた情報

(4) 正当な権限を有する第三者から開示された情報

第21条（譲　渡）

1　本匿名組合員は、営業者の事前の書面による承諾を得ない限り、本契約に基づく権利義務又は本契約上の地位（以下「本匿名組合出資」という。）を譲渡し、担保設定その他の処分を行うことができない。営業者は、かかる譲渡・処分により、営業者による本事業が定義府令第16条第1項第11号に掲げる行為に該当しなくなる場合には、かかる承諾をしないものとする。

2　前項に従って本匿名組合員が本匿名組合出資を譲渡する場合でも、本匿名組合員は、これを一括して譲渡しなければならず、口数毎その他分割して譲渡することはできない。

3　前2項に従って本匿名組合員が第三者に対して本匿名組合出資を譲渡する場合には、本匿名組合員は、当該第三者に対して、予め又は同時に、以下の事項又は譲渡時において有効な法令上必要な告知事項を、書面をもって告知しなければならないものとする。

(1) 本匿名組合出資の取得の申込みの勧誘が金融商品取引法第2条第3項第3号に該当しないことにより、金融商品取引法第4条第1項の規定による届出が行われていないこと。

(2) 本匿名組合出資が金融商品取引法第2条第2項第5号に掲げる権利であること。

(3) 本匿名組合出資を譲渡する場合には、その相手方に対し、第(1)号及び第(2)号又は譲渡時において有効な法令上必要な告知事項を、予め又は同時に、書

資料2　匿名組合契約書　　719

面をもって告知しなければならないこと。

4　前項の告知がなされていることが明らかでない場合には、営業者は、本匿名組合出資の譲渡を承諾しないものとする。

5　営業者は、本契約に基づく権利義務又は本契約上の地位を譲渡し、担保設定その他の処分をしてはならない。

第22条（責任財産限定特約等）

1　（責任財産限定特約）　本匿名組合員の営業者に対して有する一切の債権は、以下の財産（但し、営業者の本貸付人に対する本関連契約に基づく債務が完済されるまでの間は分配用口座に入金された資金並びにこれに係る預金債権及び利息債権に限る。以下「責任財産」という。）のみを引当てとし、営業者のその他の財産に対してその責任を追及しない。

　⑴　本受益権が売却された場合の売買代金債権及び売買手取金その他本受益権の代替物又は等価物等

　⑵　本受益権に基づいて営業者が受領する信託配当

　⑶　本信託契約の終了により営業者が本信託不動産を現状有姿のまま交付された場合の本信託不動産及びその処分により受け入れた金銭

　⑷　本匿名組合契約に基づき営業者が受領する本出資金及び出資金請求権

　⑸　本貸付契約に基づき営業者が受領した受領金

　⑹　営業者の資本金についての出資払込金

　⑺　営業者が本貸付契約に係る債務の弁済のために第三者から受け入れた金銭及び当該第三者に対する金銭引渡請求権

　⑻　本信託不動産に関する営業者を保険金の受取人とする保険契約に基づく保険金請求権及び保険金

　⑼　営業者の開設する預金口座に入金された資金並びにこれに係る預金債権及び利息債権

　⑽　本関連契約上の営業者の一切の権利

　⑾　上記の各財産から生み出される一切の権利、債権、収入、収益及びその他の財産権

　⑿　前各号に定める他、営業者が保有する一切の財産

2　本匿名組合員は、責任財産がすべて換価処分され、分配された場合には、本契約に基づく未払債務が残存する場合においても、当該未払債務に係る請求権を当然に放棄したものとみなされる。

3　（強制執行不申立特約）　本匿名組合員は、営業者に対する自己の債権の満足を図るため、第1項所定の責任財産以外の営業者のいかなる資産についても強制執行又は保全手続を行わないものとし、かかる責任財産以外の営業者の資産について差押え、仮差押えその他の保全手続及び強制執行手続の開始を申立て

る権利を放棄する。

4　（倒産不申立特約）　本匿名組合員は、営業者の本貸付人に対する本関連契約に基づく債務のすべてが返済された日から1年と1日が経過するまでは、営業者に対し破産手続、民事再生手続その他これらに準ずる倒産手続（将来制定されるものを含む。）を申し立てないものとし、かかる申立てを行う権利を放棄する。

5　（効力の存続）　本条の規定は、本契約が終了した後といえども、効力が存続し続けるものとする。

第23条（劣後特約）

1　（劣後特約）　本契約又は商法の規定に基づく営業者の本匿名組合員に対する一切の支払債務（現金の分配に係る債務か、本出資金の返還に係る債務か、その他の債務かを問わない。以下「劣後債務」という。）は、劣後債務以外の債務（以下「優先債務」という。）に劣後する。

2　（終了時の処理）　本契約又は商法の規定に基づき本契約が終了した場合、本劣後債務は優先債務が全額弁済されることを停止条件として、その条件が成就したときにのみその効力を生じ、本匿名組合員に対し支払いがなされるものとする。

3　（倒産手続開始時の変更）　前2項にかかわらず、営業者に対して破産手続又は民事再生手続が開始した場合には、当該破産手続又は民事再生手続における本劣後債務に係る債権の配当の順位は、破産法（平成16年法律第75号、その後の改正を含む。）第99条第1項に規定する劣後的破産債権に劣後するものとし、従って本劣後債務に係る債権は破産手続においては破産法第99条第2項の約定劣後破産債権となり、民事再生手続においては民事再生法（平成11年法律第225号、その後の改正を含む。）第35条第4項の約定劣後再生債権となることを、営業者と本匿名組合員は同意する。

4　（誤払いの処理）　本契約に基づく本匿名組合員の営業者に対する支払請求権の効力が発生していないにもかかわらず、その支払債務の全部又は一部が本匿名組合員に対して履行された場合には、本匿名組合員は当該受領した金員相当額を無利息で営業者に対して返還するものとする。

5　（効力の存続）　本条の規定は、本契約が終了した後といえども、効力が存続し続けるものとする。

第24条（契約変更）

　　本契約の条項は、営業者及び本匿名組合員の書面による合意によってのみ、修正又は変更される。

第25条（通　知）

　本契約に規定するすべての通知及びその他の連絡は書面（ファクシミリによる連絡を含む。）により、郵送されるか、ファックスされるか、実際に交付されなければならない。かかる通知は、それぞれ下記の宛先（但し、変更があった場合は、変更後の宛先として通知された宛先）に行われなければならない。

（営業者）
　東京都〇〇区〇〇〇
　Ａ合同会社
　代表社員：Ｃ一般社団法人
　職務執行者：〇〇〇〇
　電話：〇－〇〇－〇〇
　ファックス：〇－〇〇－〇〇

（本匿名組合員）
　東京都〇〇区〇〇
　Ｂ株式会社
　代表取締役　〇〇〇〇
　電話：〇－〇〇－〇〇
　ファックス：〇－〇〇－〇〇

第26条（本契約の解釈）

　本契約のいずれかの規定又は条項が裁判所又は行政決定により違法又は無効と判断された場合、当該規定の違法性又は無効は、法令上認められる限り、本契約のその他の規定又は条項に影響を与えず、本契約のその他の規定は、引続き完全な効力を有するものとする。

第27条（準拠法及び管轄）

1　本契約は、日本国の法律に準拠し、日本国の法律に基づき解釈される。
2　本契約に起因又は関連する訴訟その他の法的手続きについては、東京地方裁判所を第一審の専属的合意管轄裁判所とする。

（本頁以下余白）

　以上を証するため、営業者及び本匿名組合員は、本契約原本2通を作成し、各自記名捺印の上、各1通を保有するものとする。

2023年○月○日

営業者：
東京都○○区○○○
Ａ合同会社
代表社員　Ｃ一般社団法人
職務執行者　○○○○

本匿名組合員：
東京都○○区○○○
Ｂ株式会社
代表取締役　○○○○

別　紙

口座情報

1　分配用口座
銀 行 名：Ｆ銀行
支 店 名：本店
口座種類：普通預金
口座番号：○○○○
口座名義：Ａ合同会社

2　本匿名組合員に係る分配金等の払込先銀行口座
銀 行 名：Ｆ銀行
支 店 名：本店
口座種類：普通預金
口座番号：○○○○
口座名義：Ｂ株式会社

■参考文献

岡林秀明著『投資ファンドの基本と仕組みがよ～くわかる本』秀和システム、平成18年8月

田邊昇著『新版 投資ファンドと税制——集団投資スキーム課税の在り方(租税法研究双書)』
　弘文堂、平成18年11月

田村幸太郎編著『不動産ビジネスのための金融商品取引法入門(改訂版)』ビーエムジェー、
　平成19年10月

鑑定評価基準委員会著『要説 不動産鑑定評価基準と価格等調査ガイドライン』住宅新報社、
　平成27年3月

松尾直彦編著『一問一答 金融商品取引法(改訂版)』商事法務、平成20年4月

松尾直彦編著『金融商品取引法・関係府令の解説』商事法務、平成20年5月

久禮義継著『流動化・証券化の会計と税務(第4版)』中央経済社、平成20年7月

経済産業省「新たな自社株式保有スキーム検討会報告書 新たな自社株式保有スキームに関
　する報告書」平成20年11月

長崎幸太郎編著／額田雄一郎改訂『逐条解説 資産流動化法(改訂版)』金融財政事情研究会、
　平成21年1月

新谷勝著『新しい従業員持株制度』税務経理協会、平成21年2月

新日本有限責任監査法人著『完全比較 国際会計基準と日本基準(第3版)』清文社、平成28
　年4月

税理士法人UAP／株式会社UAP信託編『詳解「信託の税務」』中央経済社、平成21年9月

新日本有限責任監査法人／新日本アーンスト アンド ヤング税理士法人／アーンスト アン
　ド ヤング・トランザクション・アドバイザリー・サービス株式会社編『不動産取引の会
　計・税務Q&A(第2版)』中央経済社、平成21年10月

宮ヶ原光正著『証券化を支える不動産評価』税務経理協会、平成21年11月

国土交通省「財務諸表のための価格調査の実施に関する基本的考え方」平成21年12月24日

国土交通省「証券化対象不動産の継続評価の実施に関する基本的考え方」平成21年12月24日

公益社団法人日本不動産鑑定士協会連合会「財務諸表のための価格調査に関する実務指針」
　平成26年11月26日

公益社団法人日本不動産鑑定士協会連合会「証券化対象不動産の鑑定評価に関する実務指針」
　平成26年11月26日

本村彩著『一問一答 改正資産流動化法』金融財政事情研究会、平成24年7月

税理士法人トーマツ編『アジア諸国の税法』中央経済社、平成25年12月

長谷川茂男著『米国財務会計基準の実務(第12版)』中央経済社、令和3年9月

不動産特定共同事業法研究会編『一問一答 改正不動産特定共同事業法』金融財政事情研究
　会、平成26年6月

あらた監査法人編『IFRSの実務適用ガイドブック』中央経済社、平成26年9月

小谷融編著『よくわかる投資型クラウドファンディング』中央経済社、平成26年12月

三菱UFJ信託銀行著『信託の法務と実務(7訂版)』金融財政事情研究会、令和4年7月29
　日

有吉尚哉著『適格機関投資家等特例業務の見直しが不動産流通化(TK-GKスキーム)の実

務に与える影響』金融法務事情 No. 2016、平成27年 4 月25日

一般社団法人不動産証券化協会編『不動産証券化ハンドブック2022』一般社団法人不動産証券化協会、令和 4 年 9 月

さくら綜合事務所編『特定目的会社の実務ハンドブック』中央経済社、平成27年 9 月

鵜野和夫著『不動産の評価・権利調整と税務（令和 3 年10月改訂)』清文社、令和 3 年11月

一般社団法人不動産証券化協会「不動産証券化商品の組成と管理（2022年度マスター養成講座テキスト)」

国土交通省 土地・建設産業局 不動産市場整備課 令和元年11月13日セミナー 資料 1

Taro Awataguchi & Takeshi Nagase "Blockchain & Cryptocurrency Regulation 2020 second edition～Japan" Published by Global Legal Group

Ken Kawai & Takeshi Nagase "THE Virtual Currency Regulation Review second edition ～Japan" Published by The Law Reviews

高橋正彦「我が国における証券化関連法制の軌跡──特定債権法から民法（債権法）改正まで──」『資産流動化に関する調査研究報告書（10)』公益社団法人リース事業協会、平成26年 3 月

遠藤幸彦「証券化の歴史的展開と経済的意義─米国を中心に─」『ファイナンシャル・レビュー』大蔵省財政金融研究所、平成11年 6 月

Lewis S. Ranieri, "The Origins of Securitization, Sources of Its Growth, and Its Future Potential", in Kendall & Fishman（1996）: p.31

牛木啓貴著「不動産鑑定評価基準に則らない価格調査の留意点」『旬刊 経理情報№.1649』中央経済社

索　引

【あ　行】

アッコマンジータ　63
アレンジャー　50
一項有価証券　132
一般財団法人土地総合研究所　28
一般に公正妥当と認められる企業会計の慣
　　行　211
移転価格税制　31
インデムニティレター　47
宇部式匿名組合　82
営業者税務否認条項　295
エンジニアリング・レポート　444
大蔵省　85
オフショアSPC　3
オフバランス　11
オフバランス要件　32
オペレーティング・リース　565
親ファンド　160

【か　行】

会計監査　28
外国為替及び外国貿易法　379
外国税額控除　16
外国投資信託　402
開示規制　132
開示対象特別目的会社　544
ガイダント事件　304
価格等調査ガイドライン　451
貸金業法　31
過少資本税制　31，374
過大支払利子税制　375
学校法人　41

割賦販売法　31
株主相互金融方式　83
管財人　44
キャッシュフロー分析　440
キャピタル・コール　162
業規制　134
競売物件　572
銀行取引停止処分　111
金銭以外の信託　385
金銭の信託　385
金融商品取引法　31
勤労者財産形成促進法　379
空中権　377
クラウドファンディング　588，615
減価償却超過額　295
原価法による積算価格　459
現金分配　278
原則的時価算定　456
公益社団法人日本不動産鑑定士協会　442
交際費等損金不算入額　295
厚生年金保険法　379
合同運用信託　401
河野政府委員　85
コーポレート・ファイナンス　252
コーポレート・リスク　10
国内公募等投資信託　401
国有財産法　379
固定資産の減損　457
コヴェナンツ　593
コモン・ロー　66
コレガンチア　63
コンメンダ契約　60

索　引　　727

【さ 行】

サービサー法　32
財団法人　41
債務確定主義　294
財務構成要素アプローチ　44, 486
サイレント方式　373
サブリース契約　47
ジェネラル・パートナー　67, 68
ジェネラル・パートナーシップ　67
事業の信託　388
自己資本に対する利回り　12
自己資本比率　12
自己信託　388
自己募集　159
資産運用型　35
資産の流動化に関する法律　31
資産流動化型　35
実質所得者課税の原則　393
社債　17
収益還元法　471
　　──による収益価格　459
集団投資信託　394
集団投資スキーム　88
集団投資スキーム持分　230
受益者　385
受益者等課税信託　394
受託者　384
出国時課税　477
出資法　31
純額方式　268
純資産価値法　471
証券投資信託　401
譲渡対抗要件　31
商品ファンド法　31
人格のない社団等　36
真正譲渡　31

信託会計慣行　388
信託業法　31
信託受益権　129
信託補完　32
スタートアップ投資　577
正常先債権　443
税務調整項目　294
責任財産特約　16
善管注意義務　49
総額方式　268
早期是正措置　16
ソーシャルレンディング　621
ソキエタス　63
租税条約　303
その他投信　406
損益分配　278

【た 行】

退職年金等信託　403
代物弁済　45
太陽光ファンド　573
但書信託　394
タックス・ヘイブン税制　368
宅建業法　31
棚卸資産の評価損　457
ダブル SPC スキーム　40
知的財産ファンド　575
地方自治法　379
チャリタブル・トラスト　10
朝鮮事変の休戦　83
直接還元法　447
賃金の支払の確保等に関する法律　379
適格機関投資家　146
適格機関投資家等特例業務　144
デフォルト　253
デフォルト状態　441
デュー・ディリジェンス　440

728

東京支店　33

トークン　608

倒産隔離　12

投資運用業　163

投資顧問業法　31

投資事業有限責任組合　340

投資事業有限責任組合契約に関する法律
　　　　　　　　　　　　　　　　31，341

投資信託　37

投資法人　37，361

同族会社　399

独占禁止法　379

特定公益信託　403

特定社債　44

特定受益証券発行信託　402

特定信託　394

特定投資信託　365

特定目的会社　359

特定目的信託　37

特別目的事業体　30

土地重課課税　266

土地信託通達　397

取引事例比較法　471

【な　行】

内閣総理大臣　430

内部統制　597

内部統制システム　51

二項有価証券　134

日本公認会計士協会　442

任意組合　331

任意整理　110

年金基金　41

納税猶予　477

農地法　379

ノンリコース・ローン　10，587

【は　行】

バーゼルⅢ　12

パートナーシップ　63，68

破産管財人　44

パス・スルーヴィークル　35

発生主義　294

パフォーマンス・ノート　17

パルティチパチオ　63

否認権　44

ファイナンスリース　44

富士金融事件　83

不動産鑑定評価基準　31，444，454

不動産共同事業　570

不動産担保ローン　579

不動産登記法　379

不動産特定共同事業法　28，168，197

不動産ファンド　212

不動産流動化実務指針　501

不動産流動化実務指針 Q&A　507

不良債権担保不動産　454

プロジェクトファイナンス　10

ブロックチェーン　625

分別管理　382

ペイ・スルーヴィークル　35

別記事業　246

法人課税信託　394

法定調書　414

法定4ヴィークル　37

保全経済会事件　80

本文信託　394

【ま　行】

みなし時価算定　456

みなし有価証券　88

無償行為　45

目的信託　388

索　引　　729

【や　行】

有価証券の定義　274
有限責任事業組合　338

【ら　行】

リース会計基準　560
リースバック　44
利益連動型利付債　16
リスクウェイト　12
リスク経済価値アプローチ　486
リスク・リテンション規制　164
リパッケージ　11
リミテッド・パートナー　68
リミテッド・パートナーシップ　66
ルック・スルー・ルール　400
レバレッジド・リース　280，551，565

連結子会社の範囲　529
ロエスレル商法　69
路線価　456

【英　字】

BIS 基準　12
DCF 法　447
Due Diligence　440
ESG　459
GK–TK スキーム　150
J-REIT　399
LPS を利用したスキーム　344
NGO　571
ROE　12
SDGs　459
SPV　28，30

■編著者紹介

さくら綜合事務所グループ　Crowe Sakura & Co.

SPC、LPS、一般社団、投資法人
ヴィークルの選択を含むストラクチャーの助言、会計報告を含む事務管理、
資金サービス、会計監査、役員派遣、鑑定評価、価格調査、会計税務意見書、
Tel 03-3292-4444

　さくら綜合事務所グループとは、税理士、公認会計士、不動産鑑定士を擁し、M&A・事業再編コンサルティング、事業再生コンサルティング、各種税務申告・税務代理・税務相談等の税務コンサルティング、相続や事業承継等の資産税コンサルティング、不動産鑑定・都市再開発コンサルティング、国際業務、資産流動化・証券化に係る SPC の組成等を行うスペシャリスト集団。著書は、『Q&A 東日本大震災と税務対応』『中小企業の事業承継と事業再生』『SPC＆匿名組合の法律・会計税務と評価』、『特定目的会社の実務ハンドブック』など多数。

　世界第 8 位（2023年実績）の国際会計事務所 Crowe Global のメンバーファームとして国境を超えたグローバルなコンサルティング業務を展開している。

〒101-0051　東京都千代田区神田神保町 1 - 11　いちご神保町ビル11階
Tel 03-3292-4444　Fax 03-3292-3606　www.horwathsakura.com

〈さくら綜合事務所グループ〉

さくら綜合事務所グループ株式会社*	株式会社さくらウエスト*
株式会社さくら綜合事務所*	さくら萌和有限責任監査法人
有限会社東京エスピーシーサービシーズ	杉本茂税理士事務所

＊：Crowe Global のメンバーファーム

［執筆者一覧］

安藤　隆夫（あんどう　たかお）　プリンシパル
石井　裕樹（いしい　ひろき）*　弁護士【第 9 章第 3 節 5 執筆】
岩﨑　政明（いわさき　まさあき）* 明治大学専門職大学院法務研究科教授
　　　　　　　　　　　　【第 2 章　Coffee Break「事業体選択と租税回避行為の否認」執筆】
牛木　啓貴（うしき　ひろき）　不動産鑑定士
加藤　薫（かとう　かおる）　税理士
紙谷　将（かみたに　まさる）　公認会計士・税理士

木村 貴之（きむら たかゆき）　アソシエイト

久保田 寛隆（くぼた ひろたか）

小泉 正明（こいずみ まさあき）*　公認会計士・税理士

佐藤 智陽（さとう ともあき）*　Starbase PTE. LTD. CEO【第9章第3節1〜4執筆】

坂井 亜紀（さかい あき）

酒井 雅江（さかい まさえ）

杉本 茂（すぎもと しげる）　公認会計士・税理士・不動産鑑定士

瀬戸山 洋介（せとやま ひろすけ）　公認会計士

竹橋 仁政（たけはし としまさ）　公認会計士・税理士

綴木 公子（つづるき ともこ）　公認会計士・税理士

永沢 徹（ながさわ とおる）　永沢総合法律事務所　弁護士

長瀬 威志（ながせ たけし）*　アンダーソン・毛利・友常法律事務所外国法共同事業　弁護士【第2章第3節5、第9章第1節執筆】

中村 里佳（なかむら りか）　公認会計士・税理士

野田 聖子（のだ せいこ）*　永沢総合法律事務所　弁護士

橋本 翔太（はしもと しょうた）　アソシエイト

林 健二（はやし けんじ）　公認会計士・税理士

松井 克浩（まつい かつひろ）　公認会計士・税理士

松井 年志子（まつい としこ）　公認会計士・税理士

丸岡 政典（まるおか まさふみ）　公認会計士・税理士

渡邉 美由紀（わたなべ みゆき）　税理士

* ：外部執筆協力者

〈証券化に関する著作一覧〉
・『不動産証券化商品の組成と管理 2023年度マスター養成講座テキスト（会計編）』一般社団法人不動産証券化協会（ARES）
・『不動産証券化商品の組成と管理 2023年度マスター養成講座テキスト（税務編）』一般社団法人不動産証券化協会（ARES）
・『2023年度 LS（Loan Servicers）検定テキスト』一般社団法人全国サービサー協会
・杉本茂監修・さくら綜合事務所編『特定目的会社の実務ハンドブック〈第2版〉—組成から出口戦略まで』中央経済社、2015年9月
・田邊昇・田村幸太郎・杉本茂 他著『実務・不動産証券化』商事法務、2003年2月
・田村幸太郎監修・さくら綜合事務所編『不動産共同投資事業の実務』中央経済社、1997年10月

第8版／SPC＆匿名組合の法律・会計税務と評価
投資スキームの実際例と実務上の問題点

1997年11月20日	初版発行	2013年3月29日	第5版発行
2000年1月15日	新版発行	2016年5月25日	第6版発行
2005年4月5日	第3版発行	2020年1月24日	第7版発行
2010年3月30日	第4版発行	2024年4月15日	第8版発行

監修者　永沢　徹

編著者　さくら綜合事務所グループ　Ⓒ

発行者　小泉　定裕

発行所　株式会社 清文社
　　　　東京都文京区小石川1丁目3−25（小石川大国ビル）
　　　　〒112-0002　電話 03（4332）1375　FAX 03（4332）1376
　　　　大阪市北区天神橋2丁目北2−6（大和南森町ビル）
　　　　〒530-0041　電話 06（6135）4050　FAX 06（6135）4059
　　　　URL https://www.skattsei.co.jp/

印刷：亜細亜印刷㈱

■著作権法により無断複写複製は禁止されています。落丁本・乱丁本はお取り替えします。
■本書の内容に関するお問い合わせは編集部までFAX（03-4332-1378）又はメール（edit-e@skattsei.co.jp）
　でお願いします。
■本書の追録情報等は、当社ホームページ（https://www.skattsei.co.jp/）をご覧ください。

ISBN978-4-433-74413-7